ōsawa masachi

大澤真幸

〈世界史〉の哲学 3　東洋篇

Kodansha Bungei bunko

まえがき

本書は、〈世界史〉のダイナミズムを規定する論理の形式を、社会システムの理論を活用することを通じて抽出するプロジェクト、つまり「〈世界史〉の哲学」と題するプロジェクトの第三番目の巻である。目標は、論理の形式を剔出することであって、出来事の継起を記述することではない。しかし、固有名に彩られたそれぞれに単一的な出来事に言及しなければ、人をわくわくさせるような歴史の魅力に迫ることはできない。出来事の〈特異性〉と論理の〈普遍性〉とが、いかなる媒介もはさまずに直結していることを示すことができれば、「〈世界史〉の哲学」のねらいは果たされることになる。

本書では、今日までの世界史を大づかみに眺めただけでも誰もが気づくこと、つまり「東」と「西」との間の明白な非対称性が主題になっている。近代化は、基本的には、西洋に発する文化や制度がグローバル・スタンダードになる過程であった。どうして、西洋に、このような圧倒的な優位があったのか。

世界史を、さまざまな国や文化や文明が同じコースを走るレースのようにイメージした上で、自然環境等の何らかの原因が有利に作用してこのレースで「西洋」が先頭を走ってきたからだ、とこの非対称性を説明する人がいる。しかし、このイメージは明らかに間違っている。数世紀ほど過去に遡れば、どう見ても、「西洋がリードしている」というような状況ではないからだ。あえてレースのイメージに仮託すれば、西洋はある時期まで、いくつかの文明に対して、たとえばイスラム文明や中国文明に対して、そうとうに遅れていたように見える。それならば、どうして、近代化においてはバランスを失して、西洋が主導権を握ったのか。どうして、すべての文化や文明が同じ程度に貢献して、「近代」が形成されなかったのか。まことにふしぎなことだと言わざるをえない。

『〈世界史〉の哲学』の古代篇・中世篇では、「西洋」というアイデンティティが形成されるまでのことが論じられた。そこでの中心的なプレイヤーは「キリスト教」だった。キリストの死なない死体の妖しい力が、「西洋」の形成に独特の役割を果たしたのだ。

これら二巻に続く本書では、そのまま西洋の近世へと議論を展開させず、非西洋世界の歴史を論じている。言うまでもないことだが、西洋だけを見ていても、「東」と「西」の非対称性の謎を解くことはできないからだ。西洋をそれ以外の文明と比較しなければならない。比較の対象となっている非西洋世界を、ここでは、とりあえず「東洋」と呼んでいる。

＊

「東洋 Orient, the East」は、「西洋 Occident, the West」を基準とした名なので、適切なものとは言えないかもしれない。西洋には、まちがいなく、自分たちは単一の文明であるという自己意識があるが、東洋には、本来は、その名前に対応したアイデンティティの自覚は存在しなかった。西洋との差異が自覚されたときに、「東洋」というまとまりがあるかのように意識されることもあるが、それは、あくまで、西洋を鏡にした二次的な派生物である。東洋という自己意識は、自生することはなかったのだ。

しかし、本書で論じられている対象を、「東洋篇」として一括することに、理論的な根拠がないわけではない。本書で主として論じられているのは、中国とインドである。中国とインドは、西洋との違いを際立たせるために、たまたま選ばれているわけではない。本書の議論は、中国文明とインド文明とが同じ論理の平面の上で連続的に位置づけられうる、ということを示している。つまり「東洋」という呼び名が適切かどうかはおくとしても、中国とインドを一つの視野の中に収めることには、理由があるのだ。

しかし、誤解されては困る。「同じ論理の平面の上にある」ということは、中国とインドとが相互に影響しあってきたために一つの同じ文明圏を構成している、ということではない。事実は、むしろまったく逆である。つまり、中国とインドは、驚くほど影響関係が乏しい。それでも、仏教の伝播をはじめとして、インドから中国への影響はないわけではない。しかし、逆の影響、つまり中国からインドへの文化的な影響は、ほとんど絶無である。インド文明は、儒家にも法家にも何の興味も示さなかったし、中国が発明した紀伝体の歴史の観念を導入することもなかった。日本人は、ほとんどの重要な文化要素を中国から受け入れてきたので、中国の文明がいかに強い影響力をもちうるかを知っている。だが、インドは、ほとんどまったく中国からの影響を被らなかったのだ。中国とインドの間の影響関係の乏しさ、互いの間の反発こそが、むしろ説明されるべき歴史の謎のひとつである。

また、中国とインドの両社会の外見がよく似ている、というわけでもない。この点でも、正反対のことが真実である。つまり、中国とインドの社会構造は、まったく対照的であって、似ても似つかない。中国のデフォルトの社会構造は、統一的な大帝国である。中国はときには四分五裂し、互いの間で激しい戦争が何世紀も続くこともあるが、そのような期間にあってさえも、統一的な帝国が不可視の参照点になっていた。つまり、いくつもの国に分裂しているときでさえも、帝国として「全体」が統一されている状態が、本来のあるべき姿であるという意識が中国人の間に共有されていたのだ。逆に、インドのデフォルトの社会構造は、互いに小競り合いを繰り返す王国や部族に細かく分裂している状態だ。インド社会もまれに統一されることもあったが、それは例外的な状況であり、ほとんど誰もその統一が永続的な秩序になるとは思っていなかった。

このように、中国社会とインド社会は、互いに拒絶し合っていると言ってもよいほどに影響関係が乏しく、また外見的にもおよそ似ていない。にもかかわらず、両者を同じ論理の平面に位置づけることができるのである。いや、それどころか、その「同じ論理の平面」こそが、両者の間の影響の少なさや対照的な社会構造を説明することになるだろう。その平面を規定しているのは、贈与（とその展開）の原理である。

*

不遜に過ぎることを承知であえて言えば、私としては、「〈世界史〉の哲学」というこのプロジェクトによって、国内外の偉大な先人の探究を引き継いでいるつもりである。

たとえば、「〈世界史〉の哲学」を執筆する中で常に念頭に置かれているのは、マックス・ヴェーバーの宗教社会学である。ヴェーバーは、世界宗教を比較する、洞察力あふれる膨大な著作を残したが、それでも、なお研究を完成させるには至らず、志半ばで、第一次大戦終結のすぐ後に逝ってしまった。ヴェーバーの未完のプロジェクトを、彼よりも一世紀ほど後の立場から延長し、また書き直したらどうなるだろうか。こうした野心が私にはある。

あるいは、真木悠介の比較社会学。一九七〇年代の末期、真木は、何本もの柱をもつ比較社会学の構想を打ち出した。それを、講義を通じて聴いていた者は皆、心を躍らせた。この構想の一部は、『時間の比較社会学』等のかたちで、真木自身によって実現されているが、大部分は未踏の領域である。「〈世界史〉の哲学」は、そうした領域への冒険のつもりだ。

もうひとつ、私が常に意識してきたのは、柄谷行人の『世界史の構造』である。柄谷は、「交換様式」という観点から世界史を見た。交換様式は、A、B、C、Dと四つあるが、そのうち交換様式Dは、他の三つとやや違い、不在の統制的原理のような趣があるので、社会の中で現実的に作動しているのは、主として他の三つの交換様式である。この交換様式論と対応させるならば、本書で論じられているのは、おもに交換様式AとBである。あるいは、もう少し正確にいえば、本書の関心の中心はAとBの間の関係、両者の間の移行関係である。

ほかにも何人もの偉大な学者の仕事を前提にし、引き受けながら、「〈世界史〉の哲学」の探究は進められているが、これ以上一人ずつその名を挙げるのはやめておこう。本文を読んでいただければ、どんな研究を引き継いでいるかは明らかだからだ。

＊

本書は、「〈世界史〉の哲学」の三つ目の巻だが、既刊の二冊を読んでいなければ、この「東洋篇」は理解できない、というようなことはまったくない。本書だけを独立に読むこともできる。

のみならず、私としては、本書の中のいずれかの一章を、順序を無視して読んだとしても、相応に知的な喜びを味わってもらえるように書いたつもりである。本書は、『群像』に毎月連載したものであり、一つの章が一回分に対応している。たまたまある回だけを読む読者もいるだろうし、また、それ以前の議論を忘れている読者もいるだろう。そのような読者にも〈知ること／考えること〉の感動が伝えられれば、と願いつつ、私は毎回書いている。

＊

「〈世界史〉の哲学」の連載は、二〇〇九年に始まっているので、すでに五年にもなる。長期に渡っているために、連載とその単行本化の双方において、多くの編集者のお世話になった。

『群像』の編集部にあって、本書の前半部分までを担当してくださったのは、三枝亮介さんである。そもそも、この連載の立ち上げを支援してくださったのが、三枝さんだ。講談社を離れ、作家のエージェントという草分け的な仕事を始めている現在でも、ときどきメイルを送ってくださる。私は、三枝さんのことばに何度励まされたか、わからない。『群像』編集部で、三枝さんの後を継いでこの連載を担当しているのは、加藤玲衣亜さんだ。若い加藤さんにとっては、私のように締切を守らない書き手は、たいへんな難物だろう。にもかかわらず、加藤さんの声がいつも前向きなので、私は書き続けることができる。

今回、単行本化にあたって編集を担当してくださったのは、原田博志さんだ。古代篇と中世篇の編集を担った須藤寿恵さんの上質な仕事を、原田さんはよく引き継いでくれた。このような長期の仕事を途中から担当するのは、難しいことに違いないが、原田さんは、そういう不安を私にいささかも感じさせなかった。

出版される書物の最初の確実な読者は編集者である。編集者の能力や熱意は、著作の質の最も重要な規定要因のひとつである。本書は、多くの優れた編集者に恵まれた。ここに名前を挙げさせていただいた編集者の皆さん、そして佐藤とし子編集長をはじめとする『群像』編集部の皆さん、さらに校閲を担当してくださった方々に、心よりのお礼を申しあげたい。

二〇一四年一月

大澤真幸

目次

第3章　受け取る皇帝／受け取らない神

第4章　「東」という歴史的単位

第5章　解脱としての自由

第28章　「天子」から「神の子」へ

〈世界史〉の哲学 3 東洋篇

第1章　世界史における圧倒的な不均衡

1　素朴にして知的な問い

知的に価値の大きい、深い問いを提起し、理解し、そしてそれに回答すること、そうした一連の過程は、アカデミックな訓練を積んだ専門的な学者にしかなしえないと思っている人が多い。普通の人の疑問は、知的には浅薄なもので、深い疑問は、専門家たちが学界で提起している、と。しかし、それは間違いである。問いに十全に答えるためには、ときに学問的な素養が必要だが、問いを立てること自体は、そうではない。そして、「答えること」よりも「問うこと」の方にこそ、むしろ、知性の働きの中心がある。真に本質的な問いは、一般に、素朴な疑問に由来する。本質的な問いは、特殊な専門知をもたないけれども合理的に思考する者が、つまりただこの世界と社会に生きている人が自然にぶち当たる驚きにこそ、端を発しているのだ。むしろ、専門的な学者は、そうした原初の驚きの感覚を忘れがちだ。

真に問うに値する問いは素朴であるということを示す例を一つ挙げておこう。数学の領域に「リーマン予想」と呼ばれる超難問がある。リーマン予想は、一八五九年にベルンハルト・リーマンが提起した仮説的な命題で、これまで数多の天才的な数学者たちがその証明に挑んできたが、未だに成功した者はいない。たとえば、映画『ビューティフル・マインド』(ロン・ハワード監督、二〇〇一年)でその半生が描かれている天才的な数学者で、ゲーム理論における業績によってノーベル経済学賞を受賞しているジョン・ナッシュを統合失調症にまで追い込んだのも、リーマン予想である。映画によると、ナッシュが統合失調症を発症するのは、彼が、公開でリーマン予想を証明しようとしている最中であった。[*1]

そのリーマン予想とは、「ゼータ関数の非自明なゼロ点は、すべて一直線上にある」という命題である。これだけ聞くと、高度な数学の専門知をもたなければ、とうてい理解できないと思ってしまう。そもそも、一般の人は、「ゼータ関数」が何であるかすら知らないし、それを式で提示されても理解できない。だが、実際には、リーマン予想は、算数を習い始めてから数年しか経ていない小学生でさえも抱くに違いない疑問を、極端に一般化した命題なのである。

われわれは、数には規則性があることを知っている。「1、2、3、4、……」という数の列、まさに数えるときに使う数の列、つまり自然数は、「1(あるいは0)」から始まって、その度に、1を反復的に加えることで得ることができる。1を加える度に、次の、つまりそれまでには出現していなかった新しい自然数が得られるのだ。

ここで、よく考えてみると「4＝2×2」と分解できるので、つまり「4」という数字は、その前にすでに出現している2を二つかけあわせると導き出せるので、真の意味で、「新しい自然数」とは言えない。4は2を基にして創り出すことができるのだから、ほんとうには新しくないのだ。そこで、「4」は排除しておく。ついで、「5」を超え、「6」に関しても「2×3」と既出の自然数の積に還元できるので、これも「新たに出現した自然数」とは見なせないとして、排除する。スタートの「1」も外した上で、ほんとうの意味で新たに出てくる自然数だけを並べると、

2、3、5、7、11、13、17、……

という列が得られる。これは、「1と自分自身以外に約数をもたない自然数」、つまり「素数」の列である。素数の列は、自然数の――いわば贅肉を削ぎ落した――骨格だけを抽出したものである。素数は全部で何個あるのか。どこかで、最も大きな素数、それよりも大きな素数がないという限界があるのか。自然数と同様に、素数は無限個ある。このことは、背理法を用いて簡単に証明することができる。[*2]

ところで、この素数の数列には何か規則性があるのだろうか。素数というものを知れば、誰もがそのように考えたくなる。なにしろ、もとにある自然数にはこれ以上ないほどに単純な規則性があり、素数は、自然数の精髄を抜き取ったものなのだから、ただランダムに並んでいるとは思えない。リーマン予想とは、この素数の規則性についての仮説である。リーマン予想の証明とは、要するに、素数の列に何らかの規則性があることの証明なのだ。リーマン予想は、難解な外観をもってはいるが、「素数がただランダムに出てくるとは思えない、きっとその並びには規則があるはずだ」という素朴な直観を、つまり数というものを知った者がすぐに抱く予感を、洗練させて表現したものである。[*3]

2　圧倒的な不均衡

数学のような最も歴史が古く、かつ最も専門化が進んでいる学問でも、本質的な問いは素朴な疑問に由来している。他の学問分野では、なおいっそう、こうしたことはあてはまる。進化生物学者であり、また生物地理学者でもある、ジャレド・ダイアモンドもまた、そのようなタイプの問いと対決している。彼が取り組んだのは、世界史、あるいは人類史についての素朴だが、非常に本質的な問いである。

ダイアモンドは、彼を世界的に著名にした浩瀚（こうかん）な書物『銃・病原菌・鉄』のプロローグで次のようなエピソードを記している。三十代だった一九七二年七月、彼は、鳥類の進化を研究するために、パプアニューギニアを訪問した。そのとき、彼は「ヤリ」という名のその地の有名な政治家に会った。ヤリは知的な人物で、散歩しながらの一時間の会話の中で、ダイアモンドにいろいろなことを語り、矢継ぎ早に質問してきた。まず、彼らは、パプアニューギニアの国際政治の中での状況について語りあった。当時、パプアニューギニアは未だ独立国ではなく、国連の信託統治領としてオーストラリアの管理下にあった。続いて、ヤリは、ダイアモンドの研究、つまり鳥類についてさまざまなことを質問してきた。

ヤリは、国際政治まで理解する「現代人」である。しかし、二世紀前までは、ニューギニア人は、狩猟採集民であり、だれもが石器時代の生活をしていた。数千年前であれば、地球上のすべての人類が使っていたような、金属器以前の石器が、二世紀前の彼らの道具のすべてであった。ヤリは、パプアニューギニアの独立を目指す政治家だが、二世紀前には、ニューギニアには、「独立」や「主権」を云々することが意味をもつような、集権的な政治共同体がまだ存在していなかった。

一九七二年当時でも、ニューギニア人の生活水準は、白人、すなわちヨーロッパ人よりもはるかに低かった。やがて、ヤリは、ダイアモンドに次のように尋ねたという。「あなたがた白人は、たくさんのものを発達させてニューギニアに持ち込んだが、私たちニューギニア人には自分たちのものといえるものがほとんどない。それはなぜだろうか？」と。[*4]これは、実に率直で、本質をつく問いではないだろうか。

世界史の全体像を摑んだときに誰もが最初に抱く疑問、そしてある種の人――たとえば日本人もそこに含まれるだろう――を居心地悪くさせる疑問は、そこにある圧倒的な不均衡である。世界史の中で、多数の文化や文明が生まれるのだが、それらが、互いに対等ではないのだ。たとえば、ヨーロッパとニューギニアをとりあげたとき、何をとっても、たとえば技術だろうが、物だろうが、あるいは概念やイデオロギーであろうが、ヨーロッパがニューギニアに影響を与える量が、その逆方向の影響よりも圧倒的に大きい。

現在では、地球の全体が単一の社会システムと見なしてもよいような状態になっている。社会システムは、相互に関係しあうコミュニケーションの全体によって定義される。今日、コミュニケーションの集合は、地球全体の規模で繫がっており、どこにも、孤立したまとまりは見出しえない。とすれば、「全体社会」と見なすべき包括的な社会システムは、地球大であると見なさざるをえない。その地球規模の社会システムを形成するにあたって、すべての文明・文化が対等に——たとえばその人口規模に比例して——寄与しているわけではない。ヨーロッパ、あるいは西洋の圧倒的な優位は、否定しがたい。社会システムのグローバル化は、ごく大雑把に言えば、地球上のすべての文化や文明が「西洋標準」を受け入れる過程である。

われわれは、「歴史」というものが、皆が同じコースを走るレースのようなものではないことを知っている。一部の近代化論者は、どの社会、どの共同体も、遅速の差があっても同じルートを走る、といった具合に歴史を描くことがあるが、それは実態とは異なる。それぞれの社会に、それぞれに固有の歴史がある。だから、レースに遅れていた他の社会が、西洋にキャッチアップしてきた、と単純に思い描くわけにはいかない。マラソンの第二集団以下に沈んでいたランナーが、途中で奮起して——あるいは先頭集団のペースがダウンして——追い着いてきた、というような状況ではない。

しかし、異なる文化・文明の歴史が出会って、一つの新しい流れを形成するとき、相互に対等に影響しあうわけではないのだ。西洋から他の文明へと向かう影響は、その逆よりも圧倒的に大きい。無論、西洋が他からまったく影響を受けないわけではないが、しかし、西洋の優越——つまり西洋側の「貿易黒字」——は明白である。そのことは、日本と西洋の出会いを考えてみても、すぐに理解できる。徳川時代の長い孤立の後、アメリカ合衆国のペリーの来航によって、日本は西洋と積極的に交流せざるをえなくなった。その後、日本は、西洋の技術や物や制度を徹底して導入した。西洋も、日本の文化から若干の刺激を受けただろうが、それは微々たるものである。たとえば、日本は、西洋の政治制度や憲法を模倣したが、西洋のどの国家も、参勤交替や武士道を取り入れようとしたりはしなかった。

この不均衡、西洋の明白な優位によって特徴づけられる不均衡は、人類史・世界史の大きな謎である。前巻までの探究は、「西洋」あるいは「ヨーロッパ」という文化的なアイデンティティの形成過程についての考察であった、と総括することができるだろう。かつて述べたように、中世こそ、「西洋」というアイデンティティが生まれた時代だからだ。言い換えれば、固有の意味での中世は西洋にしかない。西洋が優位を保持しえた理由は、しかし、西洋を、世界史全体のコンテクストの中で捉え直さなくては説明できない。西洋のみを見ていたのでは、その原因を解明することはできない。

＊

われわれもダイアモンドがヤリから提起された問いを引き継いでみよう。この問いは、世界史や人類史をほんのわずか知れば――いや「歴史」というほどのものでなく、現在の世界情勢を知っただけでも――思い至る疑問なので、これに対する俗説的な回答もいくつか用意されてはいる。しかし、それらは、ていねいに検討するには及ばないほどおそまつなものばかりである。

多くの一般の人々――とりわけヨーロッパの人々――が密かに抱いているが、めったに明言されることがない答えは、生物的な差異を根拠にした説明である。西ヨーロッパの民族や人種の方が、他の地域の民族や人種よりも、よい遺伝子をもっており、先天的に優秀だからだ、という説明だ。西洋人は、もともと賢いから、他の文明が後から模倣するほかないような有意義な発明をたくさんしてきた、という考えである。このあからさまに人種主義的な説明を、きちんとしたデータまで挙げて斥ける必要はないだろう。間違っていることは明らかだからだ。日本人やニューギニア人や中国人が、先天的に愚かである、などということは絶対にない。その証拠に、学校教育さえ受ければ、どの人種に属する人であろうと、最も知的な西洋人が理解するようなこと、たとえばリーマン予想は何であるかということを、同じように把握することができる。

もう少しはましな、よくある回答は、気候に原因を求める説明である。ヨーロッパ、とりわけ北ヨーロッパのような寒さが厳しい気候は、人間の知的な創造性や物作りへの情熱を必然的に刺激する、という説明である。寒いところでは、生き抜くために暖をとることができる家を建てたり、十分な食料を確保したりするためには、かなりの技術的な工夫を強いられる。しかし、一年中暑くて、回りに食料になる動植物があふれているような環境では、人は怠け者になってしまい、あれこれと工夫したりしない、というわけである。

だが、気候に原因を求めるこの説明が間違っていることは明らかだ。たとえば、日本を考えてみればよい。あるいは、南北アメリカを考えてみればよい。そこには、明らかに、ヨーロッパ並の厳しく、変化に富んだ気候がある。しかし、日本やアメリカ先住民の文化が、西洋のように他の文明を席巻することはなかった。

もう一つだけ、よくある説明を挙げておこう。この説明は、間違った説明というわけではないが、足りない説明である。必ずしも間違ってはいないため、多くの知的な者が、ときには歴史学者や社会科学者なども、この説明で満足している場合が多い。それは、軍事力、物理的な暴力の差異に原因を求める説明だ。一五世紀末以降に、ヨーロッパが他の文明に遭遇したとき、鉄器や火器（銃や大砲）などの武器において圧倒的に優位にあった。そのため、ヨーロッパは、他の文明を制圧したり、植民地化することに成功し、しかるのちに、自分たちのアイデアやライフスタイルや制度を強制した、というわけである。西洋の優位は、単純に暴力における優位に基づいている、というのである。あいつ（西洋）は喧嘩が強いだけだ、と。

今述べたように、この説明が誤っているわけではない。たとえば、ペリーが来航したとき、日本人がかんたんに屈伏したのは、産業革命の産物である蒸気船を見ただけで、彼我の軍事力の差異が明白だと直感したからである。一六世紀以降、西ヨーロッパ諸国が、南北アメリカやアジア、アフリカを制圧できた直接の原因（の一つ）には、その当時の西ヨーロッパの軍事力の優位があったことは疑いようがない。

しかし、この説明は、まだ浅すぎて、求められている回答にはなっていない。一五世紀末の段階で、西ヨーロッパが世界中のどこよりも、軍事力において圧倒していたという、この説明の前提を受け入れたとしよう。それならば、どうして、それほどの軍事力の違いが出てきたのだろうか？　つまり、西洋が、ある種の「創造性」を発揮して、有利な軍事力を獲得できたのはどうしてなのか？[*5]　このように問いを深めれば、われわれは振り出しに戻されていることがわかる。要するに、西洋の優位は何に由来しているのか？

この問いは、述べてきたようにジャレド・ダイアモンドが、ニューギニア人の知人ヤリの素朴な疑問に示唆されて、自らに課した主題である。そこで、われわれとしてはまずは、ダイアモンドがこの疑問にどう答えたかを概観し、それがわれわれにとって満足しうるものなのかを、検討することにしよう。[*6]だが、その前に、西洋と非西洋の二つの出会いを眺めることから始めよう。そのうちの一つは、ダイアモンド自身が紹介している例であり、もう一つは、ダイアモンドがほとんど考慮してはいない例である。

3　新大陸と旧大陸

西洋のいわゆる「新大陸」への侵出ほど、西洋の優位を劇的に眼に見えるものにしている事実はほかにないだろう。周知のように、一四九二年にコロンブスが新大陸を「発見」した後、スペインが、そしてポルトガルが、さらにイギリス等の西洋の列強が、次々と、この大陸に渡り、そこを自分たちの領土として画定していった。

一五世紀末から一六世紀初頭の段階で、南北アメリカ大陸は、どのような状況にあったのか。無論、そこは、無人の地だったわけではない。多様な文化をもった先住民がいた。中には狩猟採集を中心とした部族社会を営んでいる者たちもいた。しかし、相当に発達した帝国も存在していたのだ。現在のメキシコ中央部にあったアステカ帝国やペルーからボリビア、エクアドルにかけての地域で繁栄したインカ帝国である。これらの帝国は、何百万人もの——あるいは一千万人を超える——人口を擁しており、複雑な社会構造をもつ大きな国家であった。当時のヨーロッパの諸王国に比べて、規模や複雑性において、決して見劣りするものではない。

狩猟採集段階にあった人びとが、ヨーロッパからの侵略者に制圧されたということに関しては、比較的容易に納得がいく。しかし、どうして、発達した帝国までもが、簡単に侵略者たちによって滅ぼされたのか。「簡単に」と述べた。その制圧の過程は、まさに「簡単に」という形容にふさわしい。コルテスは、一五一九年に、数百人の部隊を率いてアステカに入った。その約二年後には、アステカ帝国は滅んでしまった。さらに劇的なのは、ピサロによる、インカ帝国の制圧である。ダイアモンドは、当時の兵士の記録をもとに、その過程を再現している。[*7]

一五三二年一一月一六日、スペインの征服者ピサロは、インカ帝国の皇帝アタワルパに、ペルー北方の高地カハマルカで遭遇した。アタワルパは、当時、南北アメリカ大陸にあった国家の中で最も繁栄し、最も広大で、経済的に豊かで、人口も最も多く、きわめて統制がとれた秩序をもち、技術面でも最も進んでいた国家の君主である。対するところのピサロは、神聖ローマ帝国カール五世の帝国の代表者——別の言い方をすればスペイン王カルロス一世の臣下——であった。これだけ聞けば、両雄の激突に見えるが、ピサロ側の劣勢は一目瞭然であった。ピサロとその部下もそう思っていたに違いない。このとき、ピサロが率いていた部隊は、たった百六十八人のならず者によって構成されていた。彼らは、土地のことも、地域住民のこともまったくわかっていなかった。最も近いスペイン人居留地から千五百キロ以上離れていて、すぐに援軍を期待できる状況でもなかった。それに対して、アタワルパは、八万人もの兵士によって護られていた。

ピサロ軍は皆殺しにあっても不思議ではないような状況である。ところが実際には、遭遇してから数分後には、ピサロは、アタワルパを捕らえてしまった。その後の八ヵ月間、ピサロは、アタワルパを人質として交渉をおこない、インカ帝国から当時の世界最高額の身代金を獲得した。その上、彼は、インディオたちから黄金を得るや、約束を反故にし、アタワルパを処刑してしまった。

アタワルパは、インカの人々にとっては太陽神そのものであった。だから、この状況は、キリスト教徒側から見れば、イエス・キリストが人質に取られてしまい、身代金を要求されているようなものかもしれない。キリストも、実際、処刑されている。もっとも、それによって、キリスト教文明は滅亡するどころか、ますます繁栄したのだが。

*

どうして、ピサロは、こんなに簡単にインカ帝国の征服に成功したのだろうか？　たとえば、千人程度の部隊を引き連れて、アメリカ合衆国に乗り込み、大統領を人質にしてアメリカを征服することができるか、想像してみればよい。ダイアモンドは、ピサロが勝利しえた直接の原因をいくつか列挙している。ここで挙げられているのは、「直接の」原因であって、その背後にある真の原因ではないことに注意する必要がある。ダイアモンドの説明を、いくぶんか整理し直して、かんたんに見ておこう。

第一に、スペイン軍の武器や船である。そもそも、どうしてピサロがペルーにやってきてアタワルパと対決したのであって、逆に、アタワルパが、スペインにまで渡ってカルロス一世と対決したという構図にならなかったのか。当時のヨーロッパには、大西洋を横断することを可能にするような航海術や造船術がすでにあったからである。インカ帝国には、太平洋や大西洋を渡るほどの船を建造する技術はなかった。

ピサロ側が、たった数分でアタワルパを捕虜にできた大きな原因は、彼らの鉄製の武器にある。ピサロ等の武器は、鉄剣、鉄製の甲冑、そして銃器である。これらは、アタワルパ側にはないものばかりだ。彼らは、鉄製の武器をもたなかったのだ。アタワルパの兵士が用いたのは、石や青銅器や木でできた棍棒であった。彼らは、槌や手斧や投石器で闘わなくてはならなかった。西洋が、世界中を制圧し、植民地を各所に建設したり、有利な政治・経済的な関係を築くことができたのは、圧倒的な軍事力・暴力の差異を帰結するような技術力の優位にあった、という通念を裏づけるような事実である。しかし、先にも述べたように、このような技術力の差がどうして出てきたのかを問わなくてはならない。

第二に、勝敗を大きく左右したのは「馬」である。これも武器の一部だが、特徴的で重要なので、別に挙げておく。インカ帝国の人々は、馬を知らなかった。つまり、彼らは、騎乗したり、戦車を引かせたりする大型哺乳類をまったくもたなかったのだ。よく考えてみると、何千種類もの陸生動物の中で、歴史上、人間の家畜になった大型哺乳類は、ごくわずかしかない。非常に広く見られる主要な大型哺乳類の家畜としては、たった五種「羊、山羊、牛、豚、馬」を数えるのみである。ラクダやロバなど一部の地域でだけ家畜になったものを含めても、家畜化された大型哺乳類は、全部で十四種類にしかならない。犬や猫、鶏などの小型動物であれば、家畜になったものはかなりあるが、大型哺乳類に関しては家畜になったものはきわめて少ない。

そして、どういうわけか——その原因が実は重要なのだが——家畜になった大型哺乳類のほとんどがユーラシア大陸に集中している。新大陸で独自に家畜化された大型哺乳類は、アンデス山地にいるきわめてマイナーな種「ラマ（とアルパカ）」だけである。残りの十三種は、すべてユーラシア大陸に発する。そして、新大陸のラマは、荷物を運ぶのには用いられたが、軍事や農業には使用されなかった。われわれは、インディアン（アメリカ先住民）と言うと、西部劇で見るような馬に乗っている姿をまずはイメージするが、彼らが馬を使用するようになったのは、ヨーロッパから来た入植者よりそれを奪い、繁殖させてから後である。

第三に、スペインの集権的な政治機構。資金を集め、乗組員を組織し、大西洋を渡る船団を整えるには、強い政治権力が必要である。ただし、この点については、あまり強調し過ぎてはならない。すでに述べたように、インカ帝国側にも、集権的な政治機構はあったからである。そこには官僚組織も軍隊もあった。だから、この点での差異は、相対的である。ただ、この戦争に即していえば、皇帝の権威があまりにも大きかったことが、インカ帝国には不利に作用したと言えるだろう。太陽神と一体化していた皇帝アタワルパが捕虜になったことが、インカ側を動揺させたからである。

第四に、次のようなことを考えなくてはならない。八万人もの兵士に囲まれていたアタワルパが、どうして、のこのことピサロとその部下の前に姿を現したのだろうか。アタワルパは、ピサロの罠にはまったのである。アタワルパが捕虜になった後も、インカ帝国側は、ピサロ軍に騙され、皇帝を殺された上に身代金だけをまんまと獲られてしまっている。問題は、インカ帝国の人々やアタワルパは、どうしてこんなに簡単に騙されたのか、である。インカ帝国の人々は、頭が悪かったのか。

そうではない。原因は、文字の不在にこそある。スペイン側と違って、インカ側には、文字という媒体がなかったため、彼らは、スペインからの来訪者がどのような軍事力をもっているのか、彼らはどのような意図をもっているのか、正確な情報をもたなかったのだ。ピサロの部隊を前もって目撃した者が、正確に状況を伝えるための手段がなかったのである。アタワルパは、ピサロが本気で戦争するつもりであるとは思っていなかったのではないだろうか。配下の首長たちが担ぐ輿に乗って、威厳をもった姿をピサロの前にさらしたとき、アタワルパは、遠方からの客人に、謁見を許すような気持ちだったのかもしれない。

文字は、人間の発明品の中でもおそらく最も重要なものの一つである。しかも、文字の創造は、かなり難しいと思われる。というのも、人類史の中で、文字を独自に――つまり模倣によらずに――創出した例は、知られる限り、シュメールや中国等、四例しかない。たとえば、日本にも文字があるが、それは、中国の文字の転用・改造の産物であって、まったく無から創造されたわけではない。インカは、大帝国だったのに、文字をもたなかったのである。

第五に、――客観的に見て実はこれこそが最大の勝因だが――天然痘である。ピサロが上陸したとき、インカ帝国では、それより少し前にスペイン人が持ち込んだ天然痘によって、王位継承者のような重要人物を含む多くの人々がばたばたと死んでいる最中だった。ピサロ以前のコルテスのアステカ帝国征服においても、同じことが起きている。二千万人いたメキシコ人が、天然痘の流行によって百六十万人にまで、つまりその十分の一以下にまで激減したと言われている。スペイン人には何ともないのに、アステカ人やインカ人など新大陸の先住民だけは殺していく、謎の病気が拡がっていったのだ。それこそ、スペイン側の無敵さの証明として、スペイン人の士気を高め、逆に現地人たちの士気を大幅に低下させたであろう。

天然痘が勝因だとすると、スペインの勝利は、ただ運がよかったということであって、それ以上、深く考えるべきことは何もないのではないか。実はそうではない。ここには、不思議な非対称性があるのだ。天然痘の病原菌をスペイン側は意図的に持ち込んだわけではないのだから、その意味では彼らにとっては幸運だったと言える。奇妙なのは、天然痘を初めとして、旧大陸に起源がある致死的な集団感染症は、たくさんあるのに、逆向きに伝播する感染症、つまり新大陸に起源があって旧大陸の人々の命を奪う感染症は、ほとんどないということである。「旧大陸→新大陸」と伝わった感染症は、天然痘の他に、麻疹、インフルエンザ、チフスなど少なくとも十種類はあるが、「新大陸↓旧大陸」と伝わった感染症は、一つもない。梅毒だけが例外だと言われることもあるが、これすらも明確な証拠はなく、専門家の意見は分かれている。

H・G・ウェルズの『宇宙戦争』では、地球に侵略してきた宇宙人は、圧倒的な軍事的優位をもって侵略を続けている過程で、地球の土着の感染症によって突然、死滅してしまう。このように、われわれは、先進的な侵略者が、しばしば、不衛生な未開の地で、その土地固有の感染症によって死んでしまう、というイメージをもっている。しかし、歴史の中で実際に起きたことは、まったく逆のことなのである。どうして天然の、意図せざる「生物兵器」が、これほどまでに一方通行だったのだろうか？　有用な技術や物だけではなく、病原菌までが、西洋から新大陸に「輸出」されたのは、どうしてだろうか？　病原菌までも、西洋に味方して、その覇権の確立をあと押ししているというのか？　このような非対称性は、西洋人にとっても、他の誰にとっても意図せざる結果ではあるが、しかし、こうなることには明確な原因がある。その原因を探ることは、西洋の文明の特徴はどこにあるのか、ということを理解する助けになる。

今、ピサロに勝利をもたらした、直接の原因を、五つほど列挙した。しかし、問題は、これらをもたらした、さらなる原因、究極の原因である。

4　西洋と中国

その究極の原因を探る前に、西洋と他文明の出会いのもう一つの別の例を、見ておこう。この例は、ダイアモンドが注目したものではない。というのも、このもう一つの例では、ピサロとインカ帝国との戦争を素材にしてダイアモンドが拾いあげた原因が、ことごとく当てはまらないように見えるのだ。ここで注目したいのは、西洋と中国との遭遇である。

インカ帝国やアステカ帝国とは違い、中国は、ヨーロッパと同じ大陸、つまりユーラシア大陸に属していた。中国には、インカ帝国やアステカ帝国を遥かに超える大帝国があった。その中国との関係で見ても、西洋の優位は明白である。

さすがに、中国に対しては、西洋諸国は、新大陸への侵略ほどの圧倒的で殲滅的な勝利を得ることはなかった。西洋諸国は、中国の人口に影響を与えることもなかったし、中国の政治体制を直接に崩壊に導くこともなかった。しかし、一九世紀以降、西洋が中国に対して、明白な優位に立ったことも明らかである。

もし、強いて、ピサロの勝利に対応する出来事を、西洋と中国との関係に見出すとすれば、一八三九年から四二年にかけてのアヘン戦争であろう。アヘン戦争は、清とイギリスとの間で行われた戦争で、その名に示されているように、イギリスから清へのアヘンの輸出が原因となっている。当時、イギリスは、インドで得たアヘンを清に輸出することで、対中の貿易赤字を埋めたり、茶を入手したりしていたので、中国側がアヘンの輸入を禁止するとたいへん困ったのである。イギリスは、この戦争に勝利し、多額の損害賠償、香港の割譲、広州等の開港、さらには、治外法権や最恵国待遇、（中国の）関税自主権放棄等を含む、いわゆる不平等条約の締結に成功している。その後、イギリスと並ぶ、他の西洋列強、つまりアメリカ合衆国やフランスも、同趣旨の不平等条約を清との間で結んだ。

この戦争に関して注意しておいてよいことは、次の事実である。結果から判断して、つまり客観的に見て、これは明らかにイギリスの勝利と見なしうるものである。イギリス自身も、そう理解したであろう。だが、奇妙なことだが、その当時、清朝側は、自分たちが敗北したということに十分に気づいていなかったように思える。彼らは、後になって、「負けていた」ことに気づいたのである。この誤解、この認知のズレは、インカ帝国のアタワルパが、ピサロの姦計を、謁見行為のようなものと勘違いしたことと、少しばかり似ている。

ともあれ、中国は、西洋との直接の関係において、明らかに従属的な位置に置かれてしまった。それだけではない。もっと重要なことは、次の点にある。いくぶんか単純化してあえて断定すれば、近代化とは、西洋化のことである。驚くべきは、近代化に関して、「中国化」が寄与する部分はほとんどない、ということである。「近代化とは中国化である」と言えるような要素、中国に由来する規範や技術や制度を導入することが近代化の一部であると見なしうるような部分は、きわめて少ない。つまり、近代化の過程で、中国は、圧倒的に西洋に主導権を奪われてしまっているのだ。

考えてみると、たとえば日本にとって、長い間──明治維新の前まで──、「近代化」とは、中国化することであった。しかし、今日、中国は、日本にとっても、世界のどこにとっても、そして何より中国自身にとって、そのような規準や模範にはなっていない。要するに、中国は、今日の世界システムの社会変動の中で、西洋に完全に主導権を奪われてしまっているのだ。どうしてだろうか？　あのダイアモンドの知人ヤリの疑問は、彼がニューギニア人だから特に出てくる疑問ではない。中国を規準にしても、ほぼ同じ疑問が提起できるのだ。

というより、中国を規準にしたときには、疑問はより深まってくる。スペインとインカ帝国との関係に関連して、ダイアモンドが挙げた五つの（直接的）原因の、どれ一つとして、中国との関係では成り立たないからである。中国には、無論、鉄の武器もあったので、中国と西洋列強との軍事力の差異は、インカ帝国とスペインの差異ほどには歴然としてはいない。中国人は、馬等の大型哺乳類を武器や農業に使う技術をもっていた。集権的な政治機構という点では、中華帝国は、ヨーロッパにいささかも劣らず、むしろ勝っていたであろう。文字は、中国では、ヨーロッパよりもはるかに前から用いられていた。そして、何より、中国との闘いでは、病原菌が、西洋を応援することもなかった。

後の議論を先取りする形で、もう少し、疑問の輪郭を明確にしておこう。西洋が、積極的かつ組織的に西洋の外に進出するようになるのは、一五世紀以降である。西洋が、あまり大きな犠牲を払わずに、アメリカ大陸やオーストラリア大陸を植民地にできたのは、一五世紀中盤の段階で、西洋が、それら二つの新大陸の諸社会に対して、技術や社会構造の点で、かなり「リード」していたからである。西洋側には、新大陸の諸社会には未だない、有利なモノや条件がいくつもそろっていた。鉄の武器や文字などがそれである。後にていねいに論じるが、この「リード」は、一朝一夕で得られたものではない。この差異は、人類史上最初の農業がいわゆる肥沃三日月地帯（チグリス・ユーフラテス川流域からエジプトにかけての地域）で始められた紀元前八五〇〇年から一五世紀までのおよそ一万年を通じて蓄積されたものである。

それならば、一五世紀の中盤の時点で、中国と西洋の間に、そのような差異がすでに蓄積されていただろうか？　西洋が中国に対してははっきりと優位にあると見なしうるような差異は、この時点では、まったくない。むしろ、状況は逆である。先にも述べたように、それぞれの地域や共同体や国家の歴史は、同じ一本のコースを走っているわけではないので、簡単に「先進性／後進性」と見定めることはできないが、一五世紀の段階では、おおむね、中国の方が西洋に対して「リード」していると見なすべきである。さまざまな重要な技術の分野で、中国が世界の最先端にあった。多くの技術が中国で生まれ、「西洋にはあるが中国にない技術」はほとんどなかった。中国生まれの技術の中には、鋳鉄、磁針、火薬、製紙技術、印刷術といったきわめて重要なもの、つまり一つの社会や文明の「強さ」を規定する枢要なものが含まれている。

とすれば、なぜ西洋だったのか？　ヤリの念頭にあったさまざまなものが、中国ではなく西洋を源にしていたのは、どうしてなのか？　中国ではなく西洋の方に主導権があるように見えるのは、なぜなのだろうか？　われわれとしては、もう少し、ジャレド・ダイアモンドの説明につきあってみることにしよう。前節で挙げた五つの要素は、ダイアモンドによれば、「直接の原因」であって、真の究極の原因ではない。その真の原因にまで遡行した場合に、それは、たとえば中国と西洋との運命の差異をも説明しうるものになっているのだろうか？　それとも、何か別の要素を探り当てなくてはならないのか？

中国とヨーロッパの間には、チベットがある。どうして、いわゆるチベット問題は今日にまで続く大きな国際問題になっているのか？　なぜ、欧米諸国はチベット問題にあれほど関心があるのか？　チベットが西洋にとって、特別な価値をもった土地だったからである。一二世紀中世ヨーロッパに、異教徒のペルシア人とメディア人を打ち負かしたプレスター・ジョンなる人物がいた、という伝説があった。プレスター・ジョンは、中央アジアのどこかに住んでいるとされていた。チベット人は、まさにそのプレスター・ジョンの末裔だと見なされたのである。中世のヨーロッパ人から見たとき、チベット人は行方不明になったキリスト教徒であり、小アジアから中国までを舞台に、キリストとその弟子のように福音を宣べ伝えている使徒である。中世には、逆に、チベットはサタンの支配する国であるという見方もあったが、このチベットの悪魔視は、チベット人を理想のキリスト教徒と見なすまなざしの変奏に過ぎないことは明らかである。というのも、チベットをネガティヴに見る根拠は、「サタンの狡猾さがなければ、カトリックとあれほどよく似た宗教——仏教がそのように見えていた——が繁栄するはずがない」というものだったからである。チベットの人々は、とりわけ宗教的で善良であるといいるのだ。

う、今日の西欧でも広く共有されているステレオタイプは、この中世のチベット観を継承している。

われわれは、中世篇で、十字軍について論じたが、右の事実が示しているのは、西洋が聖地エルサレムに向けた視線をさらにエルサレムを越えて延長したとき、その視線が焦点を結ぶ幻想の対象こそが、チベットだということである。聖地は、宮廷愛と同じ論理に従って構成されており、到達不能性を媒介にして理想化される。この論理をより純化させて反復するがゆえに、現実のエルサレムよりもさらに向こう側に、幻想の聖地チベットが措定される。それは、まさしく「物自体」としての聖地である。

チベット問題が、チベットと中国、そして欧米諸国を中心とする国際社会をすべて巻き込んでこじれるのは、チベットも中国も、無意識のうちに、このような西洋のチベット観を、チベットにこうした特殊な地位を与える幻想の枠組みを、受け入れてしまっているからである。こうした受け入れを可能にするメカニズム、誰も気づかぬうちに西洋のこうした枠組みを受け入れさせるもの、それは、ピサロがアタワルパを捕らえ、殺したときに依拠した剝き出しの暴力のように分かり易いものではないように思える。

＊1　そのときナッシュが試みていた証明法は、実にユニークなものだった。リーマン予想がすでに証明されてしまっている並行世界を仮定し、その並行世界が、実はこの世界と同じものだったということを証明する、という理路が、ナッシュの戦略だった。

＊2　ユークリッドの『原論』にすでに証明が記されている。

＊3　リーマン予想がもし証明されれば、数学において最も重要な二つの無理数、つまり「円周率π」と「自然対数の底e」の間に関係があることも証明される。ところで、無理数とは、「分数にならない数」、つまり「自然数の比で表すことができない数」である。自然数の本性に関する命題であるリーマン予想が、無理数――自然数間の関係に還元できない数――の秘密にもつながっているとすれば、それは、たいへん興味深いことではないか。

＊4　ジャレド・ダイアモンド『銃・病原菌・鉄』上・下、倉骨彰訳、草思社、二〇〇〇年、上一八頁(Jared Diamond, *Guns, Germs, and Steel: The Fates of Human Societies*, New York: W. W. Norton & Company, 1997)。

＊5　西洋の軍事力の優位は、いつから始まったのか。日本と西洋に関して言えば、一九世紀後半に西洋列強が日本に押し寄せたとき、軍事力の差異は歴然としていた。いつから差がついたのだろうか。一六世紀の中盤、ポルトガル人の冒険家によって、種子島に鉄砲（火縄銃）が伝えられた。この段階で、西洋には銃があり、日本には未だなかったのだから、かなりの軍事力の違いがあったのではないか、と予想したくなる。しかし、銃という新しい武器は、一六世紀の日本列島の戦国大名たちを魅了し、たちどころに改良が施された。徳川幕府が始まる直前、日本の銃は、世界で最も高性能なものになっていた、と推定されている。この事実が示唆していることは、日本に関して言えば、一七世紀が始まる時点では、西洋との軍事力の差は小さかったということ、仮にあったとしてもすぐに追い着く程度のものであったということである。もしこの段階で西洋の列強が、日本の植民地化を目指しても、そう簡単にはいかなかっただろう。だから、軍事力に圧倒的な差異があ

ったので、西洋が世界中を制圧したという説明も、それほど自明ではない。日本の銃は、その後、徳川幕府による長い平和がやってきたこと、鎖国をしたこと、幕府が銃の製造を独占的に管理し、許認可制にしたこと、さらに「刀」と違って武士の威信とまったく関係しなかったこと等が原因で、その開発が止まってしまった。二百六十年後に、幕府が、西洋の軍事力を恐れなくてはならなくなった背景には、こうした事情がある。

＊6 人類社会の全体に及ぶような、諸文明の歴史の比較研究としては、ほかにアーノルド・トインビー『歴史の研究』がある。しかし、トインビーが特に関心を寄せたのは、誕生し成長し、繁栄した上で、最後に衰滅するという各文明のライフヒストリーである。つまり、トインビーは、どうして特定の文明が、他の文明や社会に対して優越性をもったかということには、それほど興味をもたなかった。

＊7 ダイアモンド、前掲書、第3章。

第2章　新大陸の非西洋／ユーラシア大陸の非西洋

1　皇帝からの使者はまだ来ない

カフカの短篇「万里の長城」は、中華帝国に住む一人の知識人が、帝国について自己反省的に考察するという形態をとっている。この小説の中で、仮想の語り手は、皇帝についてのある「伝説(つたえばなし)」を紹介している。それは、こんな話である。――皇帝が、その死の間際に、名もない一介の臣民に、つまり「あなた」に使者を送った。屈強な使者は、メッセージを受けて、皇帝のもとから出立した。使者は走った。ひたすら走った。彼はやがて、皇帝を十重二十重に取り巻く高官たちの脇を通り抜け、群衆をかき分け、延々とつづく家並みの中を走り、さらに野をとぶように駆けるだろう。しかしそれはまだ先の話である。この屈強な男は、いま苦闘している。彼はまだ宮殿の部屋すら抜けていないのである。仮に部屋の外に出ても広大な内庭があり、さらに第二の宮殿、第二の内庭、第三の宮殿……と続く。まだ途方もない距離が残っている。――要するに、皇帝の言葉は、平凡な臣民のもとにはいつまでも届かないだろう。

つまり、皇帝は、「あなた」からははるかに隔たった地点にいて、皇帝からの使者は、いかに韋駄天であろうとも、「あなた」までの距離を容易に踏破しえない。小説には、次のような「事情」も紹介されている。

> 村ではいまだ、とっくの昔に死んだはずの皇帝が健在であり、歌に伝わっているだけの皇帝が、つい先だって詔勅を発して神官が祭壇の前で朗読したばかりである。大昔の戦争がこのごろようやく勃発して、隣人が息せき切って報告にとびこんできたばかりだ。[*1]

皇帝からの詔勅が、末端の村にまで到達するのに、何年もかかってしまったというわけである。

むろん、これらは、カフカの作り話である。しかし、中国の皇帝権力に対する、正しい直観に基づいている。というのも、「万里の長城」に記されたこれらのエピソードは、中国史の泰斗宮崎市定が、『雍正帝(ようせいてい)――中国の独裁君主』の冒頭で述べていることと見事に対応しているからである。宮崎は、この著書の中で、中国の代表的な独裁者として、清の雍正帝の統治の真相を紹介している。雍正帝は、清を興した太祖(ヌルハチ)から数えると五代目にあたる。清が明を斥けて、中国の統一王朝となるのは、三代目の順治(じゅんち)帝のときだから、そこから数えれば、雍正帝は第三代の皇帝である。即位したのは、西暦一七二二年だ。

宮崎は、著書の最初の行で、読者に、座右の地図帳をひらいて、ヨーロッパの大都市で王宮のありかを探してみよ、と語りかける。仮にそれが縮尺三十万分の一（一キロが約三ミリに）

程度の縮尺であったとすれば、王宮は単なる点になる。次に同じ縮尺の北京の地図をひろげて見給え、と宮崎は誘う。「およそ一センチ四方の皇城と、その中に一まわり小さい紫禁城が、市の中央を占めてこれ見よがしに厳として拡がっているのが明瞭に看取されるであろう」[*2]。紫禁城は、明と清の二王朝で、皇帝の私邸であった。皇城の大部分は、その外苑である。中国の皇帝の居城は、ヨーロッパのどこかの国の君主の住まいが点になってしまうほどの地図の上でも、明確にこの範囲と視認できるほどの存在感をもつというわけである。実際、今でも、われわれが北京を観光で訪問したときに驚かされるのは、故宮殿のあまりの広さである。行けども行けども終わらない、という気分にさせられる。(南北)三キロ、(東西)二・五キロの敷地が、皇帝個人の生活のためにあったのだ。

この事実は、中国の皇帝の権力の性格について、次のことを教えている。その本性は広さにこそある、と。権力が及びうる空間の範囲こそ、権力の大きさ、権力の偉大さの表現なのだ。宮城の広さは、権力の拡がりの縮図的な表現である。そのことの必然的な帰結は、君主と人民の間の距離が非常に大きくなるということである。宮城は、その距離を具体化している。宮崎によれば、大臣でさえも皇帝に謁見するためには、皇城第一門である大清門を潜ってから、七つの門を通過しつつ、およそ二キロの道のりを歩かなくてはならなかった。いかに皇帝＝天子が臣下から空間的に隔絶しているかが、不便さを顧みず、強調されているのである。まして、一般の人民と皇帝との間の距離は、計り知れない。だから、カフカの短篇に記されている伝説は、まことに当を得ている。使者がいくら走っても、一介の人民のところには辿りつかないのである。

空間的な距離は社会的な距離にも対応している。すなわち、人民から皇帝の間には、きわめて多くの人事上の位階が挟まっているのである。主なポストだけを下から順に数え上げると、次のようになる。

人民→県知事→府知事→道台（ドウダイ）→布政使（フセイシ）（省の財務官）→総督
→各部尚書（各省大臣）→内閣大学士（宰相）・軍機処大臣（大本営出仕）→皇帝

総督までが、言わば、地方自治体の行政官であり、各部尚書から上が中央政府の役人になる。

このように見ると、中華帝国の皇帝の権力がいかに大きいか、皇帝の統治機構がいかに複雑か、そうしたことを容易に想像することができる。清や明の皇帝は、王宮が地図上で拡がりのない点になってしまう西洋の諸君主よりも、はるかに大きな権力をもっていたのではないか。中華帝国は、西洋の王国よりもずっと複雑で大規模だったはずではないか。しかし、にもかかわらず、近代は西洋の優位のもとで展開したのだ。中国に対する西洋の勝利を決定的なものにするアヘン戦争は、清の後期の出来事である。それは、雍正帝の治世からはおよそ一世紀の後、雍正帝から三代後の道光（どうこう）帝の時代のことだった。中国が、西洋に屈伏せざるをえなくなったのは、どうしてなのか。皇帝たちの居城に象徴される、彼らの権力のことを思うと、こうした結果は、たいへん奇妙なものに思える。

2　食料生産の技術の発明

前章で紹介したように、世界史における西洋の優位は、ジャレド・ダイアモンドの研究テーマでもある。ダイアモンドにこのテーマを示唆したのは、彼自身の説明によれば、パプアニューギニアで出会ったヤリという人物の素朴だが根源的な問いであった。白人たちはニューギニアにたくさんのよきものを持ち込んだのに、どうして逆はなかったのか？　この問いに触発されて、ダイアモンドは探究を開始した。

彼が西洋の優位を検討するとき、西洋との対照として主として想定されているのは、中国ではない。日本やインドでもない。彼が西洋に対する「非西洋」の典型として思い描いているのは、対照が最もくっきりと出てくるケース、つまり新大陸――南北アメリカやオーストラリア――である。そうした観点からすると、西洋の勝利の歴史上、最も劇的な瞬間は、スペインから派遣されたピサロが、わずかばかりの手勢で、しかもたった八ヵ月で、インカ帝国を滅ぼしてしまったときである。

このときのピサロの勝利を決定づけた直接の原因が何であったのかを、われわれは、前章で、ダイアモンドの論述を整理しながら列挙しておいた。あらためて確認しておけば、それらは、第一に、スペイン側がもっていた鉄製の武器や船であり、第二に、馬であり、第三に、スペイン側の集権的な政治機構であり、第四に、文字であり、そして最後に、感染症であった。

インカ帝国には、鉄製武器も馬も文字もなかったのである。そして、どういうわけか、インカ帝国の人々だけが、天然痘で次々と倒れていったのだ。こうした原因が、直接には、中国と西洋とのケースには当てはまらないことは明らかである。

しかし、これら五つの要因は、ピサロの勝利の直接の原因である。言い換えれば、より深い、真の原因との関係からみれば、これらも派生的な結果でしかない。ダイアモンドの研究が優れているのは、直接の原因を列挙することで満足せず、それらを帰結した、より前の原因にまで遡っているからである。より深い原因まで考慮に入れれば、たとえば中国と西洋との関係に関しても十分に説得的な説明が与えられるだろうか。列挙した五つの要因だけが、「真の諸原因」からの帰結ではない。とすれば、それら真の諸原因は、別の因果系列を通じて、たとえば中国と西洋、あるいは日本と西洋との間の非対称的な関係についても説明力を発揮するかもしれない。もう少しダイアモンドの説を検討しておこう。ダイアモンドは、非常に多くの要因を視野に収めつつ、小気味よいテンポで論を進めていく。[*3]

＊

ダイアモンドが最も重視している要因は、食料生産である。人類が、類人猿の系統から分岐したのは、およそ七百万年前である。その後のほとんどを、人類は狩猟採集によって暮らしてきた。およそ二十五万年前に、現生人類であるホモ・サピエンスが登場するが、彼らも狩猟採集民だった。しかし、今から一万一千年ほど前、人類の一部が、食料生産を始める。野生の植物の一部を栽培用に転じ、また野生の草食哺乳類を家畜化し、そうして得られる作物や家畜を食するようになったのだ。

食料生産を始めた場所は、たった一ヵ所だったわけではない。つまりどこか一つの場所で始まった食料生産が、地球上に拡がったわけではない。炭素14年代測定法等による考古学的な研究によると、独自に食料生産を開始した場所は、地球上で少なくとも五ヵ所、多ければ九ヵ所あった。他の場所では、飼育栽培は、模倣や征服によって外部から持ち込まれた。最も早く食料生産を始めたのは、前章でも述べたが、肥沃三日月地帯と呼ばれる南西アジアである。ここで食料生産が始まったのが、およそ一万一千年前である。新大陸にも、独自に食料生産を始めた場所がある。実は、五つの発祥地の内の三つは、新大陸である（中央アメリカ、アンデスおよびアマゾン川流域、合衆国東部）。だが、それらの地域の開始期は、肥沃三日月地帯よりもかなり遅い。遅れは、約五千年から六千年であり、したがって、これらの地域の食料生産の開始から現在までの時間は、肥沃三日月地帯のおよそ半分になる。中国も、独自に食料生産を始めた地域の一つである。こちらは肥沃三日月地帯からの遅れは、小さい（千年ほどの遅れ）。西ヨーロッパは、食料生産を独自に始めた地域には含まれていない。つまり、西ヨーロッパは、他からの模倣によって動物の飼育や植物の栽培を始めたのだ。

食料生産へのスタートを早く切ることができたかどうかということは、後の歴史に非常に大きな影響を残すことになる。というのも、食料生産がある程度定着したとき、人間社会のあり方に、きわめて端的で明確な変化がもたらされたからである。第一に、食料生産は、人口の増加、人口の稠密化を帰結する。単位面積あたりで養いうる人口は、農耕民が狩猟採集民の十倍から百倍であるとされている。同じ面積から得られるカロリー量が、栽培や家畜によって激増するからである。第二に、食料生産によって定住生活が定着する。農耕と定住とは厳密には同じことではないが、農耕が発達すれば定住への圧力が高まることは間違いない。また定住すると出産間隔が短くてもすむので、人口の増加が促進される。第三に、非常に重要なことは、定住生活が余剰食物の貯蔵・蓄積を可能にする、ということである。食料の貯蔵・蓄積は、直接に食料生産に携わらない人、食料生産以外の仕事に従事する人を養うことを可能にする。そうした人たちの中から、王族や官僚、聖職者等が出てくるだろう。つまり、食料生産とその帰結としての定住は、余剰食料の蓄積を媒介にして、社会の成層化（不平等化）を進捗させるのである。

狩猟採集民と食料生産者が出会ったときには、人口の点で圧倒的に凌駕している後者が、前者を殺すか、または追い払うことができた。狩猟採集民は、自らも食料生産を始めるか、どこかに逃げるしかない。だが、これほどまでに食料生産が有利なのだとすれば、人類は、どうして、さっさと狩猟採集生活を捨てて、食料生産へと移行しなかったのか。人類が、遺伝的な構造において現代人とまったく同じ生物種（ホモ・サピエンス）になってからも、すぐに農耕が始まったわけではなく、かなりの長い間、狩猟採集生活は続いていた。

狩猟採集から食料生産への移行が、最初、その当事者にとってどのようなものだったかを想像すれば、謎は簡単に解ける。食料生産を発達させた社会の方が有利だというのは、最終的な結果に過ぎない。周囲にまったく食料生産を行っている社会がないような状況において、狩猟採集よりも食料生産の方が無条件に有利で快適だというわけではない。労働時間に関しても、貧しい農民や牧畜民の方が、狩猟採集民よりも長いことがわかっている。また、そもそも最初は、狩猟採集の生活と食料生産の生活は、明確に分かれた二つの選択肢ではなかっただろう。いくつかの地域で、どちらとも言えぬ中間的な段階を経て、徐々に食料生産が主流になっていったのである。そうした移行が生じたのは、食料生産を行わざるをえない、やむにやまれぬ事情があったためである。

どんな事情、どのような原因が食料生産への移行を促したのだろうか。ダイアモンドは、原因として、次のような、いずれももっともなことを挙げている。第一に、入手可能な自然資源（特に動物資源）が、この一万三千年のあいだに、徐々に減少し、狩猟採集生活がしだいに難しくなった。更新世の末期（約一万年前）に、南北アメリカの大型哺乳類の大部分が絶滅してしまっている。絶滅のタイミング等から、絶滅は人類による乱獲が原因であった可能性が高い、とダイアモンドは推定している。ユーラシア大陸やアフリカ大陸でも、いくつかの種が絶滅した。第二に、獲得可能な野生動物がいなくなったちょうど同じ時期に、栽培化可能な野生種が増え、作物栽培の見返りが大きくなった。第三に食料生産に必要な技術（刈り入れ、加工、貯蔵の技術）が発達し、蓄積されていった。第四に、人口密度の増加と食料生産の増加とが、互いに互いを強化しあうような自己触媒的な因果関係に入った。メソポタミアの肥沃三日月地帯で食料生産が始まったのが、紀元前八五〇〇年頃であったことには、以上の四つの原因が与っている。これらに加えて、今しがた述べたように、第五の要因として、狩猟採集民と食料生産者が接触したとき、人口において劣る前者は——逃亡する以外には——自らも食料を生産する生活へと移行するほかなかったという事情が加わる。

*

肥沃三日月地帯が人類史上最も早くから食料生産を始められた一因は、この地域が、農耕にとって最も有利な地中海性気候（穏やかで湿潤な冬と長く暑く乾いた夏）だったことにあるが、しかし、地中海性気候の地域は、ここだけではない。どうして、肥沃三日月地帯の食料生産が特に早かったのか。この点に関しても、ダイアモンドは、いくつかの環境的な要因を挙げている。気候の変化に富み、起伏の多い地形であったために、作物化に適した植物が豊富だったこと、家畜化可能な哺乳類が多かったこと、魚介類が乏しく、狩猟採集生活に対する農耕生活の有利さが先住民にとって一目瞭然だったこと等が、そうした要因である。

中でも、この地域にどうして家畜化可能な哺乳類が多かったのか、という問題は重要である。新大陸に馬がいなかったことが、インカ帝国やアステカ帝国の敗因の一つになったからである。前章でも述べたように、家畜化された大型哺乳類は、大型草食哺乳類のごく一部である。主要な家畜に関して言えば、たった五種類しかない。それらのすべてが、どういうわけか、ユーラシア大陸を起源としている。われわれは、アフリカに関して、動物の宝庫というイメージをもっているが、アフリカ起源の家畜は一種類もない。どうしてだろうか。

どんな草食動物も、無理やり、人間が飼い馴らせば、やがて家畜になるというものではない。家畜化は、いくつもの厳しい条件を満たす動物でないと不可能である。成長が速い動物でなくてはならず、また人間などの他の動物や個体の前でセックスするのを好まない習性をもっている動物は家畜には向かず、熊のような気性の荒い動物もダメである。普通の馬は家畜になったのに、シマウマは家畜化できなかったのは気性の激しさのためである。

さらに、序列のある集団を形成する動物のみが、家畜になりえた。多数の山羊を飼育できるのは、人間が、山羊の集団の序列の頂点に立って、山羊たちをコントロールしているからである。群れをつくる動物でも、なわばりをもつ種は家畜にはできない。二つの群れを同じ囲いに入れることができないからである。

このように厳しい条件をすべて満たす動物種は、きわめて限られている。家畜になった種が、主なもので五種、派生的なものをいれても十四種にしかならないのは、このためである。その上で、ユーラシア大陸にそれらが集中していたのは、ユーラシア大陸が最も広く、動物の種が多様だったこと、新大陸では、家畜になりえた動物が――おそらく高度な狩猟技術をもっていた人間集団に突然さらされたのが原因で――ほとんど絶滅していたこと等のためである。

旧大陸から新大陸へと伝わった病原菌は、天然痘を初めとしてたくさんあったのに、逆向きに伝わった病原菌はほとんどなかったのはどうしてなのか。この謎は、ユーラシア大陸ではさまざまな家畜がいたのに、新大陸にはほとんどいなかったという事実から説明できる。家畜を身近に飼っていると、多くの感染症が家畜から人間へとうつる。そのことによって、人間の方にはその感染症への免疫が作られるのである。家畜をもたなかった新大陸の人々には、そのような免疫がなかったし、また旧大陸へと「輸出」する病原菌ももたなかったのだ。

3　文化伝播の速度と集団の大規模化

食料生産が早い時期から始まると、その分、技術が発達する。技術の発達に費やす時間が多くなるという事情もあるが、もっと重要なのは、それによって、人口規模が大きくなるという要因である。人口の規模が大きいということは、発明する可能性のある人々が多いということであり、また発明へと人を駆り立てる諸社会間の競合も厳しいということである。食料生産の開始期と人口規模という二つの要因と並んで重要なのは、技術の伝播の速度である。

ダイアモンドは、次のような顕著な例を挙げている。今日でも、われわれがその恩恵に与っている車輪である。車輪は、紀元前三四〇〇年頃、黒海の近くで最初に登場した。車輪はほどなくして、メソポタミアで最初に家畜化された馬と出会った。動力源としての馬と車輪が合体して、戦車という画期的な技術が生まれたのだ。ところで、車輪は、黒海とは独立に、新大陸のメキシコ（マヤ文明）でも、発明されていた。そして、中央アンデスでは、ラマが家畜になっていた。新大陸では、中米の車輪と南米のラマが出会って戦車になることはなかったため、車輪は、子どもの遊び道具に留まったのである。黒海―メソポタミアの方が、マヤ―アンデスよりも短距離だったということもあるが、しかし、技術や家畜の伝播の速度があまりにも遅かったということがより重要である。コルテスやピサロがやってくるまでに、五千年もあったのに、新大陸で車輪とラマが合体することはなかったのだ。技術の伝播の速度の違いを規定する原因は何であろうか?

文字についても、同じ問題を指摘できる。前章でも述べたように、文字は、人間の発明品の中でも最も重要なものであり、いずれわれわれは、中国語(漢字)に関していかにして文字が生み出されたか、どうやって図像が文字に転化したのか、そのメカニズムについて考察することになるだろう。いずれにせよ、文字の発明は非常に難しかったらしく、それぞれ独自に案出された文字は四種類程度しかない。実は、新大陸でも、紀元前六〇〇年頃、メキシコ先住民が文字を発明していた。しかし、その文字が、新大陸の全体に普及することはなかった。ピサロと戦ったときに、インカ帝国に文字がなかったのはそのためである。

技術や食料生産等のさまざまな文化的な要素の伝播の速度を規定している原因、この点に関して、ダイアモンドは、まさにコロンブスの卵とも見なすべき、きわめて重要な事実を発見している。主要な三つの大陸、すなわちユーラシア大陸、アフリカ大陸、南北アメリカ大陸を比較すると、ユーラシア大陸だけは東西に広く、後二者は南北方向に広いことがわかる。ダイアモンドによると、さまざまな文化要素は、東西方向には速く伝播していくが、南北方向には遅いのである。たとえば、肥沃三日月地帯で発明された食料生産は、年平均〇・七マイル(一・一キロ)の速度でエジプトやヨーロッパ、そしてインダス渓谷まで伝わり、さらにフィリピンからポリネシアへは年三・二マイル（五・一キロ）とペースを上げている。それに対して、南北アメリカでは、食料生産にかかわるどのような技術をとっても、伝播速度が、年〇・五マイル（八百メートル）に満たない。たとえば、先ほど例にあげたラマは、年〇・二マイル（三百二十メートル）以下の鈍足で北へと伝わっていった。

どうして、東西方向の伝播速度は速いのだろうか？　食料生産に関して言えば、その理由は明白である。東西には、ほぼ緯度が等しいからである。緯度が等しければ、日照時間等の気象条件、分布植物などの生態系のあり方が、ほぼ等しいということである。つまり、自然環境の地域差が緯度が等しい場合には小さくなる。したがって、同じ食料を、ほぼ同じやり方で栽培したり、飼育したりすることができる。緯度が違っていると、同じ植物は栽培できなかったり、生産技術を大幅に工夫しなくてはならなくなる。そのために、食料生産は、東西方向に、したがってユーラシア大陸で、速く伝わり、普及していったのだ。

食料生産の伝播が速いと、他の技術の伝播も速い。有用な発明は、おそらく、近隣の社会が教わったり、目撃したりすることで、あるいは自分たちの不利を克服すべく積極的に取り入れる形で、伝播していくのだろう。先に挙げた車輪の例がよく示すように、技術もまた、緯度があまり違わない、似たような環境条件の中で、速く伝達される傾向がある。難しい技術ほど、発明よりも伝播が重要である。文字はその典型だ。

技術等の伝播の速度を規定している要因は、むろん、緯度だけではない。砂漠や峡谷などの自然の障壁が少なければ少ないほど有利である。たとえば、南北アメリカの場合には、細い地峡によって繋がっている。このことが、伝播にとって、きわめて不利な条件になったことは予想に難くない。

＊

食料生産や文字を含む技術に関して、それが発明されたり伝播したりする要因について見てきた。それでは、社会構造に関してはどうなのか。社会構造を規定する最も重要な要因は、間違いなく人口である。

社会は、バンド（小規模血縁集団）、部族社会（複数の氏族が主に婚姻によって結ばれた社会）、首長社会、そして国家と次第に複雑化し、不平等化していく。狩猟採集民は、ほとんどバンドである。食料生産が始まり、定住が進捗すると、部族社会以上の複雑な社会が登場する。国家へと至る複雑な社会にとって、食料生産が絶対的な必要条件になることは容易に理解できる。先にも述べたように、食料を生産するようになって初めて、首長や官僚等の非生産者を養うだけの余剰食料が出てくる。また食料生産社会では、農閑期の農民を「公共事業」に使うこともできる。さらに人々が定住していなくては、複雑で安定的な社会構造を維持することはできない。

大規模な社会は、単に人口が多いだけではなく、必ず集権化した構造をもっている。どうしてだろうか？　集権化には、明確な利得がある。第一に、集団が大きくなると他人同士の紛争の数も多くなるという問題を考えなくてはならない。指数関数的に増加する紛争を解決するためには、強い集権的な権力が必要になる。第二に、――紛争とも深く結びついているが――集団の規模が大きいと、社会的な意思決定が困難になる。これを克服するのは、強大で統一された権力である。第三に、経済的な利得もある。無政府的な物品のやり取り、物々交換によっては必要なものは満たされない。第四に、分業に関わる問題がある。広い地域で少数で暮らすバンドの場合には、生活必需品に関してはたいてい自給自足している。しかし、狭い地域で集住しているときには、それぞれの個人や家族は自給自足してはいないということである。それゆえ個人や家族が、必要物を外部から調達できるようになっていなくてはならない。そうした仕組みは、集権的な社会構造の下でしか実現しない。

それでは、小規模な社会が、どうして大規模な――従って同時に複雑な（集権的な）――社会へと変容したのだろうか。今、大規模な社会は、集権化していることで多くの利得が得られる、と述べた。このことは、言い換えれば、大規模化するためには、多くの困難な問題を解決しなくてはならないということでもある。どうやって、きわめて多くの潜在的な紛争を抱えている集団を統合するのか。どうやって、ばらばらの意志をもっている個人や集団を単一の意志のもとに服属させるのか。これらはきわめて困難な課題である。ダイアモンドは率直に、こう述べている。人々が、どうやって規模が大きくなることに付随する困難な問題を解決して、大規模で複雑な社会になりえたのか、そのことはわからない、と。

ただ確実なことは、周囲に大規模集団があるときには、小規模集団は明白に不利だということである。その場合、小規模集団は、大規模集団に征服され、併合されてしまうか、そうでなければ、大規模集団からの外圧を前にして、自分たちも連合して大規模化するしかない。このことは考古学的にも人類学的にも、いくつもの証拠によって確かめられている。したがって、すでに大規模集団が存在しているという条件の下では、集団の大規模化が進捗していく理由は、容易に説明できるのである。

4　肥沃三日月地帯の失敗

ジャレド・ダイアモンドの説を、ていねいに見てきた。簡単に言えば、こういうことである。歴史の中で、確かに、ある人々――ヤリが「白人」と呼んだ西洋の人々――が優越性をもち、新大陸の住民など他の人々は劣勢だったが、それは、前者が何か本質的に優れていたからではない。そうした差異が出たのは、人々がたまたま置かれていた環境の違いによって生じたのである。これは、単純な環境決定論に聞こえるが、ダイアモンドは、きわめて大胆な仮説と、それを裏づける豊富な証拠によって、議論を展開している。

もう一度、整理しておこう。核になっている要因は、食料生産、そして社会の間の競合関係である。それが、余剰食料や食料貯蔵を可能にし、人口密度の上昇や定住化を含む因果関係の連鎖を起動させる。さまざまな因果の過程を通じて、ある地域にのみ疫病を引き起こす病原体が生まれ、鉄器等を含む技術革新を引き起こし、特定の地域にだけ文字を普及させ、さらに集権的な政治機構を登場させた。それならば、特定の地域でだけ早くから食料生産がスタートし、また普及したのはどうしてなのか。特定の地域で、特定の動物が家畜にされたのはどうしてなのか。それは、それらの地域に、適性のある野生の動物種や植物の種が分布していたからである。そして、何よりも、技術や食料生産の伝播の速度を規定したのは、東西方向に長く伸びた大陸であった。

これは実に壮大な因果関係である。これによって、ピサロがインカ帝国に対して優越性を保った五つの原因は、すべて説明できてしまう。どうして、一方向にだけ病原菌が有利に作用したのかということを含む五つの原因は、以上の説明の中にすべて含まれるのだ。要するに、この議論は、一六世紀以降、ユーラシア大陸の文明が、新大陸の諸社会やアフリカ大陸の諸社会に対して優越性をもった究極の原因はどこにあるのか、ということを一万年以上も前にまで遡って解明しているのである。

だが、西洋と中国の間の非対称的な関係についてはどうであろうか。まったく無力であると言わざるをえない。両者は同じユーラシア大陸に属している。中国での食料生産が、肥沃三日月地帯よりも大きく遅れて始まったわけでもない。中国には、さまざまな技術も文字も複雑な政治機構も存在していた。どうして、一九世紀の中盤に、中国が、西洋からの侵略を受けなくてはならなかったのか。

＊

この点についてあらためて考察する前に、相対的に小さな問題を片づけておかなくてはならない。ダイアモンドの理論に従えば、最も有利なのは、西ヨーロッパではなくて、肥沃三日月地帯を含むメソポタミアでなくてはならないように見える。どうしてヨーロッパが優位に立つことができたのか。簡単に言えば、本来、肥沃三日月地帯がもつべき有利さを、実際には、ヨーロッパが継承したのである。どうしてだろうか。この原因は、中国についての謎よりもはるかに簡単に解くことができる。

まず事実関係だけを確認しておく。紀元前四世紀の終わりに、アレクサンドロス大王がギリシアからインド西部にまで及ぶ広域を征服した。これによって、世界の権力の中枢は、大きく西に移動することになる。そして紀元前二世紀になると、今度はローマがギリシアを征服したために、中枢がさらに西へと移動した。

問題は、権力の中枢のこうした西への移動が、なぜ可能となったのか。それを引き起こした原因は何か、である。これについては、古植物学と文化人類学の知見が、十分に説得力のある説明を提供している。三日月地帯は、食料生産に圧倒的に好都合な場所、つまり肥沃な土地だった、と述べた。しかし、現在のこの地域は、そのような場所には見えない。そこは、農業に向かない砂漠であり、あるいは乾燥地帯である。

どうしてこれほど変貌してしまったのか。その原因は、簡単に言えば、環境破壊である。この地域は、もともと豊かな森林があった。しかし農地を広げたり、あるいは建築用の資材や燃料を獲得するために、森林が伐採されてしまったのだ。森林が伐採される速度が、それが再生する速度を圧倒的に上回っていたのである。森林がなくなってしまえば、土壌の浸食は進み、結果的には、農業に不向きな塩分を含んだ土地だけが残る。

こうして、肥沃三日月地帯は、西からの勢力によって、彼らが歴史的に蓄積してきた有利さをすべて奪われてしまった、というわけである。要するに、肥沃三日月地帯の遺産の継承者は、この地域の文明ではなく、ヨーロッパになったのである。

5　広さへの意志と高さへの意志

問題は、どうしてヨーロッパと同じことが、中国にも起きなかったのか、である。より東のインドや中国が、肥沃三日月地帯の有利さを継承して、ヨーロッパと同じような優越性を保ったまま近代を先導してもよさそうなものなのに、そうはならなかった。肥沃三日月地帯は、ユーラシア大陸のほぼ中央にあって、ヨーロッパの端までの距離と中国までの距離は、さして変わらない。

中国という社会は、歴史の謎である。どこが謎なのか。われわれは、今日、中国を一つの国民国家と見なして、それをイギリスとか、ブラジルとかと同列に扱っている。しかし、中国は、その人口規模から見て、イギリスやフランスなどと並べて一つの国民と見なすのは、きわめて不自然であろう。中国の人口は、ＥＵの人口よりも大きいのである。とすれば、中国と並べるべきは、イギリスではなく、(西)ヨーロッパの全体でなくてはならない。

が、同時に、中国を一つの国民のように扱いたくなる理由もある。そこには、きわめて大きな文化的かつ政治的な統一性があるからだ。人口や面積の大きな国民や国家は、中国以外にもいくつかある。インドや、インドネシアや、ブラジルや、ロシア、アメリカ合衆国である。しかし、これらは、すべて近代になってから政治的に創造された国家である。しかし、中国の統一性やまとまりは、近代になってから創出されたものではない。中国は、紀元前二二一年には、政治的に統一された。それ以降、中国は統一と分裂を繰り返しているが、ヨーロッパの封建社会のように細分化されたことはなく、このことを思えば基底的な統一性は維持されていたと見なすことができるだろう。あれほどの人口をもち、人種のるつぼでもありながら、近代以前から、ある程度の政治的・文化的な統一性を有していた社会は、中国以外にはない。

この中国の広域の統一性は驚異である。中国の統一性を印象づける事実は、言語である。現在、八億人以上の中国人が北京語を話しており、これは世界最大の母語集団である。むろん、中国語にも内的な多様性があり、北京語以外に七種類の主要な中国語があると、言語学者は述べている。だが、北京語を含む八種類の中国語は、スペイン語とフランス語くらいには互いに似通っている。そもそも、十二億人に対して八種類という数字は非常に少ない、と言わざるをえない。たとえば、テキサス州程度の面積のニューギニアでは、一千の異なる言語が話されている、とされている。しかもその間の相違は、中国語の間の相違を遥かに超えている。もっとも、世界にある言語はおよそ六千種類だとされているので、一千という数字も、つまり世界の言語の六分の一がニューギニアにあるという事実も驚きではあるが、この点は今は措くとして、中国にはよく似た言語がわずか八種類しかないという事実は、驚異的である。西ヨーロッパには、およそ四十種類の言語があるとされており、たとえば英語とフィンランド語の間の相違は、八種類の中国の間の差異よりずっと大きい。文字システムも、中国ではどこでも同じものが使われており、ヨーロッパに何十種類ものアルファベットがあるのとは対照的である。どうして、あれほど広く、多くの人口を抱えていた地域が、ある程度の統一性を保つことができたのだろうか。

中国にこれほどの文化的・政治的な統一性があるのは、人種的に均質だからではないかと推定したくなるが、遺伝子レベルで中国人をとらえたときには、もっと驚くべき事実に遭遇する。遺伝的にみれば、中国人の内的な相違は、たとえばフィンランド人とアイルランド人の違いよりもずっと大きいのである。特に北部の中国人と南部の中国人の差異は大きい。さらに、ダイアモンドの環境決定論には不都合なことに、北部と南部の中国の自然環境の差異はたいへん大きい。北部は乾いていて寒いが、逆に南部は高温で多湿だ。南部と北部の中国人の遺伝的な差異が、ヨーロッパ人の中での差異を上回るということは、長い歴史の中で、南北の中国人が互いにある程度孤立して暮らしていたことを示している。とすれば、どうして同じような言語を話す、中国という文化的・政治的な統一性が、かなり早い時期から成立していたのだろうか。まことに不思議である。

こうして、われわれは、冒頭に述べたことに回帰することができる。中華の皇帝の権力の本質、それはまさに広さにこそある、と述べた。そのことを象徴しているのが、宮城の極端な面積である。それは、行政の実務を明らかに阻害するほどに大きい。その権力は、言わば広さへの意志によって支配されている。中国の広域の政治的・文化的な統一性は、権力の「広さへの意志」に対応しているのではないか。

＊

ところで、われわれは、中国の皇帝が住んでいた宮城を見ることから、この章の論述を始めたのだが、それと比較すべき西ヨーロッパの建築物はあるだろうか。皇帝の住まいである紫禁城が、中国的なるものの象徴であるとして、これと同じような意味で、西ヨーロッパ的なるものを集約する建築物はあるだろうか。ある。それこそ、ゴシック様式の建築物である。ゴシック様式で建造された大聖堂である。

中世の後期に、つまり一二世紀の中盤に、後にゴシックと呼ばれるようになる建築の様式が生まれる。それは、大聖堂のための建築様式であった。大聖堂とは、司教がいる教会、司教の椅子という意味である。最初のゴシック様式は、一一四〇年に内陣の改築に着手し、その四年後に完成した、パリ近郊のサン・ドニ修道院付属教会堂である、とされる。

ゴシック様式の特徴とは何か。それは、圧倒的な昇高性である。高く上って行こうとする動きを表現すべく、天井には尖頭アーチが使用される。高ければ高いほど優れたゴシック様式の聖堂である。側壁には、縦長の大きな窓が付けられる。それはステンドグラスになっていて、堂内に、色彩豊かな光が満たされるようになっている。外観上の大きな特徴は、飛梁（とびばり）や控壁（ひかえかべ）で、ゴシックを批判する人は、これが醜く、グロテスクであると言う。どうしてこんなものが必要かと言えば、ゴシック建築が高さに執着したからである。堂内の細身の柱が、石の天井を支えることができたのは、飛梁や控壁があるおかげである。

ゴシック建築の西洋の精神文化にとっての重要性を強調した論者としては、エルヴィン・パノフスキーがよく知られている。[*4]パノフスキーによれば、ゴシック建築と、中世の知的精華とも言うべきスコラ学とは、相関関係がある。いわゆる「大全（スンマ）」と呼ばれる論の構成、トマス・アクィナスの『神学大全』でよく知られている「大全」という知的システム、この建築的な表現こそがゴシックだというのが、パノフスキーの議論である。「明澄性」と「総合性」において、大全とゴシック建築が類似しているというのがパノフスキーの考えだ。大全は、ある意見とそれを否定する異論とを両方とりあげ、それを調和させながら（明澄性）、総合するように論を運ぶ。この形式がゴシックの論理だというのである。

ゴシック建築が表現していたもの、それを端的に言えば、高さへの意志ではないか。明断に対立を示しつつ、総合をはかるという大全の原理が、ゴシックでは、力の均衡を利用しつつ、重力に抗して高さを目指すという形式で現われているのである。マグダ・レヴェツ・アレクサンダーは、どこまでも高くあろうとするヨーロッパの塔に関して、「この根本的な、垂直方向への衝動に停止をよびかけ、美学の仮定する限界をおこうとすることほど、むずかしいことはないように見える」[*5]と書いている。こうした事実から推測されるのは、次のようなことである。西洋と中国では、権力が異なる意志、異なる心的なダイナミズムによって支えられていたのではないか。われわれは、最初、中国の宮城の広さを示すことで、皇帝権力の大きさ、ヨーロッパの君主の権力を凌駕する大きさを印象づけることから始めた。しかし、問題は大きさの違い（だけ）ではないのだ。中国の権力は、空間的な広さを志向している。それに対して、西洋の権力、西洋というものを可能にした力は、高さへの志向に重点がある。とすれば、西洋と中国との出会いは、広さへの志向と高さへの志向の出会いであったことになろう。このとき、どうして、高さへの志向が広さへの志向を飲み込むことになったのか。それら権力の異なる志向を可能にしている、社会的なメカニズムを解明しなくては、それは理解できないだろう。

＊1　カフカ「万里の長城」『カフカ短篇集』池内紀編訳、岩波文庫、一九八七年、二四九頁。
＊2　宮崎市定『雍正帝――中国の独裁君主』中公文庫、一九九六年、七頁。
＊3　ジャレド・ダイアモンド『銃・病原菌・鉄』上・下、倉骨彰訳、草思社、二〇〇〇年。
＊4　アーウィン・パノフスキー『ゴシック建築とスコラ学』前川道郎訳、ちくま学芸文庫、二〇〇一年（原著、一九五一年）。
＊5　マグダ・レヴェッツ・アレクサンダー『塔の思想』池井望訳、河出書房新社、一九七二年、三五頁（原著、一九五三年）。

第3章　受け取る皇帝／受け取らない神

1 カインの罪

旧約聖書の「創世記」は、神による天地創造で始まり、次いで人間（アダムとエバ）が楽園を追放される経緯を語る。ここまでは楽園での出来事だから、旧約聖書の観点からすれば、言ってみれば、歴史以前のことである。固有の意味での人間の歴史、神から離れたところでの人間の歴史はまだ始まってはいない。旧約聖書にとっての、つまりユダヤ－キリスト教にとっての、歴史上の最初の出来事は、カインとアベルの確執——というよりむしろカインのアベルへの一方的な憎悪——である。

カインとアベルの悲劇は、創世記の中でも最もよく知られた物語のひとつであろう。二人は、アダムとエバの息子である。二人は、アダムとエバが楽園から追放された後で、相次いで生まれた。弟のアベルは羊飼いとなり、兄のカインは農耕民となった。どういうわけか、あるとき、カインは、自らの農作物を神に捧げ、アベルは、羊の初子を神に捧げた。どういうわけか、神は、アベルの捧げ物には目を留めたが、カインの捧げ物は無視した。カインは失望して激しく怒ったが、神はこれをたしなめた。弟のアベルに嫉妬したカインは、アベルを野原に誘い出し、殺してしまった。神が、カインに、「アベルはどこにいるのか」と尋ねると、カインは「知りません。わたしは弟の番人でしょうか」と抗弁した。無論、神はカインによるアベル虐殺を知っているので、カインを呪った。かくして、カインは、さすらう者となり、エデンの東、ノドへと去って行った。

ユダヤ－キリスト教にとっては、この殺人事件こそ、記録に値する最初の歴史上の出来事である。この物語に関しては、無論、嫉妬や怒りから弟を殺したことを、カインの罪と解釈するのが一般的であろう。しかし、同時に、ほとんどの人は、こうした判断に、釈然としないものを感じもするだろう。つまり、多くの人が、カインに同情するのではないか。確かに、カインのアベルへの恨みは、逆恨みの典型であり、罪なきアベルを騙して殺したことについては、カインは過ちを犯したと見なさないわけにはいかない。しかし、カインが、アベルに対して殺意にまで至る嫉妬を抱いたことには、理由がある。善意の捧げ物が神に無視されたことこそ、カインの失望の原因である。とすれば、カインだけではなく神も悪い、いやカイン以上に神が悪いのではないか。人類最初の殺人であるカインによるアベル殺しに関して、カイン当人だけではなく神にも責任があるのではないか。冒瀆的ではあろうが、そのように神を責めたくなる。

こうした感覚、カインへのこのような同情が非常に常識的なものであることは、この物語から着想されたジョン・スタインベックの長編小説を原作とし、ジェームズ・ディーンが主演した映画『エデンの東』（エリア・カザン監督、一九五五年）が、まさにこうした感覚を基礎にしていることからも明らかである。『エデンの東』では、創世記とは長幼の関係が逆になっていて、出来のよい兄アーロンが父アダム（≒神）に愛されており、弟のキャル（ジェームズ・ディーン）が父から疎んじられている。無論、「アーロン」という名はアベルを、「キャル」という名はカインを連想させる。父は、アーロンの婚約を喜ぶが、キャルが父のために稼いだ金を拒否する。結婚は、子孫を暗示するので、アベルが捧げた（羊の）初子に通じているし、またキャルの稼ぎは、インゲン豆への投機に基づいているので、カインの農作物を連想させる。キャルはアーロンを直接殺しはしないが、しかし、怒りと恨みから、アーロンに対して彼等の母についての秘密（娼婦だということ）を暴露し、アーロンをいわば精神的に殺害したことを思えば、キャルのアーロンへの仕打ちは、カインのアベル虐殺と同じように残酷だ。

このように、『エデンの東』は、カインとアベルの物語を正確になぞっている。しかし、この作品では、結末が、結末だけが創世記とは異なっている。父から最初は拒絶されていたキャルが、最後に父の愛を取り戻すのだ。父アダムは、余命幾ばくもない自分の看病を、キャルに依頼する。つまり、父（神）は、最後にキャルを呼び寄せるのである。このように、『エデンの東』は、原典のカインがあまりにも可哀そうだと見なし、カイン（キャル）をあらためて救済するように作られている。

さて、ここまでは、当たり前のことである。考えるに値する問題は、この先にある。述べてきたように、常識に——広く分有されている共通感覚に——立脚すれば、カインに同情したくなる。神との関係において、カインの側に酌量すべき情状がある、と考えたくなる。しかし、厳格なユダヤ教、厳密な一神教の論理の下では、それでも、カインの嫉妬や怒りは全面的に間違っているのである。少なくとも、ユダヤ教の論理からすれば、神とカインとの比較において、神にもいくぶんかは責任がある、ということにはならず、カインに一方的に非があるはずだ。問題は、それはどのような論理か、ということである。どのように考えれば、神にはまったく問題がなく、カインだけが悪いということになるのか。

この考え方の筋道、この論理を明確に取り出すことができれば、われわれは、一神教、（キリスト教の原点にある）ユダヤ教について理解を深めることができるだろう。『エデンの東』のような作品が作られ、人々を惹きつけてきたことからもわかるように、「カインとアベル」の物語において作用しているユダヤ教の論理は、ユダヤ－キリスト教の伝統の中にある者にとってさえも、必ずしも自明ではない。しかし、旧約聖書にこの物語が刻まれているという事実が示しているのは、その論理が確実に作用してきたということである。

カインとアベルの物語において、神を全面的に潔白とし、カインのみを悪とみなすような論理はどのようなものなのか？　まずは、このような問いを提起しておこう。この問いは、この章の考察を導く背景を与えてくれるからだ。考察の主題は、中国である。だが、その特徴を際立たせるための対照項があった方がよい。ユダヤ教の論理をめぐる以上の問いは、対照項としての役割を果たすだろう。

2　疑問の再・再方向づけ

　もし中世の真っただ中にあたるような時期、つまり一二世紀頃に、知性をもつ宇宙人が地球にやってきて、一定の観察の後に、その後の人類の運命について予想したとすれば、中国こそが近代化を主導するにちがいない、と断定したことだろう。その頃、中国は、あらゆる点で、つまり経済的にも、政治的にも、軍事的にも最も発展した地域であり、どの分野でもヨーロッパをはるかに凌駕していた。

　たとえば、紀元一一〇〇年頃の中国の人口は、すでにほぼ一億人に達しており、大都市の人口も百万人の規模だったと推計されている。金融技術、貨幣経済を運営するための技術に関しても、中国は先進地域であり、ヨーロッパよりも進んでいた。たとえば、会子と呼ばれた一種の紙幣の使用、文書による契約、商業信用、小切手、為替手形などが、中国では早くから普及していたのだ。

　軍事力における中国の優位は、とりわけ圧倒的である。ジャレド・ダイアモンドは、環境的な要因によって、新大陸やアフリカ大陸よりもユーラシア大陸が軍事的に有利になった理由を説明したが、そのユーラシア大陸の中で最も大きな軍事力をもっていたのは、中国の皇帝であった。一二世紀の中国の皇帝は、百万人に近い兵士を容易に動員できたとされている。それに対して、一二世紀末期のイングランド王リチャード一世は、三百人の騎士からなる常備軍を税収によって維持したいと切望していたが、それすらも十分な手段をもたなかったためにかなえられなかった。百万人を難なく動かす皇帝と、三百人を維持することもままならなかった国王。その差は歴然としていた。[*1]

にもかかわらず、その八百年後の世界を見れば、政治的にも、軍事的にも、経済的にも、そして技術的にも主導権をもっているのは、中国ではなくヨーロッパ（とアメリカ）であった。どうしてだろうか。中国は、どうしてその圧倒的な優位を守ることができず、むしろ、あらゆる点で後塵を拝することとなったのか？　こうした帰結を知っているわれわれとしては、どうしても問わざるをえない。中華帝国が、西ヨーロッパのように周辺を征服し、支配し、そして体系的に搾取することによって、経済的・軍事的に発展しようとしなかったのはどうしてなのか？　中華帝国には、それができなかったのか？　それとも、できたのにあえてそうしなかったのか？[*2]

＊

まず、これらの問いに対する最も端的な回答、回答以前の回答、問いそのものを完全に無意味なものにしてしまうような回答を検討することから始めよう。問いを無意味化してしまう回答とは、アンドレ・グンダー・フランクが『リオリエント』で提起した議論である。[*3]

フランクがそこで述べたこと、それは一口で言えば、そもそもヨーロッパの優位などなかった、ということである。言い換えれば、中国は、かつても、現在もずっと優位を保っていた、というのだ。グローバル・エコノミーの中心は、恒常的に中国にあった、というわけだ。もし最初から最後まで、中国が優位を維持していたのであれば、中世においては先行していた中国が、いつの間にかヨーロッパにヘゲモニーを奪われたのはどうしてなのか、という問い自体が不適切なものとして消滅するだろう。

だが、われわれが歴史の中に見てきたものは、近代におけるヨーロッパの優位ではないか？　フランクは、いったい、どのような事実に基づいて、中国こそが常に優位を保持していたという結論をくだしているのか？　フランクの主張の実証的な根拠は何か？　フランクが着眼したのは、きわめて単純なことである。彼は、地域間交易に用いられた決済通貨を調べたのだ。つまり、今日のわれわれが用いる語で表現すれば、フランクが実証において重視したのは、ただひとつ、国際基軸通貨である。

一四〇〇年から一八〇〇年にかけて、地域間交易の決済通貨として機能していたのは、銀であった。その銀の地域間フローの連鎖をたどってみると、当時、つまり近世に、すでにグローバル・エコノミーと呼んでよいような経済の広がりがあったことがわかる。フランクによれば、このグローバル・エコノミーでは、ひとつの不等式が基調として持続している。ヨーロッパに対しては西アジアが、西アジアに対しては南アジアが、南アジアに対しては東南アジアが、東南アジアに対しては東アジアが、つねに（銀の）入超になるのだ。銀は、ヨーロッパから、東アジア、つまり中国へと吸い込まれるように流れていく。このようなフローができるのは、簡単に言えば、ヨーロッパとアジアとの交易において、ヨーロッパが欲しているものがアジアにたくさんあったのに、アジアの方は、ヨーロッパから輸入したいものがあまりなかったからである。ヨーロッパは、新大陸から銀を入手して、アジアから輸入しなくてはならなかった。

このような状況は、グローバル・エコノミーの中心、その引力の源泉は、中国にこそあったということを示している。これがフランクの考えである。だから、フランクの立場から見ると、中世において、経済的・軍事的・技術的にヨーロッパを圧倒していた中国が、近代化においてヨーロッパに主導権を奪われたのはどうしてなのか、という疑問は、それ自体間違っている。疑問の前提となる事実認識が誤っていることになるからだ。

フランクの議論が論敵として標的にしている対象は、はっきりしている。ウォーラーステインの近代世界システム論こそが、フランクが斥けようとしている敵である。フランクの見るところでは、近代世界システム論は、ヨーロッパ中心主義的な偏見に毒されている。ウォーラーステインの近代世界システム論については、われわれもいずれその妥当性を検討することになる。その基本的な認識は、一六世紀に北西ヨーロッパに資本主義的な世界＝経済が誕生し、それが、ロシア、トルコ、インド、そして中国といった前近代的な世界＝帝国を順次包摂していくことで、結果として、われわれが今日見ているようなグローバルな世界＝経済が形成された、というものである。確かに、これは、ヨーロッパ中心主義であるとの印象を与える。

フランクは、歴史学が提起してきたさまざまな研究に依拠しながら、ヨーロッパに世界＝経済が生まれたとされている一六世紀において、決して、ヨーロッパがその外部の諸社会に比べて経済的な先進地域であったわけではない、ということを証明しようとしている。それどころか、フランクが挙げている研究によれば、一八世紀においてすら、ヨーロッパはとりたてて卓越した地域ではない。経済の中心、最も豊かな地域は、アジア、とりわけ東アジアであって、ヨーロッパは周縁だというのである。フランクの近代世界システム論批判は、口を極めている。彼は、もともとは従属理論の主唱者の一人であった。学説史の常識に従えば、従属理論は、近代世界システム論の先駆形態のようなものであり、後者の中に取り込まれていった。だから、フランクの近代世界システム論批判は、一種の自己批判である。

*

しかし、言うまでもなく、近代世界システム論は、『リオリエント』に対して反批判している。[*4] ウォーラーステインは、次のように述べている。もしフランクが言うように、グローバル・エコノミーは、常に中国を中心にして展開してきたのだとすれば、どうして欧米列強が世界を分割し、諸地域を植民地化したり従属させたりする歴史が出現したのか、と。中世が終わった時点で、ヨーロッパは貧しい地域であり、にもかかわらず、全面的な貨幣経済への離陸や本格的な産業化は、他に先駆けてヨーロッパで生じたという事実、この事実は、早くから多くの経済史家たちが不可解なこととして指摘してきたことである。近代世界システム論は、こうした謎を説明する理論の一つとして提案された。もし、フランクが述べるように、グローバル・エコノミーの不動の中心として中国があっただけだとするならば、この謎はまったく不可解で、説明不能なものになってしまう。ウォーラーステインを初めとする近代世界システム論の立場からの反批判は、おおよそこうした問題を指摘する。

こうした批判に対するフランクの回答は、そうとうに苦しいものである。それは、次のような論である。中国がグローバル・エコノミーの恒常的な中心だとしても、経済には、必ず蓄積が加速的に進捗するフェーズと停滞的なフェーズがあり、二つのフェーズは交互に現れる。一九世紀以降、中国は停滞のフェーズに入った。その時期が、たまたまヨーロッパの側の成長期と重なった。産業革命以降、ヨーロッパが優位に見えるのは、このような二つの時期の偶然的な合致によるものであり、これは一時的な現象だというのが、フランクの説明である。

だが、こんな説明を許容したら、理論は破綻しているに等しい。一方で、あいつ（中国）は常勝のチャンピオンだと言っておきながら、他方で、負けるはずのないそのチャンピオンが誰か（ヨーロッパ）に負けてしまったときには、チャンピオンはたまたま風邪をひいていたのだから仕方がない、と言ったらどうであろうか。人は、それをつまらない言い訳としかとるまい。「中国はヨーロッパに負けたけれども、運悪く体調を崩していたときだから、チャンピオンベルトをヨーロッパに譲る必要はない」などという言い分は通らない。

それならば、われわれがフランクの浩瀚な書物から学ぶべきものは何もないということになるのだろうか。そんなことはない。ただ、『リオリエント』の教訓は、フランクが当初意図していたところとは逆の地点、われわれが当初期待していたところとは反対の場所にこそあるのだ。

最初、われわれは、こう言った。『リオリエント』の議論は、中国についてのわれわれの疑問を無意味化してしまうものだ、と。だが、『リオリエント』の実証研究が意図することなく含意しているのは、逆に、われわれの疑問は真正なものだったということ、謎はもともと予想していたよりもはるかに深いということ、こうしたことである。中世の末期に、中国がヨーロッパよりも、経済的・政治的・軍事的に発達していただけではない。尺度によっては――たとえば銀のフローを基準にとれば――、中国は、ずっと後まで、ヨーロッパよりはるかに経済的に豊かだった。にもかかわらず、資本主義のグローバル化においては、ヨーロッパが圧倒的な主導権をもったとすれば、それはますますふしぎなことである。どうしてなのか？　なぜ、中国は優位を保つことができなかったのか？　疑問があらためて提起される。

3　朝貢システム

ウォーラーステインが、ヨーロッパの世界＝経済が、外部の世界＝帝国に対して優位をもち始める転機を、彼のいう「長い一六世紀」に求めたのは、それがいわゆる大航海時代に対応する期間だからである。ポルトガルのエンリケ航海王子による北西アフリカへの侵略、ヴァスコ・ダ・ガマによる喜望峰を経由したインドへの進出、さらに言うまでもなく、クリストファ・コロンブスを嚆矢とする新大陸への侵略、そしてマゼランの艦隊による世界周航、これらはすべて「長い一六世紀」の初期に属する航海である。この時代に、まずはスペインとポルトガルが、そしていくぶん遅れてイギリス、フランス、オランダといった北ヨーロッパ諸国が、海外に進出した。

　われわれは、これらの大航海について、すでに次のことを示唆した（『中世篇』第12章）。西洋中世を成り立たせた旅、十字軍に代表されるような聖地への巡礼を含む中世の移動と大航海との間の断絶を強調しすぎてはならない、と。ウォーラーステイン等は、大航海の新しさを重視するが、人々を移動に駆り立てた衝動の基底にまで遡れば、両者はむしろ連続的である。一見、聖人の遺物やキリスト殺害の場であるエルサレムへの巡礼の旅と、新大陸への航海とは、異なった動機に基づくもののように感じられる。しかし、その動機を規定している、「物自体」（あるいはドゥルーズの「潜在的なもの」）としてのユートピアへの衝動にまで遡行すれば、両者はよく似ている。「長い一六世紀」の海への進出は、中世の聖地への巡礼の変形版として理解しなくてはならない。

　さて、ここで検討しておきたいことは、しかしこの論点ではない。近年の歴史学者は、別の類似性に注目しているように思える。大航海時代のヨーロッパ人の航海と同じような航海、同じような遠征を、同じ時代の――むしろわずかに先行してさえいる――中国人も行っていたということに、である。特に関心が向けられているのは、明の宦官(かんがん)鄭和(ていわ)による大遠征である。[*5]

　鄭和の最初の遠征、蘇州からマラッカやセイロンなどを経由して、インド北西のカリカットまで到達した航海は、一四〇五年に始まっており、これはエンリケ航海王子がアフリカ北西端のセウタを攻略する十年前にあたる。これを皮切りに、鄭和は、一四三三年までに七回、大遠征を行った。その間、艦隊は、アラビア半島の南西端のアデンや、アフリカ東海岸のマリンディにまで到達しているので、その移動距離に関しても、鄭和の遠征は、ヨーロッパの大航海と比べ、決して遜色ない。鄭和の艦隊は、アフリカからライオンやシマウマなどの珍しい動物を連れ帰り、永楽帝を喜ばせたとされている。永楽帝の最高のお気に入りはキリンだった。

鄭和の遠征に関して、最も驚くべきは、その船団の規模である。『瀛涯勝覧（えいがいしょうらん）』や『鄭和家譜』の記述を信じるならば、カリカットに到達した第一回目の遠征は、前後の長さが約百五十メートルで幅が約六十メートルの巨艦――「宝船（ほうせん）」と呼ばれた――を含む六十三隻の船に、二万八千人近い船員を乗せて組織されている。[*6] 一四九二年に新大陸に到達したコロンブスの船団は、たった三隻で、総乗組員数も百人前後である。一五一九年から一五二二年にかけて地球を一周したマゼランの船団でさえ、五隻、二百六十五人という規模であった（そして、マゼラン自身を含む大半の船員は途中で死亡し、セビリャに戻ることができたのは一隻、十八名のみだった）。これらと比べたとき、鄭和の遠征の規模は、文字通り桁違いである。

中国がこれほどの大遠征をほぼ同時代に行っていたのだから、ヨーロッパ人の大航海を特別なことだったかのように誇るべきではない、と何人かの歴史学者は示唆している。しかし、鄭和の遠征とヨーロッパ人の大航海では、何か根本的なところで異なっている。その違いは、次の事実を思い起こすといくぶんか実感できる。

鄭和の遠征は、明の第三代皇帝にあたる永楽帝の命令で行われた。永楽帝の死没によって、遠征自体が、事実上終わってしまった（永楽帝の死後の遠征は一回のみ）。ヨーロッパでは、どこかの国王、たとえばカスティーリャ女王イザベルが亡くなったから、大航海自体が終わる、などということは考えられない。ウォーラーステインは、トルコ人の進出を理由にしてポルトガル人の遠征を取りやめにさせるような皇帝は、ヨーロッパにはいなかったと述べており[*7]、またエリック・ミランは、ヴェネツィアの総督が死んだからといって、ヴェネツィアの東方への進出政策が転換することなどありえなかった、と論じている[*8]。それに対して、永楽帝の死は、明の大遠征に決定的な影響を与えた。中国史家ロバート・フィンレイは、一四三五年に英宗正統帝が即位した頃には、あの鄭和の巨艦「宝船」は朽ちるにまかされ、造船技術も継承されず、民間の船がマラッカ海峡を越える事業を手掛けることすらなくなっていた、と論じている。フィンレイは、これを、儒教官僚が政策決定の中心にいた事実と関連づけている[*9]。

どうしてあれほどの遠征が、一人の皇帝の死によって終わってしまったのか？　なぜ、ヨーロッパでは同じようなことが起きなかったのか？　両者の航海が、外観上似ているところがあったとしても、まったく異なる論理によって駆動されていたからである。どう違うのか？

＊

ここで前章の考察を想起しておこう。中華帝国の皇帝の権力を特徴づけているのは、その広さ、その空間的な拡がりにある。キリスト教によって支持されていた中世ヨーロッパの権力が高さへの意志に規定されているとしたら、中国の皇帝の権力を規定しているのは広さへの意志である。しかし、容易に想像できるように、王や皇帝等の支配者が、その権力の及びうる作用圏を、一定限度を超えて拡張することは、非常に困難なことである。従属者が、支配者の身体の現前（プレゼンス）を直接に実感できないような場所にいるとき、なおその従属者に対して有効に権力を及ぼすにはどうしたらよいのか？　広さを求める権力者は、すべてこの課題に直面する。

マックス・ヴェーバーの支配の類型学を適用すれば、中華帝国の皇帝の支配は、家産制に含まれる。伝統的支配の代表的な二つの類型が、封建制と家産制である。ヨーロッパの中世の支配の形態こそ、典型的な封建制であった。家産制とはどのような支配の形態なのか。まず家長による家計（≒家族）の内部の支配を考えてみる。家計に対して家長は絶対的な権力者としてふるまう。その家父長の支配が空間的・社会的に拡大したものが、家産制であるととりあえず理解しておいてかまわない。領土が家計の範囲を大きく超え、従属者もまた家計のはるかな外にまで及んでいるとき、それは家産制になる。[*10]

家産制においては、今述べた、権力についての最大の障害物が際立ったものとして現れることになる。権力は、いかにして広さを克服するのか？　ヴェーバーは、広さに対抗するための技術を二つ挙げている。がしかし、それら二つは、再び、権力にとっては困難の原因となりうるものである。つまり、困難への対策がそれ自体、困難の原因でもあるのだ。

第一の技術は、軍事力である。強大な軍事力をもつことになれば、支配者の権力の最も重要な基盤となりうると考えたくなるが、そうではない。強大な軍事力は両刃の剣であり、支配者にとっても最大の脅威である。軍人には、さまざまなものがありうる。最も原始的なケースでは、奴隷のような、支配者の個人的な従者をそのまま軍人にする。奴隷による軍隊も、普段は農業などの別のことに従事しているものを軍人に転用する場合と、農業などから解放された者を用いる場合とでは、かなりの違いがでる。あるいは、支配者は、外国人などの傭兵を軍隊に仕立てることもあるし、さらに、もちろん、自分の臣下を職業的な軍人として使用することもある。軍隊のような暴力装置は強力でなくてはならないが、支配者にとっては、強力であればあるほど反抗されたときの軍隊の危険は大きくなる。支配者が、軍事力に頼れば頼るほど、軍人の忠誠心は大きくなければならないが、軍人の忠誠心を確実に確保するために、それ自体、軍事力が必要だということになると、結局、悪循環に陥ることになるだろう。

ヴェーバーが挙げている第二の技術、広大な範囲に及ぶ権力を確保するために必要な第二の技術は、専門の行政スタッフ、すなわち官僚である。官僚に関しても、支配者にとっては、軍事力と同じ両義性がある。一方では、広域の支配には、専門の官吏や長官がどうしても必要である。しかし、他方で、官吏や長官は、王や皇帝にとって脅威である。彼等自身が、独立の、王や皇帝と拮抗できるほどの支配者になりうるからである。一般に、家産制的支配者は、その行政スタッフの貢献に、何かの給付によって応えなくてはならない。そうした給付の代表的なものが、土地、あるいは土地にともなう何らかの権利である。すなわち、土地からの産物や税収などを取得する権利だ。このような権利を得た官吏は、やがて、その土地をわが物のように扱うようになるだろう。その土地を、自分が支配しているかのようにふるまい始めるのだ。たとえば、彼は、土地を自分の子供に世襲しようと考えるかもしれない。こうなったとき、もともと、権力の効果を確実なものたらしめるために配分した行政スタッフが、支配者である王や皇帝の権力を削減するように働くことになる。さらには、彼らは、王や皇帝に対抗する独立の支配者になるかもしれない。

＊

家産制についてのこうした一般的な困難を前提にした上で、中華帝国に戻ってみよう。圧倒的な広域に及ぶ皇帝の権力を裏打ちしている社会的機制は何だったのか？ そうした機制の中核にあるもの、それは朝貢システムである。

よく知られているように、中国の歴代諸王朝は、自身を文明の中心、最も文明化された価値ある中心として位置づけ、その中心から外部へと向けて離れれば離れるほど、段階的に文明度の低い——つまり野蛮な——領域になっていると解釈してきた。最外部には、北狄、南蛮、東夷、西戎と呼ばれる、文明の恩恵が及ばない野蛮な場所がある。朝貢システムは、こうした華夷秩序に基づくコスモロジーを前提にしている。中華のまさに中心である皇帝から見たときに周辺にある王朝や共同体は、中心と関係を取り結ぶことによって、文明の恩恵にあずかり、自らを価値あるものとしてこのコスモロジーの中に位置づけることができる。この中心との関係の取り結び方、これこそが朝貢である。まず、周辺の王や首長は、中華の皇帝から冊封を受ける。すなわち、彼らは、皇帝との間で君臣の関係を結ぶ。このような位置を与えられた王や首長は、皇帝に使節を送って、貢物を捧げなくてはならない。これを受け取った皇帝は、今度は、貢物を上回るような返礼――回賜――を、王や首長に与える。これが朝貢システムである。

朝貢の関係の中にさえ入っていれば、周辺の王朝や共同体は、それ以上の干渉を受けることはなかった。朝貢システムとは、簡単に言えば、贈与の中心化に基づくシステム、つまり再分配のシステムの一種である。周辺の王や首長が皇帝へと贈与し、彼らは、今度は皇帝から反対給付を受け取る。ところで、今しがた見てきたように、家産制の下では、軍隊や行政スタッフもまた、再分配システムによって維持されている。再分配の範囲を、外部にまで拡張したときに得られるのが、朝貢システムである。というより、再分配システムに内と外とを定義し、どこからが朝貢で、どこからが内部のスタッフへの給付かを厳密に定義することは難しい。冊封を受けてある地域を管轄する領主は、皇帝の行政スタッフなのか、それとも独立の王なのか、と問うこと自体あまり意味がない。再分配システムは、近代の主権国家とは異なり、内外を区切る一義的な境界線をもたないシステムである。皇帝との間に再分配に基づく関係を結べば、それはいくらでも外に広がっていく。

ヴェーバーによれば、家産制の下での家臣への給付の原型は、支配者の食卓で食事に与る権利にあった。共食は再分配の原点である。朝貢システムとは、この共食の範囲をはるかに拡大したものである。あまりに広範で、一緒に食事はとれないので、儀礼的な贈与を行うのだ。

少しばかり細かな点にまで目を向けておこう。清朝は、もちろん、朝貢システムに支えられて存立していた。マーク・マンコールは、朝貢という観点で清朝の対外交易をとらえたときに、清朝の皇帝権力には二面性がある、と論じている。一方には、科挙に合格した官僚たちに委ねられた儒教的な価値観が支配する地域があった。これを管轄するのが、主として「礼部」である。他方では、清朝は、満洲族の伝統的な軍事組織に基づいて、軍人を配したり、王を封じたりして、騎馬民族等を管理した。その担当が、「理藩院」である。前者は、中央を基準にして、主に東南方向に広がる地域だったので、これを「東南の弦月」と呼び、後者は、西北方向に広がる地域に関係しているので、「西北の弦月」と呼ぶ。[*11] いずれにせよ、どちらも朝貢システムである。ヴェーバーに基づいて、家産制は、二つの技術、つまり軍事力と官僚制とを用いると述べたが、軍事力に関連した朝貢システムが西北の弦月、官僚制の延長上にある朝貢システムが東南の弦月であると見なすことができるだろう。

どうして、鄭和によって手がけられた組織的な大遠征が、一人の皇帝の死によってほぼ完全に絶えてしまったのか？　ここまで準備しておけば、この問いに答えることができる。鄭和の遠征は、全面的に朝貢システムというコンテクストに規定された事業だったのだ。鄭和は、言ってみれば、皇帝に朝貢する者、すべき者を見出すために、遠くまで航海したのである。鄭和の艦隊が獲得した、「蛮族」たちの恭順の約束や戦利品は、皇帝への捧げ物である。彼等がアフリカから連れてきた珍しい動物も、貢物の一種である。「宝船」という名がこのことをよく示している。その名の意味は「(西の海から) 宝を取ってくる船」である。また鄭和の大艦隊が辺境にまで行くこと、皇帝に派遣されて訪問すること、それ自体が、すでに、一種の回賜であった。だから、朝貢システムの焦点となるような皇帝、こうした極端な遠くにまで威光を広げようとする皇帝を失ってしまえば、遠征の必要性は消えてしまうのだ。もともと、遠征は、極端に費用がかさむ事業だったのだから。

わかりやすく単純化してしまえば、ヨーロッパの航海は、経済的な利益を求める競争というコンテクストの中にあったが、鄭和の遠征は、主に政治的なパフォーマンスであった。フィンレイは、中国は何世紀もの間、優越した文明として、遠方の後進的でこまごまとした諸王国を尊大にも見下しつつ、承認するための儀礼的な交換という観点で、物事を見てきた、と要約している。[*12]

このように、中華帝国では、権力の圧倒的な広域性は、朝貢を含む再分配のシステムとともにあった。権力は、その作用圏を拡大しようとしたときに遭遇する困難を、いかにして克服したのか、という問いは、これによって説明できるだろうか？　否である。朝貢システム、再分配システムがどうしたら維持できるかを考えてみればよい。このようなシステムが機能するためには、中心にいる皇帝や王は、臣下から与えられる以上のものを与え返さなくてはならない。朝貢システムの中に入ることは、辺境の王や首長にとっては大きな利益である。それならば、中心の支配者は、どうして、そのような価値ある財を返すことができるのか？　もともと、支配者のもとに、財が集まってくるからである。なぜ？　再分配システムがあるからだ。

つまり、朝貢システムなどの再分配システムが機能するためには、もともと、再分配のシステムが有効でなくてはならない。再分配のシステムにとって、まさに再分配システムそのものが前提になるのである。とするならば、再分配システム自体が、説明されなくてはならない。

4 受け取らない神

さて、われわれは、中華帝国の権力の中核的な作用素として、朝貢システムを見出した。どんな権力にも、同じような契機が内蔵されているのではないか？　必ずしもそうではない。この点を、一神教のケース、ユダヤ教のケースと比較することで確認することができる。ここで、本章の冒頭で参照した「カインとアベル」の物語に回帰してみよう。ここに、われわれは、朝貢的な機制が徹底して追求されたところで、自己解消してしまう瞬間を捉えることができるのである。

カインもアベルも、神に貢物を差し出した。神は、彼らに何も返していないように見える。回賜にあたるものはどこにもないように見える。が、厳密には、それは正しくない。アベルとの関係では、神は確かに返しているのだ。何を？　神は、アベルが捧げた羊の初子を認め、それを受け取った。神が、贈与したものを受け取ってくれたということ、そのことがすでに、アベルにとっては、報酬としての、お返しとしての価値をもつのである。贈与を受け取ることが、それ自体、贈与への返礼として機能しているのだ。このことを理解することは、経験的にも難しくあるまい。われわれも、たいへん尊敬している人、とても好きな人に何かを贈ったとき、その人物が、それを「受け取ってくれた」というだけで、十分にうれしく、報われたと感ずるときがある。他者が私にとって十分な超越性を帯びているとき、その他者への贈与の成就自体が、その他者からのお返しとしての意味をもつ。アベルにとって神はそのような他者であった。カインもまた、そのことが分かるから、アベルに嫉妬するのである。

それならば、カインと神との関係ではどうだろうか？　今述べたように、神が人間に対して隔絶した超越性をもっていればいるほど、神は、実質的な何かを返すことがなくても、人間に贈与したことになる。言い換えれば、神が、人間に、具体的に価値ある物を与えたり、返したりしなくてはならないときには、神の人間に対する超越性が不十分であることを含意している。こうした傾向、神と人間の間にあるこのような原理を、さらに極限にまで推し進めたらどうなるだろうか。

アベルのケースにおいて、すでに限界的であるように見える。神は、ただ受け取るだけで、アベルに返しているのだから。しかし、さらに徹底させれば、「受け取る」という最小限の報酬すら与えなくても、つまりは何もしなくても、神は人間に「返したことになる」というところまで行き着くはずではないか。カインの例は、それなのである。カインは、神から、具体的なことは何もしてもらってはいない。「受け取ること」すらしてもらってはいない。それでも、カインは、贈与してもらったかのように、返してもらったかのように、神に感謝しなくてはならなかったのである。しかし、実際には、カインは、何も与えられなかったことを怒り、アベルに嫉妬した。カインは、何かが与え返されることを、せめて「受け取られる」というかたちで返されることを求めたのだ。しかし、それは、神の超越性を相対化する冒瀆的な要求である。神がまったき超越性であるならば、何もなくても、カインとしては、すでに「与えられている」と感じなくてはならなかったからである。それゆえ、カインは呪われたのだ。

＊

ここでわれわれの考察の論脈で確認すべきことは、次のことである。こうした一神教の論理は、中華帝国を成り立たせているような朝貢システムや、再分配システムとは異なったものだということ、これである。「何も返さないことがすでに返したことになる」といった逆説によっては、当然、朝貢システムは機能しない。中華帝国の皇帝は、周辺の王たちに、宝物を与えなくては、その威信を保つことはできなかった。

さらに、われわれとして、注目すべきことは、「カインとアベル」の物語に集約されている方法は、単純に、贈与と反対贈与に基づく再分配の手法を拒否しているのではなく、そうした手法に内在している論理を十分に徹底させたときにこそ導かれる結果だという点である。王や皇帝が再分配の流れの中心に立つのは、彼らが臣民に対して超越的だからである。その超越性がさらに徹底すれば、「カイン」の水準にまで――カインが本来従わなくてはならなかった（しかし受け入れきれなかった）論理の域にまで――到達するだろう。

厳密に言えば、ユダヤ教の中に、朝貢に類似した論理がなかったわけではない。だが、後にやってくるキリスト教との関係でとらえたとき、それは、ユダヤ－キリスト教にとっては、やはり克服すべき契機として孕（はら）まれていたのではないだろうか。どういう意味か、ごく簡単に説明しておこう。

ユダヤ教の中には、三つの系列が互いに絡まりあうようにして存在していた、と考えてよいのではないか。第一は、律法であり、それを代表したのがファリサイ派である。第二は、神殿で神に捧げ物をすることで神と関係しようとする者たちで、これを代表したのがサドカイ派である。第三には、預言者である。

イエスは、この第三の系列の伝統の中から出現した。イエスは、預言者ではないが、預言者的なものの極限に出現した逆説的な要素ではある。また、イエス・キリストの「隣人愛」は、律法の止揚であるということは、すでに何度も論じた（古代篇・中世篇）。キリストにとって、ファリサイ派は最も重要なライバルである。そして、残ったサドカイ派こそは、朝貢的な関係を神との間に築こうとしていたグループではないか。サドカイ派は、比較的裕福な貴族層で、シナゴーグでの礼拝を否定し、神殿での礼拝だけを認めた。神殿は神の家であり、ここで神に贈り物（犠牲にされた動物や農産物）が捧げられた。神殿祭司であるサドカイ派は、神の家（神殿）を訪問し、神にいわば朝貢していたのである。キリストにとっては、サドカイ派もまた克服の対象であった。逆に言えば、サドカイ派は、ファリサイ派とともに、キリストに対して憎悪や殺意を抱いていた。

ともあれ、ここで結論的に得ておかなくてはならない認識は次のことである。すなわち、ユダヤ教、あるいは一神教においては、克服の対象として孕まれていたある契機、その同じ契機を積極的に活用することで、中華帝国のような大規模な権力が維持されていたのだ。

*1 エリック・ミラン『資本主義の起源と「西洋の勃興」』山下範久訳、藤原書店、二〇一一年（原著、二〇〇七年）、八六頁。

*2 同書、八七頁。

*3 アンドレ・グンダー・フランク『リオリエント――アジア時代のグローバル・エコノミー』山下範久訳、藤原書店、二〇〇〇年（原著、一九九八年）。

*4 Immanuel Wallerstein, "Frank Proves the European Miracle *w*", *Revie* 22(3), 1999.

*5 Haraprasad Ray, *Trade and Diplomacy in India-China Relations*, New Delhi: Radiant Publishers, 1993. ルイーズ・リヴァシーズ『中国が海を支配したとき――鄭和とその時代』君野隆久訳、新書館、一九九六年（原著、一九九四年）。

*6 宮崎正勝『鄭和の南海大遠征』中公新書、一九九七年、九二―九八頁。

*7 I. Wallerstein, *The Modern World-System I*, Academic Press, 1974, p.60.

*8 ミラン、前掲書、一〇六頁。

*9 Robert Finlay, "The Treasure-Ships of Zheng He", *Terrae Incognitae* 23, 1991, p.12.

*10 中華帝国を家産制の典型と見なすヴェーバーの見解に対しては、後に批判的に検討し、これを若干修正することになる。しかし、ここでは、ひとまずヴェーバーの議論に便乗する。「家産制」という捉え方は「第一次近似」（大雑把なイメージ）としては、悪くはないからだ。

*11 Mark Mancall, "The Ch'ing Tribute System: An Interpretive Essay", J. K. Fairbank ed., *The Chinese World Order: Traditional China's Foreign Relations*, Harvard University Press, 1968. 山下範

久『現代帝国論』ＮＨＫブックス、二〇〇八年、九三―九四頁。茂木敏夫『変容する近代東アジアの国際秩序』山川出版社、一九九七年、一七頁。

＊12　R. Finlay, *op. cit.*, p.7.

第4章　「東」という歴史的単位

1　神への負債

前章で、われわれは、超越的な「第三者の審級」の位置を占める形象——つまり神や皇帝——への貢物に着眼して、一神教の論理と中華帝国の論理とを対照させた。後者においては、いわゆる再分配のメカニズムが機能している。従属者たちが、恭順の表現として皇帝に貢物を捧げると、皇帝からは、彼らが臣下であることを承認したことを表現するためにお返しが与えられる。この関係が成立したとき、皇帝は臣下の反逆を恐れる必要がなくなり、また臣下は、皇帝からの保護を期待することができる。こうした関係がきわめて大規模に展開したときに得られるのが、朝貢システムである。しかし、前者、一神教（ユダヤ教）においては、こうした論理が、すなわち超越的な他者である神との間の贈与とお返しによる関係の形成という論理が、否定されている。カインが神によって罰せられたという創世記のエピソードは、このことを示している。われわれは、このように論じた。

しかし、このような説明には、反論がありうる。反論があって当然なのだ。というのも、一神教の中の一神教とも解すべきキリスト教こそ、まさに、神と人間との間の互酬的な関係を根幹に据えているように見えるからだ。人間が神に貴重なもの、およそ考えられる限りで最も価値あるものを与える。それへの対価として、人間は、神の歓心を、あるいは神からの赦しを得ている。人間が与えた貴重なものとは、ほかならぬイエス・キリストである。この場合、神への贈与は、供犠（くぎ）の形式をとっている。イエス・キリストが神に捧げられる。ここで機能しているのは、朝貢国や臣下が中華の皇帝に何かを献納するときに活用されている論理と、同じ原理ではないだろうか?

キリストの死は、神と人間との間の究極の取り引きを意味するような供犠ではないか? そうだとすれば、キリスト教を支えている原理も、中華帝国の朝貢システムの論理と異ならないのではないか? こうした解釈を、キリスト自身の言葉が、あるいは新約聖書のいくつものテクストが、さらには有名な聖書学者の注釈が、正当化しているように見える。十字架の上で死ぬというキリストの行為が、繰り返し「贖（あがな）い」として指示されているのを確認すれば、どうしても、こうした解釈へと傾かざるをえない。たとえば、「マルコ福音書」によれば、イエスは、「人の子〔=イエス自身〕は〔中略〕自分の命を多くの人のための贖い〔身代金〕として与えるために」来たと自分で語っている（一〇章四五節）。「テモテへの第一の手紙」の著者は、イエス・キリストを「神と人間の仲介者」であり、「万人のために自分自身を贖いとして差し出した方」と呼んでいる（二章五―六節）。あるいはパウロも、「コリント人への第一の手紙」で、キリスト教徒は「代価を払って買い取られた」と記している（六章二〇節）。代価とは、いうまでもなく、イエス・キリストのことである。

こうした言葉はすべて、キリストが人類の代表として自分自身を犠牲にしたことによって——言い換えればキリストが人間の神への貢物となることによって——、人間は罪から解放され、自由になったという説明を裏付けている。この説明は、臣下や周辺国が、中華の皇帝に貢物を差し出すことで、安全性や自由を与えられるという論理と同じ推論を活用している。

だが、よく考えてみると、キリストの死についてのこうした解釈には、重大な難点がある。イエス・キリストは「神の子」——ということは神自身——ではないか。とするならば、彼の死が「贖い」や「支払い」として成立するためには、受け手が神であってはならないはずだ。キリストの死が何かの代価であるとすると、その代価は、いったい誰に対して与えられているのか？

整合的に解釈するためには、神以外の誰かが、贖いの受け手として存在していると考えなくてはならないように思える。実際、そのように解釈した者もいた。この場合、受け手は、人間を罪の内に閉じ込める者である。つまり、受け手は、サタン（悪魔、妨害者）である。人間はサタンの人質になっていて、神が身代金を支払ってくれたおかげで、サタンから解放されたというわけだ。この解釈は論理的ではあるが、それが克服しようとした難点をはるかに超える重大な欠陥をもっている。このように解釈したときには、一神教の原則が根本から否定されてしまうのだ。神を超える、あるいは少なくとも神と拮抗する力（サタン）があって、神でさえも、自由にそれを扱うことができず、それに従わざるをえないことになるからだ。要するに、神の超越性、全能性が損なわれてしまうのである。したがって、サタンへの支払いという解釈は、キリスト教の観点からすると容認しがたい異端であろう。

＊

とすれば、通常通り、贖いはやはり、神に対してなされた、と解釈しなくてはならない。神が、神への支払いを、人間の代わりに、神の子（神自身）によって行っていることになるわけだ。神は、全人類の罪の代償を――神自身へと――支払っているのである。簡単にいえば、神は、人間のために、借金分を立て替えてあげているのだ。この解釈に従えば、人間の神への支払いに見えるものは、実際には、逆に、神の人間へのとてつもなく大きな贈与である。

したがって、キリストの死によっても、本来は、神に対する人間の負債は、まったく消えてはいない。神の子を十字架の上で殺してしまうというパフォーマンスは、いわゆる追い貸しのようなものだからだ。つまり、神の子の登場は、支払い不能な状況にある「人間」への（神による）追加的な融資のようなものである。人間の罪は、あまりにも大きな不良債権のようなものなので、神が、「神の子」を融資して、救済してくれたのである。

もちろん、神は、この追加的な融資に対しては、人間に返済を要求しない。これが、罪の贖いが完了したということである。だが、そうだとすると、人間の神への負債は、さらにいっそう大きいものになるだろう。このことは、経験的にも容易に想像できるはずだ。もしあなたが誰かから「返さなくてもいいよ」「お返しはいらないよ」と言われて何かを与えられたとすれば、あなたのその人への負債は、きわめて大きく、解消不能なものになるだろう。あなたのいかなる所有物によっても、その負債は消すことができないからである。そのとき、あなたは、所有物によってではなく、あなた自身の存在によって負債の穴埋めをするしかなくなる。つまり、返さなくてもよいような贈与を受け取ってしまったとき、あなたのその人への服従は、決して消えないものになる。返すことによって相対化することができない贈与は、より深い負債を残すのである。実際、キリスト教徒は神に対してこのような負債感を抱いているのではないだろうか。原罪を贖うということは、神への負債を消去することであったはずだが、逆に、そのことによって負債が大きくなるという逆説がここにはある。

ともあれ、この問題については、今はこれ以上追究しない。目下の主題は、こういうことであった。キリストの死による贖罪という論理は、中国の皇帝への朝貢の論理と本質的には変わらないのではないか。もし贖罪が、以上に述べたものであったとすれば、つまりキリストが人類の代表として犠牲になり、神に捧げられたと解釈するならば、この問いには、まさにその通りである、と答えなくてはならない。イエス・キリストを最初から人間に属していると解釈した場合はもちろんのこと、述べたように、神から追加融資のように与えられたものと解するならばよりいっそう、両者——キリストと中国——は、基本的には同じ論理に従っていることになる。

贖罪についての以上の解釈は、神が、人間に対して、罪の代償を要求しているということが前提になる。この要求を前提にして、人間が犠牲を捧げると、その犠牲を受け取ったことが、神から人間へのお返し——それが神による罪の赦しと解釈される——としての意味をもつ。こうした贈与と反対贈与の関係によって、信従の関係が構成されているのだとすれば、この関係は、中国の皇帝に対する朝貢と同じ論理に基礎づけられていることになる。

2　イサクの奉献

だが、キリストの磔刑（たっけい）についてのこうした解釈は、根本的な部分でまだ十分に説得的であるとは言えない。ここには、腑に落ちない奇妙な部分が残る。まず、問題は、キリストの死の心理的な効果ではなく、その論理にあるということに留意しておく必要がある。キリストの死にまでいたる過程は、確かに、異常にドラマティックなスペクタクルなので、その心理的なインパクトは測りしれない。わが子を犠牲にしてくれた神の「愛」に感動し、恩義（負債）を感じた信者はたくさんいたに違いない。しかし、ここでわれわれが論じているのは、神学に内在した論理である。論理の水準でとらえたとき、キリストが罪の贖いのために犠牲として捧げられたとする解釈には、無視できない不整合がある。

つい先ほど述べたように、イエス・キリストを犠牲として神に贈与したことによって罪が贖われたという枠組みに収めるためには、次のように考えなくてはならない。まず、人間はもともと神に対して借りがある。それが「原罪」である。神は、その分への返済を要求している。

しかし、人間にはそれを返す能力はない。そこで、神は、人間に「神の子（神自身）」を追加融資した。人間は、その追加融資された分を使って、神への返済にあてた。これによって、原罪の分は贖われた。つまり最初の借金は消えた。その上で、神は、追加融資分については、債権を放棄したので、結局、人間の神への債務は全部消えて、罪は完全に赦されたと解釈される。

このように整理してみると、神のやっていることは実に滑稽である。なぜ、神は、追い貸しをした分で、最初の借金（原罪）を返済させたうえで、後から貸した分について棒引きしてやる、などという回りくどいことをしなくてはならないのか。そんなことをするくらいならば、神は、いきなり、最初の貸し（原罪）に対する債権を放棄すればよいではないか。つまり、神は、神の子をわれわれ人間のもとに派遣する等のことをせずに、直接われわれを赦せばよいではないか。神は、どうして、人間に対して、いきなり「赦してやる」と言ってくれなかったのだろうか？

こうした疑問が残るのは、キリストの犠牲についてのここに述べてきたような解釈が誤りだからである。[*1] 神が人間として顕現したうえで、十字架の上で死んでしまうという出来事は、こうした解釈の中に、過不足なく収めることができないのだ。実際のところ、この謎の説明には、優れたキリスト教神学者たちも苦労している。たとえば、アンセルムスは、次のように説明しているという。罪悪感は、満足感によって補償されなくてはならない。しかし、人間には、それ感を除去するには、それと同じ大きさの満足感が必要だというのだ。しかし、人間には、それほどの満足感を提供する力がない。神のみがそれをなしうる。神性と人間性をともに十全に備えた個人が出現したのはこのためだ。神の子の顕現だけが、罪悪感と均衡しうる満足感をもたらすことができるからだ。これがアンセルムスの説明だ。[*2] この説明は、しかし、キリストがやってきたことの心理的な効果にだけ着目しており、彼が惨めな死を遂げることの神学的な意味を解き明かすものにはなっていない。このように一流の神学者でさえも、キリストが十字架の上で犠牲になってしまうことの神学に固有な意味を説明することに成功してはいない。

では、どう説明したらよいのか。[*3] この点については、ずっと後に答えることにしよう。当面、われわれが確認しておかなくてはならないことは、次のことである。結局、朝貢の論理、中国の伝統的な皇帝を中心においた再分配の論理と、キリストの磔刑にともなう贖罪の論理とは、根本的な部分で異なっている、と。前章で、われわれが提起した論点は、キリストの死を考慮に入れても維持されるのである。あるいは、キリストの死を視野に収めることで、われわれの論点は、むしろさらに補強されたのだ。

＊

前章で、われわれは、カインとアベルのエピソードをもとにして考察した。アベルと神との間には、まだぎりぎり、贈与とお返しという関係が成り立っていた。神が、捧げ物の羊を受け取るということ、そのことが、すでにアベルにとってお返しとしての意味をもつからである。だが、カインに対しては、「受け取る」という意味でのお返し、贈与を承認するということが含意する最小限のお返しすらない。それでも神を裏切ることは赦されないのだ。この二つのケースの比較から、われわれが得ることができる結論は、ユダヤ教は、単純に、神と人間との間の互酬的な関係を拒否しているわけではない、ということである。そうではなく、贈与とお返しから成る関係を、極限まで徹底した果てに、それは否定されているのである。

同じことは、キリストの死に即して、あらためて確認することができる。神の子の十字架上での死の「前史」とも見なすべきエピソードが、旧約聖書の中には含まれているからである。「カインとアベル」等とともに非常に有名な、創世記中のエピソード、「イサクの奉献」のエピソードが、それである。イサクの犠牲とキリストの犠牲との間には相同性があるということは、多くの論者がすでに気づいていることだ。

イサクは、アブラハムが年老いてから授かった子であり、アブラハムにとっては命よりも大切なものだと言ってよいだろう。イサクの誕生、つまりサラ（アブラハムの高齢の妻）がイサクを受胎するということは、事前に神によって約束されており、この点でも、マリアに受胎が予告されていたイエスのケースと似ていなくもない。しかし、この事実は、今はそれほど重要ではない。

神は、アブラハムにイサクを与えておきながら、あるとき、突然、アブラハムに呼びかけ、息子イサクを全焼の供犠として自分に捧げるように命令する。アブラハムの信仰を試すためである。アブラハムは、迷うことなく、この命令に従う。彼は、イサクを連れて、神が供犠の地として指定したモリヤに向かうのだ。目的地に近づいたとき、イサクは、薪や種火はあるのに、供犠となるべき羊がないことを不審に思い、父アブラハムにこの点を問うているが、アブラハムはあいまいな返事しかしていない。モリヤに祭壇を築き、アブラハムは、イサクを屠ろうとする。そのとき、神の使いがやってきて、「アブラハム、アブラハム」と呼びかけ、イサクを殺してはならない、と神の命令を伝える。アブラハムの信仰がほんものであることが、もうこの段階で証明されているからである。こうして、イサクはすんでのところで救われた。代わりに雄羊が与えられ、彼らはこれを供犠として神に捧げた。

天使が来なかったら、当然、アブラハムはイサクを殺していただろう。この出来事によって、アブラハムは信仰の英雄として讃えられている。ここでは、人間（アブラハム）の子が神に捧げられている。これが、神自身の子に置き換えられれば、キリストの磔刑のケースになる。両者を隔てる距離は小さいように見える。

ここでわれわれとして留意しておきたいのは、イサクの奉献であれば、通常の犠牲と変わらないということである。そして、通常の犠牲であれば、皇帝に対する貴重品の献納と同じ論理で説明できる。しかし、「イサクの奉献」を「キリストの死」に置き換えたときには、述べてきたように、それはもはや皇帝への献納とは異質なものに転化している。イサクとキリストの間に小さいが、決定的な距離がある。ここで提起しておきたい仮説は、したがって、こうなる。中華帝国の皇帝を結晶させたような再分配の論理とキリストの死をもたらす論理の間の質的な差異は、それ自身、一神教（ユダヤ－キリスト教）に内在しているということ、これである。二つの論理は単に外的に対立しているだけではない。内的にも対立しているのだ。

3 ヘーゲルの歴史哲学

あらためて確認しよう。キリストの死のことを考慮に入れても——あるいはこれを考慮に入れることによってこそ——、中華帝国を存立させた論理と西洋という文明へと連なるキリスト教の論理とは明確に対照させることができる。前者は、贈与を皇帝へと中心化することで機能する。贈与とそれへのお返し(反対贈与)という関係が、常に、皇帝と従属者との間に結ばれる。こうしていわゆる再分配の関係が形成される。それに対して、後者は、こうした関係、つまり贈与とお返しという関係を否定することによって成り立っている。

この対照を、世界史のさらに大きな視野の中に置きなおしておきたい。ここで、参考になるのが、ヘーゲルの歴史哲学である。[*4] ヘーゲルは、世界史は東から西へと向かった、と論じている。世界史の起源が東にあって、それが西へと向かったとヘーゲルが主張するとき、彼は、事実過程を記述しているわけではない。人類の発祥の地がユーラシア大陸の東にあったとか、何かの伝播の過程について、ヘーゲルは主題化しているのではない。ヘーゲルが言う「東から西へ」は、純粋に論理的なステップである。

ヘーゲルの考えでは、世界史とは、まったく野蛮で勝手気ままな意思が訓練されて、普遍的で主体的な自由が実現されるまでの論理的な過程である。こうした尺度に基づいて、次のような有名なテーゼが提起される。東洋は、一人が自由であることを認識し、ギリシア・ローマ世界は、特定の人々が自由であることを認識し、そして最後にゲルマン世界〔＝西洋〕は、万人が自由であることを認識する、と。簡単に言えば、自由な主体として承認される範囲が、次第に拡張し、普遍化していく過程が、ヘーゲルの世界史である。この観点から捉えたとき、歴史は東から西へと進行したというのが、彼の判断だ。

ヘーゲルによれば、歴史の幼年期に対応する東洋世界においては、共同体の精神を体現する一人だけが自由な主体として認識されており、他の諸個人は、自己統制できずに勝手気ままな心をもっているだけで、自由な主体とは見なされない。自由である唯一の主体とは、王国の王や帝国の皇帝である。王や皇帝は、共同体に対して家長として君臨している。共同体の富や豪華さは、この特定の個人に集中している。他の個人は、共同体の精神から独立した、あるいは共同体の精神に対抗しうる自由な主体性をもたない、とされる。このような共同体が、後にマルクスによってアジア的専制国家と言い換えられ、ヴェーバーによって家産制として一般化される。

これに、青年期・壮年期にあたる、古代ギリシア世界とローマ帝国が続く。ヘーゲルの考えでは、これは、共同体から自立した個人が形成される段階である。放縦とは異なる、自律的で自由な個人が、出現する。自己反省に基づく統制の程度が、ローマ帝国のほうがギリシア世界よりもいくぶんか高まっているとされている。この段階では、しかし、自由な主体は、共同体の一部の者に過ぎない。

ヘーゲルの図式では、最後に、歴史の老年期（完全なる成熟期）たるゲルマン世界（西洋）

が登場する。自由な主体が普遍化するのがこの段階である。これに深く与っているのが、キリスト教である。ヘーゲル独特の表現を用いれば、ゲルマン国家によって、ゲルマン世界の原理であるキリスト教が具体的な現実性を獲得する、というわけだ。キリスト教のもっている原理が、世俗の国家の中に統合され、実現されるというのである。

こうしたヘーゲルの歴史哲学の基本的な段階区分を今日の視点から振り返ったときに、われわれは、対照的な二つの印象をもつ。一方で、それは、歴史の進歩や近代化を、「民主化」の過程と見なす、素朴な社会観と大筋においては一致しているように思える。しかし、他方で、学問的な厳密な観点からすると、ヘーゲルの考えは、ヨーロッパ中心主義やナショナリズムに基づく偏見や、一九世紀前半の学問的な知見の限界に規定されていると見なさざるをえない。学問的な妥当性を重んじるならば、今日の研究は、ヘーゲルのこうした段階区分をそのまま採用することはとうていできない。

もし今日、ヘーゲルの歴史哲学に真に読むに値するものがあるとすれば、二つの印象の狭間にこそある。つまり、ヘーゲルの緻密な思索が、今日の社会で流通している素朴な歴史観や社会観とずれを呈し、それらを逆撫でするような部分にこそ、ヘーゲルの価値が現れるのだ。たとえば、「一人が自由（東洋）／一部が自由（ギリシア・ローマ）／万人が自由（西洋）」という三段階の図式は、今日の素朴な了解に写像させれば、「君主制／貴族制／民主制」に対応するように思えるだろう。しかし、ヘーゲルは、東洋世界を「専制政治」と呼び（ここまでは誰もさして驚かないが）、その上で、民主制は、貴族制と並んで、第二の段階に含め、第三段階の「万人が自由」であるような社会は君主制である、としている。専制政治と君主制とはどう違うのだろうか。どうして、万人が自由な主体として承認されている社会が、民主制ではなくて君主制なのか。その場合、君主とは何か。こうした問いにこそ、ヘーゲルの真骨頂が現れるのである。

確かにその通りなのではあるが、しかし、ヘーゲルのヨーロッパ（ゲルマン）中心史観も、大きな指針の手がかりとしては、役立たないわけではない。厳密には正確ではない絵地図のようなものでも、旅の大雑把なガイドラインを決めるのには——精密な地図以上に——便利なのと同じである。ヘーゲルにおいて、ギリシアとローマは、ゲルマンの初期段階のようなものなので、当然のことながら、「西」に含まれる。これに全体として、「東」が対立する。ヘーゲルにとって、東、東洋とは何かと言えば、その典型は、まずは中国であり、さらにインドと、（ユダヤ教が登場する前の）ペルシャが含まれる。ペルシャの地域は、ユダヤ教が登場してしまえば、「西」の辺境として意味づけられるようになるので、東とは、結局はインドと中国だということになる。どういう論理を根拠にしているにせよ、ヘーゲル哲学の観点には、インドから中国が連続的に見えているのである。西洋という大きなブロックに対照させるには、これらは連続的に把握した方がよい。ヘーゲルはそう見たことになる。

4　一神教の見えない壁

こうした見方、つまりインドから中国にかけての地域の（前近代の）歴史を一連の論理の中に収める視野に信憑性を与える、ひとつの指標的な事実を、ここで挙げておこう。指標的な事実とは、世界史の教科書にもよく描かれている、仏教の伝播経路である。

仏教の開祖が、シャカ族の王子ゴータマ・シッダルタであることは、誰でも知っている。しかし彼の生没年は定かではなく、推定年は、学者によって百年もの開きがある。高楠順次郎は、誕生が紀元前五六六年、入滅が紀元前四八六年と推定している。仏教学の泰斗中村元は、宇井伯寿の推定を若干修正したうえで、紀元前四六三—紀元前三八三年がシッダルタの生没年であるとする説を採用している。ゴータマ・ブッダが八十歳まで生きたことははっきりしているのに、生没年がこれほどあいまいであるのは驚きである。イエス・キリストと比べてみればよい。今でもわれわれは、彼の生誕を基準にした暦を採用しているので、イエスが、およそ二千年前に生まれたことは世界中で知られている。しかし、ブッダに関しては、専門家ですら、正確な生没年がわからない。どうしてこのような違いが出たのか？　キリスト教にとっては、あの時期、あの地域にイエス・キリストが出現し、活動していたという事実は宗教的な真理の一部、枢要な一部なのだが、仏教にとっては、ゴータマ・ブッダがいつ生まれ、どこで活動したかということは、真理（＝法）とは無関係な偶有的な事実だからである。

仏教の伝播

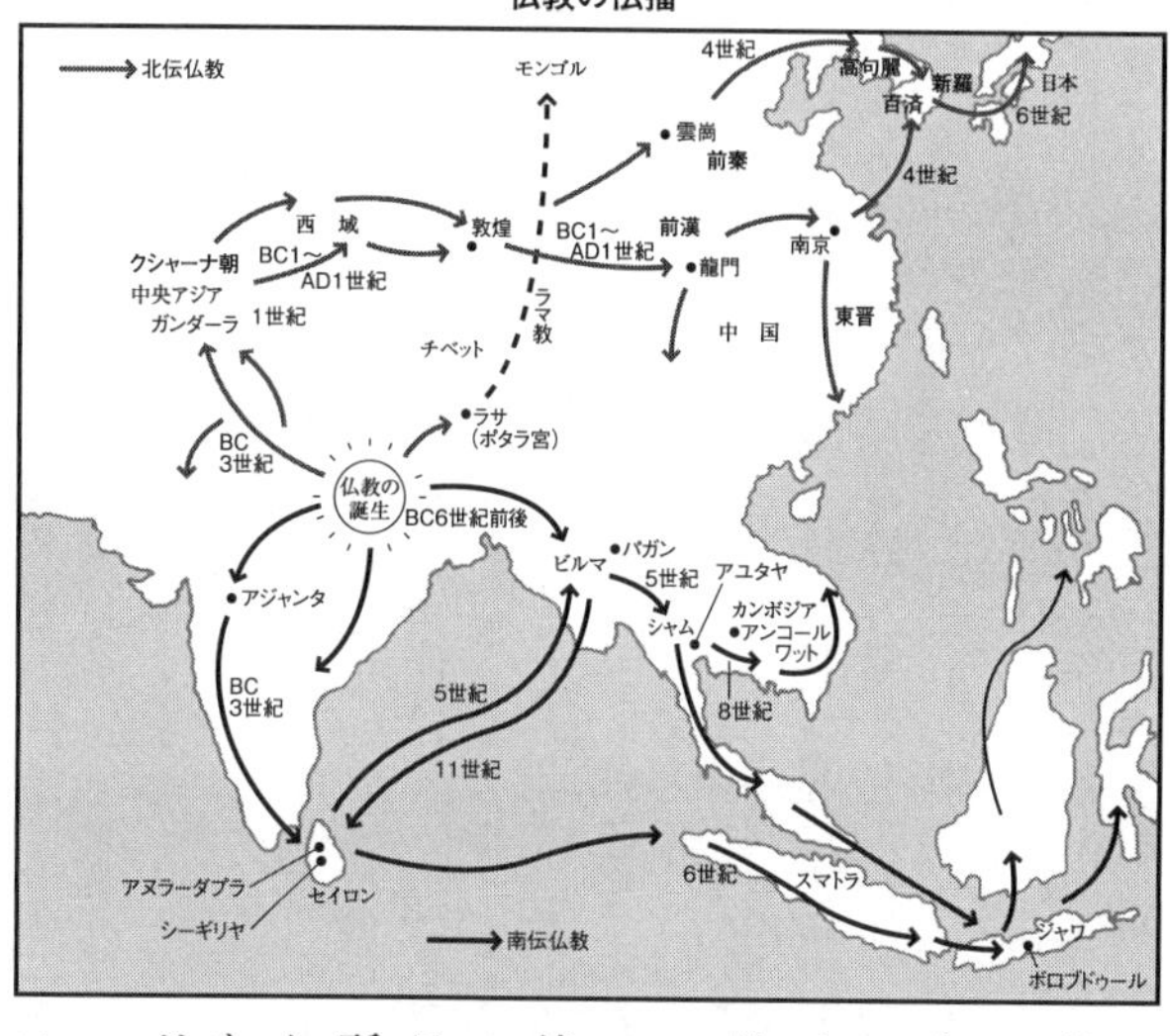

ともあれ、今は、こうしたことを中心的な主題にしたいわけではない。いずれにせよ、紀元前五世紀頃にまちがいなく存在していたゴータマ・シッダルタによって、仏教は開かれた。生没年は定かではないが、彼の出生地や、彼が活動した地域がどこであるかは、ほぼ正確にわかっている。つまり仏教の発祥地はわかっている。それは、インドとネパールの国境地帯である。厳密に言えば、四大聖地のうち、ブッダの生誕地ルンビニーは今日ではネパールに属しており、他の三ヵ所、つまり彼が菩提樹の下で覚りを開いたとされるブッダガヤー、初めての説法を行ったサールナート、入滅したクシナガラはインド側に入っている。

これらの聖地を含む仏教の発祥地は、ユーラシア大陸の全体としてみると、ほぼ中央に位置している。厳密に言えば、まず東西の軸線で見た場合、イベリア半島の西端までを考慮に入れれば、仏教の発祥地は、やや東寄りである。また南北の軸線では、今度は、南方寄りであると言える。が、大雑把に言えば、ユーラシア大陸のほぼ中央で、紀元前五世紀頃、仏教は発祥した。

さて、興味深いのは、ここに始まった仏教が、どのような経路で伝播していったか、である。仏教は、二つの方向に伝播した。ひとつは南伝と呼ばれる経路である。紀元前三世紀に、アショーカ王の王子マヒンダが、部派仏教（小乗仏教）をセイロンに伝えたのがスタートである。それが、さらにタイやカンボジア、ビルマ（ミャンマー）に伝わった。もう一つの経路は、北伝である。仏教は紀元前二－三世紀頃、アレクサンドロス大王の遠征によってガンダーラ地方（現在のパキスタンのペシャワール辺り）に入植し、都市国家を作っていたギリシア人に広く受け入れられた。その後、仏教は、中央アジア、シルクロードのオアシス国家（敦煌等）を経由して、やがて中国へと伝わる。この中国を経由した仏教が、日本にも伝わった。日本列島に仏教が到達したのは、六世紀前半である。日本の仏教は、北伝に属している。

こうした二方向の伝播経路を全体として眺めたとき、われわれは顕著な特徴に気づく。最初、仏教は、北方向にも南方向にも、放射状に伝播していった。こうした伝播は、自然の障壁によって阻まれなければ、仏教に限らず、たいていのものの普及に見られるはずだ。ところが、西側への伝播が、ある地点で突然停止してしまうのだ。ガンダーラを経由して西へと伝わった仏教は、アフガニスタンのバーミヤンあたりまでは届くのだが、それよりも西には、ごく少数の例外を別にすれば、ほとんど伝わらない。まるでそのあたりに見えない壁があるかのように、伝播の経路は東方向へと大きく跳ね返されるのだ。今述べたように、この東へと折れ曲がった経路が、中国に至り、さらには日本にまで到達する。中央アジアから、中国、朝鮮半島、日本への仏教の伝播を、「仏教東漸」と呼ぶのだが、これと同規模で対称をなす「仏教西漸」はなかったのである。

どうして、仏教の伝播に西側の限界線があるのだろうか？　どうして、その限界線よりも西で、仏教がほとんど受け入れられなかったのか？　実際、今日でも、ヨーロッパや中東、あるいはアフリカに、広く仏教が定着している地域はない。どうしてだろうか？　自然環境を原因と見ることはできない。中国にせよ、日本にせよ、仏教が発祥したインドやネパールとはまったく自然環境も、また社会構造も異なっているのに、仏教は改訂されながらも受け入れられているからである。

仏教が浸透しなかった地域は、ユダヤ教、キリスト教、イスラム教といった一神教が発生し、普及した地域と重なっている。一神教が、あるいは一神教を広く受け入れさせるような何らかの社会的・文化的条件が、仏教の深い浸透を阻む膜のようなものとして機能しているのではないか。このように仮説を立ててみることができる。これを、「一神教の壁」と呼んでおこう。仏教は、この壁に弾き返されたのだ。

逆に言うと、この壁よりも東側では、仏教に対する拒否反応は生じなかった。だから、仏教は、相応の時間をかけさえすれば、この地域ではある程度の規模の人々に受け入れられたのである。今、重要なのは仏教そのものではない。仏教を試薬のようなものとして検出することができる、社会的・文化的条件である。それが何かをここではまだ記述することはできない。が、そのような条件があるはずだ、ということが仏教の伝播という指標を用いることで推定することができるのである。

このように考えたとき、インド－中国の歴史を一つの大きな視野の中で考察するという構想が正当化されるだろう。両地域の間の相互的な影響関係を研究したいわけではない。そうではなく、一連の論理の中で、二つ（以上）の社会の歴史を解釈できるのではないか、という見通しを立てることができるのである。それは、ヘーゲルが「東」と呼んだ領域におおむね重なっている。

さらに、いくつか論点を補足しておこう。「仏教の伝播」をフィルターとして利用すると、ほかにも、いくつか世界史にかかわる大きな疑問を浮上させることができる。仏教の伝播が西側の厚い壁にぶつかることも驚きだが、もうひとつ、仏教の普及に関しては、不思議なことがある。中心の空洞化である。一般に何であれ、価値ある文化的発明は、放射状に拡散していくが、たいてい、発祥地は、その文化的発明が最も盛んな地域として持続する。その理由を理解することは難しくない。その発明が早くから浸透し始めただけでも有利な条件であるし、またその発明は、たいてい発祥地の環境や必要に適合するものだからである。たとえば、柔道というスポーツは日本で発明されて、今では世界中で行われているが、日本で最も盛んなことは言うまでもない。ところが、仏教に関しては、発祥地のインドではむしろ弱体化する。伝播の末端にあった、タイやミャンマー、中国等の方が、仏教の普及率は高い。こうした逆転はどうして生じたのだろうか。

もう一つ、仏教の伝播を確認することで誰もが気づかざるをえないことは、次の事実である。仏教は、インドから中国へと伝播した。こうした伝播をもとにして、われわれは、二つの社会に通底する論理の存在を推定したのだった。だが、逆に、中国からインドへと伝播したものがあっただろうか。細かい事項で、中国からインドに伝わったものはたくさんあるだろう。しかし、仏教に匹敵するほどに重要なことで、中国からインドへと伝播したものは何もない。これは驚くべきことではないか。特に、中国がいかに圧倒的な影響力をもつ文明であったかをよく知る日本人にとっては、驚くべきことではないか。どうして、中国からインドへと伝わった文化的発明はほとんどなかったのだろうか。中国人に関しては、しばしば「中華思想」が原因で、なかなか他の文明や地域からの影響を受けないと言われているが、少なくとも仏教思想を彼らは受け入れた。[*5] それなのに、中国からインドにはこれといったものは伝わらなかった。奇妙なことである。

このように、いくつもの疑問が出てくるが、ここでは、これらを銘記するだけにとどめておこう。とりあえず、今は、インドから中国へと至る東側を、骨太の論理の中で統一的に説明することに一定の根拠がありそうだということ、この点を示唆しておきたい。この後の探究のための指針を確保しておくこと、それが目下の課題である。

5 仏教とカースト

今後の考察のために、インドの伝統的な社会の特徴を暫定的に把握しておく必要がある。前章で、われわれは、中華帝国を可能にしている基本的なシステムを取り出しておいた。それが、朝貢システムである。今度は、インド社会の構造を成り立たせているような本質を最初に明らかにしておこう。

無論、インド社会は――他のどのような社会とも同様に――絶えず変化しているのだから、すべての時代を貫通しているような同一の本質など存在してはいない、と厳密には言うべきではある。しかし、ここでは、探究のための手がかりを与えるような発見的な価値を有する概括的な特徴が抽出できれば、それで十分である。前節で「東」という領域の同一性を抽出するために活用した「仏教」を、ここでも準拠として援用してみよう。

仏教が登場した頃、ガンジス川流域は、多数の都市国家が併存していた。いくつかの国家は、都市国家を統合し、かなり大きな王国となっていた。コーサラ、マガダなどがそうした大国に含まれる。古代ギリシアのように、多数の都市国家が生まれたのは、この時期に商工業が急激に発達してきたからである。貨幣経済の浸透は著しかった。仏教を受け入れた者の中には、商人も多かった。

この時代は、ブッダのほかにもたくさんの異端的な思想家がいた。彼らには、インドの伝統的で土俗的な宗教、つまりバラモン教（ヴェーダの宗教）は誤った妄論か迷信のようなものに見えていたのだ。そこで、続々と思想家が出てきて、さまざまな説を唱えていた。状況は、諸子百家が登場してきた、中国の春秋戦国時代と同じである。マックス・ヴェーバーは、近代のヨーロッパを別にすれば、人類史の中でこの時代のインドほど思想の自由が容認されていたところはほかにない、とまで言っている。この時代、多数の思想家が自説の説得力を競い合っていたのである。その中の一人、そして最終的に最も大きな影響力を残した一人が、ゴータマ・ブッダである。

ここでは未だ仏教の思想的な内実には深入りしない。インド社会の基本的な特徴を炙り出すというここでの目的に資する限りで、当時の仏教、つまり原始仏教の状況を見ておこう。初期の仏教教団のきわめて明白な社会的特徴は、その徹底した平等主義にある。あらゆる身分の人々、あらゆる属性をもった人々が、初期の仏教教団に参加した。今しがた述べたように、都市の商人や手工業者の中には、原始仏教の有力な支持者が多かった。手工業者は、古代インドのバラモン教の下では、きわめて地位が低かったが、仏教教団の中では、差別されなかった。当時としては画期的なことに、初期仏教は、女性さえも平等に受け入れた。貧しい寡婦や娼婦も、出家して教団に参加することができた。

出家して、原始仏教教団に参加したある長老は、在俗生活を振り返って、こう言っている。「わたくしは賤しい家に生まれ、貧しく、財が乏しかったのです。わたくしは稼業が卑しくて（中略）人々には忌み嫌われ、軽蔑せられ、罵（ののし）られました。わたくしは心を卑うして多くの人の人物は、ブッダが多数の僧に囲まれてマガダ国の首都に入ってくるのを見たとき、これに感動し、発心して出家したのだという。

こうした事実がよく示しているのは、仏教教団に惹かれて集まった人々、ブッダが近づいていった人々が、イエス・キリストが「罪人」と呼んだ人々と同じカテゴリーに属しているということである。福音書の「罪人」とは、犯罪に関わった人、悪いことをした人というより、むしろ、社会的に排除されていた人という意味である。たとえば徴税人は罪人であった。仏教教団に参加した多くの人々が、このような意味での罪人だった。

仏教教団の徹底した平等主義が映し出している事実は――ここまでの記述の中にすでに十分に暗示されているように――、インドの社会がたいへん差別的だったということである。社会が平等になり、平等主義的な思潮が流行していたから、仏教のような運動が出てきたわけではない。まったく逆に、過酷な差別があり、ときに家族や部族、共同体から排除される人々がたくさんいたために、仏教教団が支持されたのだ。

＊

したがって、インドの社会構造を根本的に特徴づけているもの、それは、差別＝序列の体系、つまりヒエラルキーである。実際、インド社会の研究を専門とする人類学者ルイ・デュモンは、大著『ホモ・ヒエラルキクス』でまさにこのように主張している。[*7] ヒエラルキーを構成しているのが、「カースト」と呼ばれる世襲集団である。カーストとは何か？　セレスタン・

ブーグレの定義が、とりあえずは問題がないとして、デュモンはこれを採用している。カーストは、三つの特徴によって互いに分断されると同時に、結び付けられている。三つの特徴とは、第一に分離（結婚や身体接触における）、第二に分業（各集団は伝統的にひとつの職業をもち、成員はこの限界を越えることはできない）、第三にヒエラルキー（各集団は相互に上位か下位かに序列化されている）である。[*8] さらに、ヒエラルキーについては、デュモンによって、「集合を構成する諸要素を集合全体との関連で序列化する際の原理」と定義されている。[*9] 言うまでもなく、要素に対応するのが、個々のカーストである。

カーストの体系は、非常に入り組んでいて、誰もその全貌を見渡すことはできないし、またそうすることは無意味である。たとえば誰もがすぐに、インドにはいったいいくつのカーストがあるのか、と問いたくなるだろう。主要なカーストを列挙し、順位をはっきりさせてほしい、と言いたくなるだろう。しかし、デュモンによれば、こうした要求は、まったくと言ってよいほどナンセンスである。というのも、すべての具体的なカーストの体系は、小さな地理的な拡がりの内部に限られたものだからだ。日本の幕藩体制下の「士農工商」のように、インド全体に通用するカーストの序列というものはない。たとえば、床屋カーストは、インドのどこにもあるが、その地位は、北部と南部では異なっている。

「カースト」はポルトガル語で、これに対応するサンスクリット語は「ジャーティ」である。カーストと「ヴァルナ（姓、色）」とがしばしば混同されてきた。ヴァルナの体系は四つのカテゴリー（身分）を含んでおり、それらが――カーストと同様に――ヒエラルキーを構成している。最高位のヴァルナがバラモン（祭司）、その下がクシャトリヤ（戦士）、ついでヴァイシャ（商人）、最下位がシュードラ（下僕、無産者）である。その上でさらに、明示的にカウントされない第五のカテゴリーがあり、それが不可触民である。ヴァルナとカーストとは、とりあえずは別のものである。しかし、まったく独立のものでもない。両者は緩やかには対応しており、相互に参照関係ももっている。ヴァルナの上での序列とカーストの序列とが完全に整合しているわけではないが、大きくかけ離れてもいない。

ヴァルナとカーストとがどのように関係しているのかを簡単に説明することは難しい。デュモンのようなインド研究者が述べていることではないが、私としては、両者の関係を直感的に理解するには、軍隊のことを思い起こすとよい、と考えている。世界中のどこの軍隊も、二種類のヒエラルキーを併存させている。軍人にとって、実際の命令系統の位置（中隊の指揮官、軍の司令官等）と、将校の階級名（大尉、中佐、大将等）とは別のものである。だから、軍隊の中では、すべての個人は、二つの職名をもつ。たとえば、「連合国軍最高司令官ダグラス・マッカーサー元帥」といった具合に、である。カースト（ジャーティ）とヴァルナの関係は、これと少し似ている。カーストを、実質的な命令の序列を意味する職名に、ヴァルナを、将校としての階級名に比定することができる。

カーストを規定している原理は何か？　デュモンの考えでは、それは「浄／不浄」という二分法をもたらす宗教的観念である。このように断定したとしても、まだ説明すべきことはたくさん残っている。浄と不浄の区別をもたらす要因は何か？　そもそも浄と不浄とは何なのか？

どうしてこの区別が重要なのか？　今はこうした問いに答える段階ではない。ここではとりあえず、浄／不浄という区別は、身体性の次元を――すなわちカーストという集団の同一性と差異が根ざしている身体性の次元を――直接に反映している、ということだけを指摘しておこう。

目下の段階で重要なことは、カーストやヴァルナのヒエラルキーにおいて、浄／不浄という身体性に直結した差異を前提にして、もう一つの原理が作用している、ということである。もう一つの原理とは、贈与である。煩雑なカーストよりも、ヴァルナの方が単純なので、こちらを用いて説明しておこう。

ヴァルナの上での序列は、三種類の贈与との関係で定義することができる。三種類の贈与とは、知の贈与（学問）、神への贈与（供犠）、人間の間の贈与（喜捨）である。それぞれの贈与に関して、それを自ら行うのか、他人にやらせる（他人に委託する）かの二側面があるので、三つの贈与から六つの活動を導き出すことができる。バラモンは、カーストの体系とヴァルナの体系で共通している唯一のカテゴリーであり、どちらのヒエラルキーでも最上位になる。バラモンは、三種の贈与から得られる六つの活動のすべてが許されている身分だと定義することができる。「他の人々に学ばせると同時に自ら学び、供犠をさせると同時に自ら供犠をおこない、与えかつ受け取る」ことができるのがバラモンだ。他のヴァルナは、六つの活動の中の一部しか許されない。たとえばバラモンとクシャトリヤの違いは、こうすると明確になる。前者だけが、供犠（神への贈与）を執行することができるのである。クシャトリヤは、供犠をバラモンに委託しなくてはならない。
詳しく説明することはできないが、きわめて多数のカーストの序列も、贈与を基準にすると明確に検出することができる。それぞれの共同体の中で、誰が何を誰に対して贈与することができるのか、こうしたことが細かく規定されている。この規定に従って、ヒエラルキーの上での位置が示されるのである。*10

ここまでの簡単な考察から、どのような結論的な展望を得ることができたのか。われわれは、中国とインドの歴史を一つの論理の展開の中で説明できるのではないか、という構想を提起した。中国を特徴づけているのは、大規模な再分配のシステムであった。それは、完成したときには朝貢システムという形態をとる。再分配とは、簡単に言えば、贈与の中心化である。ところで、インド社会の特徴であるヒエラルキーの構造も、それを構成している要素的なコミュニケーションに着眼すれば贈与の活動であることがわかる。贈与を必然化するメカニズム、そして贈与がもたらす効果に注目することで、中国とインドを統一的に理解する論理を得ることができるのではないか。

最も高貴な贈与、価値が高いと見なされる贈与は、神（第三者の審級）への贈与である。それこそが供犠である。インドでは、供犠を自ら執行できる者こそが、威信と権力のヒエラルキーの頂点に立っている。これに対して、キリストの磔刑は、供犠の外観をもちながら、供犠という解釈の中に収容できない過剰をもっていた。もしこれをもあえて一種の供犠と解するならば、それは自己否定的な供犠、脱構築的な供犠である。一方には、供犠の至高性を支えにしている社会システムがあり、他方には、供犠を否定するシステムがある。

＊1　以下を参照。Gerald O'Collins, *Christology*, Oxford University Press, 1995.
＊2　Alister E. McGrath, *Christianity: An Introduction*, Oxford: Blackwell Publishing, 1997, pp.138-139.
＊3　参考。橋爪大三郎・大澤真幸『ふしぎなキリスト教』講談社現代新書、二〇一一年、一九九―二〇六頁。
＊4　ヘーゲル『歴史哲学講義』上・下、長谷川宏訳、岩波文庫、一九九四年
＊5　このことを考慮に入れると、仏教があの「壁」を突き破って西へと浸透しなかったことが、ますます不思議に思えてくる。中国人がたいへんな情熱を傾けて経典を漢訳している様を見ると、彼らが、インド由来のこの宗教の思想的な緻密さや抽象的な概念に魅了されていることがよくわかる。どうして、同じものが、ヨーロッパの人々を惹きつけなかったのか。
＊6　中村元『原始仏教――その思想と生活』ＮＨＫブックス、一九七〇年、一四六頁。「長老の詩」からの引用。
＊7　ルイ・デュモン『ホモ・ヒエラルキクス――カースト体系とその意味』田中雅一・渡辺公三訳、みすず書房、二〇〇一年
＊8　Célestin Bouglé, *Essais sur le régime des castes*
＊9　デュモン、前掲書、九二頁。

＊10　同書、一一三－一二〇頁。
＊地図（仏教の伝播）橋爪大三郎・大澤真幸『ゆかいな仏教』サンガ新書、二〇一三年、六一頁。

第5章　解脱としての自由

1 「自由」の意味するもの

宗教現象学の泰斗ミルチャ・エリアーデは、大著『ヨーガ』をこう締めくくっている。「すべてが、自由 liberté の意味するものに依存している」[*1]と。含蓄のある一文である。

博士論文以来、エリアーデは、「ヨーガ」を主要な研究対象としていた。エリアーデの見るところ、ヨーガに、東洋的なものが、あるいは少なくともインド的なものが集約されて現れているからである。だから、「すべてが……（依存している）」とエリアーデが書いているとき、そこで言わんとしていることは、西洋からインド（あるいは東洋）を隔てているあらゆる要素が、「自由」の意味にかかっている、ということである。

たとえば、ヘーゲルは、歴史を自由の実現過程と見なし、その最終的なゴールをゲルマン世界（近代西洋）に見た。ヘーゲルのように大げさに論じないとしても、われわれは、西洋にモデルを見るような近代化は、すべての個人に基本的な自由が与えられるようになる社会への変動であるとする常識をもっている。このように考えると、「自由」は、インドや東洋よりも、むしろ西洋を特徴づけているように見える。だが、「liberté（自由）」あるいは「libération（解放）」は、「解脱」という意味をもっている。このような意味で解すれば、この語は、インド的な何かを、インドによって形容できる文化に一般に孕まれている願望を表現している。「liberté の意味するもの」によって、図と地が反転するように、ガラリと解釈が変わってしまう。だから、エリアーデは、すべてはこの語の意味に依存する、と述べたのだ。

西洋の政治の歴史がまるでそれを目指していたかのようにして実現した（個人の）「自由」とインドがはるかな古代から関心を向けていた「解脱」とでは、どこに違いがあるのか？　とりあえず、暫定的には、次のように言っておくことができる。社会システム――われわれの日常生活がその中で展開している社会システム――を基準にして、liberté をその内側に構成すれば西洋の「自由」になり、逆に、システムの外部に実現すれば、インドのそれ、「解脱」になる。問題は、しかし、どうしてこのような違いが出てくるかにある。

生からの解放、つまり解脱が目標になるためには、ひとつの前提がある。生が苦であるという前提である。エリアーデは、次のように述べている。

苦からの自己自身の「解放」、これがすべてのインド哲学およびすべてのインドの神秘主義の目標である。この解放が（例えばヴェーダーンタとサーンキヤの教説に従い）「知識」によって直接に得られようとも、（ヨーガとほとんどの仏教学派が考えるように）技術によって得られようとも、どのような知識ももしそれが人間の「救済」を求めていないならば、何の価値もないという事実は残るのである。[*2]

ヨーガについての根本経典『ヨーガ・スートラ』（二―四世紀頃成立）の編者パタンジャリは、「賢者にとってすべては苦のみである」と書いている。同じことは、パタンジャリよりはるか前に、きわめて重要な人物によっても言われている。きわめて重要な人物とは、ブッダである。ブッダは、「一切皆苦（すべての形成されたものは苦である）」と唱えた。「苦」についてのこの命題は、「諸行無常」「諸法無我」「涅槃寂静」と並んで、四法印と呼ばれる仏教の最も重要な四つのスローガンのうちのひとつである。仏教もまた、ヨーガと同様に、苦からの解放を目標としているのである。

実際、伝説によれば、ブッダは最初の説教で、まさに「苦」を直接の主題としている。それが「四諦（したい）」または「四聖諦（ししょうたい）」と呼ばれる、「四つの真理」である。[*3] 四つの真理は、「苦、集、滅、道」と呼ばれており、苦諦は、一切皆苦と同じ意味で、人生は苦しみであるという意味であり、集諦（じったい）は、苦しみの原因となるものの集まり、滅諦（めったい）は、苦しみが消えた状態で、涅槃と同義、そして道諦（どうたい）は、滅諦へと至るべき道だ。

それにしても、いったい、何がそれほど苦しいのか？　エリアーデによれば、インドの哲学のすべては、それの解決へと向けられているし、また仏教を生み出した主題もそこにある、苦とはいったい何なのか？　ブッダは、苦は、「生・老・病・死」だと言っている。これを聞いて、誰もが驚かないわけにはいくまい。老いや病や死が苦しみなのはよくわかる。しかし、生まれたことそれ自体が苦であるというのは、どうしたことであろうか。確かに、われわれもまた、生きていれば、苦しいこと、不快なこと、不幸なことがたくさんあることを知っているので、誕生し生きることの中に苦が含まれているということであれば、理解できないこともない。しかし、誕生がそれ自体で苦であるというのは、あまりにも極端なペシミズムではないだろうか。生の中には、苦だけではなく、楽も、幸福も含まれていて、むしろ後者の方が主ではないのか。

それとも、インド人は、とくに古代インド人は、生についてのこうした理解が説得力をもつような状況に、つまり他の民族に比べてとりわけ不幸な状況にあったのだろうか？　そのようには思えない。無論、群雄割拠の小王国の栄枯盛衰の中で、不幸なことも多々あっただろうが、それは、どこでも同じである。たとえば、ユダヤ人と対比してみたらどうか。われわれは、ユダヤ人が、とりわけ苦難の歴史を歩んだことを知っている。それが、ユダヤ教や（苦難の）神義論を生み出した論理については、かつて説明したことがある（『古代篇』第3章）。しかし、連戦連敗だったユダヤ人と比べたとき、古代インド人の全体が、とりたてて苦難に満ちていたとも思えない。そもそも、シッダルタ自身が――弱小国とはいえ――王族の出身者であり、比較的恵まれた境遇にあった。

エリアーデは、「一切皆苦」といった命題に、深いペシミズムを見るべきではない、と論じている。確かに、生は苦である、というのは、古来、インド人の共通した前提である。しかし、エリアーデによれば、こうした命題は、救済が可能であることについての確信に裏打ちされており、むしろ一種のオプティミズムに基づいている。だが、そうだとすると、何が苦なのかは、依然として疑問が残る。

逆から照らし出してみたらどうか？　何をしたら苦から解放されたことになるのかということから反転させて、苦であるところの生についての理解を捉えてみたらどうか？　ブッダが説いたという原始仏教の実践法、苦から解放された倫理は、八つの命令、八正道と呼ばれる八つの規定に要約される。「正しい見解、正しい思い、正しい（嘘のない）ことば、正しい行為、正しい生活、正しい努力、（一瞬一瞬の自分の行為への）正しい気遣い、正しい精神統一（三昧）」がそれらである。これを聞いて、感心する人はあまりいないだろう。というより、唖然とするだろう。いずれもあまりにも当たり前のことで、ほとんどの人が、日頃から心がけていることばかりだからである。生のすべてが苦であるとされるのだから、よほど特別な行為や態度が指示されるのではないかと想像したくなるが、そうではない。まったく普通である。苦だけに満たされた生から解放されたまったく別のあり方として提示されたものが、もとの生とあまり変わらない。ブッダは、八正道に基づく実践を「中道」（極端によらない道）と呼んでいるが、まさにその通りである。

とすると、八正道（中道）の方から苦である生を照らし出すこともできない。両者——八正道に基づく生と苦である生——の関係は、写真のネガ（陰画）とポジ（陽画）の関係のようなものかもしれない。ネガとポジは、無論、寸分違わず、まったく同じとも言える。しかし、明暗が反転していることを思えば、すべてが違うとも言える。ネガ（苦である生）をポジ（解脱した生）へと転換させるものは何か？　それが把握できれば、苦であるところの生の実態も理解できるだろう。

2　無所有の理想

起点（苦）と終点（八正道）を比べると、寸分違わぬものを見出すが、両者の間には、過激な媒介の操作が入っている。原始仏教に即して言えば、その媒介の操作を表現しているのが、無我説である。「無我」と言っても、少なくとも原始仏教においては、神秘的で形而上学的な何かを指しているわけではない。この場合の無我とは、広義の所有の放棄、何ものか・何ごとかを「わがもの」「われに属するもの」と観念することを徹底的に排斥することである。無論、この時代には、まだ今日のわれわれが前提にしているような、抽象的な所有権の概念はない。しかし、何かが、誰かに属する、誰かのものであるという原初の感覚は、もちろん存在している。そうした広義の所有を徹底的に無化することを、ブッダは説いている。

何ものかをわがものであると執着して動揺している人々を見よ。かれらのありさまはひからびた流れの水の少ないところにいる魚のようなものである。[*4]

「われ」とは何かということが、「われ」に属していると見なされるものの総体によって定義されると考えれば、所有の放棄は、「われ」を離れ「無我」へと至ることである。無我説は、こうしたアイデアに基づいている。こうしたアイデアは、しかし、ブッダの独創というわけではない。たとえば、仏教とほぼ同時代に生まれ、仏教としばしば並び称されるジャイナ教も、似たようなことを説いている。前章で、シッダルタが仏教を説き始めたときは、中国の諸子百家の時代のように思想の自由が花開いた時期であった、と論じた。仏典では「六師」と呼ばれ、ブッダのライバルとなるような思想家・宗教家が六人いたことになっている。その中で最も有力なのが、ジャイナ教（「ジナ＝勝者」の教）の教祖でもあるニガンタ・ナータプッタである。ジャイナ教は、仏教と違って厳しい修行や苦行の必要を説くのだが――ジャイナ教からは仏教の「中道」の思想はまったく生温いものに見えるだろうが――、しかし、その前提として、所有の徹底した放棄を謳う点では仏教と同じである。

なぜ（広義の）所有の放棄が、苦からの解放に繋がるのか？　その理由を理解することは、さしあたっては、それほど難しいことではない。私に属するもの、私の所有物は必ず変滅し、永遠に私に属しているということはない。そのような物に執着すれば、憂いは必然である。いつかは消えてなくなってしまうからである。

仏教やジャイナ教では、解脱において、所有の還元ということが最初の一歩になる。ヨーガの場合はどうであろうか？　今日では、ヨーガは、リラクゼーションやダイエットの技法として普及しているが、もちろん、ヨーガの本来の目的は、そうしたものとは関係ない。次のように考えるとよいだろう。所有の放棄は、「私」が所有物の総体によって定義されるという前提に基づいている、と述べた。これをさらに一般化し、「私」が、私の行為・行動の全体によって定義されると考えたらどうであろうか。所有の放棄に対応することは、行為・行動の無効化であろう。ヨーガとは、通常の行動をすべて逆にすることで、＋−（プラスマイナス）ゼロにしてしまう身体技法である。たとえば、ヨーガ行者は、身体を石のごとく不動なものとする（アーサナ）。あるいは、彼は、呼吸をリズミカルにし、最終的には止めてしまうことをめざす（プラーナーヤーマ）。ヨーガには、思考を不動のものにするために、「意識の流れ」を停止する技法（エーカーグラター）も含まれている。さらに、ヨーガ行者は、精液を捕まえて、回帰させようとさえするのである。ヨーガが目指しているのは、したがって、生の外、つまり死後の状態か生前の状態（神の状態）である。

＊

このように、仏教やジャイナ教、そしてヨーガは、いずれも、日常の生から離脱し、そのことによって救済を得ようとしている。離脱のための条件が、所有の放棄であり、また独特の身体技法である。このことは、古代インド社会に固有の宗教上の相補的二元性を説明するものでもある。古代インドには、二種類の宗教がある。第一に、日常の社会生活に関わる宗教がある。その宗教は、必然的に——次節で主題化する——カーストに深くかかわっている。第二に、社会生活から離脱した遁世者の救済のための宗教がある。こちらの宗教は、必然的に「個人主義的」である。仏教もジャイナ教も、典型的な後者の宗教である。前者の宗教は、ヒンドゥー教（あるいはバラモン教）である。

ひとつの社会に仏教徒とヒンドゥー教徒がいるとき、われわれは、この状況を、ひとつの社会の中に、キリスト教徒やイスラム教徒や、あるいは一神教以外の、たとえば神道の信者が混在している状態と似たようなものと考えてはならない。仏教とヒンドゥー教は、教義の内容やそこに込められている価値観からすれば互いに矛盾するが、しかし、社会システムの見地からすれば、相補的である。つまり、両方があって初めて、一つの社会システムが維持されるのだ。述べてきたように、仏教は、それぞれの個人の社会的アイデンティティを構成するような所有物の一切を放棄するように求める。それは解放の思想にはなりうるが、しかし、それだけでは、社会システムにとっての必要（機能的要件）を満たすことはできない。社会システムの内部の日常的活動を制御する規範を提供するのが、ヒンドゥー教（バラモン教）である。[*5]

さらに付け加えておけば、ヨーガにとっては、仏教（やジャイナ教）にとってのヒンドゥー教に対応するものが、マヌ法典であろう。マヌ法典には、日常のさまざまな行為についての事細かな規定が入っている。何を食べるべきか、どう排泄すべきか、誰とセックスをしてもよいのか、どこをどう歩くべきか、建物のどこから入るべきか、どんな仕事が許されるのか、どのようなときに戦争をしかけうるのか……について、マヌ法典には書き込まれている。[*6] それに対して、ヨーガは、反行為の技術、無為の術である。マヌ法典とヨーガは、対立的かつ相補的である。

二種類の宗教の間が、単純に相互排斥的なものではなく、相補的なものでもあるということは、両者の間に——ときに無意識と思われる——影響関係があったことからも見て取りうる。たとえば、マハトマ・ガンディーの非暴力主義がそれである。ガンディーは、インド社会の現状への厳しい批判者ではあったが、ヒンドゥー教徒である。彼は、インド西部のグジャラートの商人カーストに生まれた。彼の家は、ヒンドゥー教ヴィシュヌ派に属していた。グジャラート州の商人カーストは、ジャイナ教徒と密接な交流があるのだという。ガンディーの非暴力主義は、ジャイナ教の菜食主義や不殺生（アヒンサー）に由来しているのではないか、とルイ・デュモンは推測している。[*7]

3　輪廻の原点

さて、仏教やヨーガが、そこからの離脱を志向している、苦に満ちた生とは何か？　どうして、生が苦と同一視されるのか？　これが問いであった。

教科書的な、仏教の教義に直接に書き込まれている範囲での答えは、簡単である。そこから離れるべき生の様相とは、輪廻（りんね）である。仏教に限らず、あらゆるインドの思想にとって、生命が輪廻していることは前提である。仏教が目指していることは、輪廻からの解脱である。

しかし、こんなどこにでも書いてあるような答えに満足してはならない。輪廻というのは、は、輪廻という宇宙観、そしてそれが苦の源泉となっているという了解、こうしたものに説得力を備給している直接的な経験の層が何であったかを見極める必要がある。さもなければ、輪廻などということがまったく信じられていない社会にも、仏教が浸透していった理由を説明することはできない。

われわれは、インドと中国を含むユーラシア大陸の東側を、一つの歴史的領域として捉えよう。ということを示唆するために、仏教の伝播経路を指標として活用した。仏教は一神教の壁にぶつかって、アフガニスタンよりも西には（ほとんど）伝わらない。しかし、中国には伝えられ、熱心に仏典の翻訳がなされた。日本に伝わった仏教も、この系列である。中国には、輪廻の観念があったのだろうか？　そんなことはまったくない。中国の伝統思想やコスモロジーにとっても、輪廻は、疎遠なアイデアであった。[*8] 記述されている教義の内容にだけこだわれば、仏教が、儒教や法家が主流であった中国には、一定程度受け入れられたのに、イスラム教やキリスト教が支配していた地域には、ほとんど痕跡をとどめることがなかったのはどうしてなのか、ということがまったくわからなくなってしまう。儒教のテクストにも、クルアーン（コーラン）にも、輪廻を挿入する余地はないのに、前者が支配していた地域では、仏教が浸透したが、後者が影響力をもった地域は、仏教をはね返したのである。こうした事実を説明するためには、輪廻という観念そのものではなく、そうした観念を人々に納得させた、直接の経験の基盤が何であったかを究明しなくてはならない。

抽象化された観念である。輪廻そのものが、直接観察されるわけではない。われわれとして輪廻という観念が意味をもつためには、輪廻を通じて持続する実体（霊魂）を支配する法則に一貫性がなければならない。その法則こそが、因果関係、つまり縁起である。輪廻の時間系列の中で、後に結果を残す行為のことを、仏教では「業（カルマ）」と呼ぶ。善い結果（果報）を残す業が善業、逆に悪い結果をもたらすのが悪業、そしてどちらでもないのが無記業である。修行は、善業を積むことである。多くの善業を蓄積した者は、来世において、より高い地位に転生し、逆に、悪業を重ねた者には、来世における低い地位が待っている。

仏教が前提にしている輪廻思想によれば、衆生（生あるもの）のためには六つの領域（六道）が用意されている。地獄／餓鬼／畜生／阿修羅（天の神々と闘う神話的存在者）／人間／天上の六つである。後の領域ほどよいことになっている。人間であっても、悪業を重ねれば、来世には畜生になったり、地獄に行ったりする、というわけである。この衆生のヒエラルキーは、カーストのヒエラルキーからの類比であることは間違いあるまい。社会システムに内在しているヒエラルキーが、衆生（生物）の全体に拡張されているのである。

輪廻と業についての説は、カーストの差別の構造を正当化し、固定するイデオロギーになっているとして、近代以降、しばしば批判されてきた。低いカーストや、あるいはカーストの序列にさえ入っていない不可触民は、前世における悪業の報いを受けているとみなされる。そのことで、彼ら自身も、また他者たちも、彼らが生まれつきそうした低い地位に配分されていることを、まったく正当なこととして受け入れてしまうのである。

さて、輪廻についてのこうした説明を納得させてしまう原体験が何であったかを推測することは、さして難しくないだろう。それこそは、贈与とお返しをめぐる体験、互酬性の体験であろう。誰かに善いものを贈与すれば、われわれは、一般に、直接的に——あるいはときにめぐりめぐって間接的に——お返しがあるのではないか、と期待する。逆に、負の贈与をしたときには——つまりいずれかの他者に害を与えたときには——、報復を恐れることになる。こうした交換関係を抽象化し、非人格化して表象すれば、縁起の関係になる。善業が、正の贈与であり、悪業が、負の贈与にあたる。

さらに、類推を拡張しておこう。他者からの贈与は、直接には歓びではあるが、同時に、負の贈与としての価値ももちうる。それは、私にとっては負債となり、お返しへの強迫を帰結するからだ。それと裏返しの関係にあるのが、他者からの負の贈与——たとえば略奪されること——である。それは、復讐への意志をもたらす。

贈与をすれば、お返しがあってしかるべきであるという互酬の感覚が、縁起の論理の基底にある。とはいえ、お返しへの期待は常に満たされるとは限らないし、報復が常にあるわけでもない。そうした不充足感を補償する一つの方法は、お返しや報復は死後にあるはずだ、死後までをも視野におさめれば互酬性は維持されている、と解釈することである。そうした解釈から構築されるのが、縁起の法則に支配された輪廻という観念であろう。

そうだとすると、仏教やヨーガ、あるいはインドの神秘思想が、そこからの離脱をめざした、生の苦の原型は何かが明らかになろう。それは、正／負の贈与とお返し／報復のネットワークに巻き込まれたことから生ずる束縛ではないだろうか。こうしたネットワークの中で存在していれば、われわれは、常に誰か（または何か）からの贈与に支えられていることになる。それは、とてつもなく大きな負債である。負債は、存在していること自体の罪として感覚される。あるいは、こうしたネットワークの中では、われわれは、常に誰か（何か）から攻められ、奪われる可能性に、したがって貴重なものを喪失する危険性にさらされており、こうした事実は憎悪の感覚を生み出す。罪や憎悪をめぐる、そうした感覚こそが、「一切皆苦」というときの「苦」の原点ではないか。

4　神話的な食物連鎖

輪廻と業をめぐる説の原点に、贈与とお返しという互酬の体験があるのではないか、とする仮説を提起してきた。この体験を、さらにもう一歩、原初的な水準へと遡行させることができる。

前章で、われわれは、ルイ・デュモンの研究に基づいて、カーストに関して、次のようなことを述べた。カーストのヒエラルキーは、浄／不浄の二分法に基づいている。この二分法は、贈与の関係を通じて検出することができる。誰が誰に、つまりどのカーストに属する者がどのカーストの者へと、何を贈与することができるか、しなくてはならないか、という細かな規定をもとにして、どのカーストがどのカーストに対して、浄／不浄の関係にあるかを判定できるのである。贈与対象として最も重要なものは、言うまでもなく、食物である。

　こうした事実を考慮すれば、輪廻という着想へと至る「贈与とお返しの連鎖」の原初的な形態は、食物連鎖についての直感的な理解ではないか、と推測することができるだろう。自然界では——衆生の世界では、と表現すべきかもしれない——、より強いものが弱いものを殺し、食する。弱いものは、自分自身の身体を、より強いものに贈与しているのだ。さらに、この贈与自体が、すでに一種のお返し、返済のごときものであると解することもできる。つまり、「(強者に)食べられる」ということは、弱者にとっては、より尊い強者の中に統合されることであり、強者に「食べてもらっている」のだと解釈することもできるだろう。この場合には、強者が弱者を食べることは、むしろ、強者が弱者に恩恵を与えることであり、弱者は、自分自身の身体をもって、何とかその恩恵に報いている、と見なすことになる。

　重要なことは、食物連鎖は、このように、贈与－お返しという形式をあてはめて解釈することができる、ということである。人間は、動物を食べる。そして、動物も、別の動物を——別のより弱い動物を——食べる。さらにその動物は、植物を食べる。植物は、水や土を食べる……。こうしたサイクルは永遠に継続していく。こうした循環を、神話的なフォーマットの中に昇華して解釈すれば、生命＝霊魂が、六道の中で、輪廻転生を繰り返す、という構図が得られるだろう。

　だが、このように考えたとき、つまり輪廻の説の原点には、食物連鎖に関する原初的な直感があったと考えたときには、ひとつの疑問にぶつからざるをえない。もし食物連鎖に類比させうる強さの序列が、カーストやあるいはヴァルナ（バラモン／クシャトリヤ／ヴァイシャ／シュードラ）のヒエラルキーを規定しているのだとすれば、どうして、戦士であり、王をもその中に含むクシャトリヤが頂点ではなく、さらにその上に祭司層であるバラモンがいるのだろうか？　カーストやヴァルナのシステムにおいて、より上位の強い層は、下位の層を象徴的に食べている――ちょうど肉食動物が草食動物を食べるように。そうであるとすれば、戦士であるクシャトリヤが最上位でなくてはならない。つまり、バラモンとクシャトリヤの間の序列は、逆であるはずではないか？　どうして、バラモンの方が上位にいるのだろうか？

ルイ・デュモンは、次のように論じている。

比較論的視点から見ると、インドの王はきわめて早い時期、ヴェーダ時代の終わりには、他の所では常に王を特色づけていた最高の司祭者としての機能を既に失っていた、と言えるだろう。この点が重要なのだ。王はバラモンにその機能を譲ったのだ。[*9]

どうして、このようなことになったのかが疑問である。俗なる権力と聖なる権威との間の明確な分離という点では、ヨーロッパの中世も同様であった。しかし、こうした分離があるとき、両者の力関係がいかに不安定に変動するかということを、われわれは、すでに見てきた（『中世篇』）。ローマ教皇が神聖ローマ皇帝や世俗の王たちに優越しているときもあれば、両者の力関係が逆転し、教皇が皇帝に従わざるをえなかったり、王が教皇の意向を無視したりするときもある。こうした不安定性を避けるためには、王や教皇が聖職を兼ねる必要がある。ところが、「インドだけが、きわめて古い時代に王の機能を世俗化した」[*10]にもかかわらず、バラモンとクシャトリヤの序列がきまぐれに変化したり、逆転したりすることはなかった。言い換えれば、武力において勝っているクシャトリヤは、きわめて従順にバラモンの権威に従い続けたのだ。どうしてだろうか？

この疑問を解くためには、贈与が常に、垂直的な力の関係を析出するポテンシャルをもっている、ということを考慮しなくてはならない。贈与とお返しは、互酬性を通じて、両当事者の関係を水平化するように思われるかもしれない。しかし、実際には、むしろ、一方の他方への負債感を媒介にして、垂直化する傾向が強い。この事実を考慮すると、（象徴的な）食物連鎖の頂点にいるかと思われた人間も、さらに上位の神々によって食べられる可能性を怖れなくてはならない。最も強い人間、つまりクシャトリヤでさえも、まさにこの世界に存在できているとすれば、それは、神々からの贈与や恩恵に依存しているのであり、したがって、神々から食べられてもおかしくない。

このとき、神々が人間を食べることを防ぐこと、これこそが、祭司であるバラモンの機能である。どうすればよいのか？　バラモンは、神々に、人間の代理物の代理物を与えるのだ。それが、儀礼的な供犠の意味にほかならない。神々の食欲は、その代理物によって満たされる。要するに、神々は、バラモンによってごまかされ、なだめられているのである。神々に対する贈与を遂行する権限を有する者がバラモンである。バラモンが、クシャトリヤの上位にいる根拠はここにある。バラモンがいなければ、クシャトリヤは神々の食欲から己を守ることができない。さらに、バラモンのこうした機能は、カーストやヴァルナのヒエラルキーが、一種の欺瞞の上に成り立っていることを意味している。本来であれば、人間（クシャトリヤ）も食べられなくてはならないからだ。バラモンは、食物連鎖、あるいは贈与の連鎖に基づく輪廻のシステムが破綻する点を具現している。[*11]

5　浄と不浄

バラモンの儀礼的供犠が、神々を騙すことであるとすれば、これによって、ほんとうには、人間は、輪廻（贈与の連鎖、食物連鎖）の拘束から解放されることはない。輪廻の苦からの解脱は、どのようにしたら実現できるのか？

仏教（やジャイナ教）が説いた、所有の徹底した放棄が効果を発揮するのは、ここにおいてである。贈与とお返しの連鎖に束縛されるのは、人が、何ものかを欲望し、わがものにしようとしているからである。たとえば、何かを与えたことに対するお返しがないことに失望するのは、与えたものが私に属している――それゆえ与えたことによる欠如は埋められてしかるべきだ――との感覚があるからだ。あるいは、与えられたことが負債として私にのしかかってくるのは、単に与えられただけでは――つまりお返しを完了しないうちは――、与えられた「それ」が私に未だ所属していないと感じるからである。つまり、所有への執着があって、初めて、贈与の関係の中で私は拘束されるのだ。そうであるとすれば、輪廻――大規模で観念的な贈与の連鎖としての輪廻――から解放されるためには、私は、徹底的に放棄すればよいのである。一切の所有から離れて、「無」以外には何ものも持たなければ、解脱は可能になる。仏教が、輪廻からの脱出の手段として、所有の放棄を説くのは、このためであろう。

興味深いことに、ブッダは、所有の放棄をバラモン性の徹底として、したがってカーストのシステムの脱構築として語っている。

> われは、（バラモン女の）胎から生れ（バラモンの）母から生れた人をバラモンと呼ぶのではない。（中略）無一物であって執著のない人、――かれをわたくしはバラモンと呼んでいる。
> すべての束縛を断ち切り、怖れることなく、執著を超越してとらわれることのない人、――かれをわたくしはバラモンと呼んでいる。[*12]

所有へのいっさいの執着を捨て、完全な無関心にまで至っている人こそが、真のバラモンだというのである。ここで、前節で論じたことを、確認しておくとよい。バラモンは、カーストのヒエラルキーや輪廻の連鎖が矛盾に追い込まれる点であった。バラモンが主宰する供犠は、この矛盾を隠蔽する操作である。だが、矛盾を隠蔽することなく、むしろ、そのまま輪廻の体系の外に出るための手がかりとする方法が、所有の放棄、執着の無化である。そうであるとすれば、これがバラモン性の純化と呼ばれる理由も理解できるだろう。

先にも述べたように、他者へと関係しようとする行為が、すでに、正負の贈与である。「業（カルマ）」の概念は、行為のこうした契機を、つまり行為の贈与性を含意している。こうした局面まで含めて、所有への執着を断ち、贈与の連鎖から離脱するためには、行為そのものを無効化する身体技法、つまりヨーガが求められる。

では、縁起（因果関係）の原型が、食物連鎖への直感的な理解にあったことを考えた場合には、所有への執着の無化に対応している所作は、何になるだろうか。言うまでもない。何も食べないことである。食べることは、贈与を受けることだからである。とはいえ、一切何も食べなければ、人は生きていけないので、実際には、動物を、死んだ動物の肉を食べないことが、所有の放棄と等価な機能をもつものと解釈される。輪廻からの解脱を目指す出家者が、菜食主義に徹する必要があるのは、このためである。

*

カーストのヒエラルキーは、浄／不浄のダイコトミーに規定されている。ルイ・デュモンに従って、このように論じておいた。だが、浄／不浄は何によって決まるのか？　何が「浄」と見なされるのか？　ここまでの考察が、浄性を決定する因子が何であるかを、示唆している。完全な「浄」は、食物連鎖に代表されるような、自然の暴力的な連関から離脱している者の属性である。この基準で測れば、菜食主義のバラモンは、浄性が高いことになる。自然の連鎖、自然の暴力と報復の連鎖に巻き込まれているということは、悪業（自然に対する負の贈与）を重ねていることになるので、その分、不浄になる。言い換えれば、非暴力――食物連鎖に関与しないという意味での非暴力――の理想からの相対的な距離に応じて、浄／不浄が決まるのだ。[*13] たとえば、農民や奴隷のような直接の生産従事者（シュードラ）より、戦士や王（クシャトリヤ）の方が、自然の暴力的な循環からは遠く隔たった職業に従事している分だけ、浄のレベルが高い。両者の中間には、生産物を市場で分配する商人（ヴァイシャ）が入ることになる。

　理想化された極点には、自然の循環から離脱した、完全なる「浄」を想定することができるだろう。そこは、もはや、カーストの序列の外部である。浄のこのような極限が想定可能であるということは、その反作用として、不浄の極限も存在するということを意味している。動物たちの世界に分け入り、食用等の目的で動物を殺さなくてはならない者たちである。動物の殺害や、その排泄物に触れることを職業とする者たちだ。彼らは、あまりにも不浄であるために、やはりカーストの外部に置かれる。彼らは「不可触民」と呼ばれる。浄の極限と不浄の極限は、共軛的（きょうやくてき）な関係にある。つまり、両者は互いに互いを必要とする双子のようなものである。

　ガンディーは、かつて、不可触民を「神の子（ハリジャン）」と呼んだ。これは、無論、不可触民が差別されている現状への批判を込めた表現である。ガンディーの考えでは、ヒエラルキーの底辺にいる不可触民こそはむしろ「神の子」であるというわけだ。だが、不可触民という不浄の極致は、「浄」の極限（＝神）を想定していることの随伴物であることに鑑みれば、不可触民は、ガンディーがそう呼ばなくても、もともと「神の子」なのである。言い換えれば、不可触民を「神の子」と呼び換えたところで、差別構造を含む社会システムが変わるわけではない。「神の子」という名前自体が、システムの基本的な論理を追認しているからだ。

＊

したがって、古代インド以来の観念に従えば、自由＝解脱とは、贈与の連鎖の局外に逃れることである。無論、人間が生きるためには、そんなことはできない。だが、たとえば、仏教の僧＝出家者は、このような理念的な解脱者の近似物である。彼らは、贈与のネットワークによって成立している社会システムの外部に逃れていく。つまり、彼らは、所有への執着を断ち、他者からの贈与に対する依存を極小化するのだ。したがって、僧の共同体は、理念上は、他者に与えることはあっても、他者から受け取ることはない（ことになっている）。このとき他者に与えることを、仏教では「慈悲」と呼ぶ。

だが、この理念は、現実との間に皮肉な逆立を帰結する。いっさいの所有を放棄し、何ものも欲望せず、何ものにも執着しないことを目指す僧たちは、結局、自らは生産的な労働に従事することがないので、糧を他者たちから与えられなくては、生きていくことができない。理念の上で、贈与の連鎖から離脱したことによって、現実的には、他者からの贈与を必要とすることになったのだ。一般の人々の出家者への贈与が、「布施」である。原始仏教教団では、修行者は、一日一回、午前中だけ、布施を受けるために町に出ることが許されていた。もし、そのとき布施を得られなければ、彼は、その日は何も食べてはならない。布施をこのように限定するのは、他者からの贈与のルートを最小化するためである。布施は、解脱としての自由を目指す者たちと社会システムとをつなぐ、細い臍の緒である。

しかし、たとえ細かったとしても、出家修行者は、まさにこの「臍の緒」によって社会的な認知を与えられていたと解することもできる。彼らを指示する「ビク／ビクニ」という語は「乞う者」という意味だからである。

それにしても、こうした生き方が可能だったということ、出家者の共同体（サンガ）が社会システムの外部に維持されえたということ、この事実は、人間にとって贈与が必然だということ、人々は僧たちを捨て置くことができなかったということを示してはいないだろうか。原始仏教教団がまさにそこから解脱しようとしていた、贈与の連鎖は、やはり必然であり、かれら自身の生存もまたそこに依存していたのだ。

だが、贈与はどのような意味において必然なのか？　また仮に必然だとしても、これは西洋と東洋とを分かつ差異と――われわれのここまでの考察の中で関心を向けてきたあの歴史的な差異と――どのように関係しているのか？　この最後の問いに対しては、ひとつの謎をかけておこう。仏教教団の遍歴、在家の人々から布施を受けながらの遍歴を、イエスとその弟子たちが五千人もの人々を伴って実施したあの有名なピクニックとを比較してみたらどうか。このときイエスはわずかなパン屑と魚から五千人分の食糧をひねり出す。与える者と受け取る者、乞う者と乞われる者との関係が、仏教の場合とちょうど逆である。

＊1　ミルチャ・エリアーデ、『ヨーガ2――著作集10』立川武蔵訳、せりか書房、一九七五年、二五八頁。

＊2　エリアーデ、『ヨーガ1――著作集9』立川武蔵訳、せりか書房、一九七五年、三七頁。インドで、紀元前一〇〇〇年頃から前五〇〇年頃まで、つまりブッダが出現する時代までかけて徐々に蓄積されてきた、宗教的なテクストを「ヴェーダ（知識）」と呼ぶ。ヴェーダの権威を認める正統哲学が六系統あるとされており、それらを六派哲学と呼ぶ。ヴェーダーンタもサーンキヤもその中に含まれる。エリアーデは、ヨーガとサーンキヤとの繋がりを重視している。

＊3　「諦」は、真理という意味である。

＊4　中村元『原始仏教――その思想と生活』NHKブックス、一九七〇年、八〇頁。

＊5　以下を参照。マックス・ヴェーバー『ヒンドゥー教と仏教』古在由重訳、大月書店、二〇〇九年（原著一九一六年）／ルイ・デュモン『インド文明とわれわれ』竹内信夫・小倉泰訳、みすず書房、一九九七年（原著一九七五年）。

＊6　世界の創造主であるブラフマーの息子で、人類の始祖にあたるマヌが述べたことになっているので、この名で呼ばれる。

＊7　ルイ・デュモン、前掲書、六七―六八頁。

＊8　この事実に由来するいささか皮肉な出来事は、中国で四世紀末から五世紀初めにかけて起きた「神滅不

滅」の論争である。ここで「神」という語で指示されているのは、霊魂のこと（「精神」の「神」だと思えばよい）である。当時の中国の仏教界の重鎮慧遠等と儒教側の范縝等の間で論争がなされた。ここで、興味深いことは、論争における位置が、教義上あるべきものと逆になっているということである。すなわち、仏教側が神不滅を主張し、儒教側が神滅を主張したのだ。神不滅とは、霊魂が肉体の死後も不滅であるということであり、来世を認める立場である。仏教は、「無我」や「無常」を唱えているのだから、本来であれば、神＝霊魂のような恒同的な実体を否定しなくてはならない。しかし、「無我」や「無常」によって脱構築するためにも、輪廻を通じて持続する実体を前提にしなくてはならない。しかし、そんなことに頓着しない儒教側は、あっさりと、「来世などない、神滅だ」と主張する。仏教側は、それでは、「脱構築」しようもないので、まずは、神不滅を言い立てなくてはならなかったのである。慧遠等、仏教陣営の主張は、いささか滑稽だが、日本人は、これを笑えまい。西洋思想を勉強した日本人が、たとえば、西洋形而上学や音声言語中心主義を批判したりするわけだが、考えてみれば、日本語の思想状況の中で、西洋形而上学も音声言語中心主義も支配的になったことはないのだから、この批判は誰に向かってなされているのかよくわからないところがある。あるいは、ニーチェに倣って、日本人が「神は死んだ」と言うとすれば、「いつ神が生まれたのか」と反問されることになる。

＊9　ルイ・デュモン、前掲書、七二頁。
＊10　同書、七三頁。
＊11　以下を参照。Wendy Doniger and Brian K. Smith tr., *The Laws of Manu*, Penguin Classics, 1991. Slavoj Žižek, *Living in the End Times*, Verso, 2010, p.17.
＊12　『ブッダのことば——スッタニパータ』中村元訳、岩波文庫、一九五八年、一一四頁。

＊13　W. Doniger, "Translator's Introduction", *The Laws of Manu*, Penguin Classics, 1991. p.xxxvii.

第6章　二つの遍歴集団

1　よく似た二つの遍歴集団

一見したところ、イエスの集団とゴータマ・シッダルタの集団とは、よく似ている。どちらの集団も、一人の圧倒的なカリスマ的リーダーと、その熱狂的な信奉者によって構成されており、彼らが生まれ育った、あるいは彼らがその中で生活し、生業をもっていた共同体から離れて、各地を遍歴していた。イエスが最後に連れていた弟子は、十二人の使徒だったことになっている。シッダルタに従った弟子は、初期にはごく少数だったが、やがて膨れ上がり、最終的には何千人にもなっていただろう。だが、こうした規模の違いは、相対的なものであって、それほど重要ではない。ちなみに、覚りを開いたブッダに最初に帰依したのは、彼に麦菓子と蜜団子を布施した二人の商人であった。

シッダルタは——前にも解説したことがあるが——、シャカ族の王族の子で、次期の王に就位することが決まっていた。彼は結婚し、男児をもうけ、経済的にも豊かだったと思われるが、二十九歳のときに城を出て、出家した。苦行によっては何も得られなかったが、苦行をやめてすぐに、つまり三十五歳のときに覚りを開いた。シッダルタが覚り、ブッダになったこの年齢は、イエスが、十字架上で死に、復活して、自身がキリストあるいは神の子であることを証明したときの年齢と、ほぼ同じだと思われる。

シッダルタの出家は、妻子を初めとする家族を捨て、祖国の将来を顧みないものだから、道徳的には批判されても仕方がないもののように思える。が、しかし、イエスだったらこれを是認し、称賛さえするのではないだろうか。というのも、イエスは、自分について来る者は、父や母、妻や子、兄弟姉妹を憎まなければならない、自己自身さえも憎まなければならない、と説いているからである。シッダルタの出家は、イエスのこのような呼びかけの文字通りの現実化ではあるまいか。

ブッダとキリストが最終的に説いたことも、似ているという印象を与える。イエスは、今しがた述べたように、自己自身を含む身内をむしろ憎むべきだという過激な発言をしたが、それは、普遍的な隣人愛を引き出すためのレトリックである。隣人愛に尽きると言ってもよい。隣人愛に対応する観念は、仏教にもある。イエスの教えは、結局、隣人愛に尽きると言ってもよい。「慈悲」がそれである。「慈」は、パーリ語の mettā、サンスクリット語の maitrī の訳で、どちらも「友」「親しきもの」を意味する語 mitra からの派生語だから、真実の友情・親愛を表している。「悲」の原語は、パーリ語でもサンスクリット語でも、karuṇā で、「哀憐」「同情」を意味している。南方系の仏教では、「慈」は、「人々に利益と安楽とをもたらそうと望むこと」であり、「悲」は、逆に、「人々から不利益と苦とを除去しようと欲すること」であると解説されてきた。[*1] いずれにせよ、慈悲とは、他者の快楽が増大するように振る舞おうとすることであり、イエス・キリストが「隣人愛」と呼んだものとあまり変わらない、とたいていの人は理解するだろう。釈尊（シッダルタ）は、「法華経」によれば、「一切の生きとし生けるものはわが子なり」と宣していたとされ、まさに普遍的な隣人愛を謳っているように思える。

イエス・キリストは、神の国は「罪人」のためにある、と述べた。罪人というのは、犯罪者ということではなく、当時の社会構造の中で差別されていた弱者のことである。同様に――とそのように思えるのだが――、ブッダの教団は、徹底した平等主義をとっており、女であろうが、低カーストの人物であろうが迎え入れた。

イエスとシッダルタの二人の人生において明確に異なった様相を呈するのは、彼らの最期である。イエスの死については、もはや解説の必要はあるまい。それは、人類史上最大のスペクタクルであったと言っても、決して誇張ではない。シッダルタの死には、劇的な要素はまったくない。彼は、八十歳まで生きた。彼の死因は、在家の信者によって供された食事――おそらく豚肉――でひどい下痢になったことにあるとされている。そうだとすると、シッダルタの宗教家としての活動は、二人の商人の布施から始まり、一人の鍛冶屋の布施によって終わったことになる。が、イエス・キリストの場合と違って、仏教においては、シッダルタの死に方に、とりたてて重要な宗教的な価値はない。とすれば、この点に関して、両者を比較することには、たいした意味はなかろう。

したがって、とりあえず、今、教義の内容の細部についてはカッコに入れて、主として、イエスの集団とシッダルタの集団の社会的活動、直接に対他的な効果をもった活動に注目するならば、両者はよく似ている、と断じても大過ないように思える。ブッダの教団は、紀元前五世紀頃、今日のインドとネパールの国境地帯で遍歴していた。それから四百年から五百年ほど後のパレスチナでは、イエスが、いささか小規模ではあるが、やはり似たような集団を率いて歩き回っていた。両者は、基本的には同じようなことを言ったり、やったりした。

2　対照的な遍歴集団

が、ここで、われわれは、つまらない男や女に熱を上げている友人に向けるのと同じ警告を、発しないわけにはいかない。しっかりとよく見ろ、と。二つの集団の活動を、表面をなでるようにしか見ていない間は、両者は類似しているという印象をもってしまう。しかし、その活動の内実に入ってみると、相違の方が目立ってくる。というより、まるで反転像を見るように、両者は対照的なのだ。

たとえば、前章の最後にふれた、「布施」のことを考えてみよう。仏教の出家者は、布施に頼らなくては生きていくことはできなかった。だが、原始仏教教団の出家者は、一日のうちで、午前中に一回だけ、布施を受けるために町に出ることが許されるのみだった。これは、贈与に基づく他者への依存を最小化するためである。彼らにとって、布施は、必要悪のようなもので、修行者たちは、できるだけ在家の人々からの供応を回避しようとしていたのだ。

イエスの一行の場合は、これとはまったく違う。彼らは、町々を移動しながら、人々が彼らを歓待しようとするときには、これを積極的に受け入れた。福音書に記されたイエスの言葉によれば、彼らをよく思わない人々は、「大食漢」「大酒飲み」と悪口を言った。イエスは、洗礼者ヨハネのグループと自分たちを対照させており、ヨハネたちは飲み食いを拒否したので、「悪霊に取り憑かれている」と非難されたと述べている（『古代篇』第4章参照）。したがって、われわれは、次のような構図を得ることができる。一方の極には、「悪霊か」と思わせるほどに断固として飲み食いの供応を斥けた洗礼者ヨハネがいて、他方の極には、「大食漢」呼ばわりされるほどに歓待を喜んで受けたイエスたちがいる。その中間には、供応や贈与を受け入れはしたが、それを最小化しようとしたブッダたちがいる。

付け加えておけば、歓待を受け入れることが、イエスの意識的選択であった。このことは、イエスが、ヨハネの弟子から、お前たちはなぜ断食をしないのかと詰問されたときに、花婿がいる場では喜んで飲み食いするものだ、という趣旨の回答をしていることから明らかである。「花婿」とは、神（の子）やメシアの隠喩であるに違いなく、その指示対象はイエス自身であろう。それゆえ、この回答は、イエスがどのような自覚をもっていたかを知る上での重要な手がかりになる。さらに付け加えておけば、イエスは、自分の死を予感しており、ヨハネの弟子への回答の中で、花婿が奪われたときにはイエスの一行も断食するだろう、と述べている。

これとは対照的に、シッダルタは、食事に招待されても、「いついつに行きましょう」などとかんたんに応じたりはしなかった。もちろん、それには明確な理由がある。将来のことを約束してしまった後で、実際には、訪問が不可能になったときには、(八正道のうちの)「正語」(正しいことを言う)の掟に反することになるからだ。招待を喜んで受け入れ、食事の場でも、自分たちの破局的な将来に関して、予言めいたことを雄弁に語ったイエスとは、まったく異なった意見をシッダルタはもっていたことになる。

*

食の贈与を受け入れたかどうか、食事への招待や歓待の場に喜んで出て行ったかどうかなどということとは、取るに足らない習慣や趣味の相違に過ぎないと思われるかもしれない。だが、そうではない。ここに、キリストとブッダの社会に対する態度の圧倒的な違いが現れているのだ。先に述べたように、イエスは、自分に洗礼をほどこしたヨハネと自分自身を引き比べている。イエスは、ヨハネを尊敬していたはずだが、宗教的な実践に関する両者の方針は、まったく異なっていた。ヨハネは、人里離れた荒野で禁欲的な生活を送った。イエス・キリストは、逆に、町や村の人々の中に入っていき、「大酒飲み」と悪態をつかれるほどに享楽的にふるまった。

キリストが、社会の内部に積極的に入り、そこでの営みに介入していったのは、彼が、社会システムの基本的な原理を転換させることをもくろむ、一種の革命家だったからである。ヨハネは、言語的には攻撃的だったが、実践に関しては消極的だった。イエス・キリストは、しかし、実践において攻撃的だった。とするならば、町へ、人々の集まるところに、出て行かないわけにはいかないだろう。彼の革命的な反抗者としての側面をよく示す出来事として、われわれはかつて、福音書に記されている「宮潔め」の行為に注目したことがある（『古代篇』第4章）。宮潔めとは、イエスがエルサレムの神殿の境内に侵入して、そこにいた商売人たちを追い出したり、両替商や鳩売りの台・腰掛け等をひっくり返したりして、暴れ回った事件である。なぜ、イエスはこんな狼藉を働いたのか？　復習しておこう。

イエスが、神殿の商人の活動の場を暴力的に破壊したのは、神殿が、当時のユダヤ人の社会にとって、礼拝の場であることを超えて、政治的な支配と経済的な支配の中心になっていたからであり、イエスが、前社会科学的な直観によって、このことを正確に洞察していたからである。とりわけ重要なのは、神殿が、経済的な搾取の中心となっていたという事実である。神殿は、礼拝とともに、供犠の場、神に贈り物を捧げる場であった。供犠を取り仕切ったのが、裕福な貴族層サドカイ派である（第3章参照）。彼らこそ、神殿の管理者であった。

ユダヤ人たちは、神殿に参詣して、収穫物の一定量（十分の一）に対応するものを献納しなくてはならなかった。彼らは、献納物を遠くからわざわざ運んできたわけではなく、たいてい境内で購入した。多くの異邦人の商人が、神殿で店を構えていたのは、そのためである。[*2] 鳩が最も廉価な献納物で、他に牛や羊から、ワインや油・塩まで売っていた。両替人が神殿にいたのは、人々が、神殿税として納めるために特定の現金を得なければならなかったからである。[*3]神殿貴族たちが、これら商人たちから場所代という名目で売り上げの一部を吸い上げていたことは、間違いあるまい。また、犠牲のための肉は、そのまま食肉として売られ、それが神殿の収益にもなっていた。

要するに、神殿は、当時のユダヤ人社会の再分配機構の中心に位置しており、その機構を通じて、神殿貴族による収奪が可能になっていたのだ。神殿の商人たちは、この機能が作動するために不可欠な部品であった。イエスに、個々の商人への恨みがあったはずはない。しかし彼は、この再分配の機構に敵意を抱いていたがために、神殿に闖入し、彼らの活動を暴力によって阻止したのだ。ねらいは、再分配機構を含む社会システムである。まさにイエスは、原初の革命家と呼ぶにふさわしい。さらに、この文脈で、あの「中国」というシステムを可能にしていたのも、大規模な再分配機構であったことを思い起こしておいてもよいだろう（第3章）。イエスは、再分配機構に対しては敵対的であった。

さて、目下のわれわれにとっての直接の主題は、ブッダとの比較であった。シッダルタに率いられた集団はどうだっただろうか？　彼らもまた、供犠をベースにしたバラモンの支配に対して、批判的であった。ブッダは、カーストやヴァルナによるヒエラルキーを肯定的に捉えていたはずがなく、その証拠に、先にも述べたように、教団の中では、そうしたヒエラルキーは否定され、メンバーは平等だった。それならば、シッダルタたちは、何かの行動を起こしただろうか？　バラモンやその活動の場を襲撃したことがあっただろうか？　あるいは、イエスが神殿から商人を排除したように、シッダルタが、バラモンの支配を補佐しているクシャトリヤ（王族）やヴァイシャ（商人）を攻撃したことがあっただろうか？　そうした出来事はなかった。少なくとも、イエスの宮潔めに匹敵するような、目立った出来事としてはなかった。ブッダらは、カーストやヴァルナの差別には批判的だったが、行動に着眼する限りは、そうした差別をもたらす社会システムのヒエラルキーの存在を容認したのである。もっとも、そのおかげで、シッダルタは、イエスと違って、支配層からの恨みや嫉妬によって殺害されることもなく、人生を全うすることができたわけだが。

＊

食の贈与に対するキリストとブッダの方針の違いは、社会システムの全体に対する彼らの態度の差異を反映するものだったのである。こうした態度の差異を端的に表現しているのが、法に対する両者の考え方の違いである。キリストは、ユダヤ教の律法を、事実上、すべて廃棄（あるいは揚棄）し、それらを隣人愛と置き換えた。彼は、当時のユダヤ人社会の支配の体制が律法に基づいていること、人々の行動が律法によってがんじがらめになっていることを見抜いていたからである。

シッダルタは、どうだったのか。彼もまた現世の法に執着することには批判的だったが、それに代えて彼がまず提案したのが、八正道と呼ばれる八つの命令であった。しかし、前章で述べたように、これらは、「正しく行為しなさい」とか「正しく生活しなさい」といった、この世に生きる誰もがごく普通に心がけていることなので、法そのものを廃棄するようないかなる力ももたない。どんな法であろうと、八正道を具体的に実現するための規定であるとする解釈が可能だからである。そのため、世俗の法は全体として容認される。つまり、キリストは、法をトータルに否定し、ブッダは、法を、事実上、すべて肯定したのである。

法をめぐる両者の対照は、仏教の出家者の集団が、教団と見なしうる組織にまで拡張したときには、ますますはっきりしてくる。出家者の集団は、サンガ（僧伽〔そうぎゃ〕）と呼ばれる。何度も述べてきたように、サンガの中では、出家者は完全に平等・対等で、カーストやヴァルナを規定する世俗の法は、この中では通用しない。世俗法は僧侶には適用されず、したがって、出家修行者には刑事罰が及ばなかった。この意味で、サンガは、一見、法から解放された社会空間に見える。しかし、世俗法の適用から外れていても、サンガが法一般から解放されていたわけではない。釈尊は戒律を定め、サンガの出家者（比丘と比丘尼）はそれを守らなければならなかったからである。戒の中でも、婬・盗・殺・妄の四つの戒は特に重要で、これらの違反は、波羅夷罪〔はらいざい〕と呼ばれ、サンガからの永久追放――いわばサンガにおける死刑――に値するとされた。

サンガが、世俗法そのものの改変や廃棄を目指す運動ではなかったこと、またサンガの内部で、世俗法のミニマムな条件を承認するような法が厳格に維持されていたこと、こうした二つのことから判断すれば、結局、サンガの活動は、サンガの外部の社会の法にいかなる影響も与えることはなかった、と結論せざるをえない。サンガの戒律が、世俗法の最小条件に匹敵するというのは、四戒の内、「妄」を別にした残りの三戒が、ごく当然の規定であることから、理解されるだろう。

なお、妄──厳密には（小妄語から区別された）大妄語──とは、覚ってもいないのに覚ったという嘘をつくことである。確かに、覚りに至ることが仏教の目標であるとすれば、この嘘は、仏教とその教団の存立にとって致命的である。しかし、（釈尊以外の）誰も覚ったことがないのに、ある人が語っていることが真実の覚りなのか虚偽なのか、それが真理に合致しているのか否かを、どうやって判別することができるのだろうか。覚りは、覚ったと称する人の語りによってしか証明できないので、この判別は、永遠に決定不能である。一神教において、神の存在の証明が不可能なのと同じように、仏教においては、覚りの真実を証明することはできない。

ともあれ、ここでまず確認しておきたいことは、外観上よく似ている二つの遍歴する集団、イエスをリーダーとする集団とシッダルタをリーダーとする集団は、対社会的な実践という点では、まったく対照的だった、ということである。前者は、社会システムに根底から反抗する革命家のように振る舞った。後者は、社会システムの在り方を、静かに──言説ではなく行為を通じて──容認した。しかし、重要なことは、こうした違いを確認することではない。こうした違いが、どこから来るのか、実践上のこうした相違を最終的に規定していた要因は何かを、探り当てること、これこそが考えるに値する課題である。

3　ふしぎなピクニック

この点の探究に着手する前に、しかし、もうひとつだけ、キリストの態度とブッダの態度の相違を際立たせる例を、見ておこう。それは、イエスの行ったことなのだが、その意義を理解するためには、前章で仏教について論じたことを想い起こしておく必要がある。

われわれは、次のように論じた。古代インドには、生そのものが苦であるという強い感覚がある。何が苦なのか？　縁起の法則に従っている輪廻の連鎖の中に縛られていることである。仏教もヨーガも、輪廻からの解脱を目標としている。しかし、輪廻は、抽象的な観念である。苦としての輪廻という観念に実感を与える経験的な基盤は何だったのか？　それこそ、贈与とお返しの連鎖である。人が何か行為することは、必ず、他者への――しばしば負の――贈与をなすことを意味しており、罪を犯すことである。あるいは、この世界に生きて何かをなすことは、他者からの贈与を受けることであって、人は、そのことから来る負債を課されることになる。ここから解放されるためには、贈与の連鎖の外に出るしかない。そのためには、贈与への、贈与すること／されることへの欲望を消し去る必要がある。かくして、仏教の無所有の理想が導出される。何ものにも執着しなければ、贈与と輪廻の連鎖の外に出ることができる、というわけである。

このことを念頭においたうえで、四つの福音書のすべてに記されている、イエスたちのあの不思議なピクニックのことを考えてみよう。あるとき、イエスは、人里離れたところに退いた。ヨハネ福音書によれば、そこはガリラヤ湖畔だが、正確な場所は重要ではない。ともかく、そこは、人が住む町や村からはかなり離れたところだった。イエスが退くと、群衆が彼を追ってやってきた。結果的に、それは大ピクニックになった。群衆は、イエスの話を聴きたかったのであり、イエスによって病を癒してほしかったのだ。要するに、彼らは、イエスからの贈与を求めて集まってきたのだ。イエスは、その期待に応じた。やがて日が傾いてきたので、弟子たちはイエスに言った。「群衆を解散させてください。そうすれば、彼らは周りの村や里へ行って、自分たちの食べ物を見つけるでしょう」と。しかし、イエスは、これを認めず、弟子たちに「あなたがたが彼らに食べ物を与えなさい」と命じた。しかし、弟子たちは言った。自分たちがもっているのは、パン五つと魚二匹だけである、と。群衆は、五千人もいたのだ。しかし、イエスはかまわず、弟子たちの手を通じて、パンと魚を人々に与えた。すると、不可解なことに、五千人全員に十分な食べ物が行き渡り、誰もが満腹した。その上、残ったパン屑を集めてみると、十二籠にもなり、もともとあった食べ物の量をはるかに超えていた。

　このエピソードは、イエスが神の子であることを示す極め付きの奇蹟として、よく知られている。さらに、この話は、単にいくつもの奇蹟の一つというだけではなく、重要な神学的な意味があると解することもできる。というのも、パンと魚を人々に与えるというこのやり方は、「最後の晩餐」の前触れとして解釈することができるからである。最後の晩餐で、イエスは、「これは私の血だ」と言ってブドウ酒を、「これは私の肉だ」と言ってパンを、弟子たちに与えたのであった（『中世篇』第8章参照）。「ブドウ酒とパン」を、「パンと魚」に置き換え、贈与を受け取る者を、十二弟子から、群衆に、人々一般に拡張すれば、このピクニックにおける奇蹟になる。二つの贈与は同系の意味をもつ出来事と見なすことができるだろう。[*4] このように解した場合には、つまり最後の晩餐と対応させた場合には、このピクニックの夕食では、パンと魚が、まさにキリストの肉、キリストの身体だったことになる。[*5] さらに、もし、この夕食が、最後の晩餐に連なっているのだとすれば、これは、さらにその後の出来事、つまり十字架上のキリストの死による贖罪という論理にも繋がっているはずだ。このように考えると、このエピソードには、キリスト教の本質が集約されていると解することもできる。

このように、重要な奇蹟ではあるが、しかし、この点について、聖書に書かれている通りのことが文字通り起きた、と考えるには、やはり合理的な疑いがかかる。どうやったら、パン五個と魚二匹を、五千人に配ることができるのか。まして、満腹するほどの量を全員に与えることが、どうしてできようか。分配したあとの残りが、初期の手持量を超えるなどということは、論理的にありえない。そこで、残された理解の仕方は、「神の子だから科学的には説明できないことを起こせるのさ」と考えるか、あるいは、寓話的な解釈によって、合理性の枠内に収めるかの、どちらかであるように思われる。後者の解釈としてしばしば採用されてきたのは、ごくわずかな食糧ではあったが、皆で分かち合ったので精神的に満腹になった、といった説明である。この解釈は、合理的ではあるが、まったく迫力を欠いている。もとの奇蹟譚のインパクトは、完全に消えてしまう。

しかし、この出来事は、文字通りの仕方で起きたのである。十分に合理的に、そのように解釈することができるのだ。このエピソードを迷信や神話やお伽噺のようなものと見なす必要はない。実証的な合理性に背かない範囲で、聖書に記述されている通りのことが起きた、と解釈することができるのである。どう考えればよいのか。[*6]

*

よく反省してみれば、辺鄙なところにいるイエスに会おうとやってきた人々が、手ぶらだったとは思えない。コンビニエンス・ストアもファミリー・レストランもない時代である。彼らの多くは、自分の食べ物や飲み水を持っていたに違いない。だが、皆、それを隠していて、夕暮れになって空腹を感じても、出そうとはしなかったのだ。どうしてか、想像するのは難しくあるまい。もし、自分が何か食べ物を持っていることを周囲の人に気づかれたら、十分な食べ物をもたない人に、せがまれたり、奪われたりするのではないか、と誰もが怖れていたのである。

こんなとき、イエスが、もともとわずかしかもっていない自分たちの食糧を、人々に気前よく与え始めた。パン五個と魚二匹は、イエスとその弟子たち（十二人）という少人数にとってさえも、まったく足りない量である。[*7]にもかかわらず、イエスは、惜し気もなく、このわずかな食べ物を群衆に与えた。これに誘発されて、群衆の中の一人ひとりが、自分が密かにもっていたパン等を出して食べ始め、また、弁当を持参していない人に対しては、その一部を与えたのではないか。このような心理の変化は、簡単に理解できる。イエスが、自分たちのわずかな食べ物を与えたとすれば、それを見ていた者たちは、自分の食べ物を奪われることへの恐怖を克服できるだろうし（なぜなら、イエスは、自分のための食べ物がなくなってしまうことを怖れなかったのだから）、それ以上に、自分の食べ物を飢えている他者たちに与え、分かち合って食べたいという欲望をもつようになるだろう（なぜなら、イエスが、すすんでそうしているのだから）。だから、パン五個と魚二匹で、ほんとうに、五千人の人々が満足するほどの食べ物が得られたのである。五千人の人々がもってきたパンから落ちた屑が、パン五個と魚二匹よりもはるかに多かったとしても、ふしぎはない。イエスは、このような人間の心理への直観があったので、弟子たちに、自分たちの少ない手持ちの食べ物を群衆に与えるようにと、指示したのである。

さて、この出来事から引き出される教訓は何か？　ブッダの場合には、贈与の連鎖が作り出す束縛からの解放を、その連鎖から離脱することに求めた。贈与や収奪を動機づける欲望の火を消してしまえ、と。しかし、このピクニックの場面で、群衆たちが、食べ物の贈与やお返しの関係の中に縛られているという感覚をもったとは思えない。食べ物を持ってきた者は、（しぶしぶとではなく）歓びの感情とともに、それを他者に与えたであろうし、それゆえ、受け取った者もまた、与え手に対して負い目を感じることはなかったに違いない。つまり、ここでは、贈与がもたらしうる束縛が、贈与そのものによって否定され、克服されているのである。

群衆が最初にもっていた不安や恐怖――自分がもっている食べ物が他者に奪われるのではあ

るまいかという予感――は、贈与を束縛と見なす感受性と同じところに由来している。他者の所有物に対して、それを奪いたくなるほどの欲望を抱くがゆえに、贈与は――与えることも受け取ることも――重荷なのだ。しかし、このピクニックの夕食のように、贈与がまったく自発的に、歓びとともに拡散しているとき、贈与を重荷と受け取る感受性は克服されている。

＊

この教訓を、さらに哲学的な概念を用いて言い換えれば、次のようになるだろう。人は縁起の法則が貫徹する輪廻の中に縛られており、そのことが苦しいという感覚、つまり過去の行為（業）の結果からわれわれは決して逃れられないという感覚は、哲学的には、二つの水準の混同に基づいていると見なすことができる。二つの水準とは、存在論的水準と倫理的水準、カントであったならば、理論理性の領域と実践理性の領域と呼ぶような二つのレベルである。これら二水準が同一視されると、「何かを引き起こす」ということ（存在論的水準）が、そのまま、「それに関して責任や罪がある」ということ（倫理的水準）を含意することになる。こうして、人は何かをなすたびに、その責任や罪を問われることになる。

ただし、ここでわれわれは、二水準の混同は、きわめて自然なものだ、ということを理解しておく必要がある。二つの水準が、それぞれ独立に認識された後で、両者が混同されるわけではないからだ。存在論的水準（についての認識）は、倫理的水準に基づいており、そこから派生してくるのだ。「何かを引き起こす」「何かが何かの原因である」という認識は、もともと、

「何かに関していずれかの行為に責任がある」という直感からの類推である。それを、洗練された仏教用語で表現しようとすれば、「縁起」という概念になる。逆に、同じことを、原初的で素朴な体験の層に引き戻せば、「与えること／与えられること」の関係性を見出すことになるだろう。

これに対して、キリストが示したこと、あのピクニックの夕餉（ゆうげ）の場面での行動によって彼が示したことは、二つの水準、存在論的水準と倫理的水準とは分離できるということである。ずっと後になって、カントが「アンチノミー」の概念――「力学的」という形容詞が付されている方の「アンチノミー（のひとつ）」――によって明らかにしたことを、イエスは、実践的に示したのである。それは、次の二点に要約できるだろう。①存在論的水準における因果の関係は、ただちに倫理的水準の責任や罪へと転化されるわけではない。②存在論的水準の束縛を、倫理的水準において打ち破ることができる。他者に負い目の感覚を植え付けることなく何物かを与えることができるということ（①）、そして、強制されているという意識をもたずに、自発的に歓んで（他者に何かを）与えることができるということ（②）、これらが含意しているのは、存在論的水準と倫理的水準の、ここに述べたような分離の関係である。

繰り返し強調しておけば、こうした関係が形成されえたということは、合理的に説明できることである。しかし、だからといって、この出来事が、ピクニックにおいてパンや魚が人々に十分に行き渡ったということが、奇蹟であることが否定されるわけではない。というより、十分に可能であると見なしうるだけに、ますます、これは奇蹟である。[*8]

われわれは、前節で、こう述べた。イエスは社会システムを全体として変革しようとするアクティヴな実践者だったが、シッダルタは社会システムの現状を容認し、したがって、その限りでは実質的に正当化していたことになる、と。両者のこうした違いは、本節で論じてきたことと深く関係している。原始仏教が、社会システムそのものの変革に対しては消極的だったのは、われわれが過去の行為（業）から解放されることが事実上は不可能であるという諦念をもっているからである。原始仏教によれば、存在論的水準が全面的に倫理的水準と重なっている。こうした理解に基づけば、人は、因果関係に規定されている（これは事実だ）限り、倫理的にも束縛されており、そこから自由にはなれない。このとき、現実の中にあって、人間やその他の生ける者の行為の産物である現実の制度を否定することは不可能だ、という結論に至らざるをえない。現実を否定するための唯一の方法は、現実を放置したまま、単純にその外部に出ることである。そうした現実の「外部」に仏教が与えた名称が、「涅槃（ニルヴァーナ）」である。

4　マヌ法典が規定する奇妙な人生

社会的な実践をめぐる、キリストとブッダのこうした相違を規定する、深い要因、究極の原因は何か？　これが目下のわれわれの主題だ。ここで「深い」というのは、次の二つの意味である。第一に、キリスト教や仏教の教義・哲学の全体の中で、この相違を理解し、相違が生じる必然性を理論的に説明すること。第二に、相違を、キリスト教や仏教が生まれ、維持されていた社会構造との相関で理解し、これを社会学的に説明すること。特に、後者のポイントが重要である。

後者の条件を満たすためには、仏教に関しては、どうしても、バラモン教（あるいはヒンドゥー教）との関係においてこれを理解しなくてはならない。前章で述べたように、バラモン教と仏教は、一個の社会システムの中で、相補的な関係を構成することで機能しているからである。とすれば、われわれは、もう一度、マヌ法典を参照しなくてはならない。[*9] バラモン教にとって、マヌ法典は、ユダヤ教にとってのトーラー（モーセ五書）のようなものだからだ。

マヌ法典が編纂されたのは、紀元前後の頃であると考えられている。だが、この時期に、いきなり、マヌ法典に書かれているような行為規範の体系が整ったわけではない。紀元前六世紀から前二世紀にかけて、ダルマ・スートラと呼ばれる文献が少しずつ蓄積されていた。ここに記された、行為についての原則、社会システムについてのアイデア、それらを支える価値観を集大成するような形で編まれたのが、マヌ法典である。マヌ法典は、次のような体裁を取っている。太古において、偉大なる聖賢リシたちが、マヌに近づき、すべての人間の規範となるべき「ダルマ」について語って欲しいと懇請した。この懇請に応えてマヌが語ったのが、マヌ法典である。「ダルマ」は、インド思想において最も重要な概念のひとつだが、ここでは、「法」、もう少していねいに言い換えれば、善なる行為、正しい行為とは何であり、それらがどのような功徳をもたらすか、ということについての体系である。

マヌは語り始めるが、しかし、すぐにダルマの内容を詳しく述べるわけではない。マヌは、宇宙の始まりや、ブラフマンの誕生の経緯について説くことから始める。マヌ法典の冒頭は、法というより、むしろ神話——宇宙の起源を説く神話——である。この神話の詳細は、ここでは解説しない。古代のインド社会を理解する上で肝心なのは、ヒエラルキーをなす四つのヴァルナが導入される件である。四つのヴァルナは、ブラフマンが、自分の身体の諸部分を用いて、生み出したとされている。すなわち、ブラフマンの口、腕、腿、そして足から、それぞれ、バラモン、クシャトリヤ、ヴァイシャ、シュードラが生じた。

四つのヴァルナの関係を律している原理は、贈与、とりわけ垂直的な贈与である。垂直的な贈与とは、供犠のことである。供犠は、贈与の一種だが、特殊な贈与である。それは、与え手が対等に向かい合うことができない他者への、つまり超越的な他者（神々）への贈与だからである。バラモンは、最も重要な供犠の担当者であることにおいて、ヴァルナのヒエラルキーの頂点に立つ。クシャトリヤは、世俗の権力と武力を掌握し、人民を、とりわけバラモンを守護することを役割とする。ヴァイシャは、農業や商業などの経済活動に従事する。そしてシュードラは、上位の三つのヴァルナに隷属し、かれらに奉仕する役割を担う。さらに、最下層には、シュードラにも入らない不可触民がいる。

ヴァルナやカーストのヒエラルキーを規定している垂直的な贈与の関係は、前章に述べたように、食物連鎖の隠喩によって把握しておけばよい。だが、食物連鎖であるならば、戦士であり、王もそこに含まれているところのクシャトリヤが頂点になるはずだ、と考えたくなるが、クシャトリヤよりもバラモンの方が上位にいる。どうしてだろうか。食物連鎖は、人間の層で終わってはいないからだ。人間もまた神々によって食べられうるのだ。バラモンは、供犠によって、神々に、人間の代理物を捧げることで、神々を手なずけることをその使命としている。バラモンが、人間から神々への垂直的な贈与を担っているのである。クシャトリヤではなくバラモンがヒエラルキーのトップにいるという事実こそ、むしろ、ヴァルナの体制を律しているのが、隠喩的に把握された食物連鎖にほかならないということを、証明しているのである。

だが、ヴァルナのヒエラルキーがこのような原理に基づいているとすると、一つの困難が残る。すべてのヴァルナが、宇宙的な食物連鎖の中に、つまり贈与の連鎖の束縛の中に、捉えられていることになるのだ。頂点にいるはずのバラモンでさえも、食ったり食われたりという、食物連鎖の地獄のような関係から自由ではない。仏教やヨーガ・スートラが、「人生はことごとく苦である」と言ったとき、その「苦」の原因として指定されていたのが、「輪廻」という観念の中に昇華されている贈与とお返しの連鎖であったことを、もう一度、思い起こしておこう。ヴァルナの体制の中にあるとき、誰一人として、この連鎖から自由になることはできないのか。

マヌ法典は、たいへん巧妙な工夫によって、この困難を克服してみせる。それがどのような工夫であるかは、章をあらためて解説しよう。ここでは、先取り的に、この工夫の帰結（の一つ）を、見ておくことにする。それは、標準的な男の人生、男のライフサイクルを、四つのフェーズに区分するというアイデアである。[*10] バラモン教徒（あるいはヒンドゥー教徒）の男は、人生を通じて、四つのフェーズを順に辿るのが望ましい、とマヌ法典は規定しているのだ。

最初の若い頃のフェーズは、学生期（がくしょう）である。これは、人生の師を見つけ出し、その下で、ヴェーダ（バラモン教の宗教書）の学習に注力する時期である。第二のフェーズは、家長期である。このフェーズについては、説明の必要はあるまい。家長として家族を守り、ヴァルナやカーストに定められた仕事に従事するのが、この時期である。第三のフェーズは、林住期と呼ばれる。林住期において、人は、森を住まいとし、ヴェーダを復唱しながら、苦行に専心する。苦行の中心は、食事、ヴェジタリアン的な食事である。林住期の延長上に第四のフェーズである遍歴期がある。この最後の時期には、人は、定住すべき家をもたずに遍歴する。生きる上で必要最小限の食物だけを、村々で乞食（こつじき）し、ヴェーダの復唱を別にすると、沈黙を守らなくてはならない。つまり、一般の人との交わりは極小化される。

どうして、こんな奇妙な人生が標準とされるのだろうか。とりわけ、林住期や遍歴期に、どのような価値があるというのか。いずれにせよ、次のことに直ちに気づくだろう。林住期や遍歴期の生活は、仏教の修行者のそれとよく似ているということに、である。われわれは、早くも目標に近づいているのだ。バラモン教が規定している人生のある部分を切り離し、純化すれば、仏教的な生が得られるのである。仏教が、バラモン教とどのような関係にあり、社会システムの中でいかなる位置を割り当てられたのか、ということが、ここにすでに暗示されている。

＊1　中村元『原始仏教』NHKブックス、一九七〇年、一一八頁。

＊2　だから神殿の境内は、「異邦人の庭」と呼ばれていた。

＊3　神殿税は、「シケル」という、古いフェニキア地方の貨幣で納めなくてはならなかった。当時、主として流通していたギリシアやローマの貨幣には、皇帝などの肖像が描かれており、それが「偶像」にあたるとして、神殿では忌避されたのである。

＊4　田島正樹『正義の哲学』河出書房新社、二〇一一年、一八七頁。

＊5　古代のキリスト教美術では、実際に、魚が、キリストやキリスト教の象徴として用いられてきた。その理由は、ギリシア語で「イエス・キリスト・神の（テウ）・子（イオス）・救世主（ソテル）」の五つの単語のイニシャルを並べると「ΙΧΘΥΣ（ichthys）」となり、「魚」を意味する単語が得られるからだ、と説明されてきた。この説明は正しいに違いないが、このピクニックの場面では、イエスは、ほんとうに自分を魚と重ね合わせているのではないだろうか。その他にも、キリスト教には、魚に関連した比喩が多い。たとえば、アレクサンドリアのクレメンスは、イエスを漁師に、信者を魚に喩えている。また、旧約聖書には、預言者ヨナが魚に呑み込まれた話が記されている。

＊6　以下の解釈を、私は橋爪大三郎に負っている。下記を参照されたい。橋爪大三郎・大澤真幸『ふしぎなキリスト教』講談社現代新書、二〇一一年、一四六頁。

＊7　弟子たちが、イエスに、群衆を解散させてほしいと要請したのは、このためである。弟子たちの懸念は、自分たちが食べる量としても不足しているのに、それをこの群衆に奪われてしまったらどうしよう、ということにある。つまり弟子たちもまた、群衆の一人ひとりと同じ不安を抱いていたのだ。

＊8　神が、人知では測り知れないトリックによって、パンや魚を増やしたのだとすれば、それは、確かに奇蹟なのかもしれないが、人は、「何しろ神なのだから、そのくらいのことはできるだろう」と思い、納得してしまう。もっと深い奇蹟は、むしろ〈可能なこと〉の内にこそある。あるいは、こう言ってもよい。奇蹟は、不可能がまさに可能であることを理解することの内に現れる、と。

＊9　渡瀬信之『マヌ法典――ヒンドゥー教世界の原型』中公新書、一九九〇年。Wendy Doniger and Brian K. Smith tr. *The Laws of Manu*, Penguin Classics,1991.

＊10　渡瀬、前掲書、第二章。

第７章　カーストの内部と外部

1　キリストと菩薩

イエスが率いた集団とシッダルタが率いた集団は、外見的にはよく似ている。だが、既存の社会システムへの態度に着眼すると、両者は対照的・対立的である。イエス（の集団）は、当時のユダヤ人の社会に積極的に介入し、それに根底から反抗する革命家のようにふるまった。それに対して、シッダルタたちは、古代インドの支配的な体制から距離を置き、それを放置した――そのことで支配的な体制と共存した。こうした相違はどこから出てくるのか？　このような問いを（前章）立て、探究を続けている。

だが、この問いそのものに対して反論する者もいるだろう。少なくとも、この問いに対して、違和感を持つ者がいても不思議はない。大乗仏教はどうなるのか？　大乗仏教が理想化した菩薩はどうなるのか？　菩薩の生き方は、イエス・キリストに似ていないか？　菩薩たちは、イエス・キリストと同じように、社会的な現実に深くコミットし、一般の人々の、衆生の救済に尽力したのではないか？

仏教は、仏滅（釈尊の死）から一世紀ほど経た頃から、分裂を始める。最初は、二つに大きく分裂し、やがてそれぞれが大小十前後の部派に枝末分裂していった。紀元前後の頃と思われるが、これら部派仏教を、「小乗」と呼んで批判する、大乗仏教が登場する。「小乗」、つまり「小さな乗り物」とは、「自分の解脱のことだけを考え、衆生が覚りに至ることを配慮しない狭い料簡」という趣旨の蔑称である。大乗仏教の起源、どのようにして大乗仏教が生まれたのかについては、後に論ずる。ともあれ、まずは言いうることは、仏滅後、四分五裂どころではなく細分化してしまった仏教を否定し、止揚しようとした大乗仏教は、釈尊の精神への、あるいは釈尊の教えが生き生きと根付いていた原始仏教の精神への回帰を目指したものである。担い手たちの意識においてもそうだが、客観的に見ても、大乗仏教は、原始仏教ルネサンスと解しうる。

確かに、大乗経典は、もはや釈尊の言葉であるとは言えないだろう。仏教のテクストは、経、律、論の三つで構成されており、これらを「三蔵」と呼ぶ。中でも最も重要なテクストが、経であり、これは、釈尊の言葉、釈尊の説法をまとめたものだということになっている。したがって、経は、普通、「如是我聞（にょぜがもん）……」（かくの如く我聞けり……）で始まる。[*1] ここで一般に争点にされることは、大乗経典も釈尊の言葉なのか、という点だが、学問的に見て、それらは釈尊の説法ではないことは明らかである。そもそも、大乗経典は、釈尊一人に帰すには、あまりに膨大である。大乗経典の編纂は、釈尊が亡くなってから数百年を経た後から始まり、以降、千年近くの時間をかけて少しずつ進められたのである。[*2] 大乗経典は、このように、釈尊の講義の直接の再現ではない。しかし、にもかかわらず、初期の大乗仏教は、釈尊の精神の復興であり、徹底であった。

こうした事実を踏まえた上で、大乗の教えの中核にある菩薩――あるいは大菩薩――の理念について考えてみよう。菩薩（ボーディサットヴァ）とは、大乗の修行をおこない、将来の成仏が約束されている人である。ということは、菩薩は未だ成仏してはいない、ということでもある。一般の菩薩（凡夫の菩薩）は、文殊、観世音、弥勒等の大菩薩をロール・モデル（お手本）にしている。大菩薩は、ブッダと等しい境地に達しているが――つまり覚っているが――、あえて涅槃に入らず（不住涅槃）、衆生済度（一般の人々を救うこと）に努めている。菩薩の極限の姿としての大菩薩は、キリストと同じようなことをやっている、と解釈してよいのだろうか？

キリストとは、神の人間化である。神の国、つまり非時間的な永遠性の領域から、われわれ人間の経験的な世界、時間的な制約の中にある有限の世界へと、神があえて下降したとき、イエス・キリストになる。大菩薩も同じである。彼らは、永遠性の領域、ブッダだけが入る資格があるような神的な世界、つまりは涅槃に住む資格をもっている。しかし、大菩薩たちは、あえて人間的な世界にとどまり、あるいは無常によって特徴づけられる人間の世界に戻り、衆生の救済に勤しんでいる。このブッダの人間化とも呼ぶべきあり方は、神の人間化とほとんど同じことだと解釈してはならないのか？

＊

だが、二つの事態をより慎重に見比べてみると、両者は必ずしも同型的な構造をもってはいないことがわかる。むしろ、それぞれが孕むダイナミズムの方向性という点では、両者は対照的である。そのことを明らかにするためには、キリストがそこから降りてきたところの神の国、大菩薩たちが往くことをあえて拒絶している涅槃、つまりは永遠性を特徴としている超越的な水準、これらがキリストや菩薩にとって善いところなのか、すばらしい場所なのかと問うてみるとよい。

大菩薩にとって、涅槃が善いことは自明である。菩薩たちは、そこを目指して修行を積んでいるのだから。そんなけっこうなところに住むことができるにもかかわらず、そこには行かず、あるいはそこにとどまらず、苦しみや不幸に満ちたこちらの世界に戻ってきて、迷える一般の人民を救うための活動に従事しているところに、大菩薩の特別な慈悲が現れており、彼らは偉い、というわけである。ちなみに、小乗仏教では、涅槃は灰身滅智の場である――つまりブッダとして死んだ者は雲散霧消してしまい、この世界にとどまることはない。大菩薩にとっても、涅槃で灰身滅智の境地に入る方が、此岸の世界にいるよりも、ほんとうはもっと善いことなのである。ただ出来の悪い仲間（衆生）がたくさんいるので、彼らは、仕方なしに、この世界に戻ってきてくれたのだ。

キリストの愛も同じことであろうか？　キリストもまた、神の国で永遠の生を享受している方が善いのだが、あえて我慢して、あるいはしぶしぶと地上に降りてきたのだろうか？　そのような解釈も可能ではあろう。というより、たいていは、そのように解釈されてきた。このような解釈の下では、たしかにキリストの愛も大菩薩の慈悲もよく似ている。

だが、キリストにとって、神の国の永遠性にとどまることが最も望ましいことで、地上への降下は、「やらずに済むのならばその方が善い」とされるようなセカンド・ベスト（以下）の選択肢であったと解釈した場合には、彼の十字架上の死の衝撃力は、一挙に低下してしまう。彼が「死んだ」としても、それは、ただ本来の場所、もっと善い場所への回帰を意味するだけだからだ。実際、キリストが、死後復活して昇天した、と言われるときには、このような解釈が採用されている。それならば、神（の子）であるキリストは、十字架の上で死んだとき、ほっとしたのだろうか？　これで、「あそこ」へ帰ることができる、と。彼は、十字架に磔になる前から、自分が復活することを知っていたのだろうか？

このように考えると、キリストにとっては非時間的な神の国が本来の所属の場であって、彼が、仕方がなく人間の世界へと下降・堕落してきたのだ、という解釈によっては汲み尽くせないものが残る。キリストの遍歴を、究極の貴種流離譚のように解するわけにはいかないのだ。実際、シェリングは、神話的な内容をもつ遺稿『世界諸世代』の中で、もうひとつのキリスト像を採用しているように思える。普通は、神にとっては、不可視の永遠性が本来のあり方で、経験的な世界における具体的な身体は、暫定的なものとされる。しかし、シェリングは、逆であるかのように書いている。神にとって、永遠の潜在性にとどまるのは耐えがたく、経験的なこの世界へと向かうことが、歓びを伴う解放であるかのように、である。[*3]

われわれとしては、だから、シェリングの洞察を引き継ぎ、キリストについては、次のように解釈すべきではないか。一般には、身体や、その他具体的な事物への愛着や欲望は低次のもので、そうした具体的な形態を超えた抽象的で永遠の価値への愛、たとえば至高の「善」への愛の方が高尚であると考えられている。こうした考え方の典型はプラトニズムだ。究極の解放・解脱は、あらゆる愛着・執着から脱した涅槃の境地に達することだとする仏教的な観念は、プラトニズムの中にある指向性をさらに徹底させたときに得られる。「善のイデア」のような抽象的なレベルで措定された形態性すらも否定してしまえば、執着・愛着の対象を一切もたない涅槃が得られるからだ。これに対して、キリストが行動を通じて示した愛は、まったく逆の動きだったのではないか。すなわち、抽象的な永遠性のレベルをむしろ積極的に捨て去り、有限で不完全な身体を有する個人になること、前者よりも後者をこそ選好すること、後者のために前者を脱すること、これがキリストの愛の真実ではないか。

かつて、エルンスト・ブロッホは、ワーグナーの『ニーベルンゲンの指輪』の〈序夜に続く〉第一部『ヴァルキューレ』に触れながら、ドイツの歴史には、この楽劇に登場するジークムントのような行為がなくてはならない、と論じたことがある。[*4] 讃えられているジークムントの行為とは何か？　ジークムントは、フンディングの妻ジークリンデと互いに愛し合う関係にあるが、婚姻の神聖性を汚した罪で、フンディングに殺害される定めにある。だが、もともと神を父にもつジークムントは、死んだ英雄たちの住むヴァルハラに行けば、永遠の至福を享受人間であるジークリンデが、そこに来ることができないからである。ジークムントの説得に失敗した姉ブリュンヒルデは、狼狽して、ジークムントに言う。あなたは永遠の至福をそこまで軽蔑するのか、と。あなたにとって、あのくたびれた女がすべてなのか、と。ここで、ヴァルハラを涅槃に比してみたらどうだろうか。それに対して、一人の男として一人の女への愛情を諦めず、そのためにフンディングの槍に貫かれることを受け入れたジークムントは、キリストに喩えられよう。ジークムントのジークリンデへの愛情は、キリストの愛の実例である。

このように考えると、大菩薩とイエス・キリストの行為は、外見的には類似していても、まったく正反対のモチーフによって突き動かされていることがわかる。両者の相違は、オリジナルなブッダとキリストの違いの誇張された表現であろう。大菩薩たちは、涅槃に入ることを一時的に留保しているが、彼らが、その気になれば、あるいはしかるべきときに涅槃に入りうることはすでに決定されている。それに対して、キリストは、十字架上の断末魔の叫びの中で、神への明確な不信を表明する。彼自身が——ということは神自身が——、永遠の世界に神がいて、彼を救ってくれることを信じてはいないのだ。ここで、大菩薩たちとキリストの差異は極大値に達している。

2　カエサルのように/カエサルとは逆に

重要なポイントを含むので、もう少し理論的に繊細な分析を加えておく必要がある。ここまで、キリストと菩薩（とブッダ）とが対照的である、ということを強調してきた。しかし、キリストという現象の中には——これを一個の社会現象として捉えたときには——、菩薩と同じ方向性もまた孕まれているのである。つまり、菩薩の行為の意義や善さを解釈するのと同じ論法を適用できるアスペクトが、キリストにもあるのだ。この点にも留意しておかなくては、バランスを逸することになる。

簡単に言えば、キリストの死（と復活）を、具体的な個別性よりも抽象的な永遠性を優越させようとする指向性の中で解釈することもできる。ここで、かつてヘーゲルを参照しながら、カエサルについて論じたことを想起してほしい（『古代篇』第9章第4節）。抽象的な普遍概念としての「皇帝（カエサル）」が出現するためには、生身の個人としてのカエサルは殺害されなくてはならなかった、とヘーゲルは論じた。実は、すでに暗殺の時点で無意識のうちに成立しつつあった皇帝の概念と個人としてのカエサルの間には矛盾があり、前者が現実化し、自覚され、定着するためには、後者は死ななくてはならなかった——死によって矛盾を解消しなくてはならなかった——のである。ローマに「皇帝」の概念が出現すべきであるとする歴史の観点からすれば、カエサル個人には気の毒だが、彼はあのとき殺されてよかった、ということになる。それゆえ、ヘーゲルは、これを「理性の狡知」と見なしたのである。

キリストについても同じことが言える。一神教の抽象的な神が定着し、長く支配するためには、キリストは殺されなければならなかった、と言うこともできるのだ。歴史の中には、実は、これと類することはしばしば起こる。たとえば、二〇世紀の例では、ジョン・F・ケネディの暗殺もまた、カエサルの暗殺と似ている。いささか不謹慎だが、ケネディは、あのタイミングで死ぬことによって、「大統領」――あるべき「理想的大統領」――の概念になった。もしケネディがもう少し長く生きていたら、どうなっていたかを冷静に考えてみよう。彼もまた、冷戦の厳しい対立の中で立ち往生し、ベトナム戦争の泥沼から脱出することもできなかった可能性は大いにある。ケネディが早く死んだために、われわれは彼の「早過ぎた死」を悼むことができ、「ケネディがいたら、こんなことにならなかったのに……」という幻想をもつこともできるのだ。つまり、ケネディは、あのとき死んでいたがために、「大統領」の理想の表象となりえたのかもしれない。このように考えると、ブルータスも、ユダも、そしてオズワルドも、意図することなく歴史に貢献したと見なすことができる。

繰り返せば、キリストもまた、殺されることによって、抽象的で不可視の神概念が可能となった、つまりキリストの死が完全に抽象的な第三者の審級を可能なものとした、と解釈することもできる。このようにして抽象的な神(第三者の審級)が無時間的な領域(永遠の神の国)に実定的なものとして措定されたということをもって、キリストの「復活」と称するのである。キリストの死は、カエサルの暗殺やケネディの暗殺において見出されるのと同じメカニズムを、歴史上、最も大きな規模で作動させたと見なすことができるのだ。

しかし、キリストの場合には、彼の死の前に、普遍概念が、つまり一神教の神概念（ヤハウエ）があらかじめ存在していた、ということをも考慮に入れなくてはならない。「カエサル」は、最初は、単独の個人を指し示す固有名だったが、本人の死を媒介にして、普遍概念を意味する称号として甦った。キリストのケースは逆であって、死んでしまうことによって、普遍概念であったもの（神）が、特異で偶有的な個人（イエス・キリスト）でしかないことが示されたのである。どちらの場合も、普遍性と特異性とが登場するのだが、力動を示すベクトルがこの二項の内のどちらからどちらへと向かっているかという点に着目すると、まったく逆になる。

したがって、整理すると、キリストの死には二つの意味、二つの対照的な効果がある。今ここで論じていることは、かつてていねいに考察したことの復習である（『古代篇』第6章第3節）。キリストが死んで復活することによって、単独性を普遍性へと止揚していると解することもできるし、逆に、キリストの惨めな死によって、普遍性が単独性へと止揚されていると見なすこともできるのだ。

こうしたことを確認した上で、われわれの論点はこうである。（前者ではなく）後者の契機（モメント）に着眼したときには、大菩薩の実践とキリストの実践は互いに反対を向いている。この点を勘案すれば、社会に対するキリストの実践的な態度と仏教の実践的な態度の違いはどこから来るのか、両者の対照性は究極的には何に由来するのか、というわれわれの問題の立て方は、正当化されるだろう。視野を大乗仏教にまで拡大したとしても、この問いの意義は小さくはならない。

3　古代インドにおける供犠の中心性

こうした点を確認することでようやく、前章の議論を引き継ぐことができる。われわれは、前章の最後の節で、仏教を古代インド社会の全体の中に位置づける作業に着手した。そこで手がかりとなるのは、バラモン教の世界観や行動準則を記したマヌ法典である。バラモン教と仏教は、単に二つの異なる宗教ということではなく、明らかに、相補的な関係を保つことで一つの社会システムを支えている。それゆえ、仏教の位置づけを知るためには、バラモン教のテクストを参照する必要がある。

マヌ法典において、（バラモン教に馴染んではいない）誰もが興味をもつと思われる、奇妙な項目は、男のライフ・サイクルについての規定である。前章でも述べたように、男は、標準的には、「学生期（師を見つけ、その下でヴェーダを学習）→家長期（家長として家族を守り、ヴァルナやカーストに定められた仕事に従事）→林住期（森に住み、ヴェーダを唱えながら苦行）→遍歴期（乞食（こつじき）しながら遍歴し、ヴェーダの復唱に専念）」の四つの段階を辿って人生を終える。なぜ、このような段階を経なくてはならないのか？　ここには、実にすてきな

──とあえて言っておこう──工夫が込められているのだ。

その工夫について述べる前に、もう一度確認しておかなければならないことがある。古代インド社会における供犠──神々への垂直的な贈与──の圧倒的な重要性である。古代インドほど、供犠が中心的な意義をもった社会はほかにないだろう。バラモン教は、供犠を世界そのものの起源と関係づけている。マドレーヌ・ビアルドは、古代インドでは、世界は供犠として形成されている、と論じながら、ヴェーダ（バラモン教の宗教書）から、次のような趣旨の節を引用している。神々は、供犠に対して、人間を（神々への）供犠の材料として返すことで、応じた、と。つまり供犠を通じて供犠がなされる、という自己準拠の循環の中で世界が形成されたのだ。[*5] 人間は、神々への生贄として生み出されたことになる。

神々と悪魔との違いは、バラモン教のコスモロジーに従えば、前者だけが供犠についての正しい知識をもっているという点にある。神々は、供犠を通じて不死性を獲得している。だが、神々は、自分たちだけで供犠を完成させることはできない。供犠によって神々を養う者が必要だ。それこそ、人間の義務である。

どうして、人間には供犠の義務があるのだろうか？　バラモン教に内在して説明すれば、答えは次のようになるだろう。人間は、この世界に存在を開始したこと、そのことによって、神々やそれに類する超自然的な存在者たちに債務を負っているからだ、と。その債務を「リナ」と呼ぶ。[*6] 人間たちの存在自体が、神々から贈与されたものである。したがって、人間は存在している限り、返しきれない債務を神々に対して負っている。供犠は、その債務の履行、人間の神々への反対贈与である。より厳密に言えば、人間は、聖賢リシと神々と祖霊の三者に対して負債をもつ。聖賢リシに対しては、ヴェーダを学習することが、神々に対しては、本来の意味での（狭義の）供犠が、そして祖霊に対しては、息子を得ることが、返済としての価値をもつ。ヴェーダの学習や息子をこの世界にもたらすこともまた、知や血統という形式をもった、広義の供犠であると見なすことができる。供犠は、存在そのものと同一視された負債に対する返済である。神話的な人間が、最初から、神々への供犠の材料として生まれたとされていたのは、人間の存在自体が債務の具体化だからである。だが、どうして、存在そのものがすでに負債として感受されるのか？　この疑問は、バラモン教に内在している限りでは答えられない。今は、この問いを開いたままにして、先を急ごう。

マルセル・エナフは、シャルル・マラムゥの分析に依拠しながら、供犠に関して、次の興味深い事実を指摘している。[*7] 神々に属するもの、神々に捧げられるものは、すべて料理されたもの、料理を暗示するものである、と。つまり、供犠は、「料理されたもの／生のもの」という二項対立と関係している。供犠に用いられる食料は、料理されたものでなくてはならず、また供犠に用いられているということにおいて、「料理されている」ということが含意される。「料理されていること／生のもの」という対立は、「文化／自然」を表現するさまざまな二項対立の代表例である。人間は、供犠を遂行することで、自然の水準から、人間に固有の文化の水準へと上向すると考えられているのだ。供犠がなければ、人間は生のものを食べる動物と区別はない。供犠に用いうるということが、食物を、「料理されたもの」（神々に属するもの）として聖別するのだ。そうだとすると、古代インドの人々は、供犠の儀式を執り行うことを通じて、実は、世界そのものを料理していることになる、とマラムゥは述べる。供犠を媒介にして、世界が、人間的な文化の形式を帯びたものへと、つまりは料理されたものへと変換していることになるからだ。

4　四つのフェーズをもった人生

これだけ準備をしておけば、「四つのフェーズによって構成された人生」という規定の機能を解き明かすことができる。もともとの課題は、次の点にあった。供犠を内部に含む贈与の連鎖の原型的なイメージは、神話的な食物連鎖である。人間もまた、神々に食べられる運命にある。バラモンは、人間の代理物を神々に贈与（供犠）する役割を担うことによって、カーストのヒエラルキー（あるいはヴァルナ体制）の頂点に立つのだった。しかし、この場合、バラモンを含むすべての人間が、贈与の連鎖、食物連鎖に縛られていて、そこから自由にはなれない。その閉塞を、古代インドの思想は、「輪廻」の中にある生の「苦」として観念的に捉えたのである。この閉塞、この苦からどうやったら脱出できるのか？　いかにして、人は食物連鎖から逃れることができるのか？　マヌ法典の作者たちは、「浄」の観念を巧みに活用することで、この困難を打開する方法を案出した。

まず、浄とは何か、何が浄なるものと見なされたかを理解しておく必要がある。次の歴史的な事実を知ることが、理解の助けになる。さまざまな文献的資料が、マヌ法典の成立に先立つ時期に、多くの禁欲主義者たちが現れた、ということを示唆している。[*8] たとえば、初期のウパニシャッド（奥義書）の一つ『チャーンドーギヤ・ウパニシャッド』には、林住者として人里離れたところで苦行に励む人は、「神の道」を通ってブラフマン（宇宙原理）に達するが、村で祭式儀礼等を行っている者たちはブラフマンに到達できず、この世界の中に再生する（つまり輪廻する）ことになる、と論じられている。後者が、家長として家族を養い、仕事をし、村で生活する伝統的な生き方であり、前者が、禁欲主義の生き方である。禁欲主義者は、人々の集住地から離れた森の中で暮らし、禁欲（菜食）に徹し、ときに苦行を行った。彼らは、乞食しながら、村から村へと遍歴することもあった。このような禁欲主義者が、相当数いたということは、他の多くの文献からも推測できる。

彼らは、どうしてわざわざ禁欲したのか（菜食を行ったのか）？　どうして、一見、このようなあまり楽しそうでない生き方が流行したのか？　その答えは、食物連鎖に喩えられる暴力的な（負の）贈与の連鎖の中に組み込まれていることこそが、根源的な苦であると考えられていた、という事実を念頭におけば、おのずと明らかである。禁欲主義（菜食主義）は、この連鎖から離脱することを意味しているのだ。その論理は明快で単純である。肉食をしなければ、食物連鎖の中に組み込まれずに済む、というわけである。さらに、人々とコミュニケーションをとることは、ほとんどの場合、他者に、負の贈与をなすことにつながる――つまり他者に苦痛を与えたり、迷惑をかけたりする。仏教的な表現を使えば、コミュニケーションの大半は、悪業を積むことを意味している。悪業は、必ず、縁起の連なりを通じて、自分自身に返ってくる――比喩的に言えば、負った債務（悪業）は、必ず返済しなくてはならない。こうした危険から身を守る最も確実な方法は、コミュニケーションの頻度を最小化することである。その結果として、村や町から離れたところで、苦行しながら林住するような生活が導かれることになる。

結局、浄とは、食物連鎖――あるいは弱肉強食――に比しうる贈与の連鎖から離脱している程度である。贈与の連鎖から解放されている者ほど「浄なるもの」と見なされ、逆に、この連鎖に深く組み込まれている者は「不浄」とされた。高いレベルの浄は、菜食を中核におく禁欲によって得ることができるだろう。食物連鎖の中にあるがゆえに、人生が苦であると見なす感受性が支配的なときに、禁欲主義的な生き方を求める者が、続出することは避けがたい。

マヌ法典の前史とも言うべき、ダルマ・スートラは、原則的にはこうした趨勢を追認している。前章で述べたように、ダルマ・スートラを集大成することで、マヌ法典は創られた。言い換えれば、ダルマ・スートラと呼ばれる文献群はマヌ法典ほどにはまとまってはいないので、一つひとつの文献ごとに、人生に関して、異なる見解を提示している。が大勢は、さまざまな人生を容認する方向にあったようだ。もちろん、学生の後に、家長になるという、伝統的な生き方が、最も望ましいものとして推奨された。しかし、他に、「一生学生を続ける」「学生の後に林住する」「学生の後に遍歴する」といった禁欲主義に傾く生き方も容認された。[*9]

だが、ここには悩ましい問題がある。一方で、人生の苦についての当時の一般的な了解を前提にすれば、つまり供犠を含む贈与の連鎖の中に組み込まれることに苦を覚えるような感受性を前提にすれば、禁欲主義を通じて浄の水準を上げようとする生き方を、肯定的に評価せざるをえない。つまり禁欲主義に基づく「浄」は、善いことであると見なさなくてはならない。しかし、他方で、もし多くの人が、家長になることを拒否し、共同体の中で労働することも放棄したとすれば、要するに大半の男が禁欲主義に向かえば、社会システムを維持することができなくなってしまう。

この難問に対する巧妙な解決案が、マヌ法典が提案した、四つの段階を有するライフ・サイクルなのである。「学生期→家長期→林住期→遍歴期」という構成のどこがうまいのか。すべての男の人生は、ヴェーダを学習すべく、師に仕える学生期から始まる。そして、最終的には林住期・遍歴期に至る。ということは、人生の始点と終点（目的）は、禁欲主義的な生である。つまり、人生の全体を形式的に枠づけているのは、禁欲主義だ。しかし、このライフ・サイクルをよく見れば、男が最も精力的でありうる年齢は、家長期にあたっており、したがって、この四段階は、実質的には、むしろ反禁欲主義的で伝統的な生き方を指定しているのだ。形式だけ見れば、禁欲主義を指向しているが、実質は、逆に反禁欲主義的な生を推薦しているのである。

しかし、重要なのは、形式の方である。形式的には禁欲主義に従った人生を送っているのだから、その男は、食物連鎖や弱肉強食の暴力的な束縛から逃れ得たことになるのだ。彼は、形式的には、苦から解放された生（禁欲主義こそがこれである）を送りたいという願望をかなえられているので、悪業を積むことについてあれこれ懸念することなく、安心して、日常の仕事や家族生活に打ち込むことができる、というわけである。

＊

この種のやり口は、至るところで用いられている。これを一般化して言えば、「（多数の）例外を伴う普遍的規定」ということになるだろう。「原則的にはｐだが、ｑの場合は例外である」という言明によって保護されている普遍性である。このやり口が便利なのは、普遍性が完全に維持されているという体裁を崩すことなく、普遍的な規定を犯し、骨抜きにすることができる点にある。普遍性は保たれているという形式のもとで、普遍的な禁止や支配からいくらでも逃れることができるのだ。

このやり口を例解するための事実は、いくつも挙げることができる。日本人ならば、誰でも知っている例は、「憲法九条」である。「戦争を一切放棄し、断じて軍隊をもたない」という強い普遍的規定がまずある。しかし、これに例外が次々と付されていく。「ただし自衛のための兵力は、軍隊ではない」「ただし他国の軍隊を駐留させても軍隊をもったことにならない」「ただし平和維持活動への協力は軍事行動ではない」……と例外を積み重ねていくと、気が付いてみれば、日本はほとんど、普通に軍隊をもちつつ、その気になれば戦争もできる国家になっている。ここで重要なのは、「憲法九条」という、元にあった普遍的な規定を否定することなく、それを無効化できるという点である。日本政府は、「憲法九条」を遵守しているので、かえって安心して軍隊をもつことができるのだ。
ついでに——「憲法九条」のケースとほとんど同じだが——「非核三原則」もまた、同じ方法で骨抜きにされている、ということを指摘しておこう。「核兵器を持たず、作らず、持ち込ませず」は、非常に厳しい普遍的な命令であるように感じられる。ただし、世界で一番たくさん核兵器を持っている国と軍事的な同盟を結んで、その国の軍隊を駐留させても、核兵器を持ったことにはならない、という例外が容認されている。もしかすると、気づかないうちに他国が核兵器を持ち込んだ場合には、持ち込ませたことにならない、という例外も付いているのだろう。日本としては、積極的に「気づかなければ」、領土内にいくらでも核兵器を入れることができる。さらに、実質的には核兵器と同一の技術でも、「平和利用」の看板があれば例外だということになっているので、日本は、非核三原則を高らかに謳っているのに、他方で、世界でトップクラスの原発大国になることもできたのである。[*10]
マヌ法典の四段階の人生も、同じ論理に、つまり「例外を許容する普遍性」という論理に従っている。「人生は浄を目指す禁欲主義に従うべきだ」とする普遍的な規定がある。実際、人生は、ヴェーダの学習から始まり、禁欲主義的な林住生活や遍歴生活を目指している。ただし家長期については例外である、という条項が付けられている。始まりと終わりがきちんと禁欲主義に従っていれば、真ん中で外れても、決定的な不浄には至らずに済む、というわけである。ということは、結局、どうせたいした仕事ができない若年期と、平均寿命のことを考えれば、そう多くの人が生きてはいなかっただろうと思われる高齢期だけを、禁欲主義のために残しておけば、人生全体が禁欲主義に従ったことになるのだ。実質的には人生の大半を反禁欲主義的な世俗の活動に費やしているのにもかかわらず、である。

5　カーストとその二つの外部

個人の人生に適用したのと同じ原理を、社会システムの全体に適用すると、――人生の通時的な四段階の代わりに――社会システムの共時的なヒエラルキーが、つまりカーストやヴァルナの秩序が得られることになる。人生の四段階区分は、「人生全体が浄である」という普遍的な規定に例外を付すことによって、不浄にも触れうる家長としての活動を可能なものにした。同様に、古代インドでは、「社会システムの全体が浄性によって支配されている」という普遍的な規範をまず措定し、そこに例外を付すことで、カーストやヴァルナの序列が決まる仕組みになっている。[*11]

「（多数の）例外を伴った普遍的規定」という構成を取った場合には、必然的に、その規定によってカバーされている行為や体験の領域に、例外による汚染が濃厚な部位と汚染が小さい部位とが――言い換えれば、普遍性が字義通りに保持されている部位と普遍性からの逸脱が大きい部位とが――出てくる。個人のライフ・サイクルについては、晩年の林住期や遍歴期は、例外による汚染の程度が小さく、家長期にはそれが極大になる。社会システムに関しても同様である。

菜食主義のバラモンは、例外による汚染の水準は低く、逆に言えば、浄性の程度が高いと見なされる。バラモンは、生き物を殺さないこと、いかなる富にも執着をもたないこと、この二つによって、食物連鎖や贈与の連鎖から距離をとり、浄性を維持している。しかし、誰もが、バラモンのような純粋な生活、浄なる生活を送るわけにはいかない。すべての人がバラモンと同じようにしていたら、社会システムそのものが成立しないからだ。バラモンを理念的な極点として、その浄性を犯す例外的な条件がより多くなるにしたがって不浄性が高まっていく。不浄性の程度が大きくなると、その分、カーストやヴァルナのヒエラルキーの低位に位置づけられる。こうして、われわれは、カーストのヒエラルキーは浄／不浄のダイコトミーに基づいて構成されている、とするルイ・デュモンの理論と、再び合流することになるのだ（第5章参照）。

社会システムを政治的に維持するためには、誰かが、武力を用いて――つまりときに他者の命を奪って――支配する必要がある。これが、浄性という普遍的な規定を犯す第一の例外的条件となる。この条件に対応している社会的な層が、王－戦士であるクシャトリヤだ。クシャトリヤは、バラモンを定義している二つの要件のうちの第一のもの「生き物を殺さないこと」に対する例外として登場する。さらに、社会システムを経済的に維持するためには、誰かが、富に対する一定の執着をもって商業に従事し、また農業や牧畜といった生産活動を行わなくてはならない。こうした仕事に関わっている社会的な層が、バラモンを定義するもう一つの要件「富に執着しない」に対する例外のゆえに、クシャトリヤよりもう一ランク不浄性が高くなる集団ヴァイシャである。バラモン／クシャトリヤ／ヴァイシャのさらに下には、動物を殺したり、死体を扱ったりといった、不浄性（例外性）が極大に達する活動に従事しなくてはならない社会的な層がある。それが、最下位のヴァルナ、他の三つのヴァルナに奉仕することを義務づけられているシュードラである。

　このようにヴァルナ（≒カースト）のヒエラルキーを概観すると、構成の核をなしている関係は、バラモンとクシャトリヤ（王）の二極であることがわかる。繰り返し述べてきたように、基本的な論理は、普遍性（普遍的な浄）に例外を付していくという方法にある。この論理の中で、普遍性を代表しているのがバラモンであるとすれば、例外性の代表がクシャトリヤである。「バラモン／クシャトリヤ」の二極と同型的な関係を、下位の層に向けて反復的に適用していくことで、より低いヴァルナを導くことができるのだ。すなわち、

　　バラモン：クシャトリヤ＝クシャトリヤ：ヴァイシャ＝ヴァイシャ：シュードラ

という等式を導くことができる。

　ヴァルナやカーストのヒエラルキーが、以上に述べてきたように、「いくつもの例外を伴う普遍性」という論理に従って構成されているのだとすれば、ここから、われわれは、次のような結論を導き出さざるをえない。結局、すべてのヴァルナやカーストが、ある程度は浄性（普遍性）をもっており、またある程度はそれを逸脱した不浄性（例外性）をもっているのだ、と。つまり、「浄（普遍）／不浄（例外）」の混合の度合いは、相対的なものでしかない。

　とするならば、バラモンよりもさらに徹底して、普遍的な浄の水準を高めることができるは

ずだ。バラモンといえども、「不浄」の要素がゼロではなく、クシャトリヤとの違いは相対的なものでしかないからだ。バラモンは、供犠の中心的な主宰者であり、彼らもまた、贈与の連鎖、食物連鎖の完全な外部にいるわけではない。普遍的な浄性を、バラモンを超えて徹底して追求すれば、結局、社会的な贈与の連鎖の完全な外部に出てしまうほかない。つまり、共同体の生活から離脱した遁世者になるほかない。そうした者たちの宗教が、仏教（やジャイナ教）ではないだろうか。仏教は、バラモン教の社会秩序が――すなわちカーストやヴァルナのヒエラルキーが――、その論理の必然的な結果として残存させる外部に対応した宗教なのではあるまいか。

同じことは、ヒエラルキーの底辺にも言えるはずだ。シュードラよりもさらに徹底して不浄性の程度を高め、もはや不浄以外の何ものでもない、と見なされるような社会的な層が、出てくるはずだ。それこそが、不可触民である。不可触民もまた、仏教の出家者の集団（サンガ）と同様に、ヒエラルキーの外部に放逐される。カーストのヒエラルキーは、このように、その上部と底辺の両側に、アウトカーストを生み出すのである。二つのアウトカーストは、共軛的な関係にある。バラモン教がその外部に仏教をもたなくてはならなかったのと同じ論理に従って、カーストの外部には不可触民が析出されるのである。

＊1　律は、出家者が遵守すべき戒や規則であり、釈尊が制定したことになっている。論は、弟子たち、釈尊以外の仏教者たちが書いた論文である。

＊2　これを大乗非仏説と呼ぶのだが、これは「説」というより、今日の学的な知見からすれば、単純な事実

である。

＊3　Friedrich W. J. von Schelling, *The Ages of the World*, Jason M. Wirth tr., State University of New York Press, 2000.

＊4　以下を参照。Slavoj Žižek, "Opera: Walhalla's Frigid Joys", http://www. lacan.com/zizekopera.htm, 2004.

＊5　Madeleine Biardeau, "Le sacrifice dans l'orthodoxie brahmanique", Madeleine Biardeau et Charles Malamoud, *Le sacrifice dans l'Inde ancienne*, Louvain: Peeters, 1996.

＊6　渡瀬信之『マヌ法典――ヒンドゥー教世界の原型』中公新書、一九九〇年、三六頁。

＊7　Marcel Hénaff, *Le prix de la vérité: Le don, l'argent, la philosophie*, Paris: Éditions du Seuil, 2002, chap.5. Charles Malamoud, *Cooking the World: Ritual and Thought in Ancient India*, David White tr., Delhi: Oxford University Press, 1996.

＊8　渡瀬、前掲書、三七頁以下。

＊9　同書、四一―四四頁。

＊10　リスク社会論の主唱者である社会学者ウルリッヒ・ベックは、二〇一一年三月一一日に始まる東京電力福島第一原発の事故の直後に書いた文章の中で、次のような趣旨のことを述べている。彼は、事故の半年前に来日した際、広島の平和記念資料館を訪問し、反核を求める日本人の潔癖さに感動した。とりわけ、ベックが驚いたのは、核実験が行われる度に、広島市長が実験を行った国の政府首脳に抗議の電報を打ってきたという徹底ぶり、つまり核兵器だけではなく核実験すら許さないという日本人の徹底した態度である。それだけにベ

ックは、福島第一原発の事故を知ったときに深い疑問に陥った。「世界の良心・世界の声として、核兵器のまったき非人間性を倦むことなく告発し続けてきた国が、なぜ同時に、極端な場合にはそれが核兵器とまったく同じ破壊力をもつと知りつつ、ほかならぬ原子力の開発をためらうことなく決断し得たのか」（ウルリッヒ・ベック「この機会に――福島、あるいは世界リスク社会における日本の未来」『リスク化する日本社会』、岩波書店、二〇一一年、五―六頁）。このベックの疑問への回答が、「多くの例外をともなう普遍性」という、ここに説明した論理である。人は一般に、明らかに自分の欲望や利益に一致していることでも、（普遍的と自らも見なしている）規範に反することを直接に実行することには、強い精神的な抵抗を覚えるものである。たとえば、核に関する技術が人類にとってとてつもない悪でもありうることを知っているのにそうした技術を導入することには、苦痛がともなう。しかし、「普遍性」を担保に置いて、それに対する「例外」という形式を用いたとたんに、規範的に否定的なことを実行することが楽になるのだ。日本は、反核に対して潔癖であったにもかかわらず原発を導入したのではなく、逆に、「反核」という看板を維持していたがゆえに気楽に原発を導入できたのである。形式的な普遍性を維持することは、逆に、それへの違背を容易にすることがある。いくら否定的なことを行っても、普遍性を犯したことにはならずに済むからである。日本の「核の平和利用」はそうした心理を例証する典型的なケースである。

＊11　以下を参照。Slavoj Žižek, *Living in the End Times*, Verso, 2010, pp.18-19. ここでジジェクも「例外をともなう普遍性」という論理とインドのカーストとの関係を論じている。しかし、カーストについての理解の仕方が、それゆえまた、カーストのヒエラルキーと普遍性についてのこの論理の対応のさせ方が、われわれのここでの説明とは異なっている。

第8章　救済のための大きな乗り物

1 大きな乗り物

仏教は、カーストを成り立たせている論理の極限に出てくる。前章でわれわれは、このように論じた。しかし、このことは、仏教が、カーストを伴う体制を擁護したということではない。まったく逆である。仏教は、カーストの不平等を否定している。だが、その否定は、カーストの秩序にとっては大きな打撃にはなりえなかった。仏教は、カーストを存立させる論理を徹底適用することでその外部に飛び出しているのだが、それは、カーストの体制にとっては無害な外部、非攪乱的な外部だったのだ。そうなった原因は、仏教者自身の主観的な意図とはまったく別のところにある。仏教（やジャイナ教）を析出した、社会システムの客観的な作動が、こうした結果を不可避なものにしているのだ。

前章でていねいに説明したように、カーストのヒエラルキーを可能なものとしているのは、「いくつもの例外を伴う普遍性」という形式である。社会システムの中で実際に支配的になるのは、「普遍性」の方ではなく「例外」の方である。しかし、この論理が首尾よく機能するためには、例外に侵されていない普遍性が存在しているという想定が必要になる。その「普遍性」を担うのが、仏教（やジャイナ教）である。同じことを、次のように言い換えることもできる。カーストを成り立たせているのは、「浄（普遍性）／不浄（例外）」の二項対立である。すべてのカーストが、この二項のブレンドによって成り立っており、浄の成分が大きいほど、上位のカーストになる。この二項対立は、しかし、極限に、純粋な「浄」がありうることを前提にしている。その前提を現実化しているのが、仏教（そしてジャイナ教）である。だから、仏教が、いかにカーストを批判したとしても、社会システムの客観的な作動として眺めるならば、それは、カースト・システムを効率的に維持するための安全装置の役割を担ってしまうのだ。逆に言うと、仏教がなくても、カーストは維持できる。「普遍性」や「浄の極限」が存在しうるという理念的な想定さえあれば、十分だからである。繰り返せば、仏教は、カースト・システムにとって、無害な――あるいはむしろ補完的な――外部になっていた。さらに付け加えておけば――前章にも指摘したように――、仏教とは反対側にも、外部が存在する。純粋な「不浄」とも見なすべき外部が、である。その外部の位置を占めるのが、不可触民だった。

仏教のこうした外部性をよく示しているのは、僧（出家者）という社会的身分の存在である。われわれは、仏教に「僧侶」がいることをあまりにも自明視しているが、世界宗教の中で僧にあたる身分をもっているのは、キリスト教と仏教くらいのものである。たとえば、キリスト教の源流であるユダヤ教にも、またキリスト教の「兄弟」とも見なすべきイスラム教にも、僧は存在しない。ラビ（ユダヤ教）やウラマー（イスラム教の知識人）は、俗人であって僧ではない。宗教学者や神学者が、いかに教義に詳しくても俗人であるのと同じである。(イスラム教の観点からは)最終預言者であるムハンマドでさえも、俗人であり、彼を僧と解釈したら間違いである。さらに、いずれ主題化することになる、中国における儒教や法家にも、「僧」という身分は想定されていない。ただひとつ、キリスト教の聖職者だけは僧と似ている。しかし、キリスト教にとって僧は不可欠というわけではない。聖書のどこを読んでも、僧を正当化したり、要請したりする記述はない。つまり、キリスト教の中では、僧はいてもいなくてもどちらでもよいのだ。

だが、仏教における僧は、これとは比べようもないほど別格的な重要性をもつ。仏教では「三宝(三つの貴重物)」と呼ばれる、三種の基本的な帰依の対象があり、その中の一つが僧である。他の二つは、「仏」と「法(ダルマ)」である。「仏」は、一神教ならば神に相当する価値を担っているので重要なのは当然に思えるし、また「法」は、真理や教義にあたるので、帰依の対象になるのは自明だ。しかし、僧がこれらと同列の価値をもつのは、驚きではないか。イスラム教では、神の言葉を直接伝達したムハンマドでさえも、帰依の対象と見なすことを禁止しているのだ。

どうして、仏教にとって僧がそれほど大切なのか? 三帰依(三宝を敬うこと)を明言することは、五戒(不殺生戒、不偸盗戒、不邪淫戒、不妄語戒、不飲酒戒)を授かることと並んで、仏教徒となるための必要条件なので、僧は、仏教が成立するための不可欠の要素である。なぜ、僧がそれほどの意義を担ったのか? その理由は、ここまで論じてきた、仏教という宗教が要請された社会的メカニズム、それが出てきた根拠を考慮に入れれば、理解可能なものとなる。述べてきたように、仏教は、「カーストやヴァルナのヒエラルキーという構造をもつ社会システム」の外部を占めることでこそ、その存在意義を獲得していた。それは、別の言葉で言い換えれば、（隠喩的な）食物連鎖や贈与の連鎖の外部に出ることである。だが、俗人として他の人々と交流し、生活していれば、そのような外部性は保てないことは明らかである。できるだけ純粋に外部であろうとすれば、出家して、出家者の共同体（僧伽）に参加するしかない。出家者の共同体は、カーストとは正反対の社会、完全に平等な共同体となる。彼らは、遊行しつつ、乞食して——つまり俗人からの食物に依存して——生きるのだが、この乞食は、出家した僧と社会システムの本体をつなぐ、最後で最小の細い「贈与の糸」である。だから、僧こそが、仏教がまさに成立したときの要請を最も純粋に体現しているのである。僧が、仏や法と並んで尊敬されるのはこのためである。

*

だが、仏教がこのようなものであるとすると、誰もが気づく明白な限界がここにはある。この方法では、ごく少数の者しか救済されないことになる。社会の大多数が、あるいは社会の全体が、（ここまで述べてきたような）仏教によって救済されるということはありえない。仏教は、とりわけその中核にある出家者の共同体は、多数派が維持する社会システムに寄生することによってしか、生き延びることができない。実際、初期の仏教諸派はしばしば、国王や諸侯、あるいは富豪などから政治的に保護され、経済的にも援助され、さらには広大な荘園を寄進されたりして、その教団を維持していた。もし、仏教が、十分には救われていない多数派に依存することでしか、人々を救済できないのだとすれば、それは仏教の欠陥と言わざるをえないのではないか。振り返ってみれば、カーストのヒエラルキーの内部においても、最上位のバラモンの浄性は、クシャトリヤ等の他のカーストやヴァルナに助けられて可能になっていた。これと同型の依存関係を、カーストの外にまで延長したときに導かれるのが、仏教である。このままでは、仏教には、カーストのヒエラルキーの中で苦しむ人々を一般的に救済することはできない。

この限界は、仏教者自身にも十分に自覚されていただろう。そうした自覚に応じて誕生したのが、大乗仏教である。大乗仏教と呼ばれる北伝の仏教がいつ頃登場したのか、正確にはわからないが、おそらくは紀元前一〇〇年頃である。[*1]「大乗 Mahāyāna（マハーヤーナ）」とは、周知のごとく大きな乗り物（車）のことであり、前章の冒頭でも述べたように、大乗仏教徒は、以前からあった部派仏教を「小乗（小さな乗り物）Hīnayāna（ヒーナヤーナ）」という蔑称で呼んだ。ここで「乗り物」に喩えられているのは、それを実践することによって、迷いの岸から覚りの彼岸へと渡ることができる教義のことであろう。問題は、どうしてその乗り物の大きさ――「速さ」とか「美しさ」といった他の特徴ではなく「大きさ」――が、とりたてて重要な長所とされたか、である。仏教が原型のままでは、救われざる多数派に寄生することで少数派のみを救う小さな乗り物に留まることに、仏教徒自身が不満や引け目を感じていたからに違いない。彼らは、仏教の教義が、社会の大多数が——できれば社会全体のすべての者が——乗ることができる車になることを願ったのだろう。

「大きな乗り物」になるために、大乗仏教は、在家を重視することになる。つまり彼らは、出家と在家の格の違いを小さくし、在家の修行によって覚りに至り、救済される可能性を強調した。また、「乗り物」を小さくする（少数派のものに限定してしまう）原因となった、社会の支配的な層、つまり権力者や富者に過度に依存することを戒めた。たとえば、大乗仏教は、「国王・大臣に近づくなかれ」として権力者に阿諛（あゆ）することを禁じたり、経典の読誦（どくじゅ）は、寺院の建立や多額の布施よりも功徳において優ると説いたりした。

だから、大乗仏教は、できるだけ多くの人を乗り物に入れることを奨励する。ここから、大乗仏教の特徴、大乗仏教を定義するあの特徴が出てくる。すなわち、「他者を救うことによって自らが救われる」とする自利利他円満の教えが、出てくるのだ。多くの人を救済の乗り物に導き入れたということが、それ自体、自分自身を救済したことになる、というわけである。前章の冒頭で検討した「大菩薩」というロール・モデルも、こうしたアイデアに根をもっている。大菩薩は、自分が涅槃に入ることを留保して、救済の乗り物に多くの人を招いた者である。

大乗仏教は、部派仏教（小乗仏教）を「声聞乗（しょうもんじょう）」と呼ぶこともある。「声聞」とは、師から教えを聞いて学ぶ人のことである。小乗仏教では、師から学ぶことだけが重視される。大乗仏教では、これに加えて、（他者を救済に導くために）教えることも同じように価値あることとされた。また教えることの効果をあらかじめ確信するために、多くの人が——できることならばすべての人が——ブッダとなりうる素質をもっていることの保証が欲しい。自分の中のそうした素質を自覚している人のことを「菩薩」と呼ぶ。

また、大乗仏教は、人が大きな乗り物に乗っている過程、つまり在家の修行の効能を顕揚せざるをえない。このことと関連して、シッダルタの前生譚（ジャータカ）伝説をもとにした仏教文学が、繁栄した。シッダルタが覚りを開く前に出家者として修行していた期間は、六年間である。この六年間の修行が覚りの鍵だったとすると、大乗仏教には希望がない。大乗仏教が成立するためには、シッダルタの在家での修行の方がより大事だったと考えなくてはならない。とはいえ、シッダルタの実際の人生だけで考えたら、在家期間はたいした時間にはならない。そこで、大乗仏教は、伝説を活用しながら、シッダルタの前世までカウントすべきだと主張する。それによると、シッダルタが発願（ほつがん）してから覚りに至るまで、三阿僧祇劫百劫（さんあそうぎこうひゃくこう）（阿僧祇はおよそ10の59乗）という、現在の天文学が想定している宇宙の全歴史をはるかに超える長さの修行期間があった。これだけあれば、出家修行の六年間などものの数ではない、と言いやすい。[*2]

2 ブッダの骨

大乗仏教は、このように、初期の仏教が抱えていた構造的な弱点に対する仏教徒自身の自覚の中から生まれた。だが、これはシッダルタに始まる原始仏教を否定したり、転回したりしたものではない。むしろ、原始仏教の精神を継承し、徹底させるものだったと、考えるべきであろう。シッダルタ等の目的もまた、衆生の救済にあったはずだからである。改革がそれ自体、最初期の精神の純化であるという点では、大乗仏教の登場は、たとえばヨーロッパの宗教改革等とも共通している。

だが、それにしても、出家者の共同体をあまり頼りとはせず、また権力者や富者から寄進された荘園などももたなかったとすれば、民衆は、いったいどうやって、大規模な仏教の改革をなしえたのだろうか？　大乗仏教と呼ばれることになる、仏教の新しい流れを形成するほどの英知を――しかも特定の共同体をもたない在家の民衆の中から――いったいどうやって結集させえたのか？　この疑問にひとつの回答を与えているのが、大乗仏教は在家者たちの仏塔信仰を起源にしている、とする平川彰の説である[*3]。普通、出家者の共同体（サンガ）は、何かを目印にして「界」を結ぶことで構成される。この界の中の出家者が、平等な分配にあずかる単位となる。だが、そのような仕方で人を集めることができない大乗仏教はどうしたのか。平川彰は、仏塔を中心に在家の信者たちが集まり、そこを拠点に修行する者が出てきたのではないか、彼らこそが初期の大乗仏教の担い手だったのではないか、と推測している。

すると、磁石が鉄を引きつけるように、在家の信者を引きつけた仏塔とは何か、ということが問われなくてはならない。仏塔（ストゥーパ）とは、ブッダの遺骨――これを仏舎利（ぶっしゃり）と呼ぶ――をその中に納めた塔である。シッダルタが亡くなったとき、その遺骸は分骨され、インドの中の八つの場所に埋葬され、そこに仏塔が建てられたとされている。日本のお墓にもたくさんある卒塔婆は、小さな仏塔である。五重塔もまた仏塔である。五重塔を含むすべての仏塔の中には、その度に分配されたシッダルタの骨がある（とされている）。この骨が、大乗仏教の最初の拠点になった、と平川は述べる。

平川は、このように推測するいくつかの根拠を述べている。たとえば、ブッダの出家弟子たちはブッダの葬式ができず、葬式を執行したのは在家信者たちであり、遺骨も彼らによって管理されてきた、という事実がある。出家者が葬式をあげられなかったのは、先にも述べたように、出家者の共同体（サンガ）は、社会の自余の領域から可能なかぎり距離を取らなければならなかったからである。葬儀のような、ほとんど最小限とも言ってよい水準の儀式によって社会の多数派との間に関係をもつことすら、出家者には禁止されていたのだ。したがって、葬儀は在家信者が執り行った。そのため在家者にとっては、遺骨を納めた仏塔は、よい拠り所になったというのだ。

実際、紀元前後には、仏塔は盛んに建立された。平川が見るところ、その大半は大乗系のものであり、部派教団の寺院の中に仏塔が建てられる例は少ない。部派教団の仏塔もないわけではないが、その相対的な少なさから判断すると、大乗仏教系の信者たちの間で仏塔信仰が流行してきたことに影響されて、後から部派仏教の寺院も仏塔を導入したと考えるほうが適当であろう。平川によれば、実際の管理においても、部派仏教では、仏塔は異端的な扱いを受けた。

部派仏教の寺院が仏塔をもった場合には、塔地と僧地とが明確に分けられていた。また、部派仏教は、塔への寄進と僧への寄進を厳密に区別し、両者を互換することを禁じていた。

こうしたことを考慮して、平川彰は、大乗仏教は、仏塔信仰に端を発する、と推測したのだ。この「大乗教・仏塔信仰起源説」は、今日では批判され、多少の変更が加えられている。たとえば、初期の大乗仏教の担い手がすべて在家信者であったかのような主張は行き過ぎで、出家者もかなりの数、参加していたのではないか、と指摘されたりしている。[*4] とはいえ、平川説の基本的な精神が否定されたわけではない。とりわけ、仏塔が大乗仏教の最初の拠点になったのではないか、とする仮説に関しては、これを斥ける有力な論点や証拠はない。

＊

さて、そうすると、われわれがあらためて問うべきことは、なぜ仏塔なのか、どうしてブッダの骨はかくも強い引力を発し得たのか、にある。ここで、連想が働かないだろうか。西洋の中世で聖人の遺物が果たしたあの機能へと、である。西洋中世において、人々は、聖人の死体に魅了されていた。各地の教会は有名な聖遺物を探し、何とか確保しようとした。すぐれた聖遺物を有する教会や大聖堂の周りには、巡礼者や商人などが集まり、都市が繁栄した。中世に氾濫していた聖人の死体はキリストの死体の反復である。われわれはかつてこのように論じた（『中世篇』第1章、第6章）。だから、聖遺物を訪ねる巡礼の最大の事例は、ほかでもない、あの十字軍である。十字軍は、キリストが死んだ場所にユートピアを見た。そのために、東の聖地を目指す大規模な人口移動が生じたのだ。

大乗の仏舎利も西洋の聖遺物と同じようなものなのか。そう簡単に両者を同一視するわけにはいかない。聖遺物は実に多様だが、今述べたように、その究極の参照点はキリストの身体である。さらに焦点を絞れば、多様な聖遺物が無意識のうちに反復していたものは、キリストの血と肉だ。最後の晩餐においてキリストが弟子たちに食べさせた自分自身の肉＝パン、そして血＝ブドウ酒、さらに受難のキリスト——十字架上のキリスト——の脇腹から噴き出した血、これらが、その衝撃を和らげた形で、聖遺物において繰り返し再現されていたのである。そうだとすると、聖遺物が人を導き入れる経験の領域は、きわめてなまなましい感性的な世界である。その世界を構成しているのは、他者の肉を食し、血を飲むという一種のカニバリズム的な食の経験であり、また傷に触れたり、傷にキスしたりという触覚の経験であった。ときにキリストの傷は、女性器のように表象されもしたので、聖遺物は、性交への参照関係も伴っている。

ブッダの骨も同じなのか。同じような機能を果たしているのか。おそらく違う。いくらでも細かく分割され、あらゆるところに撒き散らすことができる骨は、血や肉とはまったく異なった働き方をする。骨、死者の骨は、血や肉とは正反対の経験の領域を刺激するのである。血や肉が衝撃力をもつのは、それらが、死んでいるはずなのに死なないように感じられるからである。それらは、生ける死者に連なる「部分対象」（メラニー・クライン）である。私は以前に、これを、ホラー映画に出てくる怪物の粘々（ねばねば）した液状の身体——主人公にずたずたに破壊されてしまったのになお死なずに脈動する身体――に喩えたことがある（『中世篇』三九頁）。骨が喚起するのは、まったく逆のことである。それは、死体以上の死体である。遺骨は、確かに死体の一部だが、「それがかつて生ける身体だった」ということをほとんど想起させない物体、（過去の）生への連想を極小化してしまう石や砂のような物体だ。

キリストの血や肉の特徴は、感覚を直接に刺激するような具体性・特異性である。ブッダの遺骨が触発し、信者の前に開いてみせる世界は、これとはまったく逆のもの、つまり感性によっては捉えられない――観想によって初めて把握できる――抽象性ではないか。確かに、骨も、生前のブッダのイメージを喚起する限りで、「いま・ここ」に現前する身体と同様の具体性を伴っている。だが、そこには、この具体性を抽象性へと解き放つベクトルが働いている。ブッダの骨が仏塔のあるすべての場所に納められていると解釈され、彼の身体が、一種の遍在性を呈するのは、骨によって表象されている身体が抽象的なものだからだ。とすれば、ブッダの身体／死体が指示しているもの、仮に直接的ではないとしても少なくとも間接的に指向しているもの、それは、「法（ダルマ）」の抽象的な真理ではないか。「法（ダルマ）」の抽象的な真理と感性的な経験の世界とをつなぐ媒介の位置に、骨が換喩的に表現しているブッダの抽象的な身体が置かれているのではないか。

＊

こうした解釈が、決して牽強付会なものではないということを示唆する根拠を、二つほど挙げておこう。一つは、まったく間接的なもので、状況証拠とでも呼ぶべきものだ。もう一つは、仏教の教義に内在した、直接的な証拠である。

第一は、「眞（真）」という漢字の語源についての事実である。これは、漢字を生み出した神話的構想力をめぐる事実なので、仏教に直接には関係していない。だが、もしここまでのわれわれの考察に飛躍を感じさせるものがあるとすれば、死体、ブッダの死んだ身体が、抽象的な真理（法(ダルマ)）に連なっているという推論であろう。しかし、死体を真理の表現とする想像力が決して稀なものではないことを、つまり仏教の影響を受けていない場所でも同じような等価関係が打ち立てられていたことを知れば、ここでの推論が無理のないものであると納得しうるはずだ。

実際、「眞」という漢字は死体の姿に由来するものであることが知られている。「眞」は、変死者の姿をもとにして作られた漢字なのだ。問題は、どうして死体が、真理や真実といった意味に転用されたのか、である。この疑問は、白川静の示唆に従って、「久」という文字、つまり永遠を含意するこの文字もまた死体の形に基づいていることを知ることから解けてくる。「久」は、尸（屍）を後ろから支えている形である。[*5] どうして、永遠・永久が死体なのか。身体を否定すること、身体を絶えず襲う感性の多様性や変化を乗り越えること、その意味で生ける身体の領域から死の領域に移行することが、「永遠・永久」であると解されたからである。「眞」が死体なのは、身体に絶えず現前する感性的な現象を超えた抽象的で不変の真理を、この文字が意味しているからである。[*6] 身体を否定すること――殺害し抽象化すること――が、普遍的・不変的な真理を知る主体を生み出すのだ。

初期の大乗仏教徒がブッダの骨に特別な価値を見出していたときにも、これと同じような想像力が働いていると考えたらどうであろうか。仏舎利は、「眞」の原義にまことによく適合している。このように考えることが許されよう。

こうした推論は、後の大乗仏教の中で発達したブッダの身体をめぐる思想、すなわち仏身論を参照することで、正当化される。これが第二の証拠である。ブッダの死後、仏教の内部では、仏身についてさまざまな説が唱えられた。最も有名なのは、華厳教団が唱えた、ブッダの三身説である。そこでは、ブッダの身体には、報身、法身、応身の三種があるとされる。その内、報身と応身は、経験的な世界に現象している身体である。ただし、報身においては、覚りの結果であるということ、応身に関しては、衆生の求めに応じて現れたということが肝心であり、前者が自利（自分のための修行）の産物としての身体、後者が利他に志向した身体であると解釈できるだろう。三身の中で最も重要なのは法身である。法身は、経験的な世界に現象することはない。とすれば、それは何か。法身は、法そのもの、宇宙についての普遍的で抽象的な真理そのものである。

ここで確認しておきたいことは、法が、ブッダの抽象化された身体と同一視されていたことである。こうした了解が三身説というかたちで整備されるのは、大乗仏教が誕生してから三世紀ほどを経て、中央アジアで『華厳経』が編纂されたときである。[*7] だが、初期の大乗仏教徒が、ブッダの遺骨に特別な価値があると直観し、その周りに集まって共同体を形成したとき、すでにそこには、法身としての仏身理解の萌芽が孕まれていたと解釈してもよいのではないか。

いずれにせよ、もう一度強調しておけば、それは、血や肉に重点をおいたキリストの身体についての了解とは、まったく対照的なものである。もう少し厳密に言っておこう。われわれは、キリストの殺害には二つの効果があった、と繰り返し述べ、この論点に関しては前章の第2節でもあらためて復習しておいた。第一の効果に着目すれば、ブッダの死体は、死んで復活したキリストの身体と同じような働きをもったと見なしてもよい。だが、ブッダの死には、第二の効果にあたるもの、つまり普遍的なるものが特異的なものへと、単独的なものへと止揚するという契機がまったくなく、その片鱗さえも見出せないのである。

3　例外の普遍化

仏教は、支配的な社会システムの外部に、可能な限り自分自身を切り離そうとする。だが、実際には、仏教教団は、支配的なシステムに密かに依存することによってしか存続できない。そのために、仏教は、どうしても、救済を望む人のごく一部だけを乗せる、小さな車になってしまう。この車をできるだけ大きくして、定員を増やそうとする努力が、大乗仏教を生み出した。しかし、少しばかり工夫して乗員数が増えたところで、本質的には、状況は変わらない。

どうせ、車には全員が乗ることはできない。車は車である。それに乗っている者が、残っている者よりもはるかに少ないからこそ、それは「車」と見なされるのだ。少数派だけがその車に乗って、苦難から逃れる、という基本的な構図は、そのままである。

構図が変わらない究極の原因は、「（いくつもの）例外を伴う普遍性」という論理に規定されて、カースト・システムの外部に仏教が生み出されているからである。前章で述べたことをもう一度復習しておけば、「例外を伴う普遍性」という方法を、つまり普遍的な規定に「但し……は例外である」という条件を付加していく方法を採用したときには、必ず、現実には、「例外」の方が支配的なものになる。たとえば「一切の軍事力をもたない」という普遍的な条項を掲げた上で、「但し自衛のための軍備は軍事力ではない」「但し軍事同盟への参加はその限りではない」等々と例外を付けていくと、結局、普通に軍事力をもっている国と変わらない状況が出現するのだ。客観的に成立する現実からすると、「普遍性」の方が稀な例外になる――「軍事力の放棄」という解釈を許すような状況はごく例外的な部分にしか見出せなくなる（たとえば、極端な紛争地域には武器を携行した自衛隊は行きたがらない、という程度のことでしか、「軍事力の不所持」という条項が効いている場を見出すことができなくなる）。

仏教が占めているのは、この「普遍性」のポジションである。それは、「普遍性」という形式を維持しつつ、事実上は、例外的な少数派であることに甘んじざるをえない。ついに、「普遍性」を代表する、その例外的な少数者が実在しなくなっても、社会システムの、つまりカースト体制の作動には支障は生じない（事実上の軍隊をもっていても、平和憲法が困らなかったように、である）。実際、インドから仏教（徒）がほとんど消えてしまったのは、そのためであろう（一二五頁参照）。

＊

何度も述べたように、社会システムに対して、事実上の例外的な外部性を保持しているという点では、仏教とアウトカーストの不可触民は双対的な関係にある。仏教と不可触民は、カーストによって成層化されている社会システムが生み出した、双子の外部である。

ところで、これら二種類の外部は、つまり仏教徒――とりわけ出家者――と不可触民は、ジョルジョ・アガンベンがローマ法から借用してきた概念を用いて「ホモ・サケル」と呼んだ人間のカテゴリーの例ではないだろうか。ホモ・サケル（聖なる人間）については、このプロジェクトの中ですでに何度か論じている（たとえば『古代篇』第14章）。ホモ・サケルとは、簡単に言えば、法律・規範から締め出された身体のことである。ホモ・サケルは、法の中で規定された身分をもたず、法の適用を逃れている。たとえば、ホモ・サケルを殺しても、殺人罪にはならなかった。

出家修行者や不可触民は、カーストやヴァルナのヒエラルキーの中に位置づけられていないという意味で、一般の世俗の法で規定された身分をもってはいない。出家者は、ブッダが定めた戒律を守っているが、しかし、戒律は、社会システムで通用している他の法とはまったく独立している。つまり、世俗の一般の法との関係では、出家者が、その外部に締め出されているという認定は、間違いではない。たとえば、出家修行者の行為を刑法で裁くことはできない。不可触民については、くわしい説明は必要なかろう。彼らが、法秩序の外部に排除されていることは明らかだからだ。

それゆえ、仏教の出家者も不可触民もともに、緩やかな意味では、ホモ・サケルの例であると見なしてさしつかえない。カースト・システムを規定している原理は、浄／不浄の二項対立であった。そのことを考慮すると、出家修行者は、「浄」の方向へと、つまり社会システムの上方へと締め出されており、不可触民は、逆に、「不浄」の方向へと、システムの下方へと締め出されている、と見ることができる。締め出しの方向は互いに反対ではあるが、しかし、どちらもホモ・サケルとして締め出されていることには変わりがない。

アガンベンがホモ・サケルに注目したのは、どうしてなのか。ホモ・サケルは、法律の外部に排除されているので、ホモ・サケルに対する行為は、たとえばホモ・サケルを殺すことは、（本来は行為の領域を普遍的に覆っていなくてはならないはずの）法の判断が及ばない例外状態として位置づけられるほかない。それは、正式に許可されていることでもなければ、禁止されていること、罰せられるべきことでもない。ここまでは当たり前のことだが、アガンベンは、もっと踏み込んで、次のようなことを論証しようとする。西洋の法は、この例外状態を外部に放置したのではなく、内部に取り込み、さらに、自らを成り立たせる基礎にまでしたのだ、と。例外状態は、法の外部にとどまらず、むしろまったく逆に、最終的には、例外状態によってこそ法は機能し、真の普遍性を獲得するようになった、というのだ。

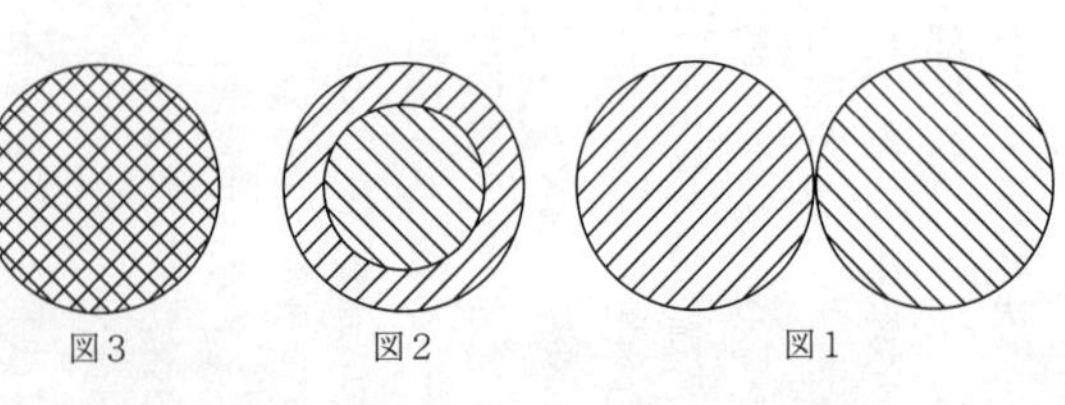
図1　図2　図3

このような移行を、アガンベンは、集合論で言うところのヴェン図のようなものを使って解説してみせる。*8 最初は、法とその外部のホモ・サケルの関係は、二つの区別された円によって表現される（図1）。外部のホモ・サケルは、法による形式化から逃れた「剝き出しの生」を代表しているので、（法的状態に対立する）自然状態とも呼ばれる。われわれはここで、出家修行者（あるいは不可触民）とカースト・システムとの関係は、まさに、この二つの独立の円の関係に比せられることに気づく。無論、後者が法的状態に、前者がその外部の自然状態に対応している。出家修行者（あるいは不可触民）とカースト・システムの関係は極限的に小さくなっていて、ほとんど無になっている。

さて、やがて――アガンベンによれば――西洋の法の歴史は、第二の段階に入る。例外的な状況において、法的状態と自然状態が互いに互いをその内部に含み合うような関係に入るのだ（図2）。そして、最終的には、両者が関係しあう例外状態こそが一般的なルールになり、二つの円は完全に合致することになる（図3）。もともと二つに分離していた円が、最後には重なり合い、まったく区別できないものになるというわけだ。

だが、法的状態（社会システムの内部）と自然状態（外部）が重なり合っている状態、つまり例外状態そのものがシステム内で普遍化されている状態とは、具体的には、どのようなことを指しているのだろうか？　アガンベンの研究の中心的な主題でもある、「主権」という法的概念が何を意味しているかを考えてみると、いくぶんか理解することができるだろう。主権者とは、その人にとってすべての他者が「ホモ・サケル」に等しいものとなる人物のことを言う。主権者は、――その主権が及ぶ範囲において――他者をどのように扱うことも許される。その気になれば、殺してもよい。もともとは、「ホモ・サケル」という例外的なカテゴリーの人間に対してのみ、人は、何をしても許されていた――ホモ・サケルを殺したとしても罰せられることはなかった。ホモ・サケルとの関係は、法にとっては例外状態だったからである（図1）。だが、主権者は、自分が支配するすべての他者を、ホモ・サケルのように扱う。ということは、「主権」という概念が法的に確立したときには、もともとは例外状態であったところの「ホモ・サケルとの関係」そのものが、この概念に基礎を与えていることになる（図3）。

アガンベンは、西洋が「主権」を成立させるまでの過程を追っているが、ここでそれを紹介するつもりはない。われわれとしては、アガンベンの論述から離れて、自由に、そして簡潔に、例外状態が普遍化している状況、つまり図3が表現するような状況が、どのようなものであるかを解説してみよう。

＊

アガンベンはまったく論じていないが、ホモ・サケルの至高の例、ホモ・サケルの中のホモ・サケルは、イエス・キリストである。実際、キリストは、まさしく無実の罪で殺されたが、それによって誰も正式に罰せられてはいない。キリストの十字架上の死が、ユダヤ教の法の中では扱いようのない外部であることは、間違いない。神が、あのような惨めなかたちで殺されることなど、まったく予想されてはいなかったからだ。

このまったくの例外的事態を、信仰の普遍的なモデルとするときに、キリスト教は始まる。「キリストの信仰」、キリストの神への信仰を、われわれの信仰の普遍的な模範とするのだ。信者は、神を信仰するとき、常にキリストを思わなくてはならない。だが、このとき、一つの大きな困難にぶつかる。たとえばアブラハムを信仰のモデルと見なしたときには絶対に出てこないような困難に、である。まさに、この「困難」のゆえに、十字架上のキリストは、信仰と法にとって、究極の例外状態にならざるをえないのだ。どのような困難があるというのか？「キリストの信仰」という言葉を使ったとき、ここには、キリストがわれわれにとって信仰の対象であるということと同時に、キリスト自身が主格となって神を信仰しているという意味が込められている。ところが、キリストは、十字架の上で、その死の直前に、明白に神への不信を表明しているのだ！　アブラハムには、そのような信仰の揺らぎはない。しかし、キリストは、一瞬だが、信仰を中断しているのである。しかも、キリスト自身が神なので、これ以上、確実な信仰のモデルはありえない。この信仰の至高のモデルが信仰を否定していることになる。だから、これは、信仰にとって原理的に例外状態であるほかない。かといって、それを信仰にとって無関係なものとして無視してしまうわけにもいかない。「あれ」が神である以上は、信者は、これを模範、最も確実な模範と見なさなくてはならないからだ。

このとき、信仰というものが、どのような緊張状態に置かれるかを想像してみるとよい。信者は、十字架の上のキリストのように信仰しようとする。キリストの信仰は、信者の信仰の普遍的な基礎である。ところが、そのキリストは、神への懐疑を口にしている。信仰するということは、だから、常にその度に、キリストの神への懐疑に抗して、神を信じることである。このとき信仰は、一瞬も気を抜くことができないものになる。信者は、その度ごとに、キリストが瞬間的に表明してしまったあの不信へと自分が至らなくてもよい理由を見つけながら、あるいは自分がそうした懐疑に未だ陥っていないことを点検しつつ、信仰していかなくてはならないからである。ただ漫然と、キリストの行為をコピーするだけでは、信仰は維持できない。このとき、十字架の上でキリスト自身が表現した不信という究極の例外状態が、信仰の普遍的な基礎になっている、と見なすことができるのではないか。キリストの不信は、「これに抗する」という形式で、信者の信仰をすみずみまで支配し、可能にしているからである。

例外状態の普遍化とは、このような事態を指している。アガンベンの図3が含意しているのは、こうした事態なのだ。[*9] それに対して、仏教とカースト体制との関係は、図1のような分離した二つの円で表すことができる。キリストをめぐる状況と仏教をめぐる状況は、普遍性と例外性との間の関係に関する、二つの理念型である。後者において、普遍性と例外性とは無害に分離される。前者においては、普遍性と例外性とが完全に重なり合うことによって、強い緊張状態に入る。

＊1　何しろシッダルタの生没年すらわからないのだから、大乗仏教の成立期は特定しがたい。

＊2　しばしば、極端に大きな数字を「天文学的」と形容するが、仏教やインド思想の基準では、天文学的な数字はしばしばあまりに小さい。

＊3　平川彰『インド仏教史』上・下、春秋社、一九七四年、上三四二―三五〇頁。

＊4　佐々木閑「大乗仏教起源論の展望」『大乗仏教とは何か』春秋社、二〇一一年。

＊5　「久」が死体であることがわかると、「柩」という字に「久」が入っている理由がわかる。死体を納める木箱が柩である。

＊6　『白川静著作集1　漢字I』平凡社、一九九九年。

＊7　ブッダの身体（法身）が、宇宙の真理そのものを体現しているとすると、その身体は、非常に巨大でなくてはならない。つまり、それは宇宙大でなくてはならない。華厳宗の仏像が「大仏」になるのは、このためである。

＊8　ジョルジョ・アガンベン『ホモ・サケル』高桑和巳訳、以文社、二〇〇三年（原著一九九五年）、六〇頁。

＊9　キリストの磔刑死と並ぶ、西洋思想史上のもうひとつの重要な「冤罪による死刑」は、『古代篇』で論じたようにソクラテスの死刑である。ソクラテスに関しても、キリストと同じように、「二つの円の重なり」ということを論じることができる。ソクラテスは、ダイモンなる神から、「政治にかかわってはならない」という指示を受ける（『古代篇』第9章参照）。これは、不可解な命令である。アテネでは、ポリスの一員として民主政

治に参加することは、男にとって最も名誉なことだったし、ソクラテスは政治に強い関心をもった行動の人であった。ダイモンの声は、どうしてソクラテスに「政治にかかわるな」と呼びかけたのだろうか。柄谷行人は、このダイモンの指示を「公的なことと私的なことを区別してはならない」「公的な場で私的に振る舞え」という意味であると解釈している（『哲学の起源』岩波書店、二〇一二年）。この解釈を採用してみよう。古代ギリシアにおいて、公的なこととはポリスに関わることであり、私的なこととはオイコス（家族）に関することである。ポリスの政治は、オイコスをその外部に締め出すことで成り立っていた。オイコスは、自然的な身体の生命を維持する場、労働して食を得る場である。それゆえ、オイコスは「剝き出しの生」としてのホモ・サケルに属する領域だと解釈することができる。実際、オイコスにおいて、家長は、絶対の権力をもち、その中のメンバーを生かすも殺すも彼の自由だった（つまり家長にとって、オイコスの他のメンバーはホモ・サケルも同然だった）。ポリスの政治をオイコスの締め出しによって基礎づける関係は、アガンベンの図1に対応している。無論、ポリスが法的状態に、オイコスが自然的状態に対応する。そうだとすると、ダイモンのソクラテスへの指示、「公的なことと私的なことを区別してはならない」は、二つの円を重ねよという命令――つまり図1を図3に変換せよという命令――だったことになる。

第9章　「空」の無関心

1　眼差しを排除する眼差し

イエスの集団とブッダの集団は、既成の社会システムに対する態度に関して、対照的であった。イエスは、暴力的な仕方で、当時のユダヤ社会の支配体制に対抗したが、ブッダとその集団は、古代インドのカーストとヴァルナの体制に対しては距離をおいていた。その違いはどこから来るのか、という問いをわれわれは立てた（第6章）。前章の考察が、この問いへの答えを含意している。前章の最終節で活用したアガンベンの図を想起するとよい。

カーストやヴァルナのヒエラルキーは、「諸例外を伴う普遍性」の論理に支配されており、この論理の極限に、仏教が、あるいはその純粋化とも呼ぶべき大乗仏教が析出される。その場合、仏教と支配的な社会システムとの関係は、分離された二つの円によって図解することができる（二三四頁図1）。円は、贈与の連鎖によって生じる依存関係の拡がりを表している。ところで、あらゆるコミュニケーションは、広義の贈与としての側面をもっているので、言い換えれば、コミュニケーションを結ぶことは、必ず「与える／与えられる」関係に入ることを含意しているので、結局、円は、コミュニケーションの連鎖の拡がりを示していることになる。それゆえ、分離された二つの円は、体制に対する仏教の消極的な態度をそのまま表示している。この円のように、仏教は体制に対して距離を取っているのだ。キリスト教の場合は、これとは異なる。キリスト教の場合には、例外状態（ホモ・サケル）としてのキリストの身体が社会システムにおいて普遍化され、社会秩序を規制する法・規範の上に重ねられるのだった。つまり、キリストの身体と社会システムの関係は、完全に重ね合わされた二つの円になる（二三四頁図3）。イエス・キリストとその集団の、支配的な体制に対する積極的・暴力的な介入の、これ以上にわかりやすい表現があるだろうか。

これらは、しかし、仏教やキリスト教にとっては、外からの記述である。こうした関係は、それぞれの信者や支持者が意識していたことではない。とすれば、われわれが次に探究すべきことは、こうした相違が、それぞれの宗教が有する理論や教義とどのように対応しているのか、という主題である。この点を明らかにすることによって、両者の相違を、内側から――仏教やキリスト教の内側から――理解したことになる。

＊

ブッダ－菩薩の表象とキリスト－聖人の表象の間のしばしば指摘されている明確な相違に注目することから、始めよう。チェスタトンは、「仏教徒は独特の熱意をもって内面を見るのに対して、キリスト教徒は狂わんばかりの熱意をもって外を凝視する」[*1]と書いている。このように断定的に相違を要約しているとき、チェスタトンの念頭には、一方に、ブッダやさまざまな菩薩の絵画・彫刻で表現されているあの穏やかな眼差しが、他方に、キリストや聖人たちの絵画にしばしば描かれている、異様な緊張感をもって一点を凝視する、激しく攻撃的な、あるいはときに忘我的な眼差しが、対照的に配されていたに違いない。ブッダの穏やかな眼差しは、帝国主義的支配や環境破壊をもたらした西洋の攻撃的で被害妄想的な態度に対するアンチテーゼとして、しばしば顕揚されている。

だが、スラヴォイ・ジジェクやダリアン・リーダーのような精神分析の専門家は、このブッダの眼差しには隠蔽された細部があると指摘している。たとえば、リーダーは、エルンスト・ゴンブリッチが述べていることを引きながら、次のように論じている。

〔ブッダの彫像を創る——引用者注〕芸術家は彫像に面と向かうことはできない。その代わりに彼は、彫像に背を向けて仕事をする。横向きになったり、肩越しに描いたりするのであり、その際、彼は鏡を使う。その鏡は、芸術家がまさに今命を与えようとしている像の眼差しを捉えている。彼が仕事を終えると、今度は彼自身が危険な眼差しを持っているとされ、目隠しをされたまま人から離れたところに導かれる。彼の目隠しが外されるのは、彼の視線が何ものかの上に落とされ、それを象徴的に破壊した後である。ゴンブリッチは、乾いた口調でこう指摘している、「この儀式の精神は仏教の教義とは両立できなかったので、誰もそれを試みようとはしない」、と。だが、まさにこの〔儀式の精神と仏教の教義の間の〕奇妙な不調和にこそ鍵があるのではないか？　すなわち、仏教の宇宙の、穏やかで平和をもたらす現実が機能するためには、恐怖をもたらす悪意に満ちた眼差しが象徴的に排除されなくてはならなかった、という事実に。悪の目は飼いならされなくてはならないのだ。[*2]

つまり、ブッダの穏やかな眼差しを獲得するためには、何かが排除されなくてはならないのだ。「何か」とは、ある種の他者の眼差し、私へと向けられた他者の眼差しである。

リーダーによって記述された仏像制作についてのこの儀式は、ギリシア神話に登場する女の怪物ゴルゴンのことを直ちに連想させる。ゴルゴンを真正面から見た者は、石と化して死ぬとされており、それゆえ人はゴルゴンの顔を見ることはできない。ゴルゴンについては、F・フロンティジ＝デュクルーの研究が参考になる。[*3]ゴルゴンは、ギリシア語の「prosōpon」という語が表現する意味での「顔」をもたない。prosōpon（顔）の原義は、「目の前にあるもの」である。死をもたらすがために、正面から見つめることができないゴルゴンは、古代ギリシア人にとってはprosōponの否定、つまり反－顔なのだ。ところが、奇妙なことに、ゴルゴンの反－顔は、彫塑や壺の上絵としてきわめて頻繁に描かれている。その上、さらに驚くべきことに、壺の上絵の人間の姿は横向きでなくてはならないというイコノグラフィーのルールがあるにもかかわらず、ゴルゴンに限っては、すべて正面を向いて描かれているのである。フロンティジ＝デュクルーは、ゴルゴンの反－顔（antiface）は、鑑賞者が「見つめ合う」ほかないような仕方でしか描かれない」と述べている。

　すると、仏教と古代ギリシアに関して、次のような対立の構図が得られるように思える。まず、仏教においては、（ある種の）他者の眼差しが回避されている――そのことによって穏やかな眼差しだけが残されている。それに対して、古代ギリシアでは、危険な眼差しがあえて描かれている。このような対照をここに見てよいかに思われよう。しかし、もう少し厳密に状況を捉えてみると、両者の対照はこれほど明確ではない。ゴルゴンの正面からの反－顔が描かれているとはいえ、「ゴルゴンを正面から見つめてはならない」という規範は明白に維持されているからである。というより、こうした規範があるからこそ、ゴルゴンの前向きの顔が効果をもつのだ。加えて、ゴルゴンのその反－顔は、一般に、第三次元をもたない平べったい皿のように描かれる。立体性を好む古代ギリシアの傾向性に反して、ゴルゴンだけはあえて平面的に提示されているのである。ゴルゴンの頭は、リアルな、あるいは写実的な顔としてではなく、顔性を否定されたものとして、つまりただの像（イメージ）であることを誇張したものとして表現されるのが常だったのである。とすれば、古代ギリシアにあっても、仏教と同じような、他者の眼差しの回避が機能している。

　この二つにさらにユダヤ－キリスト教を加えてみたらどうであろうか。ユダヤ－キリスト教においては、神の顔を見ることは不可能であるとされているので、他者の眼差しの排除はより徹底しているかのように思われるかもしれない。だが、こうした判断は間違っている。たとえば、先に述べた、キリストや聖人の無数の絵や像のことを、つまり、一点を凝視する、彼らのエクセントリックな眼差しのことを思えばよい。あるいは、「顔と顔とを合わせて神を見たのに、なお生きている」と叫んだヤコブのことを考えてもよい（『古代篇』第3章）。

だが、これら以上にあからさまで、よく知られている事実は、創世記の最初の方に記されている、誰もが知っているエピソードである。アダムとエバは、蛇にそそのかされて、知恵の木の実を食べると、突然「二人の目は開け、自分たちが裸であることを知り、二人はいちじくの葉をつづり合わせ、腰を覆うものとした」。そして神がやって来たとき、アダムは「わたしは裸ですから」と言って、神から身を隠した。裸であることが恥ずかしいのは、言うまでもなく、自分の身体を眼差す他者が意識されているからである。このように、聖書は、冒頭に近い最も有名な箇所（の一つ）で、人間を、「裸であることを知る者」として、つまり「他者の眼差しの対象となりうることを知る者」として描いていることになる。

したがって、暫定的に、次のような見通しを立てることができるだろう。われわれは、ブッダや菩薩の穏やかな「眼差し」とキリストや聖人の思いつめたようなエクセントリックな〈眼差し〉との間の対照という、よく知られた相違から出発した。前者は、しかし、何らかの意味における他者の眼差しの排除によってこそ得られるように思われる。仏教においては排除されているその眼差しを、そのまま提示しているのが、キリスト教の絵画等の表象に現れる〈眼差し〉ではないだろうか。この両極の中間には、おそらく古代ギリシアがある。そこでは、〈眼差し〉は「眼差し」へと歩み寄っている。すなわち、古代ギリシアでは、〈眼差し〉は、表象されてはいるが、記号化されることでその（他者の）眼差しとしての本性は否認されているのである。

さらに、ブッダの穏やかな「眼差し」とキリストや聖人の張りつめたような〈眼差し〉との対立を、大乗仏教の起源にあるブッダの骨と中世キリストの肉・血との対立（第8章）と対応させることもできるだろう。キリストの血を飲み、肉を食べることが意味をもつのは、──概念的に捉えれば──それらが身体の求心化‐遠心化作用を喚起するからである（『中世篇』第8章）。ところで、他者の〈眼差し〉において機能しているのは、まさしく、求心化‐遠心化作用ではないか。私がそれを見ているとき（求心化）、それの方も私を見つめている（遠心化）ということの直観こそが、〈眼差し〉の体験を生み出すからである。それに対して、「骨」は、遠心化の担い手とはなりえない身体、他者性を抹消させた身体、要するに、「それ」によって見返される可能性のない石化された身体である。

ともあれ、ここでわれわれが提起しておきたい仮説の最も重要なポイントは、仏教が何かの排除を前提にして成り立っているようだということ、これである。この点を確認した上で、教義の内容を検討しよう。

2 テクストの野放図な増殖

とはいえ、仏教の教義などというものを細部まで一義的に確定できないことは、誰でも知っている。仏教はあまりにも多くの宗派に分裂しており、それぞれが唱える思想がときに大きく食い違い、互いに矛盾さえするからである。内部に細かな宗派(セクト)が生まれるのは、とりたてて仏教に限ったことではないが、仏教の場合には、他の世界宗教に比して、分裂の程度がはなはだしく大きい。仏教が細分化することには、明確な原因がある。テクストが、正典がひとつに確定しないからである。そもそも、仏教には、正典を確定しようという意思が乏しい。テクストは無政府的に、つまりほとんど何の統制も受けずに増殖してきた。

仏教とはまったく対照的に、ユダヤ教、キリスト教、イスラム教が、正式なテクストの確定に細心の注意を払うのは、これらが超越的な唯一神からの啓示に基づく宗教だからである。「神の言葉」が何であるかは、これらの宗教にとっては死活的に重要である。仮に「神の言葉」の解釈に関して相違があったとしても同一の宗教の中に留まることは何とかできるが、そもそもどれが「神の言葉」なのかという点にまではっきりとした相違が出てしまえば、つまり依拠するテクストが全面的に異なっている場合には、もはや同じ宗教の仲間とは見なされない。この点で最も厳格なのは、イスラム教である。神の言葉が、人間へと、しかもたった一人の人間ムハンマドへと、きわめて直接性の高い方法で伝えられているからである。

仏教において、テクストの増殖がほとんど野放しにされてきたという事実は、この宗教が啓示宗教とは根本的に異なった世界観に基づいていることを示している。確かに、仏教も、シッダルタの言葉を、他の誰の言葉よりも重視している。文字テクストが成立する前の数百年間は、仏滅の後、「結集(けつじゅう)」と呼ばれる出家者の集まりが何回かもたれ、記憶と口伝によって経典が伝えられた。結集は、記憶の誤りを正すためのものである。仏教の文字テクストは、以前にも述べたように、経、律、論の三種（三蔵）に分かれている。中でも重要なのは経であり、これこそシッダルタの説法、つまり講義をまとめたものである。したがって、仏教も、シッダルタの言葉に格別な価値を認めていることは確かである。

しかし、かつて大乗仏教に関連して指摘しておいたように、実証的には明らかにシッダルタに帰すことができない言葉や講義も経の中に数えられている。そもそも、重要なことは、生けるシッダルタの声を聞くことではなく、法身、つまり「法（ダルマ）」の声を聞くことにある。理論上は、「法」は、宇宙のすみずみにまで行き渡り、満ちているのだから、それなりの能力をもっていれば、誰でもがその声を聞くことができるはずだ。それゆえ、仏滅後に経が書かれても、少なくとも理屈の上では問題がなく、実際に、ある時期までは、そのような前提に基づいて経が新たに書かれたのである。何が経であるか、どの経を最も重視するかは、仏教の宗派ごとに異なっていた。というより、その点こそが、宗派を分ける最も重要な契機であった。経のこうした多様化や増殖は、一神教では絶対に考えられないことである。

まして、弟子たちが自由に書いた論文、つまり「論」が、経と並んで正式なテクストに含まれていることを考えると、啓示宗教と仏教の距離は実に大きい。シッダルタの言葉と弟子たちの論との間に、それほど大きな格の違いはなかったのだ。シッダルタといえども、神ではないからである。経と論とがともにテクストに含まれるということは、キリスト教で言えば、聖書とトマス・アクィナスの『神学大全』がともに正典に入っているようなものである。無論、こんなことはキリスト教では絶対にありえないことである。

＊

このように共有されているテクストさえもないのだから、仏教の教義や理論を一般的に要約することなど不可能なのではないか。このような疑問が生ずる。だが、ここで、次のように着想を転換させればよい。テクストの増殖をもたらした、その当の要因にこそ、まさに仏教の共通の特徴があるのだ、と。述べてきたように、キリスト教やイスラム教でテクストが勝手に増えたり減ったりしないのは、それが超越的な唯一神に、つまり実体の中の実体に帰せられているからである。ここでは、究極の実体の存在が前提になっている。

この点を考慮したとき、われわれは、誰もが知っている――つまり専門家も素人も一致して認めている――一神教と仏教の間のあの違いに逢着する。一神教の伝統の中にある精神は、（実体の）存在を志向し、存在をこそ探究の主題とする。言うまでもなく、「神」は、その「存在」の別名である。神の唯一性が存在の統一性、首尾一貫性を保証しているのである。こうした構成は、一神教の文化が世俗化した後でも変わらない。たとえば、哲学的な存在論は、神の存在証明と実質的には同じことをやっている。自然科学も存在の探究の一環である。仏教は、こうした伝統とは真っ向から対立している。仏教が志向しているのは、何らかの意味での（実体の）非存在である。その「非存在」は、「無」とか「空」とかと呼ばれている。覚りとは、その「非存在」についての確たる認識である。シッダルタの最も初期の教えと対応させれば、それは、(三法印もしくは四法印の中の)「諸法無我」と要約される認識である。

われわれはおおむね、このような認識をもってきた。この点に関しては、仏教の専門家も、また仏教の教義についてほとんど何も知らない素人も、一致した見解をもっている。だが、私はここで、この通説中の通説に挑戦してみよう。仏教と一神教(キリスト教)の間に根本的な違いがあることは、確かである。しかし、違いは、一般に信じられている布置とはまったく逆であったとしたら、どうであろうか? すなわち、単一の存在を前提にしているのは仏教の方であり、存在に先立つ、「無」とも呼ぶべき何かを志向しているのがキリスト教の方だったとしたら、どうであろうか?

3 「空」の思想

ここでは、大乗仏教の般若教団、すなわち中観派の教理を主たる題材にして、仏教の教義を要約しておこう。中観派を創出したのは、ナーガールジュナ(龍樹)である。彼は、二―三世紀の人で、南インドの出身だ。彼は、いくつかのテクストを残しているが、中でも重要なのは『中論』である。中観派の教理は、ここに記されていると解してもよい。

仏教は互いに対立する宗派に細かく分裂していて、一般的な要約は困難だということを述べたばかりなのに、どうして、中観派に焦点を絞るのか。大乗仏教の中にあって、中観派が理論的な洗練度、哲学的な緻密さにおいて頂点にあることは、多くの論者によって認められている。つまり大乗仏教の可能性を、最高度に引き出したときに見出される教理が、中観派のそれではないか。『中論』において、非常に慎重に、そして緻密に論じられているのが、われわれが――一神教との対比において――仏教に帰してきたあの観念、すなわち「空」である。こうした点から、中観派を中心にして仏教の教理を考察することが、正当化されるだろう。[*4]

『中論』は、無論、小乗の諸派を批判の対象としている。中でも、批判の中心的なターゲットは、「説一切有部（せついっさいうぶ）」と呼ばれる、小乗諸派の中の最大勢力であったと考えられる。説一切有部は何を主張していたのか。「一切が有る」という名前が示しているように、この部派が積極的に説いているのは、「有」「存在」である。だが、何があるのか。「一切」という、一般化によって包括されているものは何なのか。それは「法（ダルマ）」である。それならば、ここで「法」とされているものは、つまり初期仏教において「法」とは何であろうか。「法」とは、「(これは)Dである」とされるときのまさにその「あり方」のことだ。何かがあるとき、それは必ず「Dとして」、つまり「Dである」という形式で存在している。「D」は、「何か」がまさに何であるかを、つまりその本質を意味している。法はこの「D」の部分に対応するあり方であり、これがまさに「有る」、というわけである。説一切有部も、はかなく消えていく個々の現象は実体とは見なさず、その実在を認めない。この点では、説一切有部も、非存在を志向する仏教一般の傾向を共有している。だが、現象は存在しなくても、法は存在する、と考える。「ダルマ(法)」は、「たもつ」を意味する動詞の語根から派生した語である。本性は、現象とは異なり、滅することなく持続する。

ナーガールジュナの『中論』は、この説一切有部の理論を斥ける。どのような論理によってか。ここで鍵になるのが、「縁起」の概念である。縁起は、一般には因果関係、時間的な継起の関係である。「これがあるとき、かれがあり、これが生ずることから、かれが生ずる……」といった命題が、縁起の思想を要約している、と考えられている。だが、『中論』は、縁起の思想に重大な変更を加える。すなわち、縁起を、時間的な継起関係から、論理的な依存関係へと昇華させるのだ。『中論』で主張される縁起とは、論理的な相互依存の関係である。

『中論』に直接に書かれていないことで、われわれにとって重要な留意点は次のことである。このように論理へと純化された縁起は、社会的な水準での贈与の体験の精髄を抽出したときにこそ得られるような概念にほかなるまい。たとえば、互酬的な贈与の関係の中にあるとき、人は、互いに相手に依存しあっている。こうした体験を論理の平面に写像すれば、縁起の概念が導かれる。

縁起を、非時間的で論理的な相関関係と解するならば、すべては縁起のネットワークの内にあり、そこから切り離したときには、もはや何ものでもない。この点を認識すれば、結局、縁起と空とは同じことの言い換えに過ぎないことが明らかになる。どういうことか。例えば、「浄なるもの」は、それ自体としては存在しえず、「不浄」との相関関係を俟(ま)ってはじめて存在する。つまり、「不浄」から独立した「浄なるもの」という実体は存在しない。無論、「不浄」それ自体についても同じことが言える。あるいは、「父」は、「子」があって初めて父であり、それ自体としては存在せず、「子」についても同じことが言える。こうした、説一切有部が認める、あらゆる「法」は、相互依存の関係であるところの縁起のネットワークに還元されてしまい、実体としては存在していないことになる。これが「空」ということである。

『中論』の縁起は、このように、実体を（論理的＝共時的）関係性に還元するための概念であり、そのことによって、空（いかなる実体も存在しない）が基礎づけられる。同じことは、別の用語によっても言い換えられている。たとえば、「無我」も空と同じ意味である。あるいは「無自性」もまったく同じ意味であると解釈してかまわない。「自性」とは、「それ自体として存在している」という意味である。「すべてが縁起する」とは、他との関係から独立に自存する実体を一切認めないことを含意するから、「無自性」を主張することになる。

後に中国で、仏教の宗派の一つとして華厳宗が登場する。華厳宗の中心的な思想は「法界縁起」の説である。法界縁起とは、『中論』に即してここで解説してきた縁起の概念とまったく同じものを指していると見なしてさしつかえない。中観派は華厳宗の思想を先取りしているのだ。

*

『中論』において最も広く知られているのは、「三時門破」と呼ばれる時間についての論理である。三時門破とは、「既に去ったものは去らない」「未だ去らないものは去らない」「『既に去ったもの』と『未だ去らないもの』と離れた、現に去りつつあるものは去らない」という三つの否定からなる論理である。これによって、過去・未来・現在の三つの時間の様相がすべて否定される。よく知られた論理であり、『中論』の議論の進め方を代表しているので、簡単に紹介しておこう。

「既に去ったもの」は、もう去ってしまったのだから、去らないし、「未だ去らないもの」は、もちろん去らない。困惑するのは、「現に去りつつあるもの」までもが、「去らない」とされていることである。これについては、パルメニデス風に、次のように解釈しておこう。[*5]「去りつつある」は、「未だ去らない状態」と「既に去った状態」との関係だからである。前者であったものが後者になることをもって、われわれは「去りつつある」と見なすのである。つまり、「去りつつあるもの」は、自性をもたず（それ自体として存在せず）、したがって実体ではない。さらに付け加えておけば、「去りつつあるもの」の（実体としての）存在が否定されれば、ひるがえって、「既に去ったもの」「未だ去らないもの」の存在も否定されるだろう。「既に去ったもの」とは「かつて『去りつつあるもの』だったもの」であり、「未だ去らないもの」は「やがて『去りつつあるもの』になるもの」である。ところで、どちらにとっても基準になっている「去りつつあるもの」の存在が否定されてしまえば、両者は存在することができない。こうして、三時がすべて斥けられるのだ。

『中論』の特徴は、このように否定のみを重ねていく論法にある。この点を勘案すると、『中論』が、なぜ「中」論とされているのか、中観派の「中」は何かが明らかになる。『中論』と題するからには、中道が説かれているはずだ。しかし「中道」という語は、『中論』全篇の中でたった一回しか登場しない。それでも、「中」が、この著作とこの教団を一言で表現する上で都合のよい形容語として、自他ともに認められていた。とすれば、「中」とは何なのか？

あらゆる実体の存在を拒否して、空のみを抽出しようとすると、必然的に、否定を重ねる論法にならざるをえない。何ものに関しても、……である、……がある、と断ずることができないからである。そう断じた瞬間に、そこで肯定された何かが実定的に存在していることになってしまう。普通の論理、矛盾律や排中律を前提とした普通の論理では、「Aではない」という形式でAの存在や真理性を拒否したとたんに、Aの否定であるBの存在や真理性が肯定されることになる。しかし、一切の空を証明する中観派の論理では、AとBとをともに、つまり両極をともに否定しなくてはならない。ナーガールジュナは、八個の否定──「八不」と呼ぶ──を代表的なものとして挙げているが、それらは、四組の両極端（滅か生か、断か常か、一義か異義か、来か去か）から構成されている。その度に両極がともに排除されるので、残るのは「中」しかない。否定を重ねる議論が、「中論」「中観」と呼ばれる所以は、ここにある。

＊

ところで、本来の課題は苦からの解放にある。仏教は、宇宙の実相についての哲学説を提起したいわけではない。「一切皆苦」とされているこの苦しみから人をいかにして解放するのかが、その目標である。解放（解脱）とは、仏教では一般に、輪廻から抜け出し、ニルヴァーナ（涅槃）に到達することであると解釈されてきた（第5章参照）。ニルヴァーナとは何であろうか？

『中論』からの結論は、明らかである。輪廻からニルヴァーナへの移行において問題になることは、純粋に認識論的なものである。なぜ苦しいのか、中観派の理論に従ったときには苦しさの原因はどこに求められるのかを考えてみればよい。苦しさの原因は、人が間違ったものに執着しているからである。一般に人には、「それ」が得られれば苦しみは解消される、幸福や快楽を感じうる、とされる対象がある。「善」として意味づけられている対象があるのだ。だが、ここで空の思想を適用してみるならば、そもそも「それ」は、幸福をもたらしてくれるはずの「それ」は、存在していないのである。一切が空なのだから。存在しないものを追い求めても、得られるはずがない。苦の原因はここに、つまり間違った対象に執着し、それを追求していたことにある。快楽や幸福を追求すること自体に誤りがあるわけではない。ただ快楽・幸福を間違った対象に結びつけているのである。だから、解放は、その誤解を正すことによってのみもたらされる。「それ」が存在しないこと、あるように見える「それ」が幻想であることを認識しさえすれば、解脱は得られるのだ。

ということは、輪廻とは独立にニルヴァーナという状態や世界が存在しているわけではない、という結論に至るほかない。ニルヴァーナを実体化して、それを目標とするならば、これもまた誤った執着として批判されることになるだろう。輪廻とニルヴァーナは同じものなのである。さまざまな実体の集合として「世界」を見ているときには、それはわれわれを束縛し、苦しめる輪廻である。しかし、「世界」を縁起の渦巻きのようなものとして捉えなおせば、そのままニルヴァーナに転じる。

したがって、ここからは、社会構想について、どのような実質的な示唆も得られない。というより、社会の現実は、そのままでよいのだ。変えるべきは、個々の主体の認識の方である。あるいは、逆にこう言うこともできる。このような思想からは、いかなる社会構造、いかなる社会状態、あるいはどんな政策でも、恣意的に正当化することができる、と。

ここに、中観派と並称される、大乗仏教のもう一つの理論的な高峰、唯識派へと繋がりうる論点を認めることができるだろう。唯識説は、一種の主観主義的な観念論である。「空」を観ずる認識の境地が、アーラヤ識と呼ばれる。アーラヤ識において得られる知は、「大円鏡智」と呼ばれる。すべてが空である以上は、互いに排斥しあうものはない。その知は、どんなものでも映し出す鏡のようなものだからである。「大円」とは、何もかもが入る大きな円ということである。

4　「空」の前にある同一性

中観派を代表にとって、仏教の教理を大急ぎで要約してみた。非常に一貫性の高い理論であるように思える。このどこに問題があるというのか？

実体を縁起（関係性）へと還元することによって、存在が空へと転換する。『中論』はこのように説く。だが、精密に事態を捉え返してみると、実体を縁起に移し替える認識の操作において、縁起＝関係へと転化されることのない一つの実体の存在が、主題化されざる前提となっていることがわかる。縁起＝空への還元は、その還元の操作から逃れている、ある実体の存在を暗黙の前提にしないことには成り立たないのだ。どういうことか、説明しよう。関係や差異を設定するためには、そこにおいて関係や差異が展開する基盤が必要である。

たとえば、浄は不浄との関係において浄であり、不浄は浄との差異において不浄なのだから、浄も不浄も独立の実体ではないことは確かである。しかし、こうした認定が可能なのは、浄－不浄の相対的差異がそこにおいて測られる物差しが存在しているからである。その物差し自体は、関係性（縁起）の中で相対化されてはいない。それは、浄－不浄の間の差異＝関係が成り立つための前提として、あらかじめ与えられていなくてはならないのだ。父は、子があって初めて父であり、子は父との関係において子であるから、父も子も独立の実体ではない。これも正しい指摘だろう。しかし、父と子が、それぞれ安定した場所を得て、互いの間のしかるべき関係を保つことができるのは、家族という基盤の中においてである。家族の内的な分節として、父や子が現れるのだ。この場合も、家族という領域の存在が前提になる。[*6]

こうして、「空」は、（空へと解消されてはいない）存在の中でのみ可能だという結論を導かざるをえない。確かに、『中論』は、今しがた述べたように、否定を重ねる論法に依拠しており、何ものについてもその存在を積極的に措定してはいない。だが、こうした論法に騙されてはならない。否定の判断だけが繰り返されているからといって、何ものの存在も主張されていないと見なしてはならないのだ。そのことは、西洋中世の否定神学が証明している。否定神学では、神は、否定的な述定によってしか言及されない。だからと言って、神の存在が否定されているわけではない。まったく逆である。否定神学は肯定神学よりもさらに徹底して、人間を圧倒的に超越する神の存在を強く肯定しているのだ(『中世篇』第12章参照)。

それゆえ、否定の反復は、「何ものの存在も肯定していない」ということの保証にはならない。仏教の空の論理は、空や縁起へと決して還元されはしない単一の実体の存在を前提にしており、しかも、それを決して問いただすことのないものとして、思考の領域からあらかじめ排除しておく限りにおいて、一貫性を保つことができるのである。

この隠れた矛盾は、仏教の思想の最終的な結論の部分で、皮肉な逆説のような形で微かに露呈する。この点についても、少し説明が必要だろう。前節で見たように、空の第一次性を証明するために仏教(中観派)は、実体をすべて関係(縁起)へと還元していく。関係の中の関係、すべての関係を成り立たせるための条件となるような最小限の関係は、「差異」である。たとえば、父と子という関係が成り立つためには、彼らの間に一義的な差異が設定されていなくてはならない。仏教的な認識は、関係＝差異への敏感な感受性とともに始まる。ところが、(仏教において)最終的に善きものとされる「空」や「ニルヴァーナ」を特徴づけているのは、差異(関係)に対する根本的な無関心である。何でもありで、万物を包み込むような、ある種の「寛容」が、空やニルヴァーナの根本性格になっている。どうして、差異＝関係への敏感な認識が、最後には、むしろ差異への無関心へと転回していくのだろうか。さまざまな差異・縁起が渦巻いているはずの「空」が、あらかじめ、同一性の領域に囲いこまれているからである。差異は、最初から、その同一的な基盤の中での差異だったのだ。だが、この同一的な基盤は、認識の対象としては、最初から排除されている。

ここでこそ、最初の節で観察したことがら、ダリアン・リーダー等の示唆に導かれながら仮説的に提起しておいたことがらを再確認する価値があるだろう。ブッダや菩薩の慈悲深い、いかにも寛大そうな「眼差し」は、何ものかの排除を前提にしているのではないか。われわれは、このように論じた。

＊

ブッダの「眼差し」があらかじめ排除しているもの、それは、他者の〈眼差し〉である。その他者の〈眼差し〉は、キリストや聖人の表象においては、鍵的な役割を担っている。このことの意味については、章をあらためて論じよう。

ここでは、いささか唐突に思われるだろうが、よく知られた一つの絵を想い起こしてもらうことにしよう。想い起こしてもらいたい絵とは、カジミール・マレーヴィッチが、彼の画家としての生涯の前半に描いた、極限的にシンプルな作品である。白の地に黒の正方形だけを描いた作品。あるいは、白地に赤の正方形のような作品もあった。正方形ではなく、円が描かれる場合もあった。

どうして、こんな作品のことを今、ここで考えなくてはならないのか。われわれは、仏教的な「空」について、次のように論じてきた。空が可能であるためには、差異がその中に設定されるような基盤が前提になっていなくてはならない、と。マレーヴィッチの作品、たとえば白い地の上に正方形や円の囲いを置くだけの作品とは、まさに、この基盤を設定する操作（のみ）を可視化するものであると解釈することはできないだろうか。

　こうした作品が、キリスト教の伝統に深く根ざすものであるとしたらどうであろうか？　そのように考えるべき根拠はある。マレーヴィッチが——彼はウクライナ／ロシアの人だが——西洋絵画の流れの中から出てきた画家であることは言うまでもないが、それだけではなく、彼が自分で「シュプレマティスム（絶対主義）」と名付けていたこの一種の「ミニマル・アート」とキリスト（教）との繋がりを、マレーヴィッチ自身が意識していたように思われる。たとえば、真ん中に置かれる図形が正方形や円ではなく、十字架であるような作品もあるのだ。

　このような作品が出現する必然性が、キリスト教の伝統のどこに仕組まれていたのだろうか？　たとえば、このような問いによって、本章の仏教についての結論を、キリスト教についての考察と関連づけることができるだろう。

＊1　G.K. Chesterton, *Orthodoxy*, Ignatius Press, 1995, p.138.

＊2　Darian Leader, *Stealing the Mona Lisa: What Art Stops Us from Seeing*, Faber & Faber, 2002, pp.38-39.

＊3　Françoise Frontisi-Ducroux, *Du masque au visage*, Flammarion, 1995. 他に次も参照。ジョルジ

ョ・アガンベン『アウシュヴィッツの残りのもの――アルシーヴと証人』上村忠男・廣石正和訳、月曜社、二〇〇一年（原著一九九八年）、第2章。

＊4　ナーガールジュナと『中論』については、以下が非常に明晰である。中村元『ナーガールジュナ』（人類の知的遺産13）講談社、一九八〇年。

＊5　前注に挙げた中村元の著作は、たいへん明快だが、三時門破の解説だけは歯切れが悪い。われわれの解釈は、中村とは異なっている。

＊6　以下を参照されたい。大澤真幸『増補新版　行為の代数学』青土社、一九九九年。この中で、私は、スペンサー＝ブラウンの代数学をもとに「書かれざる囲い unwritten cross」という概念を説明している。仏教において、意識されることなく排除されているのはこの「書かれざる囲い」、まさにこの囲いの「書かれざる」本性である。

第10章　曼荼羅と磔刑図

1 「何もない」ところに「何か」がある

素粒子物理学の領域では、真空に関して、不可解なことが起こると考えられている。この不可解さは、これから論じようとしていることに対する隠喩としての価値をもつので、最初に紹介しておこう。

物理空間のある領域において、温度が下がるままにしておく。すると、その領域に含まれているエネルギーが、だんだんと小さくなっていく。これを極限まで推し進めると、当然、その領域は、可能な限り最高度に「何もない」状態に到達する。つまりは、エネルギーが零の真空状態に到達する。真空状態は、一切何もない状態、つまり無である、と長い間、考えられてきた。

ところが、いくつかの現象を整合的に説明するためには、どうしても次のように考えざるをえないことがわかってきた。真空状態においても、「何か」があるのだ。その「何か」を除去すれば、ほんとうの真空状態が得られるのではないか、と考えたくなるが、そうはいかない。

すでにエネルギーは最低に到達してしまっている。その「何か」を取り除くということは、逆に、エネルギーを増やすしかない。その「何か」は、その実体の存在を予言した物理学者（の中の一人）の名前を取って、「ヒッグス場」と呼ばれている。

普通で言うところの「空っぽの空間」には、すでにヒッグス場が存在しているのである。ヒッグス場を強制的に排除すると、それに相当する分だけ、空間からエネルギーが減るのならばわかりやすい。しかし、ヒッグス場を排除するためには、逆に、エネルギーを増加させなくてはならないのだ。ということは、真空の中にヒッグス場が出現した場合の方が、エネルギーは小さくなるということでもある。まるで、ヒッグス場は、負のエネルギー、否定的エネルギーをもっているかのようなのである。

＊

ヒッグス場は、自然界において、きわめて重要で基底的な働きを担うと考えられている。とりわけ根本的なのは、ヒッグス場によって、物体に質量が与えられるということである。言い換えれば、ヒッグス場がなければ、物体は質量をもたないのだ。ヒッグス場を、物質の運動の妨げになる液体のようなものだと考えてみるとよい。ヒッグス場という液体に満たされていない場合、何の抵抗もないので、すべての粒子は、すばやく軽やかに、つまり光（光子）と同じ速度で移動することができる。しかし、ヒッグス場という液体が出現すると、粒子は動き回るのが困難になる。もう少し厳密に言い換えれば、ヒッグス場は、電子とクォークと呼ばれる素粒子と相互作用する。[*1]その相互作用の大きさは粒子ごとに異なるが、ともかく、粒子たちはねばねばした液体にまとわりつかれて、その運動状態（速度）を変化させるのが難しくなる。ところで、速度を変化させることの困難さの程度、つまり慣性の大きさこそが、質量の実態である。こうしてヒッグス場に規定されて、物体に質量が生まれるのだ。

ただし、ヒッグス場は、光子（光）に対してだけは、何の抵抗にもならない。だから、光子のみは、質量が零で、光速で移動することができるのである。次のようにイメージするとよい。ヒッグス場は、空間のいたるところに存在している、交通警備員のようなものである。電子やクォークが少しでも速度を変えると、その警備員は怪しんで、それらの粒子をチェックするので、粒子たちは簡単には速度を変えられない。しかし、警備員は、光子に対してはまったく寛容で、自由に動き回ることを許しているのだ。

ヒッグス場の出現によって引き起こされる、もう一つの重要な変化は、対称性が低くなるということ、対称性の破れが生じるということである。「対称性」という語は、物理学ではよく使われるが、この学問になじみのない人にはわかりにくいかもしれない。物体に対してなんらかの操作を加えても、外見上、まったく変化が見出せないとき、対称性がある、と言われる。たとえば、立方体と球とを比べてみる。立方体にも、ある程度の、回転に関する対称性がある。立方体を、90度回転させても、もとの立方体と区別することができない。しかし、45度の回転であれば、操作を加えたことがわかってしまう。だが、球の回転対称性は、もっとずっと高い。球に対してであれば、何度の回転であっても、操作の証拠はまったく残らないからである。

ヒッグス場が関係しているのは、力についての対称性である。自然界には、四つの基本的な力がある。重力、電磁力、弱い核力、強い核力がその四つであり、それらはすべて粒子によって媒介されていると考えられている。温度が高く（つまり空間内のエネルギーが大きく）、ヒッグス場というねばねばした液体が存在しないときには、力を媒介する粒子の質量も零である。それだけではなく、ヒッグス場が存在しないときには、四つの力の粒子の中の二つの力の粒子、すなわち電磁力（光や電気や磁気に関わる）の粒子と弱い核力（放射性崩壊に関わる）の粒子の間には完全な対称性があって、それらを入れ替えてもまったく区別ができないことがわかった。つまり、ビッグバンの直後で、宇宙がまだ非常に熱かったときには、これら二つの力はもともと同じものだったのであり、宇宙が冷えてきたとき――つまりヒッグス場が出現したとき――、分化してきたのだ（統一理論）。ヒッグス場が、力の分離の原因になっているのである。さらに、今日では、ヒッグス場が十分に希薄なときには、以上の二つの力に加えて、強い核力もまた同じものだったのではないかという仮説（大統一理論）も、支持を得ている。

ヒッグス場についての解説は、この程度で止めておこう。それが、質量や力といった自然現象すべてに関わる基本的な要素をもたらす実体であるということ、この点を理解しておけば十分だ。

ここで、われわれが確認しておきたいことは、真空についてのパラドクスである。「何もない状態」において、すでに「何か」が、ヒッグス場と呼ばれる負のエネルギーを担う特異な実体が、存在しているのだ。ということは、真空は、すべての物体の出現に先立つ、論理的な原点ではない、ということになるだろう。すべてを排除しても、なお執拗に残るものがあるのだ。言い換えれば、その「残るもの」がなければ、「何もない」という状態、真空状態を構成することができない。今日の素粒子物理学が教えるこの事実が、これから述べることを理解するための助けになる。

2 曼荼羅

前章で、われわれは、大乗仏教の中でも最も論理的な洗練度の高い、中観派を題材にして、その教理が、いったい何を目指しているのかを検討しておいた。その究極の目標は、「空」である。「空」は、また「無我」や「無自性」、そして「縁起」と同じ意味である。認識における空の、実践における対応物がニルヴァーナ（涅槃）であった。

空やニルヴァーナに比定できるものを、現在の物理学に見出すとすれば、もちろん、それは、真空であろう。真空に関しては、今しがた解説したように、今日の物理学は、奇妙なパラドクスを発見した。このパラドクスに対応するようなひねりが、仏教の教理にあるだろうか。もちろん、そんなものはない。

すべての実体（法）を縁起（関係性）へと還元してしまえば、空の境地に到達するという論理は、空間からエネルギーや物質をすべて排除してしまえば何も残らない状態が得られる、という仮定に似ている。しかし、この仮定は、少なくとも物理学的には間違っているのである。

＊

ここで、仏教についてのひとつの疑問を、仏教について初歩的な知識さえあれば誰もが抱かざるをえない疑問を提起しておこう。

仏教の究極の志向目標が、空であることは、よく知られている。「空」という概念は、いささか難解であるとしても、仏教において、それが目指されているという点については、広い合意がある。三法印と呼ばれる、釈尊の最初の教えが、すでに、このことを含意している。端的なのは、「諸法無我」である。すべての実体（法）は無我＝空だというわけだ。「諸行無常」（万物は変化してやまない）も、恒常的な本質や実体を否定しているという意味では、「空」を肯定する論理の素朴な表現であると見ることができる。あるいは、「涅槃寂静」もまた、迷いの気持ちを静めれば――つまり（本来は存在しない）実体や本質への執着を捨てれば――涅槃に到達しうると述べているのだから、やはり同じことの言い換えである。

さらに、付け加えておけば、本書の中で、何度も引用してきた「一切皆苦」は、同じことを反対側から述べたものだと言ってよいだろう。すべてが苦しいのは、空であることを観ずることなく、何ものかに愛着をもったり、何かを欲望したりするからである。つまり、この命題は、否定を通じて、空の意義を照らし出しているのである。

だが、仏教における、「空」のこうした第一義的な重要性を前提にすると、説明できない――ように見える――傾向が仏教には含まれている。空どころか、その反対物であるところの「存在」の徹底した称揚、存在への執着や拘泥が、ときに顕著なのだ。そのことを示す、最も分かり易い事実は、曼荼羅である。

曼荼羅は、宇宙の実相を表現した図像である。華厳教団や密教など、仏教のいくつかの宗派は、曼荼羅を重視する。最も有名なのは、密教で用いられる、胎蔵界曼荼羅と金剛界曼荼羅の二つ（合わせて両界曼荼羅と呼ばれる）であろう。胎蔵界曼荼羅は、『大日経』の教えを図示したもので、その中心には、大日如来＝毘盧遮那仏が描かれている。毘盧遮那仏とは、宇宙そのものと同一視されているブッダの身体（法身）である。[*2] 金剛界曼荼羅は、『金剛頂経』の図解である。『金剛頂経』の教えは、即身成仏にある。胎蔵界曼荼羅は、外部に対象化されているブッダの身体を描いているのだが、金剛界曼荼羅との関連では、主体はブッダの身体と同一化し、その中に溶け込んでしまう。

曼荼羅の個々の図像については、詳しい説明や解釈があるだろう。今、その細部にこだわるつもりはない。いずれにせよ、曼荼羅が、宇宙の実相を、宇宙内の諸存在者の本質とその関係を、イメージとして表象したものであるに違いない。仏教の曼荼羅を前にしたとき、専門的な解釈の前に誰もが直ちに直感すること、それは、存在と存在者に対する強烈な拘りではないか。曼荼羅には、仏の像や幾何学模様がびっしりと描かれている。どこにも空白がない。そこには、真空への嫌悪すら感じられる。要するに、曼荼羅が提示しているのは、空のまったき反対物であるように見えるのだ。そもそも、イメージとして提示しうるということは、それが、何らかの具象性をもって存在しているからであろう。曼荼羅という手法は、空の思想に反しているように感じられる。どうして、仏教において、曼荼羅が重用されたのだろうか？

実際、仏教の中には、曼荼羅を介した仏教理解は誤りであるとする宗派もある。われわれが空の思想を理解するために参照した中観派もそのような宗派のひとつである。仏教内部での、曼荼羅をめぐる対立は、イコン（聖像）の使用についての、キリスト教徒たちの争いを連想させないこともない。しかし、両者は、やはり、根本的に異なっている。キリスト教においては、聖像を用いて布教した者も、聖像崇拝を教義の中心においたわけではない。それに対して、仏教のいくつかの宗派においては、曼荼羅は中心的な価値をもっている。しかも、そうした宗派も、空こそが最終的な志向対象であることをよく理解していたはずだ。その上、仏教内の他の宗派は、曼荼羅に対して明確な違和感をもっていたとするならば、一部の――しかし有力な――宗派の信仰の中では、曼荼羅が中核的な役割を果たしていたことが、ますます不思議である。

この疑問に答える前に、いくつかの基本的な事実を確認しておこう。曼荼羅の「マンダ」というのは、本来はミルクを精製して得られるヨーグルト（醍醐〔だいご〕）のことで、そこから事物の精髄・本質という意味に転じた。曼荼羅の原型となった図像は、古代インドでは、仏教よりもはるかに古くからあったと考えられる。もともと、ヒンドゥー教の中で、盛んに用いられていたものを、仏教が取り入れ、精緻化し、複雑な解釈を与えたと考えられる。

また、曼荼羅に類する図像は、インドにだけ見られるわけではない。さまざまな宗教や呪術の中で、曼荼羅とよく似た表象が、活用されてきた。トランスをもたらすための触媒として、あるいは教義の骨格の秘儀的な表現として。たとえば、易の六十四卦なども、シンプルで抽象的だが、広義の曼荼羅と見なすこともできるだろう。ユダヤ教神秘主義のカッバーラーの「セフィーロート」は、仏教の曼荼羅と並ぶ、複雑な図像的な表象を伴っている。

＊

こうした事実を確認した上で、疑問に答えてみよう。空を至高の境地として追求する仏教において、あからさまな真空嫌悪の具現とも見なしうる曼荼羅のような表象が発達したのはどうしてなのか。空と曼荼羅の共存は、前章の第４節（の前半）で述べたことを証明する事実ではないか、これがわれわれの推測である。少しばかり説明しよう。

空を追求することは、その内部でさまざまな存在者が出現したり、展開したりする「地」を、所与の背景として前提にすることと同じことになるのではないか。それを多様な存在者が配置されることになる更地、中立的な真空の容器であると見なせば、それは、まさに「空」という様相を呈することになる。しかし、その「地」の内部に配される存在者たちを描いてしまえば、それは、図が隙間なく犇めき合う曼荼羅のようなものになる。

諸存在者が配される「空」は、単一の「地」として囲われた同一性をもっているので、内部の諸存在者は仮に多様であっても、その多様度は、あらかじめ設定されているその同一性の範囲を超えることはない。つまり、「空」の上では、多様なものの間の均衡や相補性は、最初から約束されていることになる。実際、仏教の曼荼羅の特徴は、対称性やバランスへの偏愛である。表象されているイメージは、対立はしていても、必ず調和するのだ。

3　マレーヴィッチの「人物画」

さて、すると、われわれは、もう一度、前章の考察の結末部に回帰することになる。そこで、カジミール・マレーヴィッチの絵画を参照したのであった。なぜマレーヴィッチに注目するのが好都合なのか。それは、彼の絵画の主題が、まさに、仏教の空の教義において、そして曼荼羅において最初から排除されていること、前提にされていることにあるからである。マレーヴィッチの最も広く知られている作品は、白い表面の上に黒い正方形や黒い円を置いただけの絵画である。これこそ、その上で多様な存在者が配置される「地」を構成する操作の可視化以外のなにものでもあるまい。曼荼羅は、空白を嫌悪している、と述べた。それと対比させれば、マレーヴィッチは、空白のみを、あるいは空白の形成過程を描こうとしているのである。

ここでの仮説的な見通しは、こうした試みが、マレーヴィッチ一人の個性の産物ではなく、西洋絵画の、とりわけキリスト教の伝統の産物だったのではないか、という点にある。実際、前章でも述べたように、白い表面の上に描かれている図形が――正方形ではなく――十字架になっている作品を、マレーヴィッチはたくさん描いている。代表的なのは、『黒い十字架と赤い卵』(一九一九―二〇年)、あるいは『黒い十字架』(一九二三年)である。彼は、この表面に幾何学的な図形を置くだけの自分のスタイルを「シュプレマティスム」と名付けたが、そのスタイルの名をそのままタイトルに含んでいる作品に、十字架を主題としたものが多い。『シュプレマティスト・コンポジション』、『シュプレマティスム』等である。この事実は、マレーヴィッチにとって、白地の上の「黒い正方形」の原点が十字架であったことを示しているだろう。

ところが、マレーヴィッチは、最後の十年間(一九二五―三五年)、人物画に回帰している。彼は、自分自身が案出した彼流のミニマリズム(シュプレマティスム)を放棄してしまったのだろうか。文化をめぐる政治や官憲からの圧力に負けたのだろうか。何人かの専門家は、そうではない、と指摘する。彼の晩年の作品『自画像』(一九三三年)は、その最もわかりやすい証明である。この絵に描かれた画家本人は、肘を直角に曲げ、右手を身体の正面、ちょうど胸のあたりにおいているのだが、伸ばされた指が、何かを描いていることがわかる。親指が他の四本の指に対して垂直に立てられている。まるで、その指にそって透明な四角形があるように見えるのだ。つまり、ここにあの黒い正方形が、不可視のままに継承されているのである。おそらく、マレーヴィッチのミニマリズムのモチーフは、晩年の人物画にも継承されているのだ。

キリスト教との関係も、晩年の作品に継承されているように思える。たとえば、一九三〇年代前半の作品に『走る人』というタイトルの絵がある。「走る人」の向こう側には、背の高い赤い十字架があり、さらに遠方には、二軒の家に挟まれた白い十字架も描かれている。ここで特に注目したいのは、『自画像』とほぼ同じ頃に描かれたと思われる、『女性労働者』という作品である。「自画像」は、指の形によって、透明の正方形をもっていることを暗示していたが、真正面を向いている「女性労働者」もまた、両腕で、見えない何かをかかえている。間違いない、これは赤ん坊を抱く形である。この女は、おそらく、労働者となった処女マリアである。[*3] 彼女の腕には、透明なイエス・キリストがいる。

「白い表面と黒い正方形」のような幾何学的な絵画が、晩年の人物画にも継承されているとして、それは、作品のどんなところに現れているのか？　マレーヴィッチが晩年に描いた人物の大半が、農民か労働者である。それら労働者・農民の多くが、表情豊かな生き生きとした人間としてではなく抽象的で幾何学的な図形のように描かれているのだ。この傾向は、とりわけ一九二〇年代末から三〇年代初頭にかけての作品で顕著である。労働者・農民たちは、楕円や三角形などの図形の組み合わせによって、分かり易く言ってしまえば、まるで「トイレ」を表示する記号のように、描かれている。彼らは、まちがいなく、「黒い正方形」の末裔である。

それにしても、マレーヴィッチは、どうして、労働者や農民をこんな幾何学的な記号のように描いたのだろうか？　しばしば提起されてきたのは、ルカーチ風のイデオロギー的解釈である。それは、当時のソ連で進行していた、農業の集団化や工業の機械化に対する抗議や反抗の表現である、と。表情のない幾何学的な顔や腕のないマネキンのごとき形姿は、集団化・機械化の犠牲となった人間性を表している、というわけである。

しかし、幾何学的な農民や労働者が、「黒い正方形」の変化した姿であるとすれば、社会主義への抗議の表現であるというこの解釈は、説得力に欠ける。この解釈に従えば、マレーヴィッチは、できることならばこんな農民や労働者を描きたくなかった、幸福な状況の下であれば、表情豊かな人格としての農民・労働者を描きたかった、ということになる。つまり、幾何学図形を思わせる身体には、消極的な意味しかないことになる。しかし、マレーヴィッチが、自らが案出したスタイルを引き継ぎながら、このような身体を描いていたとするならば、そこには、もっと積極的な動機がなければならない。

ここで、われわれは、この画家が、ずっと継続的に、繰り返し、キリストやキリスト教に作品を関係づけてきたことを、あらためて重視すべきではなかろうか。あの「女性労働者」が処女マリアの現代的な再現であったことをも、併せて考えるべきではないか。すると、われわれとしては、自然と次のような推論に導かれていくことになるのだ。内面的な豊かさを削ぎ落とされている幾何学的な労働者や農民、人格をもたない人形かロボットのような身体たち、これらは、受難のキリストの再来ではないだろうか。「人間性」をすべて否定されて、ホモ・サケルのように殺されていった、磔刑のキリストが、マレーヴィッチにあっては、このように変形されて、呼び寄せられているのではないか。

4　磔刑図

それゆえ、まことに意外な結論を導き出さなくてはならない。マレーヴィッチの「白い表面と黒い正方形」を起源にまで遡るならば、われわれは、そこにキリストの磔刑図を見出すことになるのだ、と。もし仏教の曼荼羅に比較すべきものが、キリスト教の側にあるのだとすれば、それは、間違いなく磔刑図であろう。

まず両者の対照に関して、次の明らかな事実に注意を向けておこう。曼荼羅は、解脱とか涅槃状態へと到達するための手段として用いられるのだから、これを見る者に引き起こす感情は「至福」である（はずだ）。磔刑図、つまり十字架上のキリストの像が、人々に引き起こす感情は、もちろん、これとはまったく逆のものだ。異端的としか言いようのない、ユニークな急進的神学者トーマス・アルタイザーは、かつて、次のように指摘したことがあった。キリスト教にあっては、ただ苦痛だけが生き生きと表象されてきた、と。論理的には、キリストの贖罪死と復活の後に、天上的な幸福があるはずなのだが、そうした幸福が描かれることは、ほとんどない。どうして苦痛だけが、繰り返し描かれてきたのだろうか。

ともあれ、西洋美術史の中で、無数の磔刑図が描かれてきた。ここでは、そうした磔刑図の中でもとりわけ劇的な磔刑図、磔刑図の中の磔刑図とも見なすべき一点を選んで、参照することにしよう。その磔刑図とは、一六世紀の初頭にグリューネヴァルトが描いた磔刑図、『イーゼンハイムの祭壇画』（一五一二—一六年）の名で知られている絵画である。

ここに描かれている、十字架上のキリストは、凄まじいまでに無残で、醜悪でさえある。おそらく、これは絶命した直後のキリストである。右脇腹の最も大きな傷から、赤い血が流れおちているのはもちろんだが、その他にも、全身に無数の小さな傷があって、そこから血なのか膿なのか、ともかく体液が滲み出ている。キリストの身体は痩せこけており、その皮膚は、老人のように干からびている。両掌と束ねられた足の甲には、長く太い釘が打ち込まれ、十字架にキリストの身体を固定している。口は、だらしなく開き、顔には激しい苦悶の表情が浮かび、首はだらりとうなだれている。ここにはもう一片の威厳さえ残っていない。

キリストの左側には、洗礼者ヨハネが立ち、「見よ、神の子羊だ」とキリストを指さしているようだ。十字架の下、キリストの右足下には、マグダラのマリアが、キリストに向かって手を合わせ祈っている。さらに、キリストの右手側には、卒倒しそうな聖母マリアを、使徒ヨハネが支え、慰めているように見える。

このように、この絵は、キリストの悲惨な死を、細部にまで注意を払いながら、いかなる妥協もなく表現しようとしている。しかし、ここでは、曼荼羅との対比ということが主要な課題なので、おそらく今までほとんど誰も注目してこなかった、この絵のある側面に目を向けることにしよう。それは、背景である。十字架と人物たちの向こう側には、背景が描かれている。下半分は、薄ぼんやりと岩のごときものが描かれているが、上半分は、ただまっ黒く、不透明に塗りつぶされているだけである。なぜ、このような一番つまらないところに注目するのか。

余白を怖れる曼荼羅であれば、絶対に、このような背景を描くことはありえないからである。

背景の特に上半分が、あまりにも断固として黒く塗られているだけなので、キリストを含む前景の人物たちと背景とが分離してしまい、この絵の鑑賞者は、騙し絵や芝居を見ているような気分になる。絵の中の人物たちが、書割の前で演じる役者のように見えてくるのだ。そのため、人物たちと背景とを均質的な視野の中で捉えるのが難しい。人物たちに焦点を合わせると、背景は見えなくなる。逆に、背景を見てしまうと、人物たちの輪郭が捉えがたくなるだろう。

＊

前景だけで理解すれば、この絵は、単純に、キリストの死を人々が悲しみ、悼むさまを描いている、ということになる。しかし、背景も含めて考えた場合に、この絵を構成している論理は、どのようなものなのか？　画家さえも意識はしていなかった、この絵を構成する論理は何か？[*4]

ここで理解の助けを与えてくれるのが、キリストの身体についてのキリスト教の解釈、もっとはっきりと言えば、キリストの身体についてのパウロの説明である。パウロの論は、肉と身体という二項対立を活用している。身体、キリストの身体とは、教会——信者たちの普遍的な共同体——のことである。クリスチャンは、肉を脱して、キリストの身体の中に入らなくてはならない。パウロはこのように説いている。

教会は共同体であり、集合的な全体性だから、そこでは、個人の身体（肉）は抑圧され、カッコに入れられなくてはならない——ように思える。逆に言えば、個人の身体が可視化され、現れている間は、教会という全体的なまとまりは表象されないように思える。両者を同時に、同等の重みをもって表現することはできないのか？　不可能なことだ……と結論したくなるが、実は、一つだけ、両者を同時に表現する方法があるのだ。個人が教会という共同性の内に没し去るその瞬間を捉え、描けばよいのである。そうすれば、一方で、教会なるものが直接に表現されながら、他方で、個人の輪郭が曖昧になることもない。

今、次のように考えてみたらどうだろうか。真っ黒で、ただのっぺりとした背景こそは、教会、信者の共同性の表現である、と。個人（としてのキリスト）の身体が、教会という身体の中に消え去る瞬間とは、まさに、キリストが磔刑死するときであろう。このときだけは、キリストの身体は、個人でありつつ、同時に共同性（教会）でもある。不透明で真っ黒な背景と、その前で惨めにも磔刑死していくキリストをともに描くとき、本来であれば、排他的で、「こちらを立てればあちらが立たず」という関係にある、二つのアスペクト（個としての身体と共同的な身体）が、同時に表現されているのではないだろうか。

5　一神教と仏教

磔刑図に即して取り出してきた以上の原理を、一般化し、抽象的な水準で捉えなおしてみよう。そうすると、磔刑図がどうして、マレーヴィッチの「黒い正方形」になったのか、もわかってくる。

ここで、ヘーゲルの議論を活用してみる。次は、「大論理学」の異名をもつ『論理学』第一章の「C　生成」の項からの引用である。一見、極端に難解なこの議論が、よく嚙み砕いて理解してみると、事態の明晰化に役に立つのだ。

　したがって、純粋有と純粋無とは、同一のものである。真理であるのは、存在でも無でもなく、存在が無へと、また、無が存在へと──移行することではなく──移行してしまっていることである。だが真理は、両者〔有と無〕が区別されていないということではない。真理とは、そうではなく、〔両者が同一であるのと〕全く同様に、両者が同一のものではなく、絶対的に区別されているということである。しかしまた真理とは、両者が〔分離されているのと〕同様に、分離されておらず、分離されえず、直接それぞれが、その反対のものにおいて消え去っているということなのである。したがって、両者の真理とは、一方が他方において無媒介的に消失するという、この運動、つまり生成である。[*5]

このような文章をいきなり読んだときには、「さっぱり分からない」と思うのは当然である。まず、何が課題になっているのかを知る必要がある。ここで、ヘーゲルは、古代ギリシアの哲学者パルメニデスを論破しようとしているのだ。パルメニデスは、運動や生成を否定した、とされている。「ゼノンのパラドクス」のゼノンは、パルメニデスの弟子である。今、われわれとしては、パルメニデスとヘーゲルのどちらが勝っているのか、ということには興味がないが、ヘーゲルの論敵がパルメニデスであることが分かれば、この難解な文章の半分近くは、理解可能なものになる。

運動や生成がありうるためには、有が無になったり、無が有になったりするということが可能でなくてはならない。一方では、有と無は、もちろん、区別されていなくてはならない。しかし、他方では、両者が完全に区別されてしまえば、存在していたものがなくなったり、なかったことが存在したり、といった運動や生成が説明できなくなってしまう。したがって、有と無は分離されていてはならない。かくして、有と無は区別されなくてはならないが、分離されていてはいけない、というアンチノミーが生ずるのである。

この矛盾をどう克服するのか。この引用文におけるヘーゲルの課題は、これである。ヘーゲルの課題を把握すれば、同時に、なぜ、われわれがここでヘーゲルに応援を求めなくてはならないかも分かってくるだろう。ヘーゲルの問いは、「生成はいかにして可能か」である。われわれは、前節で、キリストの磔刑図の無意識の主題が、やはり生成にある――肉(個人の身体)からのキリストの身体(教会)の生成にある、と解釈したのだった。

ヘーゲルの難解な議論を理解するには、ゲシュタルト心理学で使われてきた、だまし絵『ルビンの杯』に即して、彼の議論を読み解くとよい。『ルビンの杯』は、杯の絵のようにも見えるし、また向き合った二人の横顔の絵のようにも見える。この図柄を見ると、ときに杯の絵が生成し、ときには横顔の絵が生成するのである。[*6]

『ルビンの杯』という同じ図が、杯であるとも言えるし、横顔であるとも言える。「杯」と「横顔」は、無論、区別されうるが、しかし、同じものを指しているのだから、両者は同一であるとも言える。さらに、肝心なポイントは、『ルビンの杯』が、杯でありかつ横顔であったとしても、両者が同時に見えることはない、という点である。杯が見えているときには、「横顔→杯」という移行はすでに完了している。ヘーゲルが、「真理であるのは、……移行してしまっていることである」と述べているとき、こういう事態が含意されているのだ。また、杯が見えているときには、その対立項である「横顔」は見えていない。このことを、ヘーゲルは、「それぞれが、その反対のものにおいて消え去っている」と表現したのである。

『ルビンの杯』における「横顔／杯」のような、相補的であると同時に排他的でもあるような関係が、「個人の身体／教会」の二項対立にも生ずる。キリストの身体が、教会という集合的・共同的な身体へと移行してしまったときには、個人の身体としての側面は「消え去っている」。この点を確認した上で、磔刑図に関して、あるいはキリスト教に関して、はっきりさせておかなくてはならない論点は、二つある。

第一に、「教会」が統一的な共同体として成り立つためには、その否定的な対立項（個人の身体）が、最初から抑圧され、捨て去られたものとして位置づけられていなくてはならない。にもかかわらず――ここが肝心なところである――、第二に、磔刑図は、あるいはキリスト教

（のある側面）は、この「すでに抑圧されている」という状況が生成する過程そのものを、なんとか可視化し、現前させようとするトリッキーな試みだったのである。ヘーゲルの文章を活用すれば、「無が存在へと移行してしまっている」という状態が実現される過程そのものを、磔刑図は、何とか表現しようとしているのだ。

マレーヴィッチの「黒い正方形」を、『ルビンの杯』と比較してみると、この点が理解できるだろう。『ルビンの杯』では、たとえば「杯」が見えているときには、その背景になってしまった「横顔」は、まったく見えていない。それならば、「杯」（教会）が成り立つためには「横顔」（個人の身体）が抑圧されているという事実そのものを、つまり抑圧の過程そのものを見えるようにするにはどうしたらよいのか。背景とそこから浮上してくる図形とを、ともに同時に提示すること、それによって、背景と図形との間の差異・境界線を可視化すること、これしかないだろう。マレーヴィッチのミニマリズム的な絵画、「空虚な白い表面の上の黒い正方形」という抽象絵画が目指したのは、こうしたことである。

＊

キリスト教会——キリストの集合的な身体——は、その内部に多様な人々が入ることができるような「地」である。これと同じ契機を、仏教は、「空」と呼んだ、と解してよいだろう。空は、その上で多様な存在者たちが出現したり、展開したりすることができる「地」なので、それら諸存在者を実際に表象すれば、隙間なくイメージが詰め込まれている曼荼羅のような図像を得ることになる。

仏教とキリスト教の間には、どのような違いがあるのか。仏教は、その内部でさまざまな存在者が調和的に共存し、均衡を保つことができるような、それ自体は差異化されていない「一者」――無論、それの名が「空」である――を与件とし、それを論理的な原点と見なす。それに対して、キリスト教は、その「一者」にあたるもの（教会）を成り立たせるために、「あらかじめ抑圧されている」という否定的な形式で貢献する「他者」を顕在化させる。その「他者」にあたるのが、（死んでいく）キリストの個体としての身体である。だから、キリスト教の原点にあるのは、無差異の「一者」ではなく、「一者」と「他者」との間の本源的な差異である。

ここで、冒頭に紹介した素粒子物理学のパラドクスを思い起こしてほしい。「何もない空間」――後でそこにいくらでも物体やエネルギーを入れることができる空っぽの容器のような空間――を構成するためには、負のエネルギーをもつ（かのように見える）奇妙な実体が必要だった。それを取り除くことによって、かえってエネルギーを増加させてしまう不可解な実体が、である。それがヒッグス場である。ヒッグス場を無視する限りで、真空状態は「空」と同一視することができる。「空」を成り立たせるために、あらかじめ抑圧し、あたかもないかのように扱わなくてはならないこの要素、ヒッグス場という要素に対応しているのが、個体としてのキリストの身体、十字架の上で死んでいくキリストの身体である。つまり十字架上のキリストは、教会という共同性が成り立つためのヒッグス場のようなものである。

さらに遡って、前章の最初の節で論じたことを振り返っておこう。そこで、われわれは、チエスタトンやダリアン・リーダーの論に触発されつつ、仏教徒の内面へと向けられたおだやかな眼は、ある種の他者の眼差しの排除の上に成り立っているのではないか、と論じておいた。このことを意識しつつ、本章の考察の中で扱った『イーゼンハイムの祭壇画』をもう一度、振り返ってみよう。洗礼者ヨハネを初めとする、ここに描かれた人物たちは、いずれも、異様な集中力をもって外を凝視している。その視線の先には、もちろん、キリストの身体がある。外に向けられた眼差し、他者へと向かう眼差しとは、いったい何であろうか。眼差しが開示するもの、それは差異である。私へと差し向けられた他者の眼差しを直観するとき、私が自覚せざるをえないことは、私と他者の間に決して架橋できない深淵があるという現実である。これは、今しがた論じたこと、キリスト教の原点には、「一者」と「他者」の間の本源的な差異がある、という事実に対応している。自他の間で交換される眼差しこそが、そうした差異を浮上させるからである。

それにしても、これは、いささか意外な発見ではないだろうか。一神教について流布している通念に従えば、それは排他的で、多様性を抑圧する強引な統一化を特徴としている。それに対して、ここで、キリスト教という一神教に即して見出したのは、一神教でありながら、「一者」と「他者」との間の差異を原点に据える態度、つまり「二」へと開かれた構成である。どうして、こんなことが可能だったのか？　そのからくりの秘密は、キリストという契機にある。キリストとは、超越的な神と内在的な人間の差異そのものである。キリストは、一方では、超越的な「一者」（神）だが、同時に、他方では、その「一者」の支配が構成されるために抑圧されていなければならない「他者」でもある。

＊1　原子は、陽子と中性子と電子からできている。そして陽子と中性子は、クォークに分解できる。

＊2　毘盧遮那仏を中心に据えているのは、『華厳経』である。華厳宗が、宇宙規模の仏像、つまり大仏を作るのは、このためである。

＊3　これは、ジジェクの推測に基づく。Slavoj Žižek, "Leave the Screen Empty!", *lacanian ink*, 35, 2010, p.160.

＊4　画家の意識は、前景にある明示的な主題にのみ及ぶ。背景は、画家自身の精神においても背景（無意識）である。彼にとっては、背景は、それこそ「前景の背景」という消極的な意味づけ以上のものにはならない。背景まで含む、絵画の構成上の論理を捉えるためには、画家が意識していたことに留まってはいられない。

＊5　ヘーゲル『ヘーゲル全集6a　大論理学　上巻の一』武市健人訳、岩波書店、一九九四年。

＊6　「大論理学」のこの部分が、『ルビンの杯』になぞらえることで分かり易くなる、ということを指摘したのは、長谷川三千子である。われわれは、彼女の論に倣っている。長谷川三千子『日本語の哲学へ』ちくま新書、二〇一〇年、九七頁以下。

第11章　インドと中国

1　複雑性の縮減

仏教を代表する図像が曼荼羅であるとすれば、キリスト教を代表する図像は磔刑図である。前章で、われわれは、両者を比較することで、仏教とキリスト教の相違の要諦を整理した。そこで論じたことを、現代の社会システム論の概念に対応させて、一般化しておこう。

まず、曼荼羅や磔刑図を社会システムと対応させることが、決して、突飛な関連づけではない、ということを確認しておこう。曼荼羅は、仏教から見た宇宙のイメージである。たとえば、胎蔵界曼荼羅は、ブッダの身体を描いたものだが、この場合のブッダの身体とは、仏教で言うところの「法身」であって、宇宙と同じものである。さらに、金剛界曼荼羅は、主体がそれへと同一化すべき対象（即身成仏）として、ブッダの身体を提示する。ところで、磔刑図におけるキリストの（死にゆく）身体もまた、信者の同一化の対象ではないだろうか。というのも、パウロが述べているように、キリストの身体こそは教会、つまり信者たちの普遍的な共同体だからである。とするならば、磔刑図において描かれているのは、包括的な社会システム

（教会）のイメージである。そして、その仏教側での対応物は、曼荼羅だ。このように考えれば、これらの図像を、社会システムについての直感的な表現であると見なすことは、決して不自然なことではない。

ニクラス・ルーマンによれば、社会システムの基本的な機能、すべての機能の前提となる基礎的な機能は、複雑性の縮減である。[*1] 複雑性とは、「要素および要素間の関係」の可能性の集合のことであり、社会システムの場合には、要素はコミュニケーションである。システムにとっては、世界は、常に可能性の過多、大きすぎる複雑性として現れる。過剰な複雑性はシステムにとっての根本問題である。システムが成り立っている状態は、世界の複雑性の中から、許容されたり、承認されたりしている可能性が制限され、限定されていることを指している。つまり、社会システムの内部では、論理的に可能なコミュニケーション（とその接続）は限定され、その一部しか現れない。

たとえば、ある官僚が、大好きなホットドッグを食べていたとして、それが仮に勤務時間中のことであったとしても、その行為は行政システム（という社会システム）に所属しているとは見なされない。実際、この官僚は、ホットドッグを食べる歓びや感謝を、同僚や上司に向けることはなく、彼にそれを持たせた妻に向ける。「ホットドッグを食べる」という行為は、行政システムの中で可能とされている要素には初めから含まれていないからである。システムが成り立っているとき、その内部では複雑性は大いに縮減されている。システムに内部化されていない可能性は、そのシステムにとっては環境に属している。

環境の複雑性とそこからの縮減によるシステムの形成という関係は、「図／地」の構図で理解できるだろう。「地」（環境）としてあるところの過剰な複雑性の中から、一部が「図」（システム）として切り出されるのである。

ところで、システム論の領域では、（社会システムに限らず）一般に、システムの能力、すなわちどれほど複雑で多様な環境を認識し、それらに対応できるかという能力は、システム自身の内的な多様度・複雑性に比例していることが知られている。これを、（この比例関係を唱えた学者の名前にちなんで）「アシュビーの最小多様度の法則」と呼ぶ。たとえば、ダニは、酪酸を発している物体（哺乳類）を感知して、その物体の表面に着地し、吸血する。ダニにとっては、その物体が酪酸を発するかどうかという区別は存在するが、その他のこと――たとえばその物体が何色かとかどんな音を発しているかといったこと――は無に等しい。ダニの知覚系には、酪酸の有無を区別する程度の複雑性しか備わっていないからである。したがって、システムは、複雑性を縮減するのだが、十分に多様で複雑に変化する環境に、鋭敏に対応するためには、自分自身の内的な複雑性を高めなくてはならない。

社会システムは――心理システムとともに――意味構成的システムである。「意味」という概念を現象学から借用し、社会システム論に自覚的に導入したのはルーマンだ。[*2] システムが、システムの内外の対象を「何ものか」として同定しているとき、その「何ものか」にあたるのが「意味」である。意味とは、否定の能力を媒介にした「体験加工」である。この点を、ルーマンに従って要約しておこう。対象を何ものかとして同定することは、そうではない可能性を否定し、それらから対象を区別することである。意味は、このように人間の否定の能力に基づいている。否定は、他なる可能性を廃棄することではない。むしろ、否定は、他のありえた可能性を保存し、維持するのだ。このように、選択されなかった「他なる可能性」を潜在的に維持することを、ルーマンは、体験加工と呼んだ。

たとえば、昼食に「ホットドッグを食べること」が選択されたときには、その選択に際して参照され、否定された他の選択肢——お蕎麦を食べること／カレーを食べること等——が、十分に「ありえたこと」として保存されている。経済システムにおいては、すべての選択が、結局、「支払い／非支払い」の二項対立に集約されるのだが、たとえば、将来のために新しい機械を購入し、投資したときには、慎重に「機械を購入しないこと（非支払い）」もありえた選択肢として意識され、潜在的に維持される。

さて、このくらい準備しておけば、曼荼羅と磔刑図に回帰することができる。曼荼羅は、言ってみれば、複雑性を縮減した後の、システムの内的な複雑性の表象である。曼荼羅は、それ自体、複雑ではあるが、整序されてもいる。複雑性の縮減のためにこそ、システムの内的な複雑性を増大させなくてはならない、という関係を連想させる。

それでは、磔刑図は何を描いていることになるのか。磔刑図において表象されているのは、複雑性の縮減が生ずるその瞬間である。個人としてのキリストが消滅し、教会として生成するポイントだ。その場合、背景（地）が空白であること、そこに何ものも描かれていないことが、死活的に重要である。「システム／環境」の差異について論じ、システムに対して環境の複雑性が過剰であると説明してきたが、実は、こうした把握自体が、システムの内部からの把握である。このとき人は、システムが用意した「意味」を媒介にして、選択されなかった可能性を、環境へと投射しているのである。「システム／環境」の差異をシステムの内部から捉えることを、意味による「問題変位」と呼ぶ。問題変位に先立つ縮減の瞬間を捉えるためには、背景＝環境は、何ものでもないこと、まったくの無に留まることが必要だ。

2 東の優位？ 西の優位？

社会システム論の用語によって、前章で論じたことを、かんたんに整理しておいた。ここで、ここまでの探究の歩みを振り返っておこう。われわれが、探究のどのような過程の中にあるのかを再確認しておこう。

われわれの探究を動機づけたのは、世界史についてのごく初歩的な知識があれば誰もが気づく事実、いやほとんど学問的な知識などなくても日常の生活や仕事の中で人が実感するに違いない事実である。その事実とは、世界史における「西」と「東」の圧倒的な不均衡、現代社会でも効きつづけている不均衡である。こうした不均衡は、どうして生じたのか？ 世界史における西洋の優位は何に由来するのか？ この疑問は、地理学者ジャレド・ダイアモンドのニューギニア人の友人ヤリによって素朴に、しかしそれだけに鋭利に提起されている。「あなたがた白人」――西洋人のことをヤリはこのように総括する――は多くのよきものを発達させてニューギニアに持ち込んだのに、どうして「私たちニューギニア人」には「自分たちのもの」といえるものがほとんどないのか、と（第1章）。

この疑問に対して、ダイアモンド自身は、環境地理的・生物地理的な事実を究極の要因とするような壮大な因果関係を提起することによって答えている。つまり、ごくシンプルな自然環境の相違が、長い因果関係を通じて、不均衡を生み出したというのだ。[*3] 一方では、ダイアモンドの説明は、たいへん説得力がある。しかし、他方では、この説明は、その説得力のゆえにかえって、問いを、なおいっそう深い謎として再提起するものになっているのだ。というのは、次のような意味である。ダイアモンドが抽出した因果関係は、ユーラシア大陸が、新大陸（南北アメリカ大陸とオーストラリア大陸）やアフリカ大陸に対して有利だったことの説明にはなっている。したがって、ニューギニア人のヤリに対しては、一応は答えたことになっている。しかし、それだけによけいに不思議ではないだろうか？　同じユーラシア大陸の内部で見ても、東と西との間の不均衡はあるのだ。ヨーロッパと中国とを比較してみるとよい（第2章）。

この点については、近年の学界では、流行の説明がある。それによると、もともとは、中国の方が「先進国」であって、ヨーロッパは、田舎の「後進地域」だったのだ。長い人間の歴史の大部分において、中国こそが最も先進的な文明だった、というのだ。だから、東と西に不均衡があるとしても、それは、これまで言われてきたこととは逆に、東の優位という形式の不均衡なのである。[*4] ただ、ごく最近の歴史の中で――おそらくは一八世紀あたり以降――一時的にヨーロッパが中国を追い抜いたのであって、それこそは、むしろ歴史の異常事態である。しかし、その異常な状況も終わりつつある。つまり、現在、中国の優位が再び回帰しつつある。こうした説明が、この十年ほどの学界では流行っている。代表的な論者は、A・G・フランクである。[*5]

しかし、この説明も、問題を解決しているのではなく、よく考えてみれば、問題を深めている——あるいは問題を再提起している——だけである。確かに、たとえば一二世紀——ヨーロッパは中世の転換期にあり、中国には宋王朝があったとき——をとって比較してみるならば、中国の方が、先進的だと言えるかもしれない。たとえば、西洋のルネサンスの三大発明とされている火薬装塡の火器、羅針盤、活版印刷はすべて、西洋に先だって、宋代中国で発明されていた。だが、そうだとすると、疑問はむしろ深まるばかりである。中国の方が、ずっと先進的だったとするならば、どうして、はるかに遅れていたヨーロッパに、急に、そして「一時的に」抜かれたのだろうか？　どうして、中国は、何千年もリードしていたのに、突然、抜かれてしまったのだろうか？

さらに、「今日に至って、本来のかたちに——中国がリードしているかたちに——復しつつある」という認定は、学問的な根拠に基づくものではないということに留意しなくてはならない。何かそれまで気づかれていなかった大きな学問的発見があったわけでもなく、あるいは歴史を説明する新理論が提起されたわけでもないのだ。それは、学問以前の感覚、生活上の実感からくる類推である。この十年強の期間を振り返ると、特に経済に関して言えば、ヨーロッパもアメリカも、そして日本も不況で、中国だけが「一人勝ち」しているような状況である。中国の優位に復帰しつつあるという判断は、こうした状況からの直感だ。実際、中国のＧＤＰ

は、早晩、アメリカを抜いて世界一になるだろう。

だが、これは「歴史の本来の姿への立ち返り」とか、「中国に本来属していた優位の回帰」ということなのだろうか。違う、そう解釈すべきではない。確かに、中国の経済は好調で、こうした状況はしばらく続くかもしれないが、この好調さは、中国的なもの、中国にもともと属していたものの現れとは見なしえない。それは、中国が、少なくとも経済に関しては、西洋に由来するルールに首尾よく適応できたことの結果である。どうして、二十年か、三十年の短期間に、中国が西洋的な経済のルール（資本主義）に鮮やかに適応できたのか、ということは問うべき主題であり、この点については第4節で、若干の説明を与えるが、しかし、今日の経済における「中国の一人勝ち」は、「伝統的に中国に属していたもの」の復帰をいささかも意味してはいない。むしろ逆であって、中国も「勝者」となるためには、西洋的なルールを習得し、西洋を模倣しなければならない、ということが示されたのだ。[*6] だから、現在の中国の「資本主義経済」の繁栄は、近代における西洋の優位を、むしろ裏付けるものであって、断じて、中国が本来優位であったということを示すものではない。

とすれば、中国を参照点としたときに、なお東と西との間の不均衡という謎が残ることになる。この点を確認した上で、われわれは、主題のフィールドをさらに拡張したのであった。たとえば、「仏教」を試験的媒体として活用してみる。仏教は、ユーラシア大陸のほぼ中央にあたる場所で生まれた。また、仏教が、非常に浸透力がある――つまり普遍的な説得力を有する――文化要素であることを、日本人はよく知っている。事実、現在のインドとネパールの国境地帯に発生した仏教は、四方に伝播していった。ところが、奇妙なことに、放射状に拡がっていった仏教の伝播経路は、西アジアの辺りで、「一神教の壁」に跳ね返されるかのように大きく屈折し、結局、ユーラシア大陸の西方にはほとんど届かなかったのだ。

この事実は、インドから中国にかけての地域を、均質的・連続的な文明として把握することができるということ、その領域と一神教が繁栄することになる地域の文明との間には大きな断絶があるということ、これらのことを示唆している。そこで、われわれは、「東」と「西」との不均衡という主題を考察するにあたって、インドと中国を統一的な視野の中におさめるような一般化の中で、「東」を位置づけることにしたのであった（第4章参照）。中国について本格的に探究する前に、いったん、インドの歴史について考察したのは、こうしたプランに基づくものであった。仏教は、そうした考察の中で登場した。われわれは、やがて中国についての考察に立ち戻らなくてはならないが、その前に、インドを主題にしたのである。

3　統一された社会／分裂した社会

それならば、中国社会とインド社会、東アジアに歴史的に形成されてきた社会とインド亜大陸に形成された社会とはよく似ているのだろうか？　両者の社会構造は、互いに類似しているのだろうか？　とんでもない！　両者はまったく異なっている。単に異なっているという以上である。二つの社会は、典型的なまでに対照的なのだ。

中国を特徴づける社会構造、中国の中国たる所以とも言うべきデフォルトの社会構造は、非常な広域に及ぶ集権的な権力を根幹にもつ構造、つまり帝国の域にまで達した国家である（第2章参照）。むろん、そこには整備された行政スタッフ（官僚制）が組み込まれている。中国は、二千二百年以上も前に、このような権力を実現した。最初に、このような帝国的な社会構造を確立したのは、周王朝を倒した秦である。周はまだ、局地的な王や豪族たちの連合に近い社会だったが、秦は一元的で集権的な権力を確立したのだ。以降、中国の歴史の中で、何度も帝国は分解し、戦争状態に陥るが、しかし、繰り返し、ほぼ同じ場所に似たような統一的権力が現れ、今日の共産党支配にまで至っている。中国よりはかなり人口が少ない西ヨーロッパでさえも、いまだに完全な政治的統一性を実現していない。西ヨーロッパを政治的に統合することの必要性は繰り返し説かれてきたし、西ローマ帝国の崩壊の後、ヨーロッパを征服し、統一しようという野心を抱いた政治家や権力者もたくさんいたが（シャルルマーニュ、神聖ローマ皇帝カール五世、ナポレオン、ヒトラー等）、西ヨーロッパは未だ単一の主権のもとに統合されてはいない。それに対して、中国では、たいへん早期に帝国が実現した。しかも、それは何度も崩壊したのに、その度に再構築されてきたのだ。これは非常な驚きである。どうして、こんなことが可能だったのか？　ヨーロッパでは成し遂げられなかったことが、どうして中国では起こりえたのか？[*7]

しかし、インド亜大陸に目を転ずるならば、状況は正反対だ。ここでの歴史的なデフォルトの社会状態は、互いに小競り合い的な戦争を繰り返す小さな王国や公国、首長社会、部族の集合である。ごくまれに、インド亜大陸の大半を覆うような王国が実現するが、それにしても、中国の帝国の統合性とは比べようもなく、内部はまったくばらばらであるし、また短命でもある。さらに、中国のように、崩壊した大規模な国家が繰り返し、再来するということはない。「アジア的専制」などという語によって一括されることがあるが、この語に適合的な大規模な集権的権力を実現したのは中国であって、インドに対しては、この語はまったく不適切である。中国の方に基準をおくと、今度は、このインドの状態が謎に思えてくる。どうして、中国で実現したような政治的な統一性が、インドではまったく確立されてこなかったのだろうか？

ここで、用語を少し整備しておこう。「国家 state」という語は、――一般の用法と同様に――ここでは次のような意味である。すなわち、直接のコミュニケーションによって関係しあう人々や集団をはるかに凌駕する空間的な範囲の人々が単一の権力の下に服していると解釈することができるとき、その範囲に成り立っている社会を国家と呼ぼう。それには、しばしば、物理的暴力の（ある程度の）独占が伴っている。実際には、首長社会と国家（王国）との境界、部族連合的な社会と国家の境界はあいまいである。しかし、首長社会や部族連合と、強大な王を有する国家との間には、やはり質的な飛躍がある。さらに、国家が、その支配の正当性に関して、単一の普遍性を要求し、実際に、多くの国家を内部に服属させるに至ったとき、それを「帝国 empire」と見なすことができる。帝国は、普遍思想をもち、理念上は、常に世界＝帝国である。国家や帝国がどの範囲でどの程度の実効性をもったかを測るには、税がどの程度実効的に徴収されていたかを見るとよい。

この定義からすると、中国にもインドにも国家はあったと言ってよい。さらに、中国には、間違いなく帝国があった。しかし、インドに実現した国家に関しては、その最大規模のものであってさえも、帝国と呼ぶことは難しい。そもそも、インドの社会は、しばしば、国家を実現するのに苦戦しているのである。そこでは、小規模な首長制から国家への転換が、容易には成し遂げられない。すると、われわれは次のような期待をもつことができる。インド社会と中国社会とを比較することは、社会科学のあの古典的な主題、国家形成の謎を解くことにもなる、と。国家は、いかなる条件のもとで、いかにして成立したのか？

＊

インドと中国の社会構造の対照的な相違に関して、もう少し理解を深めておく必要がある。それには、中国の秦帝国とインドのマウリヤ朝とを比較してみるのがよい。

今しがた述べたように、秦は、中国における最初の本格的な帝国である。秦は、もともとは、周のもとの一領邦であった。その秦の始皇帝が中国を統一し、帝国を樹立したのは、紀元前二二一年のことである。ちょうど同じ頃、マウリヤ朝のアショカ王が、インド亜大陸のほぼ全域を統一した。マウリヤ朝は、もともとは、マガダ国に興った王朝で、他国に比べて比較的有力ではあったが、帝国とはほど遠い小規模な王国でしかなかった。しかし、マウリヤ朝のアショカ王は、インド亜大陸のほぼ全域を――最南端部やスリランカを除いて――統一した。それは、紀元前三世紀の中盤から末期の時期にあたる。アショカ王のマウリヤ朝は、土着のインド人が創出した国家としては——イスラム教徒やイギリス人といった征服者によるものを除いてということだが——最大規模のものである。こうした事実から、中国でもインドでも、ほとんど同時に、しかも似たような規模の帝国が誕生した、と考えたくなる。しかし、内実を見るならば、つまり王国・帝国の支配の実態を比較検討してみると、むしろ、両者の違いこそが顕著であることがわかってくる。

秦は、まさに国家と呼ぶにふさわしい。マックス・ヴェーバーが注目しているような——ほとんど近代的と言ってもよい——官僚制をすでに備えていた。始皇帝は、戦争の過程で、地方貴族的なエリート、家産制的なエリートの大半を殺戮した。だから、官僚制を支えているスタッフは、それぞれの地域に根をもっている家産制的なエリートではない。官僚は、一種のメリトクラシーに基づいて、つまり個人的な好悪やコネクションからは独立した業績主義的な基準に基づいて選抜されたのである。

秦の権力がいかに強大だったかを示す事実は、周代に用いられていた伝統的な土地の「所有権」——井田制と呼ばれていた土地の所有慣行——を全廃してしまったこと、さらに中国的な意味での「封建制」を「郡県制」に置き換えたこと、これら二つの事実によく現れている。中国版の封建制は、一族や功臣を諸侯として領地に派遣し、支配させる方法で、在地土豪の従来からの支配をそのまま認めた上に、各地の諸侯も次第に王朝からの独立性を高めるので、必然的に分権的なシステムになった。それに対して、郡県制は、中央政府によって採用された官僚が、任地へと派遣されるシステムで、任地が中央政府の意向によってときどき変わることもあって、官僚が地方に地盤をもって、皇帝と拮抗するような権力をもつことを抑止した――つまり郡県制は、集権的なシステムに適合的だった。秦は度量衡を統一し、そして秦が実現したもっと重要なことは文字を標準化したことである。

実は、秦王朝は、たった十五年で崩壊し、そのプロジェクトは未完のままに終わった。この点にも社会学的には重要な意味があるのだが、中央集権的な行政機構を実現しようとする指向は、直後の漢王朝にも継承されたこと、さらに右にも述べたように、中国では帝国に類する社会構造が何度も甦ることを考慮に入れて、今は、この点については副次的なことと見なして、深く立ち入らず、基本的なことだけを確認しておこう。

それでは、インドのマウリヤ朝はどうなのか。[*8] 秦と似たような集権的な官僚制を実現していたのだろうか。マウリヤ朝の官僚機構は、秦のそれとはまったく異なっている。マウリヤ朝の官僚制には、近代的なところは微塵もない。官僚スタッフの徴集法だけでも、その点は明らかだ。官僚として採用されたのは、有力な家産制的貴族や（バラモン等）上位カーストの者だけであり、こうしたやり方は、メリトクラシーとはまったく関係がない。身分やカーストの相違からくる、官僚のサラリーの差は、非常に大きかった。[*9]

そもそも、アショカ王による「征服」は、始皇帝による征服とはまったく異なるものだった。始皇帝は、地方を支配している有力親族を、しばしば根絶やしにした。全殺戮を免れたければ、有力親族は、その地域から脱出するしかなかった。それに対して、アショカ王のやり方は、はるかに穏健なものであった。戦争でアショカ王に敗北した地方の支配者たちは、殺されたわけでもなければ、追放されたわけでもない[*10]。彼らは、アショカ王の支配権を名目的に認めさえすれば、それでもう許されたのである。地方の支配者は、そのまま自分たちのやり方で政治を継続すればよかったのだ。つまりマウリヤ朝は、地方の「政府」に、自分たちの制度を強制することはなかったのだ。地方の部族的支配者や首長は、アショカ王の支配の下でも、ほとんど無傷のまま残存した。インド亜大陸を統一したと言っても、マウリヤ朝が、その全域に及ぶ、再分配の権力を有していたとは見なしえない。

土地の所有制度についてのかかわりも、秦とマウリヤ朝では、まったく正反対である。アショカ王には、土地所有の慣行に挑戦しようという野心はまったくなかった。秦の商鞅（しょうおう）が試みたラディカルな土地改革は、アショカ王の念頭に思い浮かぶことすらなかっただろう。国家は、一応、土地への課税の権利だけは主張したが、土地の所有や占有の内実を変更したりはしなかった。もっと過酷な税制度、たとえば人頭税や賦役なども考えられるところだが、そうしたこともマウリヤ朝の下では実現しなかった。

度量衡の統一やまして文字や言語の統一といったことにも、マウリヤ朝はまったく関心を示さなかった。言語に関して言えば、インド亜大陸にほんの少しでも統一性を与えたのは、イギリスの植民地政府である。今日でも、インド亜大陸の言語が極端に多様なのは、この地では、イギリス人がやってくるまで、誰も文字や公用語を統一しようとはしなかったからである。マウリヤ朝の支配者は、彼らの支配地の中に、スパイのネットワークを張り巡らしていたが、彼らがその同じ領域のインフラの整備に興味をもった形跡はない。つまり、彼らは道路や運河を建設しようとはしなかった。中国の皇帝たちが、北方からの侵略者に備えて、大規模な城壁を建造した事実と対比させてみるとよい。中国人から見ると、あるいは現代のわれわれから見ても、インドの王たちには、支配者としての自覚がまったくないようにすら感じられる。

アショカ王が崩御すると（紀元前二三二年）、マウリヤ朝は、あっというまに凋落（ちょうらく）した。王国内部にあった首長や部族のリーダーたちが、それぞれ勝手に独立してしまい、マウリヤ朝は滅亡した。マウリヤ朝の次に、似たようなスケールの王国を築くのは、グプタ朝だが、その内実も、マウリヤ朝とさして変わらない。

つまり、インド社会は、一見、統一的な王国や帝国らしきものを実現しているように見えるときでさえも、内的には分裂している。中国に実現した集権的な帝国とは、目が眩むほどに異なっている。どうして、これほどまでの違いが出てくるのか？　その原因はどこにあるのか？

4　歴史的定数のごとく

インド社会のごく初期の歴史に、つまり国家が成立する前の部族社会の歴史の中に、中国とは根本的に異なるものがあったのだろうか。だが、歴史を深く遡ると、インドと中国の差異は小さくなってくる。インドの初期の部族社会は、中国のそれとさして変わらない。というより、世界中のどこにでも見られるような、前国家的な部族社会が、インドにもあったのだ。

社会言語学的に見れば、インド亜大陸には三つの大きなグループがある。北部には、サンスクリット語を話す、インド・アーリア人の子孫と思われる人々が、南部には、ドラビダ語のスピーカーが、そして東部には、ビルマや東南アジアとよく似た言語を用いる人々がいた。圧倒的多数は父系社会だが、南部や東部には、母系で母方居住を採用している集団もいた。中国の父系社会と同様に、親族集団は、共通の祖先を有すると見なされており、また共同の資産をもっていた。[*11]

このように、一見したところ、初期の部族社会にインドと中国とのその後の歴史の展開を分かつような決定的な相違を認めることは難しい。しかし、マウリヤ朝と秦朝が成立する直前の段階には、すでに両者の相違は大きい。秦による統一の前には、中国は、五世紀以上も継続した過酷な戦争の時代にあった（春秋戦国時代）。インドは、それほど長く、徹底した戦争を経験してはいない。どうして、こうした違いが出たのか、原因はよくわからないので、歴史家は、人口密度に違いがあったのではないか、といった推定をしている。しかし、この推定には、たいした実証的裏付けはない。

インドには、国家の起源神話は二つあるという。一つは、ヴェーダ文献（Aitareya Brahmana）に収録されている神話である。それによると、神々と悪魔たちが戦争したとき、神々にとって戦況がだんだんと悪くなった。彼らは、リーダーの必要を感じ、インドラを彼らの王として指名した。もう一つは、次のような仏教の言い伝えである。人間たちは、カースト（ヴァルナ）の区別から生ずる初期の栄光を失うと、互いに家族や財産をもつことに同意するようになる。それとともに、盗みや殺人、姦淫などの罪が横行し始めたため、人々は、秩序維持のために、一人の支配者を選び出した。この人物、「偉大な選ばれた人」が、秩序維持の任務をもつ代わりに、人々は、彼に、農作物や畜産物を収めなくてはならない。[*12]

どちらもありふれた神話である。前者は戦争（外交）に、後者は内政に、王国の誕生の必然性を求めている。仏教が「内政」を重視したのは、その「非暴力主義」のゆえであろう。いずれにせよ、このようなどこにでもある神話から、インドの特殊性を説明することは難しい。

＊

マウリヤ朝の後のインド史の展開の中に、何か手がかりはないだろうか？　マウリヤ朝の後に出現した、インド人に固有の大規模な王朝としては、先にも述べたようにグプタ朝が目立っている。グプタ朝の初代の王、チャンドラグプタがマガダ国で即位したのは、四世紀の初め（三二〇年）である。グプタ朝は、政治の側面では、何の革新ももたらさなかった。グプタ朝の支配は、典型的なインド様式だったと言ってよいだろう。戦争で敗れた土着の支配者たちは、グプタ朝の宮廷に朝貢品を差し出せば、後は、そのまま従来通りの統治を続けることができた。

その後にインド亜大陸に実現した大規模な政治的単位は、すべて外部からの侵略者の手によるものである。二種類の侵略者が重要だ。第一はムスリム、第二は、言うまでもなくイギリス人だ。

ムスリムによる王朝、デリー・スルターン朝が、クトゥプディーン・アイバック将軍によって創始されたのは、一三世紀初頭（一二〇六年）である。スルターンは、三百二十年間、政権を維持した。デリー・スルターン朝は、インド土着のどの王権よりも長続きしたということになる。しかし、ムスリムの侵略によって、インド社会の基本的な性格が変わったわけではない。スルターンは、インド社会の伝統を受け入れた上で、それを不動の前提として君臨したように見える。土着の政治に干渉することもなかったし、領土を南部に向けて拡張していくこともなかった。[*13]

これに比べると、イギリスによる植民地化は、インド社会にとってはるかに大きなインパクトがあった。イギリスの統治は、それまでのインド社会にはなかった、非常に多くのものを導入した。行政サーヴィス、常備軍、共通の行政語（英語）、整合的で非人称的な法の支配、そして何よりも民主主義、これらは、すべてイギリスがインドに植え付けたものである。われわれは、しばしば、「インド人がイギリスの植民地支配から独立した」などと表現するが、イギリスによる統治の前には、「インド人」という社会的実体は存在していなかったのである。イギリスが、インド亜大陸の全体を、単一の統治の単位と見なさなければ、「共通の文化」を有する「インド人」という理念は生まれなかっただろう。植民地支配が、自己否定的に、そこからの解放を目指す社会的実体を産出したのである。[*14]

このように、イギリスは、インドに新しい政治制度をいくつも導入することに成功した。が、しかし、政治制度的な表層のさらに基底にある社会構造に関して言えば、イギリスのインパクトは、やはり限定的であったと言わざるをえない。確かに、サティ（未亡人が亡くなった夫の遺体を燃やす火に飛び込んで殉死する慣行）のような、イギリス人に極端な嫌悪を催す習慣は廃止されたし、西洋思想に興味をもつ知識人も生み出したが、地方の末端の農村の生活や社会構造は、イギリスがやって来る前とほとんど変わらなかった。[*15]

＊

整理しよう。中国には、権威主義的で中央集権的な支配を有する大規模な社会構造が成り立ち、インドの方には、限定的な権力が多元的に分立している社会構造があった。それぞれは、歴史の定数のようなものとして留まり続けてきた。この相違は、今日でも持続している。[*16]

第2節で、現代の中国が、経済的に非常な成功を収めている、という事実を確認しておいた。中国の経済的な成功の重要な要因の一つは、中国史を長く貫通してきた――われわれがここに指摘してきた――政治権力の構造にある、と考えてよいのではあるまいか。中国社会の根幹にある集権的な支配の構造が、開発独裁のような政策を非常に容易なものにするのだ。有名な長江三峡ダムの建設に代表される、大規模なインフラ工事のことを思えばよい。三峡ダムを建設したために、およそ百万人もの人が移動しなければならなかった、とされる。つまり、政府の意向ひとつで、百万人の人口が、素直に移住するような社会でなくては、三峡ダムなど建設できなかったのである。日本の三里塚の農民たちのように、百万人の中国の農民が抵抗していたらどうなっていたかを想像してみるとよい。

このように、中国の社会構造は、急速な産業化には適合的である。しかし、経済にとっては有利な同じ社会構造は、政治の「近代化」――つまり民主化――には不向きである。西側の人々は、中国社会は非民主的であると批判する。そして、中国が、経済的には資本主義化（市場化）したのに、政治的にはなかなか民主化しないのはどうしてなのか、と疑問をもつ。しかし、中国が経済的に成功しえたのは、政治の構造が非民主的だったからなのである。

これと正反対の状況にあるのが、現代のインドである。インドは、目下のところ、中国ほどには経済的に成功してはいない。その理由を想像するのは難しくない。インドで、三峡ダムのような大規模な土木工事を行おうとしたらどうなるのか、考えてみればよいのだ。NGOや土着の農民を含む、無数の細々としたグループが、これに抵抗して、絶対にうまくいくまい。インドでは、中国にあったような、末端にまで効果を及ぼす集権的な権力が成り立ったためしがない。

その代わり、インドは、民主主義に関しては優等生であると見なされてきた。インドで民主主義が比較的よく機能するのはどうしてであろうか。インドでは、西洋風の「市民社会」が「成熟」しているのだろうか。そうとは思えない。そもそも、インドには、一般に、民主主義を阻害するとされる構造的な条件がほとんどすべてそろっている。極端に貧しい農村、都市のスラム、宗教的・民族的・言語的な分裂、階級間の格差、学校教育の普及率の低さ、法を無視した小規模集団の間の不断の紛争、等々。それなのに、インド社会がかなり民主主義的に運営されているように見えるのはどうしてなのか。インドの歴史的定数とも言うべき多元社会が、意図せざる形で、結果的に、民主主義に適合的だからであろう。単一の強い権力に服従することなく、小さな社会集団が自律的に活動することを許す社会構造が、民主主義という制度と親和的だったのである。

このように、中国とインドでは、まったく状況が対照的である。経済的には優等生の仲間に入ったのに、政治的には劣等生だと見なされている中国と、経済的にはそれほどでもないのに、政治的には褒められているインド。さて、もう一度、問おう。このような違いは、どうして生じたのだろうか？　やはり、インド社会のあの顕著な特性に、解決の手がかりを見出すしかないだろう。それは、言うまでもあるまい。カーストである。独特な宗教的な世界観によって規定されたカーストの体系である。

＊1　ニクラス・ルーマン『社会システム理論』上・下、佐藤勉監訳、恒星社厚生閣、一九九三－一九九五年（原著一九八四年）。

＊2　システムには、機械システム／有機体システム／社会システム／心理システムの四種類がある。後二者は「行為システム」と呼ばれ、意味（構成的）システムであるところに特徴がある。ルーマン、同書。

＊3　ジャレド・ダイアモンド『銃・病原菌・鉄』上・下、倉骨彰訳、草思社、二〇〇〇年。

＊4　そうだとすると、今度は、どうして東が、中国が優位だったのかが疑問になるのだが、その点は、今は置いておくことにしよう。

＊5　アンドレ・グンダー・フランク『リオリエント――アジア時代のグローバル・エコノミー』山下範久訳、藤原書店、二〇〇〇年。

＊6　それゆえ、西洋の模倣が進捗していない分野では、中国は、やはり「遅れている」と見なされている（第4節も参照）。たとえば、政治である。西洋的な民主主義が実施されていないために、中国は野蛮な国であ

るかのように言われる。文化や哲学に関しては、さらに顕著である。一九七〇年代後半以降の多文化主義的な思潮の中で、仏教とかチベットに連なる思想や哲学は、西洋の——いや世界中の——多くの若い知識人を魅了したが、どういうわけか、中国の思想や哲学はあまり人気が出なかった。フランスのポスト構造主義やアメリカ中心の分析哲学の後は、宋明理学の出番だ……と誰も思ってはいないだろう。

＊7　今日に至って、西ヨーロッパは、やっとEUレベルの統一性を実現した。これは、西ローマ帝国が崩壊した後でヨーロッパに成立した政治的な共同体としては最も統合された状態だが、しかし、単一の主権の下に服しているわけではない。現在の経済的な危機の中では、EUのより緊密な政治的統合の必要性を誰もが感じているが、しかし、それがすぐさま実現できる状況にはない。中国では、そんなことは、キリストが生まれるよりも前に成し遂げられているのに！

＊8　マウリヤ朝については、以下の文献を参照。Ram S. Sharma, *Aspects of Political Ideas and Institutions in Ancient India*, Delhi: Motilal Banarsidass, 1968.

＊9　ある推定によれば、最高位の役人と最低位の官僚の給料の比率は、４８００：１だった（Sharma, *op.cit.*, pp.286-287）。別の推定では、これよりかなり差が小さいが、それでも、96：1である（Romila Thapar, *Early India: From the Origins to AD 1300*, Berkeley and Los Angeles, California: University of California Press, 2002, p.195）。

＊10　アショカ王の軍隊は、一度だけ、ひどい集団殺戮を手掛けたことがある。カリンガ国を征服したときである。このときには、十五万人のカリンガ人が虐殺されたり、追放されたりしたと伝えられている。アショカ王は、このことを深く悔やんだ。この事件は、アショカ王には、深いトラウマとなり、後に彼が仏教へと改宗

する原因ともなった。この事実は、敵を殲滅するような徹底した攻撃が、いかに、インドの王たちの「本性」に反するものであったかを、よく物語っている。ところで、今、アショカ王が仏教徒になったと述べた。そうである、アショカ王と言えば、仏教の保護者として知られている。マウリヤ朝の初代の王――アショカの祖父にあたる――チャンドラグプタ（グプタ朝の創始者とは別人）は、ジャイナ教徒になって、あっさり王位を息子に譲ってしまった。アショカにとっても、チャンドラグプタにとっても、世俗の王という地位よりも、宗教者としての活動の方が重要なのだ（Thapar, *op.cit.*, p.178, p.181）。ここには、第7章で述べた論理、「諸例外をともなう普遍性」の論理が効いている。普遍的な意義をもつのは宗教的な出家者としての生き方であって、世俗の活動は、王としての統治行為でさえも、あまり意義がない「例外」の方に含まれるのだ。中国の皇帝や官僚（読書人）とは、正反対の価値観である。

*11　Irawati Karve, "The Kinship Map of India", Patricia Uberoi ed., *Family, Kinship and Marriage in India*, Delhi: Oxford University Press, 1993, p.50.

*12　Arthur L. Basham, *The Wonder That Was India: A Survey of the Culture of the Indian Sub-Continent Before the Coming of the Muslims*, London: Sidgwick and Jackson, 1954, pp.81-82.

*13　Sudipta Kaviraj, "On the Enchantment of the State: Indian Thought on the Role of the State in the Narrative of Modernity," *European Journal of Sociology*, 46(2), 2005, pp. 263-296.

*14　ヨーロッパ列強による植民地統治が、被植民者の国民的なアイデンティティを生み出すという現象は、きわめて一般的なことである。この点については、以下の文献を参照。ベネディクト・アンダーソン『定本想像の共同体』白石隆・白石さや訳、書籍工房早山、二〇〇七年（原著一九九一年）。大澤真幸『ナショナリズ

ムの由来』講談社、二〇〇七年。

＊15　次の著作を読むと、この点がよくわかる。これは、二〇世紀の中盤にインドの極貧の村に生まれたある女性の自伝である。プーラン・デヴィ『女盗賊プーラン』上・下、武者圭子訳、草思社、一九九七年（原著一九九六―九七年）。

＊16　インドと中国の以下に述べるような相違に関しては、フランシス・フクヤマの考察をもとにしている。Francis Fukuyama, *The Origins of Political Order: From Prehuman Times to the French Revolution*, New York: Farrar, Straus and Giroux, 2011, pp.186-188.

第12章　カーストの基底としての贈与

1 マルクス主義的な図式の格好の素材？

中国には、中央集権的な支配を有する大規模な社会構造が成立した。そのような社会構造が帝国である。それに対して、インドの社会構造は多元的に分解されていて、権力は限定的な範囲にしか及ばなかった。そのインドの社会構造に与えられている名前が、カースト体制である。中国に最初に帝国と呼びうる統一的な社会を実現したのが秦であったことを思うと、両者の差異の源流は、二千年を超える過去にまで遡った地点にあることになるが、前章の最後に述べたように、この差異は、二一世紀の現在でも効いている。政治や経済の領域で、現在中国で起きていることとインドで起きていることの間の主要な違いは、こうした歴史的な差異からダイレクトに説明することができるのだ。とするならば、当然、提起されるのは、こうした執拗な差異はどこから生じたのか、という疑問である。何が原因で、ここまでの持続する差異が形成されたのだろうか。

インドのカースト体制は、宗教的な宇宙観と、すなわちバラモン教と結託している。[*1] それでは、宗教的な理念は、どのようにして形成され、維持されてきたのか。宗教的な理念の内容を、社会科学的に説明する図式の代表的な例は、マルクス主義のそれである。ここで、マルクスではなく、「マルクス主義」の図式だと述べていることに注意してもらいたい。マルクスが宗教を「民衆の阿片」に喩えて以来、マルクス主義者の多くは、宗教をあまり重視してこなかった。マルクス主義者は、宗教を、社会の構造や変動を説明する独立の要因とは見なさなかったのである。宗教は、被規定要因、つまり従属変数の一つとされたのだ。もっとわかりやすく端的に言い換えれば、マルクス主義の標準的な見解によると、宗教とは、エリートによる階級的な支配を正当化する「おとぎ話」である。

こうした説明の構図は、マルクス主義の専有物ではない。マルクス主義者でなくても、経済的な要因を重視し、効用の極大化を人間の行動の原理と見なす合理的選択理論の主唱者などは、同じ構図に基づいている。まず経済的な利益の分布があり、それを正当化するための観念の体系として宗教が導入された、と。

マルクス主義に代表されるこうした図式を批判し、これと対決した社会(科)学者も、もちろんたくさんいる。周知のように、そうした学者の代表がマックス・ヴェーバーである。ヴェーバーの試みの中でも、最も大きな成功をおさめたのが、『プロテスタンティズムの倫理と資本主義の精神』である。この中で、ヴェーバーは、宗教的な理念(プロテスタンティズム)が、経済的な利害によって決定される従属変数ではなく、逆に、経済的な行動を規定する独立の要因となりうることを証明し(ようとし)た。

もちろん、こうした社会学理論に対しては、マルクス主義側からの反撃もある。ここで、もしマルクス主義にとって最も都合のよい宗教、マルクス主義的な図式に最もよくあてはまる宗教を一つ選ぶとしたら、それこそ、まさにバラモン教ではなかろうか。キリスト教やイスラム教に関しては、マルクス主義的な説明は、少なくとも、自明の説得力をもつとは言えない。キリスト教やイスラム教の教義のどこにも、特定の支配エリートを優遇するような内容は見出せないからである。教義にすなおに応ずる限り、キリスト教やイスラム教は平等主義的である。それに対して、バラモン教は、あからさまに、特定の身分、つまりバラモンの支配を支持し、正当化している。宗教が、階級支配の道具として捏造された「おとぎ話」であるとする説にとって、これほど都合のよい素材がほかにあるだろうか。

＊

だが、状況を精査してみれば、マルクス主義にとってまことに誂え向きに見えるバラモン教をめぐる事態こそは、逆に、標準的なマルクス主義の説明を反証する最大のケースであることがわかってくる。F・フクヤマがこの点を適切に説いているので、彼の議論を参考にしながら、マルクス主義の図式を斥けておこう。[*2] その作業が、カーストやバラモン教についての理解を結果的に深めることになるからである。

第一に、「おとぎ話」とされているバラモン教の教義やコスモロジーの内容が、「カースト支配の正当化のための有効な道具」という解釈の中に収められるだろうか。こうした解釈が妥当であるためには、「あのような教義やコスモロジーがなかったら、支配の有効性が大幅に削がれていたはずだ」ということが証明されなくてはならない。果たしてそうだっただろうか。

ここで、また中国社会との比較が啓発的な意義をもつ。中国でも、帝国実現の前夜にあたる時期（春秋戦国時代）、いわゆる諸子百家が現れ、互いに競って、自分たちの宗教や哲学を政治家たちに売り込んだ。中国の支配者たちは――歴史上のどの社会のエリートもそうしてきたように――、込み入った儀式を、権力の強化のために活用した。だが、しかし――ここが肝心な点だが――中国人は、インド人が発達させたような複雑で深みのある形而上学や神話に思い至らなかった。そのことで、中国のエリートたちの支配の有効性が、インドのケースと比して小さくなっただろうか？　そんなことはあるまい。むしろ事態は逆であった。バラモン教ほどに豊かな形而上学をもたなかった中華帝国の方が、政治的な権力の作用が及んだ領域の拡がりという点では、はるかに大きかったのだ。

第二に、マルクス主義にとってよりいっそう都合が悪いのは、インドにおいて、権力のヒエラルキーのトップにいるのは、物理的暴力や経済力を有する者ではなく、儀礼の力を保持する者だったという事実である。マルクス主義の図式によれば、次のような論理の順序でなくてはならない。すなわち、まず物理的暴力もしくは経済力に基づく支配があって、その支配を従属者たちに納得させるために、宗教が創作された、と。この順序の通りであるとすれば、クシャトリヤ（戦士）かヴァイシャ（商人）が、支配のヒエラルキーの頂点にいるはずではないか。クシャトリヤやヴどうして、彼らは、自ら進んで、バラモンの支配を受け入れているのか？　クシャトリヤやヴアイシャは、バラモンに土地やその他の経済的資源を提供しただけではない。彼らは、バラモンが彼らの私生活をコントロールすることさえ許したのだ。

第三に、経済や物質的利害を論理の起点とするマルクス主義的な説明は、カースト体制がどうしてかくも長続きしたのか——いや長続きしているのか——という問いに答えなくてはならない。物質的利害という基準でとらえたとき、バラモン教は、紀元前七世紀の——あるいはそれよりもさらに過去に遡った時期の——ごく少数の支配エリートの利益にかなっている。だが、それ以降の他のすべての階級や社会集団にとって、バラモン教が、とりたてて経済的な利益に合致しているわけではない。どうして、バラモン教の優位に挑戦する対抗的なエリートが現れなかったのか？ どうして、対抗的なエリートが、自分たちの利益を正当化する——場合によっては普遍的な平等をこそ主張する——別の新しい宗教を編み出さなかったのだろうか？[*3] 確かに、ある観点からすると、仏教やジャイナ教こそは、平等を志向するそうしたオルターナティヴな宗教だったと言えるが、しかし、どちらも、バラモン教と多くの形而上学的な前提を共有していた上に、インド亜大陸で広く受け入れられることはなかった——というより最終的には拒否された。圧倒的な多数派は、彼らの経済的な利益には反しているように見えるバラモン教を唯々諾々と受け入れたのである。

バラモン教に対する強力な挑戦者は、むしろインドの外部からやってきた。大きな挑戦者は二つあった。そのうちの一つは、イギリスがもちこんだ西洋風の世界観である。もう一つは、デリー・スルターン朝やムガル帝国がもちこんだイスラム教だ。ということは、内発的には、バラモン教の制覇を脅かす有力な宗教は生まれなかったことを意味している。

＊

以上は、すべて、標準的なマルクス主義の図式によっては、バラモン教とカースト体制のセットを説明できない、ということを示している。それでは、どのような理論を用いればよいのか。マルクス主義ではなく、マルクスその人の理論的な方針に従えばよいのである。

一般にマルクス主義者は、次のように考えてきた。『資本論』は、経済関係についての理論であり、宗教や政治権力についての理論はこれとは別物である、と。さらに、後者は、いわゆる上部構造の理論であって、前者に従属する、と。一階に経済関係の理論があって、二階には、宗教（意識形態）や政治形態についての理論がある。一階は、二階なしでも建っていられるので、より重要だというわけである。

しかし、貨幣や商品や資本について論じる『資本論』の記述の中には、宗教や支配に関する隠喩があふれている。真木悠介によると、『資本論』が好む隠喩的な表現は、二つの系列に整理される。一つは、権力の秩序に言及する系列（「王位」「金モール」等）であり、他の一つは、宗教的観念を意味する系列（「神」「ミサ」等）である。

これらの表現は、一見たんなる「文学的」修辞にみえる。けれども（中略）、これらの指摘は、社会的諸形象の存立の論理というものが、経済領域においてのみならず、これらの政治的・イデオロギー的な領域においても、同様に貫徹していることをわれわれに示す。[*4]

つまり、経済関係の理論とは別に宗教や政治権力についての理論があるわけではない。マルクスその人にあっては、経済関係の理論が、そのまま宗教や権力の理論でもあったのだ。マルクス自身、次のように述べている。「人間は宗教においては、自己自身の頭の産物に支配されるが、同様に資本主義的生産においては、自己自身の手の産物に支配される」[*5]、と。この類比は、逆方向からも読まれなくてはならない。すなわち、宗教において、人は経済関係の中にあるときと同じように支配されるのだ、と。

2 カースト体制の基底に

とはいえ、『資本論』の理論がそのままカースト体制やバラモン教の存立の説明に援用できるわけではない。われわれにとって役立つのは、マルクスの理論の内容ではなく、それを規定している方針のみである。理由は簡単で、『資本論』は、資本主義社会の理論だからだ。

虚心に眺めて、カースト(ジャーティ)のシステムをともなうバラモン教ほど、資本主義経済に対する適合性の低い宗教は、ほかにないだろう。たとえば、ヴェーバーの論証によれば、プロテスタンティズム（キリスト教）は、別に「資本主義仕様」に案出されたわけでもないのだが、これ以上はありえないほどに、資本主義との親和性が高かった。今日では、東アジアの経済的な成功を受けて、儒教も資本主義によくフィットするのではないか、という説が唱えられている。日本経済が好調だったときには、石門心学と資本主義の相性について云々されたこともあった。このように、社会学者たちは、資本主義とは無関係なところから出てきた宗教が、あるいは教義の内容が資本主義に敵対的でさえあるように見える宗教（たとえば蓄財を罪悪視するなど）が、意図しない形で資本主義と親和的でありえたということを、いくつも示してきた。資本主義は、許容度が大きく――あるいは売春婦並みの無節操さで――、それらのどの宗教とも幸福な結婚生活を送ることができたのである。しかし、バラモン教だけは、資本主義と結婚することはできないのではないか。

　たとえば、マルクスも述べているように、資本主義が可能であるためには、労働市場において個人（労働者と雇用者）は自由でなくてはならない。個人は、労働力商品としての自分の価値を高めるために、教育を受けたり、技能を身に付けたりすることができる。彼は、誰とでも好きな人と契約を結ぶことができる。労働市場が柔軟で、十分な情報が行き渡っていれば、個人のこうした自由は、結果的に、各自の幸福を増進し、また資源の最適配分を実現する。経済学の理論は、このように教える。

　ジャーティは、複雑な分業のシステムである。しかし、その中の個人は、資本主義的な労働市場における労働者とはまったく対照的である。ジャーティのシステムの中で、個人は自由な労働者の対極にある。彼は、限定された職業カテゴリーの中に生まれてくる。彼は、父親の職業を継承するしかなく、さらに、同じ職業グループの中にある女性と結婚しなくてはならない。したがって、彼にとっては、教育に投資することは何の意味もない。そのことによって、彼の生活が改善される見込みはまったくないからである。社会移動は不可能ではないが、個人としての資格では許されていない。どういうことかと言うと、一つのジャーティがまとまって別の地域に移動し、そこで新しいビジネスを始めることはできるが、個人が起業することはまったく想定されていないのだ。全体としてみれば、確かにジャーティ体制は分業のシステムだが、経済成長等の目的をもった柔軟な協働にこれほど向かないシステムはない。たとえば、バラモンは、(カースト外の)不可触民の身体に目を落としただけで、長々とした儀式によって浄化されなくてはならないのだ。自由な協働どころではない。[*6]

＊

それならば、いったい、カースト体制はどのような論理に従っているのか。社会システムにとって著しく反機能的なものに見える、この制度は、どのような観点から見たときに合理的なのだろうか。

カースト(ジャーティ)が、社会の中で、具体的にどのように働いているのか。その実相を知る上で、カースト研究の第一人者であるルイ・デュモンが、E・A・H・ブラントの一九三〇年代初頭の研究から引いている次の諸例が役に立つ。いずれもカースト間の葛藤をめぐる出来事であり、ときに人は、敵対する相手を困らせるために別のカーストと手を結んだりしている。

床屋たちが踊り子たちを排斥した。踊り子たちが、床屋の結婚式で踊るのを拒否したからである。

ゴーラクプルでは、ある農場主が、チャマール〔革製品の職人…大澤注、以下同〕たちの商売を邪魔しようとした。というのも、この農場主が思うには、チャマールたちが〔農場主の〕牛を毒殺しているからである（チャマールにこのような嫌疑がかけられることはよくあることである〔チャマールにとっては家畜がどんどん死んで、材料の革がたくさん手に入ると助かるから〕）。そこで、農場主は、自分の小作人に、死因がはっきりしない動物の革はすべて引き裂いてしまえ、と命令した〔この革がチャマールにまわされてももう製品にできない〕。チャマールの方は、女たちに、〔農場主のところで〕助産婦として働くのを辞めさせることで、農場主と対抗した。結局、農場主の方が折れた。

（グジャラート州の）アフマダーバードでは、銀行家がお菓子作りと諍いを起こした。その頃、銀行家は、自分の家の屋根を修復させていた。そこで、お菓子作りはタイル作り職人のところに行き、銀行家へのタイルの供給を拒絶するという約束を取り付けた。[*7]

こうした事例がわれわれに教えることは何か？　カースト体制は、確かに、分業による相互

依存の関係ではある。しかし、これらの事例が、われわれの観点にはどこか児戯めいたものに

感じられてしまう。なぜかと言えば、ここで主題化されていることが、単純な経済的な相互依

存とは異なるものだからである。つまり、経済的な相互依存として捉えたときには、これらの

事例は滑稽なものに見えてしまうのだ。ということは、ここに描かれていることは、経済的な

相互依存とは異なる何かである。

これらの事例が暗に示していることは――フクヤマも指摘しているように――、それぞれのカースト（ジャーティ）の働きが他のカーストに対して、儀礼的な意義をも担っている、ということなのである。菓子作り職人が、タイル作り職人と画策して、銀行家へのタイル供給を断ったとき、銀行家が失っているのは、屋根の材料以上（あるいは以外）のものだ。[*8] それは、タイルの内に宿る――仮に断片的なものであったとしても――霊的な生命力のごときものである。農場主がチャマールに送るはずの革を傷つけたとき、彼は、チャマールの魂に触れる何かにダメージを与えようとしているのである。

したがって、カースト体制は、経済的分業として（だけ）ではなく、贈与交換、とりわけ儀礼的な贈与交換のコンテクストにおいて、理解しなくてはならない。人間（の社会）にとって、贈与とは何か？　贈与にどのような必然性があるのか？　こうした問いとの関連で、カーストの存在理由を考察する必要がある。

贈与交換（贈与とお返し）のネットワークの変型版としてカースト体制を捉え返したとき、そこには、明白に対立する二つのベクトルが作用していることがわかる。拮抗する二つのベク

トルがともに強力に作用している場として、カースト体制を見ることができるのである。どういうことか、説明しよう。

かつて（第4章第5節）述べたように、セレスタン・ブーグレは、カーストを三つの特徴によって定義している。（結婚や身体接触における）分離、分業、そしてヒエラルキーの三つである。この点を再確認しておく必要がある。

まずカースト体制が分業システムとして現れるのは、多数の世襲的な職業集団（カースト）が、贈与交換の複雑なネットワークを通じて、互いに互いを必要としあうような関係の中にあるからである。ルイ・デュモンから引用したようなかけひきが可能なのは、カーストが贈与交換のネットワークによって繋がっているからだ。床屋と踊り子は、互いにサーヴィスを贈り合っている。農場主は、チャマールに家畜の革を、チャマールは農場主に助産婦のサーヴィスを提供している。銀行家と菓子作り職人とタイル職人の三者の間にも、循環するような贈与の連鎖があるはずだ。

だが、インドのカースト体制を真に特徴づけていること、それを他に類を見ないものにしている要素は、これとはまったく逆の傾向、贈与交換のネットワークを形成する力とはまったく反対向きに機能している力である。カーストの体制には、贈与のネットワークが無制約に拡がっていくのを抑止しようとする、非常に強い力が働いているのだ。

このことは、最も重要な贈与対象は何か、と考えてみるとすぐにわかる。どんな人間社会も、贈与交換のネットワークを内在させている。交換対象として普遍性があり、かつ最も重要なもの、それは「女」である。結婚——女の贈与——こそが、最も重要な贈与と呼ばれるにふさわしい。ところで、カースト体制の方を振り返ってみると、異なるカーストの間の通婚は、基本的には禁止されている。つまり、カーストのシステムは、カーストの間で女が贈与されることを、原則として禁じているのだ。それだけではない、しばしば、カーストの間の接触は制限され、極力抑えられているのである。こうしたことが、ブーグレが言う「分離」という特徴を帰結することになる。

したがって、ここまでのことを整理すれば、一方では、職業的なユニットとしてのカーストの間の贈与交換に基づく相互依存のネットワークがあるのだが、他方では、女の交換を初めとする、カースト間の相互の接触を制限して、相互依存の程度を極小化しようとする力が強く働いている。後者こそが、カーストの特徴として、最もよく知られていることである。これら二つの力が同時に働くと、どのような結果を生むだろうか。ある程度のカースト（ジャーティ）たちの集合が、分業による相互依存や外婚的な氏族の繋がりの境界線を形成し、自己充足的な小さいコミュニティとしてまとまり、外部から孤立した島のごときものになるだろう。インド社会の実態は、まさにこのようなものであった。

3 負債としての人間存在

ここで話は終わらない。一方で、贈与交換のネットワークの拡がり行く傾向性があり、他方で、これを抑止する力が働く。しかし、結局は、カーストの外、コミュニティの外へと向かう贈与の連鎖は消え去らない。一本の――観念的な――贈与の連なりが、カーストのシステムの全体を貫いているのである。カーストのヒエラルキーは、この贈与のラインによって規定されている。この点を理解するには、カーストの――あるいはむしろヴァルナの――ヒエラルキーが、どのように決まるのかを思い起こすとよい。

先に（第5章第4節）論じたように、ヴァルナの序列を理解するには、さしあたっては、食物連鎖の隠喩が効いていると見なせばよい。肉食動物が草食動物を食べるのと同じように、上位のヴァルナが下位のヴァルナを観念的に食べることができる地位にあるのだ。それにしても、なぜ食物連鎖なのか。これは、贈与の最も原初的な形態、人間にとっての贈与の初発の形態と関係があるのだが、この疑問は、今は脇においておこう。この文脈で重要なことは、下位のカーストの身体は、上位のカーストに対して、食物として与えられている、ということである。カーストのヒエラルキーを下から上へと昇る、身体の贈与があるのだ。

だが、どうして、各カーストは、上位のカーストに対して、自分の身体を（食物として）与えなくてはならないのか。ここで、インド学者シャルル・マラムゥの研究がヒントを与えてくれる。それによると、古代インドの宗教書ヴェーダには、「負債」というカテゴリーが遍在している。負債は、ヴェーダにとって最も重要な概念なのである。サンスクリットには、負債を意味する語は、二つある。二つは「ルナ *rná*」と「クシダ *kúsida*」だが、どちらも語源がわからない。マラムゥは、この事実に、単なる研究の限界とは異なる、概念固有の意味があるとして、次のように論じている。

サンスクリットにおいては、それゆえ、負債の観念は第一義的であり自律的でもあるため、それ以上の分析を許さない。(中略)そういうわけで、バラモンは、人間本性の構成素として負債の理論を提起している。その理論は、ある意味で、負債に対して与えられているさまざまな名前について、宗教的な思弁のレベルでどんなイメージがもたれているかを示している。ルナやクシダといった語が語源をもたないように、厳密に言って、人間という類を特徴づけている負債は、一方ですべてを説明するのだが、自分自身は他の何ものによっても説明されず、いかなる起源ももたない。[*9]

負債を意味する語に、より深い語源が見出せないのは、この概念が原初的で、古代インドの宗教の中では、それ以上の説明が不可能だったからだ、というのである。負債には、一般に何かが先行している。借金とか過ちなどが、負債の原因になる。しかし、ヴェーダに登場する負債には、それを根拠づける借金や過ちについての記述がない。それでいて、負債こそが人間を定義づけると考えられている。ということは、何を含意していることになるのか。

人間の存在自体が負債だということ、これである。誰への負債なのか。もちろん、神への負債である。人間の存在は神から与えられたものであって、それゆえ神への負債だということ、ヴェーダの負債概念に込められているのは、こうしたアイデアにほかなるまい。人間は、この負債を神へと返さなくてはならない。返済の受け手は、人間の存在を許可する神、別の言い方をすれば死を管轄する神である。古代インドの神話の中で、死の神はエンマ Yama である。したがって、すべての負債はエンマからの借りである。マラムゥは、他のすべての神々は、究極の債権者としてのエンマの代理物に過ぎない、とさえ断じている。

自分の存在を神（エンマ）に返すということは、神に食べられるということである。われわれは、ここで食物連鎖の隠喩に戻ることができる。食物連鎖は、最も強い人間のところで終わらない。最も強い人間も、神（々）に食べられる運命にあるのだ。というより、むしろ、インドの神話的な世界観に内在すれば、次のように言うべきであろう。まず、神々が人間を食べるという関係が元型としてある。その神々－人間の間の食の関係を人間の世界の内部に持ち込んだときに、カーストのヒエラルキーが得られるのだ。

人間の存在が最初から負債であるとすれば、人間が神々に食われること――神々に人間自身を与えること――は、神々に対する返済、つまり反対贈与である。したがって、同様に、人間の世界でも、下位カーストが上位カーストに自分を観念的に差し出すこと自体が、下位カーストの上位カーストへの反対贈与（お返し）である。食物連鎖的な贈与において、食べる側が食べられる側に対して上位に立つのは、前者が後者よりも（生(なま)の暴力において）「強い」からではない。そうではなく、自分を食べられる側に置くということが、自分の側に相手に対する負債があったことの表明になるからである。

ここから――以前論じたことの復習だが（第5章第4節）――、暴力に関して最も優れているクシャトリヤではなく、バラモンの方が、上位カーストになる理由が明らかになる。本来であれば、クシャトリヤといえども、神々に食べられることは避けられない。それを防ぐのがバラモンの役割である。バラモンは、神々に対して、人間の代理物を与えることで、神々を騙しているのである。これが、バラモンによる供犠である。供犠は、贈与の一種、宛先が神であるような贈与である。クシャトリヤや王は、バラモンのおかげで、人間界に安心して君臨することができるのだ。

＊

さて、このように論を進めてくれば、誰もが、どうしてもユダヤ－キリスト教と類比・対比させたくなるのではないか。ユダヤ－キリスト教にも、贈与、神への贈与、あるいは供犠と解したくなるような主題が、至るところにちりばめられているからである。たとえば、われわれも第3章で、『旧約聖書』のカインとアベルの物語について論じた。この兄弟は、それぞれ自分が得た産物を神に捧げるのであった。

さらに、何よりも興味深いのは、キリストの磔刑死との比較である。十字架の上でキリストが死んだことによって人間が贖罪される、という論理は、ここに概観してきた、バラモン教の供犠の論理、つまり供犠によって人間の神への負債が支払われたとする論理と基本的に同じものなのか。それとも、両者の間には何かの違いがあるのか。実は、根本的な対立があるのだが、その点について論ずるのは、もっと後になる。ここでは、次のことだけ暗示として述べておこう。バラモン教においては、神々が人間を象徴的に食べる。それに対して、キリスト教においては、（最後の晩餐で）人間が神＝キリストの身体を食べるのではなかったか。キリストが、自分に付いてきた人々に与えたあのパンと魚は、後に彼が使徒たちに与える自分の肉と血の前触れである（第6章参照）。

ともあれ、今は、カースト体制を構成する原理を理解しておくことの方が先である。前節からの議論をまとめておこう。カースト体制においては、贈与交換に関連する三つの働きが交錯していたのである。第一に、拡がり行く贈与交換のネットワークがあって、そのネットワークを通じて、さまざまな職業が相互依存の関係に入っている。第二に、贈与交換のネットワークの拡散を可能な限り制限しようとする非常に強い力が働いている。それが世襲的な職業集団の間の通婚や接触を禁止するように機能する。以上の背反する二つの力が同時に働いたとき、自足性の高い小さなコミュニティがいくつも分立するような状況が出現するだろう。

しかし、第三に、こうした自足性の高いコミュニティへと内閉していこうとする傾向に抗して、こうした内閉化の傾向からの逃走の線として、インドの社会の全体を貫き、最終的には神々にまで到達する食物連鎖のごとき、観念的な贈与の連鎖がある。その贈与は、神々への負債を解消するためのお返しとしての意味をもっている。神々へと昇る贈与の連鎖にそって、カースト（ヴァルナ）の序列が配分される。

以上の三点が、ブーグレが挙げた、カーストを定義する三つの条件に対応していることは、容易に理解できるだろう。第一が分業、第二が分離、第三がヒエラルキーである。これら三つの中で、インド社会にとりわけ固有であると言えるものはどれであろうか。それは、第二の条件であろう。贈与交換のネットワーク（第一の条件）自体は、世界中のどこでも、いつでも見出されるものである。第三の点、ヒエラルキーを結節する「食物連鎖」は、確かに、インド独特の神話的な世界と結びついているが、しかし、あくまで観念的なものである。神々へのお返しに対応する、全インド的な規模の現実的な制度があったわけではない。第三の特徴に対応する贈与の連鎖は、観念の中にのみ存在する弱々しい糸である。それに対して、「分離」をもたらす、「贈与交換のネットワークを制限しようとする力」は、きわめて現実的であって、人々の日常の生活を深く規定している。

カースト体制が存在する理由を理解するためには、これを通常の経済的分業として（のみ）捉えていてはならない。効率的な生産のための分業の体系として見た場合には、カースト体制は、あまりにも不合理である。論じてきたように、カースト体制を理解する鍵は、これを贈与交換のコンテクストにおいて見ることである。だが、その上で、事態の正確な把握を難しくするもう一段のひねりがある。カースト体制は、確かに贈与交換のネットワークなのだが、同時に、自らを制限し、否定しようとする強いベクトルを内蔵させてもいるからである。

ここで仏教のことをもう一度、思い起こしてみよう。仏教が目指しているのは、輪廻からの解脱である。輪廻は、抽象的な宇宙像であり、現実に観察されることと直接に一致するわけではない。つまり輪廻している様を、実際に見ることなどかなわない。だが、こうした幻想的な像に現実味（リアリティ）を与える実際の体験が、必ずある。その一つが――以前（第5章）に論じたように――贈与の連鎖である。なにかよいものを与えれば、いずれ自分にとってよいものが返ってくるし、逆に、害悪を与えれば、報復がまっているという経験を一般化し、一個の宇宙の包括的な原理にまで格上げすると、輪廻になる。仏教は、輪廻から逃れることを目標としている。贈与交換の連鎖は、人を束縛するからだ。

仏教は、カースト体制の外にある。たとえば、サンガ（出家者の集団）に入ってしまえば、人々は完全に平等で、カーストの相違などまったく問題にならない。その意味で、仏教は、カーストを否定していると言ってよかろう。だが、ここまでの考察は、仏教とカースト体制は、同じ一つの傾向を共有しているということも示唆している。それは、贈与交換の連鎖から離脱しようとする指向性である。贈与と反対贈与が無数に接続している社会システムの外部にほんとうに出てしまえば――あるいは出ていくことを試みれば――、仏教になる。だが、贈与交換の連鎖の内に留まりつつ、それを否定するという、自家撞着（じかどうちゃく）的とも見なしうる逆説に挑戦すれば、カースト体制が得られるのだ。

4 儀礼的贈与交換のふしぎ

さて、すると、われわれが次に問うべきことが明白になる。贈与交換は、とりわけ儀礼的な贈与交換は、人間の社会にとって、いかなる必然性があるのか？ これが問いである。繰り返し述べてきたように、カースト体制は、表面的には、分業と取引（商品交換）のシステムに見えるが、実は、基底には儀礼的な贈与交換がある。本質的には儀礼的な贈与交換のネットワークであるものに、分業や取引の装いを与えたものが、カースト体制である。ならば、儀礼的な贈与交換はどうして行われるのか？ どのような社会的なメカニズムによって、それは引き起こされるのか？ さらに、それは、いかなる社会的な帰結をもたらすのか？

だが、儀礼的な贈与交換こそ、実は、謎中の謎である。カースト体制の仮面をかぶっているときには、その謎は、すぐには現れない。そこで行われている贈与と反対贈与には、それなりの有用性や効用があるように見えるからである。たとえば、チャマールは、農場主から死んだ動物の革を与えられれば、革製品を作ることができるし、農場主は、助産婦たちのサーヴィスを必要としている。だが、純粋な儀礼的贈与交換は、しばしば、何のためにあるのか、当事者たちにどのような利益があるのか、彼らはどうしてそれを行っているのか、さっぱりわからないのだ。

原初的共同体——文字をもたない単純な社会——には、しばしば、儀礼的な贈与交換が見られる。贈与が次の二条件を満たしているとき、「儀礼的」とされる。すなわち、第一に、形式化された手順に従っていること、第二に、公開で執り行われること。たいていの儀礼的な贈与交換は、個人間ではなく、集団間で執り行われる。二つの氏族の間、二つの部族の間等で、贈与／反対贈与の互酬的な交換が行われるのである。個人間でなされているように見えるときでも、その個人は各部族の首長（チーフ）である等、集団を代表する者であるのが一般的である。とすれば、これもまた、集団間の贈与交換である。

原初的共同体の儀礼的贈与交換は、文化人類学者たちの知的関心を強く刺激した。というのも、儀礼的贈与交換を有する社会では、人々は、ほとんど人生の意味はこれを執り行うことにある、と言わんばかりの熱心さで、交換に関わっていたからである。したがって、いくつかのケースについては、詳細な記述が蓄積され、学者たちの間では広く知られている。最も有名なのは、アメリカ先住民の首長たちの間で行われていた、競覇的な贈与交換ポトラッチであろう。あるいは、マリノフスキーによって報告された、トロブリアンド諸島のクラ交易も、広く知られている。クラ交易では、島々の間を、ソウラヴァと呼ばれるネックレスが時計回りに、ムワリと呼ばれるブレスレットが反時計回りに、次々と受け渡されていく。同時にいくつものソウラヴァやムワリが循環しており、その中には、由緒のある格の高いものから、それほどでもないものまで、さまざまなものがある。ソウラヴァなり、ムワリなりの一つの対象が、既定の経路を通って島々を一巡するのに、短くて二年、長ければ十年もの時間を要すると言われている。他にもいくつもの例があるが、詳細な紹介は控えておこう。

文化人類学者を驚かせたのは、先住民たちがたいへん熱心だったという事実だけではない。彼らが何のためにそれを行っているのか、観察する学者たちには、まったくわからなかったのだ。彼らはどうして贈与するのか？　またどうして受け取るのか？　こうした疑問を誘発せざるをえないのは、贈与される対象は、しばしば、経済的には無価値で、ほとんど何の役にも立たないもの——つまり使用価値がないもの——だったからである。無論、価値ある物、有用な品が贈与されていた場合には、今度は、所有者がどうしてそれを手放すのかが疑問になるのだが、しかし、この疑問は解けない疑問ではない。この場合には、所有者は、価値ある物を譲渡することで、自分にとってより価値のある別の物を獲得することができるのだ。しかし、贈与する者にとっても、受け取る者にとっても、価値がなさそうな物が、わざわざ贈与されているとしたら、しかも両者がその贈与交換に熱心にかかわっているとしたら、それは、たいへん不思議なことではないか。

たとえば、クラ交易で贈与されているネックレスやブレスレットは、何かのために役に立つわけではない。何のために役立つかと問われれば、クラのためという以外には、それらにはいかなる用途もないだろう。

互酬的な贈与というと、われわれは一般に、次のような物々交換を想像する。交換しあう当事者が互いに、自分が所有はしていないが必要としている物を、相手の所有物に認めている、と。Aは、Bの所有物yに価値を認め、逆に、Bの方は、Aの所有物xに価値を認めているとき、互酬的な関係が成立する、というわけだ。しかし、儀礼的贈与では、実際には、こうした構図はほとんど当てはまらない。

たとえば、サモアには、ファーラヴェラヴェと呼ばれる儀礼的贈与交換がある。ファーラヴェラヴェは、姻戚関係にあるクランの間で、ちょっとした祝い事がある度に行われる。ということは、ファーラヴェラヴェに先立って、女の贈与が実現しており、ファーラヴェラヴェは、その女が贈与された経路をたどり直すのである。何が交換されるかは、男方（女の受け手）のクランなのか、女方（女の与え手）のクランなのかで異なっている。女方から男方へと贈られるのは、何枚ものマットである。それは何かに役立つのか。何の役にも立たない。ファーラヴェラヴェに使う、ということ以外には。一見、一種の「貨幣」のように見えなくもないが、何か別のものをこれで購入できるわけでもない。では男方から女方には何が贈られるのか。主として豚である。豚には確かに価値がある。サモアでは、調理された豚肉は最高の料理なのである。サモア人は、だから、ファーラヴェラヴェのときには、興奮して豚肉を食べる。

だが、ここで考えてみればよい。そんなに豚肉が好きならば、どうして、それが他者から与えられるまで待っているのか。サモアでは、すべての家族、すべてのクランが豚を飼っている。豚肉を食べたければ、自分たちが飼っている豚を殺せばよいのではないか。豚は、「自分たちは所有してはいないが、必要としている財」という規定にあてはまらない。自分たちの手元にも、同じような豚があるのだ。しかし、サモアの各クランは、決して、自分たちの豚を食べることはない。豚の自己消費は禁じられているのである。誰もが同じような豚をもっているのに、どうしてわざわざ互いに交換する必要があるのだろうか。

このように、贈与交換が行われているということ、非常に多くの原初的な共同体で儀礼的な贈与交換が熱心に執り行われているということ、これはたいへん不可解な現象なのである。贈与交換へと人を駆り立てている要因は、何なのだろうか？

ついでに付け加えておこう。この問いは、決して、遠い他者についての疑問、われわれにはなじみの薄い、異邦の人びとのめずらしい習俗についての疑問ではない。同じ問いは、われわれ自身にも差し向けうるのだ。われわれもまた、互いにプレゼントを交換しあっている。誕生日やクリスマスのときに、恋人や友人に何かを贈与するだろう。そういうとき、われわれも、受け手にとってあまりにも直接に役に立つ物、あまりにも実用的な物を贈ったりはしない。アクセサリーや置物といった実用性に乏しい物、どこか無価値の影を帯びた物こそ、むしろ、プレゼントにふさわしい。どうして、相手にとって価値が乏しい物をわざわざ与えるのか？　相手もまた、そのような価値に関して疑わしい物を喜んで受け取るのか？　これは、われわれ自身についての謎、自分でも理解できない自分についての謎でもあるのだ。[*10]

＊1　ここでは、「ジャーティ」と呼ばれる狭義のカーストと、バラモン／クシャトリヤ／ヴァイシャ／シュードラの四つの「ヴァルナ」のヒエラルキーの両方をあわせて、（広義の）カーストと呼ぶ。ジャーティとヴァルナの関係についての私の見解は、第4章を参照。

＊2　Francis Fukuyama, *The Origins of Political Order*, New York: Farrar, Straus and Giroux, 2011, pp.162-164.

＊3　日本であれば、たとえば、平安時代のエリートの経済的な利益に適合していたという理由だけで、何らかのイデオロギーが今日まで生き延びうるかを、考えてみればよい。バラモン教の成立は、平安時代よりもはるかに古いのだ！　三千年近くも前の少数者の経済的な利益から、バラモン教の持続的な繁栄を説明することはできない。

＊4　真木悠介『現代社会の存立構造』筑摩書房、一九七七年、五二頁。

＊5　『資本論』第一巻第二三章「資本主義的蓄積の一般的法則」首節の結語。

＊6　ジャーティの「労働市場」の、以上のような諸問題については、Fukuyama, *op.cit.*, p.164.

＊7　ルイ・デュモン『ホモ・ヒエラルキクス――カースト体系とその意味』田中雅一・渡辺公三訳、みすず書房、二〇〇一年（原著一九八〇年）、二二七―二二八頁（翻訳は、大澤が一部改めた）。

＊8　同時に、菓子作り職人とタイル作り職人の連合も、ただの利害の合致以上のものである。

＊9　Charles Malamoud, *Cooking the World: Ritual and Thought in Ancient India*, David White tr., Delhi: Oxford University Press, 1996, p.93, p.95.

＊10　私の知人（女性）の恋人（男性）の失敗について書いておこう。この男にとって、私の知人との付き合いは、生まれて初めての異性との交際であった。二人が交際を始めてしばらく経って、彼女（知人）の誕生日がやってきた。男は、熟慮に熟慮を重ねた末、恋人（知人）にヘアドライヤーを贈ったところ、彼女を激怒させてしまった。彼女がヘアドライヤーを必要としていなかったからではない。何しろ彼は、いつも使っているヘアドライヤーの調子が悪くて困っていると彼女が言っていたので、ヘアドライヤーをプレゼントに決めたのだから。彼女が怒ったのは、まったく逆に、ヘアドライヤーがあまりにも有用なものだったから、あまりにも

実用的だったからである。

第13章　闘争としての贈与

1　贈りあうことで闘う

筒井康隆の短編小説「毟りあい」を原作にもつ、野田秀樹演出の劇「THE BEE」は、贈与交換の両義性を主題としている。野田の戯曲の方は、二〇〇一年の九・一一テロに刺激されて創られたものだが、筒井の原作は、それよりだいぶ前の一九七五（昭和五十）年に書かれている。両者は、四半世紀以上の時間を隔てているが、野田は骨格となる着想を「毟りあい」からそのまま借用しているので、筋に大きな違いはない。[*1] ただハチ（bee）というイメージは、戯曲のオリジナルである。

「THE BEE」は次のような話である。ある日、主人公の「井戸」という男が会社から帰ってくると、家の周りには警官隊と報道関係者がいて、騒然としている。刑務所を脱走した殺人犯が、井戸の貞淑な妻と六歳の息子を人質にとって、彼の家にたてこもっているというのだ。この凶悪犯「小古呂（おごろ）」は、娑婆に残してきた美人の女房が他に男をつくったという噂を聞き、いてもたってもいられなくなり、刑務所から脱出したのだ。彼は逃走の途上で警官から銃を奪い、その警官を殺害した後、井戸の妻子を人質にとって、自分の妻と息子に会わせるようにと要求している。ところが、小古呂の女房は、夫への愛情をとっくに失っており、彼に会うことを拒否している。井戸は、絵に描いたような平凡なサラリーマンだが、一瞬にして、最悪の犯罪の被害者に転じたのである。日常の平穏と犯罪の悪夢との間にはほんのわずかな隔たりしかないことが、芝居の中で何度も手で突き破られる薄紙によって暗示される。

しかし、ここまでであれば、この作品は凡庸である。興味深い展開は、このあとだ。井戸はすぐに、警官とともに、小古呂の女房のところに出かけ、彼女を説得しようとする。彼女がそれを聞き入れないとみるや、井戸は、同行した警官を殴り、気絶させ、小古呂の妻子を人質にとって、その家に閉じこもった。そして井戸は小古呂と電話で直接、交渉を始めたのだ。自分の妻子を解放せよ、と。むろん、小古呂が従うはずがない。今や、井戸も凶悪犯である。しかも井戸の状況は、小古呂のそれと瓜二つであり、二人は、互いに互いを映し合う鏡のようだ。

小古呂が言うことをきかないので、井戸は、小古呂の六歳の息子の片手の小指を切断し、それを——警官を介して——小古呂のもとに送った。すると翌日、小古呂からは、井戸の息子の小指が送り返されてきた。まもなく、井戸は、小古呂の息子の薬指を送った。もちろん、井戸の息子の薬指が送り返されてきた。毎日、こうしたことを繰り返しているうちに、小古呂の息子は死んでしまった。今度は、互いの妻の指を切断して、同じ送りあいが繰り返された。その間、井戸は、小古呂の妻が作った食事をとり、夜には彼女と性交し……と、つまりはごく普通の日常の生活を過ごしていた。もちろん、小古呂側でも対称的なことが起きていただろう。やがて妻も死んでしまった。次に起きることは何か。井戸と小古呂が、互いに自分自身の身体の一部を切断して、送りあうこと——死ぬまで送りあうことであると思われる……。

こうした暗示とともに、芝居は終わる。送ることの反復の中で、井戸は——そして対称的ならば小古呂も——誰が自分の味方で誰が敵なのかわからなくなってきている。井戸は最初から、味方であるはずの警官や報道陣に敵意を感じていた。彼は、送りあいを通じて、真の敵である小古呂に対して、友情や連帯感を感じ始めている。そもそも、この女は小古呂の女房ではなく俺の女房なのではないか、という錯覚すら彼は覚える。いやそれどころか、おそらく、こんなふうにも感じていたはずだ。俺は井戸なのか？　俺こそは小古呂ではないのか？　ついに、井戸＝小古呂は、敵である他者の内に自分を認めるまでに至るのだ。

前章で、われわれは、インドのカースト体制の基礎に贈与交換のネットワークがあることを明らかにした。カーストは、儀礼的とも解しうる贈与を介して、互いに依存関係にある。が同時に、カーストの体制の中では、贈与の連鎖の拡大を抑止しようとする強い力が働いており、それがカーストの間の接触の禁止として現れている。要するに、カーストとは、強力な自己抑制のメカニズムをともなう贈与交換のネットワークなのである。人間とその社会にとって贈与の意味は何か？　こう問わざるをえないところに、われわれの探究は導かれているのだ。

さて、「THE BEE」の主題は、まさにその贈与交換である。一般に、贈与は、人が他者に対する好意を表現する最も確実で直接的な方法である。贈り物を渡すこと、プレゼントをすることは、相手に対する広義の愛情を示す、最も分かりやすい行為である。ところが、この芝居では、贈与は闘争の手段であり、贈与を通じて示されているのは、相手に対する憎悪や敵意だ。相手に贈ることとは、その相手と闘うことである。贈与交換がもちうるこうした圧倒的な両極性が、この芝居の全体を貫く主題だろう。

贈与の循環は止まらない。贈られれば、われわれは贈り返さずにはいられない。このことを、われわれは経験的に知っている。これと同じ無限の（悪）循環が復讐の連鎖にもあることを、われわれはしばしば目撃するし、また経験もしている。攻撃されれば、攻撃し返すしかなく、仲間を殺されれば、殺した者を殺したいという気持ちを抑えることは難しい。「THE BEE」でも、贈与＝復讐の循環は終わることがなく、物理的に可能な限りぎりぎりまで――つまり両当事者が死ぬまで、ということは相手を事実上殺してしまうまで――続くことが暗示されている。付け加えておけば、井戸と小古呂は互いの家族を交換しあった状態からその関係を出発させており、したがって、（相手の）息子の切断された指を送ること等々は、最初から一種の反対贈与（お返し）である。

贈与交換と闘争は、対立的に見えて、実は同じことの二側面である。両者は同じ論理にしたがって、無限に繰り返される。「THE BEE」の含意は、これらの点にある。[*2]

＊

贈与と闘争の同値性は、特定の個人の想像の産物によって暗示されるだけではなく、民族学的、あるいは社会学的な事実によっても確認されることである。

マルク・アンスパックは、贈与交換についての、洞察に満ちたコンパクトな著書の中で、アイルランド伝説の叙事詩に登場する「ブリクリウの供宴」の物語を紹介している。[*3]よそ者の巨人ウアトは、ウルスターの勇者たちに挑戦を呼びかける。ウアトは、自分との約束を守って、合意を尊重してくれる人物を探して、世界中を遍歴しているのだという。彼の呼びかけはこうである。「ここに戦闘の斧がある。今日、私の首を切り落とし、その者の首を明日私が切り落とすとしてこの申し出を受け入れる者は誰かいないか」と。ウアトは、あらかじめ自分の首を差し出すと明言する、信頼にたる一人の男を探しているのだ。

簡単に想像できるように、この呼びかけの前半部分に応ずる戦士はたくさんいる。しかし、首を切り落としてもウアトが死なないのを見た後は、誰もが怯んでしまい、巨人が約束を果たすべく戻ってくる前にどこかに逃げて行った。だが、ただ一人クフーリンという名の男だけが、翌日、巨人との再会の場に戻ってきた。巨人が振り上げた斧が、大音響をともなってクフーリンの首のところに落ちてくる。しかし、クフーリンの首は落とされなかった。巨人の姿を取っていたのは賢者クロイであり、彼はウルスターの戦士たちを試練にかけるためにやってきたのだということがわかる。クロイは、クフーリンこそはウルスター随一の勇者である、と宣言する。

この「ブリクリウの供宴」の筋は、言ってみれば「THE BEE」の物語を反対方向から辿っているのである。「THE BEE」では、最初は、比較的攻撃性の小さな——軽いジャブのような——贈与から始まって、少しずつ攻撃性が高まり、それぞれのもとにいる子や女を虐殺するまでになり、最後は、互いを殺す（自殺させる）ところに到りつく。「ブリクリウの供宴」は、逆である。最初に、互いに殺し合うという最も攻撃性の強い戦闘の姿をもっていたものが、最後には、実は、逆に（肯定的な）贈与の関係であったことが明らかになる。贈与を戦闘の方へと純化していくのか、逆に、戦闘を贈与へと純化するのか。どちらにせよ、贈ることと闘うことの緊密な一体性が暗示されている。

2　擬態された戦争

クロード・レヴィ゠ストロースは、はっきりと次のように述べている。「敵対関係と互酬給付品の供給とのあいだには一つのつながり、連続性がある。すなわち、交換とは平和的に解決された戦争であり、戦争とは不幸にして失敗した商取り引きの帰結である」[*4]と。こう書くと き、レヴィ゠ストロースの念頭にあるのは、女の交換と、しばしばそれにともなっている儀礼的な贈与交換である。

贈与は、すべての人間社会に見出すことができる普遍的な事実である。と同時に、本来的な贈与、厳しい基準で評価しても「贈与」と解することができる贈与としての贈与は、ヒトという種にしか見出し得ないという意味では、固有に「人間」を定義する事実でもある。[*5]とりわけ、原始共同体においてはどこでも、贈与の重要性は圧倒的であり、社会の統合は専ら互酬的な贈与交換が作り出す依存関係に基づいていると言っても過言ではない。前章で述べたように、多くの原始共同体は、儀礼的な贈与交換の慣行をもっている。

彼らの多くにとって、とりわけ男のメンバーにとって、儀礼的な贈与交換は人生で最も重要なイベントである。儀礼的な贈与交換は、社会学者や文化人類学者が「全体的社会的事実 fait social total」と呼んでいる社会現象の典型である。全体的社会的事実とは、社会システムの一部分領域とか、一側面とか、あるいは特定の下位システムに関係した事実ではなく、社会システムの全側面、全機能に関連していると解すべき事実のことである。儀礼的贈与交換の中核は、女性の贈与（結婚）なので、これはまず、家族・親族に関係する事実、世代の再生産に深く結びついた現象である。贈与の儀礼は、財の分配に関係しているので、経済的な事実でもある。儀礼的贈与交換は、次章に述べるように、権力や支配と関連した政治的な事実でもある。それは、また、宗教的な現象でもあり、さらに法や道徳に関連した事実でもある。われわれの現代社会でも、贈与は存在するが、部分的な社会的事実でしかない。原始共同体（無文字社会）では、贈与はまちがいなく全体的社会的事実である。

原始共同体において、儀礼的贈与は、——前章でも述べたように——多くの場合、氏族や部族、あるいは家族といった小さな共同的なユニットの間で執り行われる。むろん、原始共同体においても、個人の間の贈与や、あるいは家族・親族の内部での贈与もあるが、大規模で重要な儀礼的贈与は、ほとんど、親族的なグループの間で生ずる。

そうした儀礼的贈与は、適切にもレヴィ＝ストロースが「平和的に解決された戦争」と呼んでいるように、しばしば、競争的な性格を宿している。与え手／受け手となるグループの間の葛藤が贈与という形式で表現されているのだ。そのよく知られた典型は、北米の先住民の間で見られたポトラッチである。ポトラッチは、部族の族長の間の贈与であり、より多く与えることの競争という形態をとる。多くを与えること、相手を歓待するためにより気前のよい饗宴を開くこと、それが「勝利」を意味しており、より大きな気前のよさを誇示することができた族長にはたいへんな名誉が帰せられる。逆に、敗北した者、つまり少ない贈与、小さな消費しか提供できなかった族長は、すっかり体面を失ってしまう。ポトラッチにおいては、ときに競争がエスカレートし、族長が自分の貴重品を衆人の前でこれ見よがしに燃やすなど、自己破壊的な蕩尽にまで至ると報告されている。

同じような競争的性格は、どの儀礼的贈与にも見られる。トロブリアンド諸島のクラ交易にせよ、ニューギニア高地のモカ交換でも、同様である。サモアのファーラヴェラヴェも、もちろん同じような性格をもつ。前章で述べたごとくファーラヴェラヴェは、冠婚葬祭のような行事があったときに姻戚関係にあるクランの間で執り行われる。冠婚葬祭などめったにないと思ったら大間違いである。クランA_0とB_0の間で、たとえば結婚のような大きなファーラヴェラヴェがあるときには、それに先立って、A_0とその姻戚A_1の間でもファーラヴェラヴェが執り行われ、さらにその前にはA_1とその姻戚A_2の間でもファーラヴェラヴェが行われ……と、姻戚関係のネットワークの末端にまで、ファーラヴェラヴェが網目状に波及する。[*6] A_0と姻戚関係を結んでいるクランは、A_1だけではなく、ほかにもいくつもあり、同じことはA_1やA_2についても言えるので、その波及の範囲は指数関数的な拡がりをもつ。もちろん、B_0の向こう側でも同じことが起きている。このように派生的なファーラヴェラヴェもあるため、その頻度は非常に高くなる。一九七〇年代にサモアを調査した山本泰・山本真鳥によれば、一つのクランが関わらなくてはならないファーラヴェラヴェは毎週のようにあったという。彼らのインフォーマントは、こう言っている。

ファーラヴェラヴェというのは実につらいことだ。この一ヶ月に集中してもう何度もあったし、来週はそれよりずっと盛大なファーラヴェラヴェがある。その度に、アイガ〔クラン〕のブタやタロやニワトリも派手に虚しく消費してしまい、それではまだ足りないものがカンヅメ等を町の市で買い求めなくてはならないので、お金はもうほとんどない。今度のファーラヴェラヴェに、皆の前でアイガの面目をつぶさないだけのものを用意できるかとても気がかりだ。*7

そんなにつらいのであれば、やめればよいのに、とわれわれとしては忠告したくなるが、そうはいかないらしい。*8 このインフォーマントの語りは、次の一言で終わる。

ほんとうにつらいことだ。でも、こればかりはやめられない。*9

ファーラヴェラヴェがつらくなるのは、それがクランの間の競争だからである。提供できる贈与物が少なかったとき、クランの名誉は著しく失墜する。

＊

儀礼的贈与が、ユニットとなるグループの間の潜在的な闘争であるということは、別の観点からも確認することができる。グループ内の誰かが、何者かによって害を受けた場合に、たとえば殺害されたり、けがを負わされたり、強姦されたりといった攻撃を受けた場合に、どのような対応がなされるかを見るとよい。その内容は、加害者が、被害者と同じグループにいるのか、それとも別のグループに属しているかでまったく異なってくる。

加害者と被害者が同一のグループに属しているとき、加害者に対する処置は、われわれの社会における刑法犯への対応と基本的には変わらない。加害者に対しては刑罰が適用される。刑罰には、死刑、共同体からの一時的ないし永続的な排除、浄化の機能を有するとされるサンクションや儀式等々、さまざまなものが含まれる。刑罰の対象は、もちろん加害者個人だが、重要なことは、刑罰の主体は被害者当人ではない、ということである。刑罰の主体は、グループである。刑罰は、個人（加害者）とグループの間の関係である。

しかし、加害者が、異なるグループに属していたときには、扱いがまったく異なってくる。われわれの社会では、どんなに被害が大きくても、被害者が勝手に復讐することは違法行為である。しかし、儀礼的な贈与交換をもつ共同体ではどこでも、逆に復讐こそが義務である（つまり復讐しないことは許されない）。別のグループの個人によって、グループ内の誰かが攻撃されたとき、それは、グループそのものへの攻撃と解釈される。同時に、加害の主体も、加害者を含む他グループであったと見なされる。このとき、被害グループは、加害グループに対して復讐しなくてはならない。このとき、賭けられているのは、被害グループの「名誉」である。加害者が同一グループに属しているときには、「名誉」という主題は――集団の名誉も個人の名誉もともに――まったく現れない。しかし、加害者が別のグループだったときには、毀損されたのは被害グループの名誉であるとされる。復讐は、グループ内の連帯とグループ間の連帯とが質的に異なったものであること、前者が後者に比して圧倒的に強いことを表明する行為である。復讐は、一つのグループともう一つのグループの間の関係において生ずることであり、これを規制する上位の審級はどこにも存在しない。[*10]

復讐は、相手の殲滅を目指すものではないので戦争ではない。しかし、真の全殺戮に至る戦争などほとんど存在しないので、復讐と戦争の間の区別は、実際にはあいまいである。少なくとも、復讐は、擬制の戦争、擬態された戦争であると見なすことはできるだろう。

加害／復讐という関係が、儀礼的な贈与交換と同一の論理に従っていることは、明らかである。加害は負の贈与であり、復讐はそれへの反対贈与である。贈与の単位となる他のグループからの攻撃があったとき、それがただちに復讐（という擬態された戦争）を誘発するということは、贈与交換によって対峙しあう二つのグループの間には常に、戦争に類する潜在的な葛藤があるということ、贈与交換がそれを抑止する代替的な選択肢になっていること、こうしたことを含意しているだろう。儀礼的な贈与交換が戦争へと連続していることが、こうした事実によっても証明される。

3　三つの義務

敵対関係と互酬給付の関係は一つらなりであるとする、前節に引いたレヴィ゠ストロースの言明は、贈与は「殺し合うことなしに対立する」ことを可能にする手段であるという、マルセル・モースの有名な提題の言い換えである。贈与についてのすべての社会学的研究の源流は、モースの一九二〇年代の研究『贈与論』である。あらゆる研究は、ここから霊感を得ている。[*11]

モースは、贈与は三つの義務よりなる、とした。贈り物を与える義務（提供の義務）、それを受け取る義務（受容の義務）、お返しの義務（返礼の義務）の三つだ。三つの義務に対応した三つの疑問が、贈与をめぐる謎を構成している。人はどうして与えるのか？　どうして受け取るのか？　なぜお返しをしなくてはならないのか？　確かに、これらはふしぎなことだ。前章で述べたように、贈与される対象は、必ずしも有用なものではない。というより、有用性から（ある程度）乖離している対象の方が、贈り物にふさわしいとさえ見なされている。とすれば、贈与はまことに奇妙なことである。どうして、あまり役立たないものを贈らなくてはならず、それを受け取らなくてはならないのか。その上、お礼の贈与までしなければならなくなるのは、どうしてなのか。

前節で、サモアのファーラヴェラヴェによって示したように、贈与への情熱は非常に大きい。しかし、その由来はよくわからない。だから、外から観察している者には、ときに滑稽なものにさえ感じられる。

モースは、自分が提起している三つの疑問にどのような回答を与えているのか。結論を言ってしまえば、モース自身は、答えることができなかったのだ。そこで、彼は、ニュージーランドのマオリ人の説明をそのまま自分の回答に採用している。贈られた物には「ハウ hau」という精霊が含まれていて、それが受贈者を返礼へと誘うのだ、と。この説明を、レヴィ＝ストロースが批判し、斥けたことはよく知られている。[*12] レヴィ＝ストロースの権威を借りなくても、当事者のローカルな知識を反復しただけの、こんな説明がダメなことは誰でも納得するだろう。当事者たちが「ハウ」と名付けた実体の客観的な実在を信憑しているという事実は重要だが、それを原因とする説明は、トートロジー以上のものにはならない。説明されるべきは、贈与対象にそのような実体が孕まれているように感じられるのはどうしてなのか、である。

レヴィ＝ストロースは、モースの説を、モリエールの『病いは気から』の主人公の「眠りの力」という説明――アヘン吸飲者が眠るのはアヘンに「眠りの力」が宿っているからだという説明――に喩えて嘲笑している。しかし、この問題に関して、レヴィ＝ストロースがモースよりもずっと偉いというわけでもない。彼もまた、説明に成功しているわけではないからだ。ただ、レヴィ＝ストロースは、謎に、あるいは「ハウ」に、もっと学問的な名前を与えただけだ。それは、神秘的な「浮動するシニフィアン」である、と。浮動するシニフィアンとは、包括的な象徴体系には必ず含まれている、何でもかんでも意味することができる——したがって逆に何も意味していないとも言える——「ゴミ箱」のような記号のことである。たとえば、日本語でいえば、「もの」とか「こと」とか「何か」等は、あるいは英語の something などは、浮動するシニフィアンである。贈与を駆動する「何か」がある、というわけである。

＊

疑問を整理しておこう。贈る義務と受け取る義務は、贈与の関係の両極をなしており、もちろん別のものである。受け取ることに関して、われわれが留意すべき重要なことは、それがすでに最小限の返礼、最小限の反対贈与を構成しているという事実である。われわれも、誰かに贈り物を渡そうとして、それを相手に受け取ってもらえれば、それだけで、うれしいという気分を味わうことができる。まして、相手が、「ありがとう」などと言ってくれれば、そうとうに報われたような気持ちになるだろう。逆に、相手に受け取りを拒否されたときには、たいへん悲しい。こうした事実が意味していることは、受け取るということ、こちらの贈与を相手が認知するということが、すでにミニマムな反対贈与（お返し）になっているということである。したがって、受け取る義務は、広義のお返しの義務の中に含めることもできる。

次に、贈り物を与える義務とお返しの義務は、明確に区別することができるように思える。確かに、概念の上ではそうである。しかし、経験的には、両者を区別することはしばしばたいへん難しい。そもそも、区別することに、たいして認識上の利得がない場合が多い。たとえば、私が日頃世話になっている編集者に、何かを贈ったとしよう。これは、提供の義務に従った行為なのか、返礼の義務に従った行為なのか。すでに世話になっているという事実を考慮に入れれば、返礼の義務の方に分類されるだろう。ならば、これから世話になる予定の編集者に贈り物をすれば、提供の義務ということになるのだろうが、しかし、二種類の贈与を異なるカテゴリーに截然(せつぜん)と振り分けることに、それほどの価値があるだろうか。

このように検討を加えてみると、贈与に関する謎の中核には、互酬性=相互性 reciprocity があることがわかる。互酬的な関係へのきわめて強い要求が働いている。互酬化しようとする力が作用しているように見えるのだ。それはどこから来るのか。先に述べたように、モースが「ハウ」によって指示した神秘的実体を、レヴィ=ストロースが合理的な核へと還元しようとして、「浮動するシニフィアン」なる概念を案出したのであった。この概念が何を指しているのかが、今やはっきりしてきた。それは、贈与交換を内側から支えている互酬性そのものを意味していたのである。

4　互酬性の二律背反

さて、こんなところで満足してはならない。以上の議論は、実は、「おとり」である。ほんとうの疑問、贈与についての真の謎をおびき出すための撒き餌のようなものだ。

確かに、贈与交換においては、互酬への要請は圧倒的である。何かを与えられると、われわれは、――どうしてなのかという問いは脇におくとして――断じて返さなくてはならない、と感じる。一見、提供（初発的な贈与）に見えるものも、先に見たように、ほとんど、当事者の主観的な意識では、むしろお返しの義務に従っている。

贈与についての謎が互酬性に集約されるのであれば、謎は何とか解けそうだという感触をもつことができる。相手から贈与されることによって、私が何かの利益を得ていると仮定しよう。[*13]単発の「囚人のジレンマ」のようなものであれば、私としては、できることなら、自分だけ相手から何かを得て、自分は何も与えない、ということを画策することになる（そして、相手も同じことを画策するので、結局、相手も私も何も得ない、という最悪の結果を招く）。しかし、囚人のジレンマ的な状況が何度も繰り返されるのであれば、私としては何かを得るためには、何かを与え続けるほうが得策だ、ということになるだろう。[*14]ロバート・アクセルロッドの今や古典となった研究の含意もここにある。[*15]こうして、互酬的な贈与の出現を、功利的で合理的な主体の間の計算高い行動によって説明することができる。

だが、しかし、贈与の謎はもっと先にある！　それほど互酬性が重要ならば、どうして、もっと確実で直接的な方法でそれを実現しないのか？　どういうことか、少し説明しよう。互酬性を確実に実現する方法は、贈与を受けたとき、直ちに間髪を入れずに、受け取った物に対応する何か――いわば等価な対象――を返すことである。実際、われわれは、市場交換においては、そうしている。市場で何か商品を入手するということは、同時に支払うことである。両者の間には、いかなる時間的なずれもない。市場では、相互性への要求が絶対的だからである。[*16] 贈与交換でも、同じようにしたらどうだろうか。ところが、実際には、そんなことは断じてやらない。贈られたときに、ただちに返したらどうなるだろうか。それは、とてつもなく失礼なことと見なされるだろう。それは、贈った者を著しく傷つける攻撃的な所作であると解されるのだ。

贈与交換においては、お返しは必須である。それにもかかわらず、最初の贈与と反対贈与との間には、絶対に時間が経過していなくてはならない。その経過の長さが客観的にどのくらいであるかは別として、たとえ短くても、時間が経過していたことを両当事者が認めあわなくてはならないのだ。つまり、二つの贈与――最初の贈与と反対贈与――が時間的に分離され、まるで、それぞれ単独で自立しているかのような様相を呈するのでなくてはならないのである。[*17]

お返し(反対贈与)は、もちろん最初の贈与に規定されて生ずるものだが、しかし、その規定関係・依存関係が百パーセントになってしまい、ただの対価の支払いのようになったときには、最初の贈与もお返しも失敗したことになる。

トロブリアンド諸島のクラ交易において、あまりできのよくなかったクラに対する最大の侮蔑的な表現は、「ギムワリのようなクラ」である。「この間のクラはまるでギムワリみたいだったな」などと言われたら、もう立ち直れないほどの侮辱を受けたことになる。ギムワリとは、もはやクラと市場での取り引きを表す語である。互酬性・相互性が完全になりすぎたクラは、もはやクラとしては成り立っていないのである。

贈与交換のこうした特徴を、最初に学問的に指摘したのは、マーシャル・サーリンズである。彼は、完全に対称的な互酬性は、贈与にとって自己破壊的であるということに気づいたのだ。『石器時代の経済学』の中で、サーリンズは、「大部分の原始人のもとでは対称的な互酬性が、優越的な形態になってはいない」と論じている。[*18]

したがって、贈与の謎は、次のような逆説の中にある。一方では、互酬性が要請され、肯定されているのに、他方では、互酬性が否定されなくてはならない。互酬性が完全なものになったとき、贈与は失敗だったことになる。互酬性が肯定されかつ否定される。この二律背反が、贈与の核にある。どうして、贈与交換は、互酬的でなくてはならず、かつ、互酬的であってはならないのか？

この二律背反から帰結するのが、贈与と反対贈与の間の時間的な分離であった。両者の間には、時間の厚みが挟まっていなくてはならない。市場交換は、時間を否定する交換である。売りと買いは同時的であって、両者の間に時間が存在することは否定されなくてはならない。贈与交換は逆であって、最初の贈与とお返しの間に時間があることが積極的に承認されていなくてはならない。贈与は時間的な現象である。時間がどのような役割を果たすのか？　贈与交換という他者との関係性において、時間がどのように作用するのか？　これが問題を解くための鍵である。

＊1　「THE BEE」の初演は二〇〇六年である（ロンドン）。日本での初演は二〇〇七年。
＊2　贈与と闘争との結びつきへの感覚は、筒井の原作よりも野田版の「THE BEE」でよりいっそう強い。たとえば、後者では、事件が始まった日は、たまたま井戸と小古呂の息子たちの誕生日で、二人はともに自分の息子へのプレゼントを買っていた、ということになっている。二人は、それぞれ、自分が持っていたプレゼントを相手の息子に与えることで、自分の子にプレゼントを贈ったことにしている（もっとも、二人とも、プレゼントを子どもから奪い返し、踏み潰してしまうのだが）。これは原作にはないエピソードである。野田版の方が、贈与と闘争の両義性に対してよりいっそう敏感な理由は、おそらく、これが九・一一テロとその後の「テロとの戦争」に刺激されてできあがった作品だからである。井戸と小古呂の対立は、アメリカとアルカイダ（あるいはタリバン政権）の戦争の隠喩である。テロとの戦争は、負の贈与の循環だというわけである。芝居の最後に提示されるハチ（bee）のイメージは、ツイン・タワーに突入した旅客機であり、またアフガニスタンを空爆した爆撃機でもあろう。ついでに指摘しておけば、「小古呂」というめずらしい姓（これは筒井の「奢りあい」から来る）は、もしかすると、他人に食事などをふるまうことを意味する「奢る」から来ているのかもしれない。とすれば、「井戸」は何か？
＊3　マルク・R・アンスパック『悪循環と好循環――互酬性の形／相手も同じことをするという条件で』杉山光信訳、新評論、二〇一二年（原著二〇〇二年）、二〇―二一頁、一三九―一四〇頁。
＊4　クロード・レヴィ＝ストロース『親族の基本構造』福井和美訳、青弓社、二〇〇〇年（原著初版一九四九年）、一五七頁。
＊5　人は、たとえば、一部の鳥類に見られる、親鳥による雛鳥への給餌行動を「贈与」の一種と解釈したく

なるかもしれない。しかし、鳥が子に餌を与えるのは、子が自分で餌をとることができない短い期間だけである。自分でも餌を獲得できる子に、親が自己犠牲的に餌を与えることはない。まして、直接の親子関係にない二個体の間で、給餌行動が見られることはない。これらは、遺伝子の（包括）適応度から理解できることだ。実は、現存の種の中で最もヒトに近い二つの種、つまりチンパンジーとボノボには、贈与の萌芽とも見なしうる行動が観察されているが、ここでは詳述しない。

＊6　各クランは、ファーラヴェラヴェにおいて贈与するための財（豚や象徴財としてのマット）を、別のファーラヴェラヴェを通じて調達する。だからファーラヴェラヴェはファーラヴェラヴェを産み出さざるをえない。一つのファーラヴェラヴェが網目状の波及効果をもつのは、このためである。

＊7　山本泰・山本真鳥「消費の禁止／性の禁止（1）：サモア社会における交換システムの構造」『東京大学新聞研究所紀要』二九号、一九八一年、七六頁。

＊8　われわれだって、中元・歳暮から、ヴァレンタインデーのプレゼント、年賀状まで、まったくやめられないのだから、他人のことは言えない。

＊9　山本・山本、前掲論文。近代化によって、こういう伝統的な慣行は衰退するかと思えば、そう一筋縄にはいかないらしい。山本泰等が調査に入った頃、サモアにはラジオが急速に普及しつつあった。（西）サモアは小さな社会である。サモアのラジオでは、――ちょうどわれわれの新聞に訃報が掲載されるのと同じように――誰々と誰々が結婚するとか、どこで葬儀があるとか、誰の家が新築された等々の情報が流される。すると、人は、ラジオ以前にはありえなかった遠い親戚でも何か祝い事や行事があることを即時に知ってしまう。かくし知った以上は、「困ったことだ」などと苦情を言いつつ、ファーラヴェラヴェを挙行せざるをえない。

て、ファーラヴェラヴェの頻度はますます高まる。

＊10　復讐については、以下の文献を参照。Raymond Verdier ed., *La vengeance*, vol.1, Paris: Cujas, 1980, pp.14-28. Marcel Hénaff, *Le prix de la vérité :Le don, l'argent, la philosophie*, Paris: Éditions du Seuil,2002, pp. 285-286.

＊11　マルセル・モース「贈与論」『社会学と人類学Ⅰ』有地亨・伊藤昌司・山口俊夫訳、弘文堂、一九七三年（原著一九二三－一九二四年）。先に用いた「全体的社会的事実」という語を発明したのもモースである。また、「社会的事実」は、もちろん、モースのおじデュルケームの概念である。

＊12　レヴィ゠ストロース「マルセル・モース論文集への序文」マルセル・モース『社会学と人類学Ⅰ』有地亨・伊藤昌司・山口俊夫訳、弘文堂、一九七三年。

＊13　ところで、何の利益なのか。ほんとうは、この仮定も追究する必要がある。何度も述べたように、たいていの贈与において、われわれは、あまり利益になりそうもないものを得ているからである。

＊14　純粋に論理の問題で言えば、「囚人のジレンマ」的な状況は、無限回、繰り返されなくてはならない。有限回のときには、常に、単発の「囚人のジレンマ」に回収されてしまう。もっとも、現実の人間の行動としては、ある一定回数以上の繰り返しが予想されるとき、事実上は、無限回に近い効果が得られるだろう。人生はいずれは尽きるのだから、ほんとうは、無限回の囚人のジレンマなどありえないのだが、ほとんどの場合には、いつ死ぬかは確定できないので、人は、まるで、いつまでもこの状況が繰り返されるかのように行動する。

＊15　ロバート・アクセルロッド『つきあい方の科学』松田裕之訳、ミネルヴァ書房、一九九八年（原著一九八四年）。

＊16　信用取引とかローンのようなものもあるではないか、と問う者もあろう。ややこしくなるので深入りはしないが、そうしたものを含めても、ここでの基本的な主張には何の影響もない。

＊17　日本でも、たとえば、葬式の香典返しなどをするとき、式があった日から若干の日を空ける（空けすぎてもだめなのだが）。

＊18　マーシャル・サーリンズ『石器時代の経済学』山内昶訳、法政大学出版局、一九八四年（原著一九七四年）。

第14章　自分自身を贈る

1 スピアマン教授の誤謬推理

経済学者ヘンリー・スピアマン教授が探偵となって、殺人事件の謎を解く『経済学殺人事件』というミステリーがある。作者名はマーシャル・ジェヴォンズ。実は、この名は、限界効用の理論で知られる偉大な二人の経済学者、アルフレッド・マーシャルとウィリアム・スタンレー・ジェヴォンズの名を合成して作った筆名であり、実際の筆者も、ウィリアム・ブレイトとケネス・エルジンガという二人の経済学者である。[*1] このミステリーは、謎解きの鍵が経済学理論になっていて、物語を楽しみながら経済学の入門になるという二重にお得な作品になっている。ハーバード大学の著名な——ということになっている架空の——経済学の教授であるスピアマンは、当然、経済学の理論やその思考法に慣れ親しんでおり、そのおかげで、殺人事件の謎が、とりわけ犯人の動機が解明される、という趣向である。[*2]

事件には、ハーバード大学の教授昇進人事がからんでいる。殺されたのは、この人事の対象になっていた、若手の経済学者デニス・ゴッセンである。昇進の可否を決定する昇任審査委員会は、スピアマンのような経済学の専門家だけではなく、他分野の教授たち、数学とか社会学とかといった他分野の専門家たちも加わっている。結論を言ってしまえば、犯人は、この委員会のメンバーの一人でもあり、そして学部長でもあった文化人類学の教授デントン・クレッグである。クレッグは学部長に選ばれるくらいだから、人徳のある人物である。そのような人物が、どうして殺人を犯したのか？　その動機が重要である。

ゴッセンが殺されたのは、彼が、クレッグが最近出した本に虚偽が書かれていること、そこに捏造があることに気づいたからだ。クレッグは文化人類学者だから、メラネシアの未開社会に――アメリカ人を初めとする文明社会の人びとがほとんど知らない社会に――入り、そこでの文化や生活を観察し、それを記述するような本を書いた。名著として後世に残るはずだとクレッグが期待している、彼の最近著の中で、その社会についての「事実」として報告されていることが捏造である、クレッグがそのような事実を見たはずがない、ということにゴッセンは気づいた。

文化人類学の学術書に、このような虚偽が記されていることが公になれば、それは、学者にとっては致命的なスキャンダルであり、クレッグは、それまでに得てきた地位も名声もすべて失うことになる。クレッグはまじめな人物だったが、学者としては、まだ末永く残るほどの業績をあげておらず、とりわけ学部長に就任して以降は、大学の運営に関する実務に忙殺されて、肝心の研究のための時間をとることができなくなってしまった。それでも研究業績をあげるために、クレッグは、調査地には行かず、勝手に想像したことを、あたかも事実のように記し、著作として発表したのである。まさに「見てきたような嘘」を書いたのだ。もともと、文化人類学者が研究対象とするような辺地の未開社会については、彼らの言語を使いこなし、またその内部の事情を知る学者やジャーナリストは、つまり文明社会の中でその未開社会のことを知っている者は、数名しかいない——場合によっては一人しかいない、ということもめずらしくはない。となれば、「事実」を捏造したところで、露見することはないだろう、とクレッグは推測したのであろう。しかし、ゴッセンに、書かれていることが嘘であると見抜かれてしまった。捏造の事実が公表されることを恐れたクレッグは、ゴッセンを殺害したのである。

さて、われわれにとって興味深い問題は、どうして、ゴッセンは、クレッグの調査地に行ったこともないのに、彼の記述が捏造であるとわかったのか、である。また、スピアマン教授も、どうして、クレッグの嘘を見破ることができたのか。スピアマンは、クレッグの本を読んでいて、虚偽の記述に気づき、そのことをきっかけにして、クレッグが殺人犯であることを確信するのだ。スピアマンは、自分と同様に、故ゴッセンもまたクレッグの嘘に気づいたに違いないと推測する。そこから、クレッグにゴッセン殺害の動機があることを理解し、他の状況証拠と総合して、クレッグを犯人とつきとめるのだ。どうして、ゴッセンとスピアマンが、つまり経済学者である二人だけが、クレッグの捏造に気づいたのだろうか。

問題となっている箇所は、その社会におけるヤムイモ（日常の食品）やカヌー（貴重品）の取引について記述している。そこで報告されている現地人の行動（から帰結する取引結果の数字）が、経済学の理論から考えて——効用極大化の理論から見て——絶対にありえないようなかたちをとっていたのである。経済学者であるスピアマンとゴッセンは、人間がそのようにふるまうはずはない、と考えた。とするならば、そこに書かれていることは嘘に違いない。これが彼らの推理である。

さて、ここからがわれわれの考察である。スピアマンは、つまりミステリーの著者である二人の経済学者は、はるか遠くの未開社会の人びとであろうが、アメリカ人であろうが、その行動は同じ経済合理性に従っている、と前提している。「ボストン地区でその通りであれば、南海の島々の市場でもその通りでしょう」とスピアマンは、当たり前のように断定している。[*3]そうした前提がなければ、彼（ら）の推理は成り立たない。しかし、この推理は、つまりどこでも行動は同じ論理に従っているという前提は正しいだろうか？　経済学理論が普遍的に妥当するという前提は正しいだろうか？

＊

スピアマンの推理は非常に怪しい。スピアマンの前提を疑わせるにたる事例を、ひとつ挙げてみよう。行動経済学の分野で知られている、「最後通牒ゲーム」と呼ばれる心理実験がある。[*4]被験者である二人のプレーヤーにお金を渡し、彼らがそれをどう分配するかを見る実験である。両者が分配の仕方に合意すれば、まさにその通りの金額が、二人に与えられる。ただし、合意に至るまでに次のような手順に従わなくてはならない。まず、お金は、一方のプレーヤーAに全額、渡される。Aは、もう一人のプレーヤーBに対して、お金の分配の仕方に関して、一回だけ、二者択一（受諾か拒否か）の提案をもちかけることができる。つまり、Aは、Bと何回も交渉することはできない。もしBが、Aの提案を受諾すれば、その提案通りの金額が二人に与えられる。しかし、提案が拒否されたときには、お金は、全額、実験者に没収されてしまい、AもBも一銭も得ることができない。

二人のプレーヤーが、経済学が前提にするような合理性に従っていたとすると、どのような結果になるだろうか。予想は簡単である。Aは、できるだけ小さな金額をBに分け与えたいと提案すればよいのである。さすがに、Bの取り分を0にしてしまえば、Bは同意するとは限らないが――というよりたいてい同意しないだろうが――、0以上の任意の金額をAとしては提案できる。Bが「合理的な行為者」であれば、提示された金額がいくらであれ、それを受け入れるはずだ。たとえば、Aが最初に渡された金額が一万円であったとすれば、Aは、Bに対して分与しようと提案する金額は、千円とか百円とかといった少額で、いやたった一円でかまわないはずだ。Bは、たとえ提案された金額が小さくても、その提案を拒否してしまえば、取り分はゼロになってしまうのだから、それを受け入れる方が得である。

だが、実際にこの実験をやってみると、経済的合理性に従った行動はほとんど観察されない。まず、Aが、パートナーの取り分を極端に小さくするような提案をすることは、めったにないのだ。Aは、三割とか、四割とか、場合によっては五割といった金額をBの取り分として提示する。ごく稀に、Aが、Bの取り分を、自分の取り分に比して、非常に小さくして提案することもあるが、こういうときは、Bの方がこれを拒否して、結局、交渉は成り立たない。この実験は、すでに数十ヵ国で数百件、繰り返されているが、実は、今のところ、「ほとんどの人が標準的な経済理論の通りに行動する」と言えるような国民は見出されていないのだ。[*5]

ここまででも、経済学が前提にするような合理性が行動を一般的に規定しているという命題に対して、十分な反証になってはいる。しかし、スピアマン教授は、この程度ではひるまないだろう。そうとうに原理主義的な経済学者であっても、さすがに、人間の行動を規定するインセンティヴ（誘因）は、経済的なもの（つまりお金）だけではないことを心得ているので、現実が経済理論とぴったりとは一致しないと考えているからだ。仮にAがBに対して、お金を山分けにしようと提案し、これをBが受諾したとしても、そのことは、経済学が想定する合理性が行動を規定する支配的な要因のひとつとして作用していることを否定するものではない。[*6]

だが、この実験では、被験者の種類によっては、もっと驚くような結果が出ることが知られている。最初にお金を委ねられたプレーヤーAが、五割より多くをBに与えようと提案することもあるのだ。それどころか、AのBへの提示額が「全額」である場合さえもある。その上で、Bは、その提案をしばしば拒否するのだ！　Aは可能な限り最高の金額の提供を提案しているのに、結局、Bの拒絶によって、二人とも一銭も得ることができなくなってしまう。もしこんな行動が報告書や論文に記述されていたら、スピアマンであれば、それを虚偽であると見なしただろう。こうした行動は、経済学が一般に想定している合理性を完全に否定しているからである。[*7]

どんな場合に、このような奇妙な実験結果が得られるのか。前章、あるいは前々章から考察の対象としているような社会、すなわち儀礼的な贈与交換が全体的社会的事実になっているような社会に被験者が属している場合には、こうした結果になる。AはBにできるだけ気前よく贈与しようとしている。それに対して、Bの方は、その大げさな提案を拒絶することで、自分が物欲しそうにはしていないことを——したがってやはり気前良さを——示そうとするのだ。簡単に言えば、彼らは、この実験によって小さなポトラッチを行っているのだ。現実の激しいポトラッチと同じように、結局、すべてが失われてしまう。

さて、そうだとすると、なぜ贈与が行われるのだろうか？　多くのシンプルな社会、原始共同体において、贈与交換が死活的な重要性をもつのはどうしてなのだろうか？　贈与が行われる理由、少なくともその主要な理由が経済的な利益にないことは確かである。最後通牒ゲームが示すように、「経済的合理性」を完全に蔑ろにするような行動がとられるからである。*8

2　南フランスのレストランで

レヴィ＝ストロースは、『親族の基本構造』の中で、「フランス南部の大衆レストランでの食事のしきたり」を、贈与交換の本性を具体化する元型的な場面として紹介している。「我々は南フランスのなかでも、基幹産業であるワインが一種神秘的な崇敬の念に包まれ、それゆえ典型的な《rich food》になっている地域の大衆レストランで、じつにしばしば食事のしきたりを観察した」[*9]とレヴィ＝ストロースは切り出す。ワイン込みの値段で食事を出すような小さなレストランでは、どの客の皿の前にも、安ワインの小瓶——たいていは無銘柄——が置かれる。小瓶は、グラス一杯分の量にあたる。レヴィ＝ストロースが注目したのは、この小瓶の中身が、その持ち主のグラスにではなく、隣席の客のグラスに注がれる、ということである。《rich food》であるワインは、隣の客に贈与されるのである。隣の客も、同じように振る舞うので、互酬性が成り立つことになる。

なぜ、ワインは贈与されるのか？　どうして自分のワインを飲まないのか？　この交換も、経済的な意味がないことは明らかである。どの小瓶の中身も厳密に同じものだからである。

レヴィ＝ストロースは、このレストランでの贈与交換を、「独りでいること」と「他者と一緒にいること」との間の緊張関係と関連づけて理解しようとしている。一方で、それぞれの客は、独りでいると感じている。隣の客は見知らぬ者なのだから、自分とは関係がないし、また関わるのは無遠慮であると、それぞれの客は感じているのだ。しかし、他方で、客は、他者と一緒にいるという感覚をもち、その他者の存在に、行為への呼びかけを感じている。「物理空間でのそれぞれの位置」（同じテーブルに相席していること）、「食事の内容や食事の道具への二人の関係」（同じような食事を同時に摂っているということ）が、「親密な気分を醸し出し」、かつ「親密さを命じてくる」というのである。レヴィ＝ストロースによれば、どのような社会的距離も呼びかけを含意し、呼びかけは必ず応答を期待するものなので、社会的距離を維持し続けることには苦痛がある。ワイン一杯の交換は、この距離を無効化し、どっちつかずの状態を終わらせるのだ。[*10]

レヴィ＝ストロースの考察が妥当であるとすれば、ここで他者は、ただ（近くに）存在しているというだけで、言葉の本来の意味で同席者をseduce（誘惑）しているのである。ラテン語のseduceは、「離れていること」を意味する接頭辞seと「近くに（脇に）導くこと」を意味するducereを合成した語であり、その語源的な意味は、他者をわれわれのもとに引き込むこと、他者を他所からここに連れてくることである。南フランスの田舎のレストランで、他者は、その現前を通じて、相席者に対して、彼らの間の（社会的）距離を縮めるように呼びかけ、その他者のもとに相席者を引き込もうとしているのだ。

マルク・アンスパックは、レヴィ＝ストロースのこの部分の考察を、グレゴリー・ベイトソンが精神科医ユルゲン・ロイシュとの共著で――しかも興味深いことに『親族の基本構造』とほぼ同じ時期に――出した『精神のコミュニケーション』の中で提起した議論と結びつけ、発展させている。[*11]ベイトソンたちが注目したのは、人間においては、コミュニケーションをしないことそれ自体がコミュニケーションになってしまう、という事実である。互いによく知らない二人の人物が一緒にいながら、沈黙していると、彼らがそれぞれ何を思っていようとも、その沈黙が相手に「私はあなたとコミュニケーションをしません」というメッセージを伝えてしまう。このような自己否定的なコミュニケーションを行うくらいならば、二人は、むしろ通常の――つまり肯定的な――コミュニケーションの方を好むのだ。こうして、二人の間に、当たり障りのない、とりたてて目的もない会話が交わされることになる。こうした会話は、経済的な効用のない贈与交換に似ている。人がそのような会話に引き込まれるのは、ベイトソンによれば、沈黙（コミュニケーションをしないというメッセージの交換）がすでに十分にコミュニケーションであるという逆説が作用しているからである。「もし二人の人物がこのようなメッセージを交わしているなら、それは二人がまさしくコミュニケーションをしていることではないか」[*12]と。

ベイトソンが沈黙の中に見出したコミュニケーションへの呼びかけ（というコミュニケーション）は、レヴィ＝ストロースが南フランスのレストランで発見した隣席者同士の相互的な「誘惑」と同じものである。ベイトソンのここでの議論は、彼が後に提起する「ダブルバインドの理論」を先取りしている。ダブルバインドとは、メッセージの内容――ここでは「沈黙」、つまりコミュニケーションの否定――のレベルと、メッセージ伝達という事実――黙っていてもそれがコミュニケーションになってしまうという事実――が意味しているメタレベルとが対立している状態である。矛盾は、コミュニケーションの否定をコミュニケートするというメタレベルに内在している。

ダブルバインド理論は、こうした自己矛盾を含むケースを活用することによって、実はうまくいっている通常のコミュニケーションにも、二つのレベルが機能しているということを教えてくれる。ニクラス・ルーマンは、オブジェクトレベルを「情報」、メタレベルを「伝達」と呼び、これら二つの選択に、受け手側の（これら二レベルの選択の）「理解」を合わせた、三つの選択によってコミュニケーションは成り立っている、と論じた。南フランスのレストランのケースとの対照が有益なのは、次のような推論を可能にするからである。すなわち、コミュニケーションにおいて同時に機能している三重の選択のうちの「伝達（－理解）」のレベルでは、人を贈与交換へと駆り立てる機制と同じ原理が作動しているのではないか、と。

こうした観察や考察は、贈与はなぜ行われるのか、という謎の解明へと、われわれを一歩近づける。というか、謎の焦点がどこにあるのかをはっきりさせてくれる。人間は、どうして、隣に他者が存在しているというだけで、その他者が何もしていないのに、それどころか何も意図してさえもいないのに、その他者が誘惑していると感じてしまうのか？　どうして、隣接する他者が贈与へと呼びかけていると感じるのか？

こうした問いが成り立つということ、このように問い進める必要があるということは、動物を観察してみれば理解されるだろう。動物が（同種の）他個体と一緒に食事を摂っているときの行動は、二種類に大別できる。第一に、（人間から見ると）異様なまでの無関心である。人間の観点からは、すぐ隣で仲間が食べているのに、よくもあれほど無視していられるものだ、と感心してしまうほどである。われわれ人間がそのように感じてしまうのは、自分をその動物の位置に類推的に投入して、南フランスのレストランで自分が覚えるようなあの、他者からの「誘惑」を感じているからである。人間としては、動物たちがその誘惑に抗しているかのように想像してしまうのだが、そもそも、動物は、そうした誘惑を感じていない。第二に、個体や集団ごとに縄張りをつくる習性のある動物の場合、仲間以外の他個体が侵入してきたときには、それは攻撃の対象となる。動物たちは、自分の「領地」やその中の食料、さらに配偶者を敵から守ろうと、必死の攻防を行う。

どちらも、南フランスのレストランで見られる行動とは、まったく違う。正反対でさえある。レストランでは、客は、独りずつ注文しているので、どちらかと言えば、縄張りのあるケースに近い。ワインを隣の客に与えるということは、自ら積極的に、その縄張りの境界を破っていることを意味する。どうして、人間だけが、こんなことを自然に行うのか？　ときにそうすることの方が、人間にとっては自然に感じられるのはどうしてなのか？

3　結婚としての狩猟

理論的な考察に入る前に、このような贈与交換が人間の人間たる条件、人間の人間性にいかに深くかかわっているかということをあらためて確認しておきたい。ヒトが——厳密に言えばホミニン（ヒト族）が——、チンパンジーのような類人猿との共通の祖先から分岐し、独自の進化の道をたどり始めたのは、今日の知見では、およそ七百万年前であるとされている。その頃、直立二足歩行するヒトが、アフリカに出現したのである。さらに、解剖学的にわれわれと同一の種であるホモ・サピエンスが、つまり現生人類が、アフリカに誕生したのは、十万年前である。人間が農業を始めたのは、およそ一万年前だから、種としての人間の歴史の圧倒的な部分は、狩猟採集民としての生活だったことになる。生物としてのヒトは、狩猟採集民向けの仕様(スペック)になっている。われわれの大部分は、狩猟採集生活に適合するような身体を使って、今日、これを、狩猟採集とは似ても似つかぬ生活や仕事に転用しているのだ。[*13]

ここで、「採集」の方はともかくとして、狩猟に関しては、贈与交換と深く結びついている、ということを示しておこう。狩猟は、至高の贈与交換とも見なすべき女の贈与、つまり結婚と関連づけられているのだ。この点に関して非常に有意義な情報を提供してくれるのは、ロベルト・アマヨンによる、シベリアの狩猟民についての研究である。[*14]

シベリアの狩猟民は、彼らのシャマニズムを通じて、儀礼的贈与交換、姻戚のシステム、そして狩猟の三者が、緊密な一体性をもっていることを示している。狩猟の準備として執り行われる、季節ごとの主要な儀式は、一種のゲームの形式をとる。その儀式は、象徴的な狩猟を表現している。狩猟は、シャマンのダンスによって――さまざまな動物の仮面をかぶったシャマンのダンスによって――擬態されるのだ。

ここで重要なことは、この象徴的な狩猟が、夫である狩人と狩られる動物との間の結婚による結合として理解されていることである。シャマンは、欲情した男を演じ、彼の妻となる動物を誘惑するのだ。儀式は全体として、姻戚関係のモチーフをめぐって展開する。(狩猟によって獲得した)動物との結合は、同時に、森の精霊たちとの結合としても、さらに他の動物たちとの結合としても解釈される。狩猟に関わるすべての相互作用が、互いに尊敬しあい、挑発しあい、惹きつけあう配偶者同士の関係というモデルで理解されているのである。

したがって、狩猟によって動物を得るということは、森(の精霊)から女を贈与されているに等しい。他の家族や氏族から、結婚相手となる女を与えられるのと同じように、森から動物が提供されるのである。狩猟の全体が、森と人間の間に姻戚関係を築くことを意味している。それゆえ、アマヨンは、次のように結論している。「シャマンとその配偶者である動物によって提供されるモデルに示されるように、人間の共同体〔シベリアの狩猟民にとっての〕は、自分自身が、その環境とつがいを形成しているとみているのである」と。

狩猟は、生物としてのヒトにとって、本質的な活動である。ついでに述べておけば、ヒトの近縁種である類人猿は、チンパンジーがときどき狩猟をおこなうことを別にすると、狩猟は行わない。ゴリラなどとても強そうだが、他の哺乳類や爬虫類を倒して食べるということはない。つまり、類人猿は、主として植物採集から食物を得ているのだ。したがって、狩猟は、ヒトを特徴づける行動であると言うことができる。その狩猟は、贈与、とりわけ女の贈与の形式を取っている。このことを思うと、贈与は、種としてのヒトの本質をなすような活動であると推測することができるだろう。それは、人間の人間性を規定するような条件に含まれているのである。

さらに、ここで、われわれがインドのカースト体制は、食物連鎖の隠喩で理解することができる、と述べたことを想起してほしい（第5章）。さらに、こうした隠喩が有意味である限り、カーストは、同時に贈与の一本の連鎖として解釈できる、とも述べた（第12章）。狩猟が、つまり野生の動物を得て、食べることが、原初の贈与であるとすれば、食物連鎖としてのカーストの秩序を、垂直的な贈与と見なすことは、非常に自然なことだと言ってよいだろう。

4 自分自身を贈与する

どうして、人は贈与するのか？ ときに、形式化された行動によって組み立てられ、これみよがしに公開される儀礼の体裁をとるような贈与交換が挙行され、それが共同体にとって枢要な価値を帯びるようになるのは、どうしてなのか？ まずは、そもそも何が贈与されているのか、贈与されている物は何か、ということから考え直しておこう。贈与されている事物に、これといった経済的な価値も有用性もないのだとすれば、いったい、何が贈与され、受け取られていることになるのか？

この点については、マルセル・モースがすでに答えている。贈与物は、贈与者自身である、と。贈与される事物に、贈与者自身が託され、含みこまれているのだ。贈与物は、贈与者の人格、贈与者の「何ものであるか」の外化された姿であると解釈できる。贈与者は、個人であるとは限らない。多くの場合、原始共同体においては、贈与者は、しばしば家族や氏族等の、それ自体共同的なユニットか、あるいはそうしたユニットを代表する首長や家長である。このようなときには、贈与物に外化されているのは、その共同的なユニットのアイデンティティである。いずれにせよ、与え手は、自分自身を、贈与物の上に投射した上で、これを贈与しているのである。受け手もまた、贈与物が、単なる事物以上のものであることを、つまり与え手そのもの（の一部）であることを理解している。

このように説明すると、贈与交換と市場交換の間の、しばしば指摘されてきた顕著な相違を首尾よく解釈することができる。市場で商品を購入すれば、その商品に対する所有権は完全に購入者に移るので、それをどのように扱おうが、それは彼の自由である。捨ててしまったり、転売したりしても、誰もそれを咎めることはできない。しかし、贈与された物については、そうはいかない。もらったプレゼントを捨ててしまえば、それは贈与者に対する非常な侮辱にあたる。どうしてこうした違いがでるのか。市場交換においては、商品は、所有者（主体）から完全に切り離すことができる純粋な客体である。買われてしまった商品は、売り手とはもはや何の関係もない。しかし、贈与物は、どこに移動しても、贈与者の主体性から解放されない。贈与物は、この意味では、主客図式が前提にするような、純粋な「客体」ではない。贈与物は、他者に贈与された後でも、贈与者と見えない紐で繋がっているのだ。贈与物は、受け手の手元にあるときでも、なお与え手そのもの（の一部）であるという性格を脱することはないのである。

贈与物に贈与者自身が外化されているということは、次のことを意味している。すなわち、贈与は自己の拡張だ、と。贈与するということは、贈与者の自己性を、受け手である他者の核の部分にまで延長することである。こうした理解を前提にして、どうして贈与がなされるのかを考察してみよう。

＊

パプアニューギニアの中央高地には、モカ moka とかテ te とか呼ばれている、人類学者の間ではよく知られた贈与交換の連鎖がある。この連鎖は、クラ交換のように円環を描いておらず、線分——全長二百キロにもなる線分——である。この連鎖は、言語や習慣を異にする複数の部族を貫いている。同じ贈与の連鎖が、「モカ」「テ」と異なる呼び名をもつのはそのためである。贈与される貴重品は、ブタである。この贈与の特徴は、流れが周期的に振動することにある。一方の端から他方の端まで贈与が辿り着くのに、およそ四年の時間がかかる。したがって、一往復には約八年の時間が必要だ。

このモカ交換の研究で著名な人類学者アンドリュー・ストラサーンは、彼のインフォーマントの一人から次のようなエピソードを聞いたと記している。そのインフォーマントは、ストラサーンが会ったときすでに老人であり、実は、彼の村に初めて白人が訪れたときに、それを目撃した者の一人であった。その白人は——今から振り返ってみれば——オーストラリア政府の役人である。白い人物を初めて見たとき、村人たちの間で提起された重要な疑問は、あの奇妙な生き物——近頃村を訪問したあの白い生き物——は人間なのか、それとも怪物——伝説の中で語られている人食い怪物——なのか、ということであった。これを確かめるために、村人は贈与を活用した。白人に（モカ交換でも活用する）ブタを与えてみたのだ。白人は、それを受けとり、お返しとして貴重な貝殻を提供した。贈与交換が成立したのだ。その瞬間、村人たちは、その白人を、彼らと同じ完全な人間として扱うことを決定した。[*15]

この事実も考慮に入れた上で、マルセル・エナフは、贈与についての浩瀚な研究書の中で、贈与の存在理由について、一つの整合的な説明を試みている。[*16] われわれとしては、まずこれを検討してみよう。たとえば、このニューギニアの例では、白人に提供されたブタは、村人たちの分身である。白人がこれを受け取ったこと、受け取ったことを示すべくお返しをしたこと、これらは、白人が彼ら村人たちを承認したことを含意している。と同時に、今度は、村人の方も、白人を、彼らと同じ人間であると――つまり「友」であると――承認する。

ここから次のように推論することができる。贈与交換の機能は、相互的な承認を確立することにあるのだ、と。相互的な承認が成立すると、互いに互いを仲間と見なすような、（水平的な）連合が成立する。そうした連合の最も一般的な例が、女性の贈与（結婚）がもたらす姻戚関係である。こうした贈与を媒介にして成り立つ、統一的な社会こそが、まさに「共同体community」である。ラテン語のcom-muniaとは、文字通りに翻訳すれば、shared（com）gifts（munia）――共有された贈り物――となる。以上がエナフによる説明である。

この説明は、われわれの実感ともよく合致するし、正しい方向を向いているように思える。たとえば、われわれは、あまりにも直接に有用な物は、贈り物にふさわしくない、という事実を指摘しておいた（第12章）。どうしてだろうか。贈与が志向しているもの、贈与の目的が、（与え手と受け手の間の）関係そのものにあるからだ。もし、とても役立つものを与えられて受け手が喜んだのだとすると、その喜びの原因が、二人の関係そのものに由来するのか、それとも贈り物の有用性から来るのか決定できなくなってしまう。無論、贈与交換に付される物は、貴重なもの、価値あるものでなくてはならない。しかし、その価値は、贈与の関係の外部からやってくるのではなく、贈与の関係そのものに基づいている。贈与がもたらす関係の価値が、贈与物に投影されているのであり、価値の根拠は、贈与にとって自己準拠的である。

このように、相互承認こそが贈与交換の究極の機能であるとするエナフの理解は、説得力がある。これは間違いなく、正しい方向を指した説明である。が、しかし、これも、正しい結論に到達してはいない。この説明は、まだいくつかの重要な疑問を回収し尽くしてはいないのだ。

第一に、そもそも、どうして、贈与のリスクを犯して、他者からの/他者への承認を確立しなくてはならないのか。どうして、英雄的な孤立を保っていてはならないのか。第2節で言及した、南フランスのレストランの例を思い起こしてみよう。どうして、人は、わざわざ、相席者にワインを贈らなくてはならないのだろうか。自分で自分のワインを飲んでいればよいではないか。「相互承認云々」という理論は、贈与へと人を駆り立てる内的な衝動を説明してはいない。

第二に、この説明は、前章の最後に提起した「互酬性(相互性)の二律背反」の謎を解くことができない。贈与は、一方で、明らかに、互酬性=相互性を求めている。人は何かを贈るとき、お返しを期待している。しかし、にもかかわらず、あまりに完璧で、直接的な互酬性=相互性は、贈与を台無しにしてしまう。それどころか、贈与に対して、間髪を入れずに反対贈与を行ったりしたら、それは、著しく攻撃的な含みをもった行動になるだろう。しかし、もし承認の相互性が贈与における唯一の目的であるならば、直接的で透明な互酬性が最も望ましいものとして歓迎されなくてはならない。[17] 互酬性に不可解な二律背反が伴うのは、こうした解釈には収まらない何かが、贈与にはあるからである。

贈与は、一方で、互酬性を志向している。しかし、他方では、互酬化されてしまうことを拒絶してもいる。後者の側面が肥大化して現れているのが、ポトラッチに代表される競覇的な贈与である。実は、先ほど紹介したモカ交換にも、同じような競覇性がある。ポトラッチやモカにおいて、部族の首長は、自分の贈与が反対贈与によって無効化されないように、あらんかぎりの気前良さを示そうとする。こうした現象は、贈与交換が承認の相互性を目指しているという説明の中には位置づけられない。実際、エナフは、ポトラッチをありえない変則であるとして、説明の守備範囲から排除している。だが、われわれは、贈与が宿す奇妙な矛盾、不可解な不均衡をこそ、説明しなくてはならない。探究をもう一歩深める必要がある。

＊1　マーシャル・ジェヴォンズ『経済学殺人事件』青木榮一訳、日経ビジネス人文庫、二〇〇四年（原著一九八五年）。原著タイトルは、*The Fatal Equilibrium*（致死的な均衡）。

＊2　スピアマンのモデルは、ミルトン・フリードマンであると言われている。実際、小説に描かれたスピアマンの風貌はフリードマンを彷彿させる。

＊3　ここで、スピアマンは、自分が、ボストンで果物ナイフを買ったり、新車を買ったりするときに考慮することと、サンタクルーズ諸島の住民がヤムイモやカヌーを手に入れるために考えることが同じものだと想定している。

＊4　Joseph Henrich et al. "In Search of Homo Economicus: Behavioral Experiments in 15 Small-Scale Societies," *The American Economic Review* 91(2), 2001, pp.73-78.

＊5　もっとも、このような実験結果に驚くのは経済学者だけであろう。真実を見えるようにするはずの学問が、真実を隠すこと――あるいは少なくとも真実を見えにくくすること――もある。経済学を知らなければ当たり前のことも、経済学というフィルターを通すとありそうもないことに見えてしまうのだ。恐ろしいことは、その経済学に基づいて、政策が決定されていることである。

＊6　『経済学殺人事件』の中に、次のような場面がある。昇任審査委員会で、経済学以外の専門家たちが、ゴッセンの理論的な論文は現実と全然合致しない、と口々に批判し始めた。スピアマンほど優秀ではない他の経済学者たちは、この反論に応えることができず、たじろぐばかりだ。苛々したスピアマンは、立ち上がって大演説をし、ゴッセンの論文を擁護する。経済理論は物理学と似ている、物理学においては、質点（質量はあるが大きさはゼロの点）とか真空とか摩擦ゼロといったような現実には存在しない仮定をおいて、現実を理念化するが、だからといって物理学が間違っていることにはならない。それどころか、物理学は大いに役立ち、人工衛星も飛ばすことができる。経済学理論も同じような理念化の産物なのだから、現実と合致していないからといって、それは何の瑕疵でもない、というのがスピアマンの反論である。本書の本筋から外れてしまうので、ここでは詳しくは論じられないが、スピアマンのこの論には、ケルヴィン・ランカスターとリチャード・リプシーの「次善の一般理論」を対置して再反論しておきたい（R.G. Ripsey & Kelvin Lancaster, "The General Theory of Second Best," *The Review of Economic Studies*, 24(1), 1956-57, pp.11-32）。次善の一般理論は、「完全競争市場」からほんのわずかでもずれてしまえば、つまり完全競争市場を成り立たせているい

くつもの条件のうち一つでも成り立たなければ、そこで帰結する財の分配状態は、（完全競争市場で成り立つとされている）完全効率性からは大きく乖離する、ということを含意する理論である。経済現象においては、理念的なモデルにおおむね近い設定であれば、理念的なモデルに立脚した理論がほぼ妥当する、という物理学のような好都合な状況になってはいない、ということだ。初期の設定がほんの少し異なれば、結果は天と地ほども乖離してしまい、もともとの設定が「おおむね近かった」ということがまったく無意味になってしまうのだ。これは、数学者が「カオス」と呼んでいる現象に似ている。

＊7　気になる読者のために書いておこう。『経済学殺人事件』で、ゴッセンやスピアマンが、クレッグの記述が「おかしい」と感づいたのは、そこに記された数字によると、貴重で高価なカヌーの「価格」の変動幅が、日常の品であるヤムイモの「価格」の変動幅よりもかなり大きかったからである。経済学的には逆になるはずだ。（貨幣で測った）効用を極大化するためには、人は、できるだけ安く買おうとする。安い売り手を見つけ出したことによる利得が、そうした売り手を探索するための「機会費用」と等しくなった時点で、人はそれを購入するのだ。カヌーは高価なので、たとえ一％でも安く入手できるならば、その利得は非常に大きい。そのため、人は、少しでも安いカヌーはないかとあちこちを探し回る。しかし、ヤムイモはどうせ安いので、わずかな価格差にこだわってあれこれ探し回ると、その探索の費用の方が高くついてしまう（われわれも、車や家を購入するときには、じっくり時間をかけるが、ダイコンやナイフを買うときにはそれほどでもあるまい）。したがって、高価なカヌーの方が、厳しい価格競争にさらされることになり、価格のばらつきは小さくならなければならない。これがスピアマンたちの推論である。しかし、最後通牒ゲームで相手にすべてのお金を与えてしまうようなプレーヤーだったら、「もっと安いカヌーはないか」などということに血眼になるかどうか怪しいも

のである。そもそも、カヌーとヤムイモとの相対的な価値の大きさを比較するための「価格」という概念が、どこでも通用するかどうか疑問だ。たとえば、クラ交換で循環しているネックレスは、非常な貴重品であり、そのあたりにある鍋などよりはるかに重要かもしれないが、前者の価値が後者の価値の何個分にあたるといった相対比較は意味をもたないだろう。また――フィクションにあまり深入りしてもむなしいが――、サンタクルーズ島では、一つずつのカヌーが手作りで、「芸術品」のようなものであるとしたら、価格の変動幅が大きくても、驚くことはない（われわれの社会でも、絵画の価格の変動幅は、卵の価格の変動幅よりはるかに大きい）。

＊8　だから、クレッグ教授は、著書の内容が効用極大化の理論と合致しないと、ゴッセンやスピアマンに指摘されたくらいで怯む必要はなかったのである。彼が調査した南太平洋の社会では、人は、経済学の理論が予想するそれとはまったく違った仕方でふるまうのだ、と言い張ればよかったのだ（前注に示唆したように、それは十分に可能だ）。そうできなかったのは、クレッグ教授が、文化人類学者として無能か、さもなくば、ほんとうは気弱な正直者だったかのいずれかである。どちらにせよ、経済学の理論だけでは、彼を追い詰めるには不足だったことになる。もっとも、小説の中では、クレッグは、ゴッセンやスピアマンから、どうして彼らが偽造に気付いたのか、どこがどう経済学者から見ると変なのか（前注に書いたようなこと）説明を受けておらず、したがって理解もしていない。ならば、なおのこと、クレッグは説明を求めるべきだった。クレッグは、もともと、嘘を書いたという呵責の感覚があるので、ゴッセンがそれを見破ったらしいと察知しただけで、すっかり動揺してしまっているのだ。

＊9　クロード・レヴィ＝ストロース『親族の基本構造』福井和美訳、青弓社、二〇〇〇年（原著初版一九四

九年）、一四五頁。

＊10　この南フランスのしきたりは、日本人にとってはさして珍奇なものに感じられないはずだ。日本文化にあっても、日本酒やビールを飲むとき、それらを自分で自分の杯やグラスに注ぐことは好ましいことではないと考えられていて、原則的には、（親密な）同席の他者と互いに注ぎ合う（酌み交わす）ことになっているからである。相手が、南フランスのケースのように見知らぬ他者である場合は稀だが、しかし、「手酌」は、関係を拒否しているようで、相手によい印象は与えない。ビールや日本酒は、原則的には、誰かから贈与されて飲まなくてはならないのだ。日本で、「世界標準」とも見なすべき小瓶のビールがあまり普及せず、中瓶・大瓶のビールが主流なのは、前者が贈与にあまり適していないからである。居酒屋では、一本の瓶をわざわざ相手に渡した上で、互いに「相手から与えられた」という形を取った上でビールを飲むわけだが、そういうことをするには、一回グラスに注いだだけでほぼ空になってしまう小瓶は小さすぎる。そもそも、小瓶のビールは、わざわざグラスに入れ替えなくても飲むことができる。

＊11　マルク・R・アンスパック『悪循環と好循環——互酬性の形／相手も同じことをするという条件で』杉山光信訳、新評論、二〇一二年（原著二〇〇二年）、七二頁。

＊12　G・ベイトソン、J・ロイシュ『精神のコミュニケーション』佐藤悦子、R・ボスバーグ訳、新思索社、一九九五年（原著一九五一年）、一三〇頁。

＊13　だから、人間の身体がどうしてこうなっているのだろうか、人間の身体になぜこのような能力が備わっているのだろうか、という疑問をもったとき、われわれが本来は狩猟採集民だったこと、男（オス）が狩猟をして、女（メス）が採集を担当するという性別役割分業をもった生物であったことを想い起こすと、解決する

場合が多い。

＊14 Roberte Hamayon, "Pourquoi les 'jeux' plaisent aux esprits et déplaisent à Dieu". Georges Thinès et Luc de Heusch ed., *Rites et ritualisation*, Paris: Vrin, 1995, p.80.

＊15 Andrew Strathern, *The Rope of Moka: Big-Men and Ceremonial Exchange in Mount Hagen, New Guinea*, Cambridge: Cambridge University Press, 1971, p.xii.

＊16 Marcel Hénaff, *Le prix de la vérité: Le don, l'argent, la philosophie*, Paris: Éditions du Seuil, 2002, chap. 4.

＊17 市場における売買のように、と付け加えてもよいかもしれない。

第15章　双子という危険

1　双子のパラドクス

アフリカの無文字社会を初めとする、多くの原初的共同体や前近代社会で、双子の誕生は、共同体にとって危険である、と見なされてきた。これを、何らかの方法――たいてい儀礼的な手続き――によって治療されるべき病気の症状と見ている共同体も多い。子どもを熱烈に欲しがっている共同体にとって、双子の誕生は、むしろ、特別に喜ばれてしかるべきことであるように思える。どうして、双子が誕生したことが危険の徴候と見なされたのだろうか？

双子の出現によって提起されるのは、論理的な難問である。それは一なのか、二なのか？文化人類学者ヴィクター・ターナーは、これを「双子のパラドクス」と呼んでいる。「双子は、肉体的には二つであるものが構造的には単一であり、神秘的にはひとつのものが経験的にはふたつであるというパラドクスを提示する」[*1]と。物理的には二だが、そのために用意された社会構造（親族構造）の上での座は一である。そのために帰結する決定不能性が、双子のパラドクスである。確かに、これが、いささか認知上の混乱を覚える事態であることは理解できないわけではない。だが、それが共同体の全体をパニックに陥れるほどの危険と感じられるのはどうしてなのか？

　この疑問はとりあえず脇におくとして、双子が生まれたことがもたらした危険に対する解決策は、それほど難しくはないはずだ。最も簡単な方法は、双子を抹殺してしまうことだ。ボーマンによれば、ブッシュマンは実際、この方法を採用しているという。[*2]このように直接に殺害しなくても、双子の存在を体系的に無視＝無化してしまう方法もある。たとえばケニアのテソ族は、双子が死亡しても葬式を行わない。テソ族のコスモロジーの中では、双子は、死ぬことのない鳥として表象されているからである。[*3]死なない、それゆえ葬儀がないということは、双子が、「死」によって否定されるような「存在」を、社会構造の内部にもたない、ということである。双子を、社会的に無化することで、危険を解消しているのである。

　ここで、双子の誕生によって引き起こされる社会的な危機に注目しているのは、この危機を「贈与」――とりわけ女性の贈与（結婚）――の実践系と結びつけて解決する共同体があるからだ。双子そのものが、誰かに、あるいはどこかに贈与されたり、捨てられたりするということではない。双子の誕生が作り出した困難が、贈与という主題に象徴的に関連づけられることで解消すると考えられているのだ。双子がもたらす問題を、双子の物理的または社会的な抹殺によって解決するという論理的な経路は容易に理解できる。しかし、双子の問題がどうして贈与の主題の中で克服されるのか？　この疑問に答えられれば、どうして双子がそれほど重大な病理的危機と見なされていたのかも理解できるだろう。そして、何よりも、それは、われわれの探究の目下の基本的な問い、贈与はなぜ執り行われるのか、とりわけ、一見まったく無益な儀礼的な贈与が執拗に繰り返されるのはなぜなのかという問いに答えることにも繋がっていくはずだ。

贈与によって双子の問題を解決している共同体のひとつが、ザンビア北西部に居住するンデンブ族 the Ndembu である。ヴィクター・ターナーの研究フィールドである。ターナーによると、ンデンブ族では、女性が双子を産むと、ウブワンウと呼ばれる儀礼によって、これを「治療」する。[*4] われわれの病気治療の観念とは異なり、治療の対象になっているのは、出産した女だけではない。治療である儀礼には、女を含む共同体の多くのメンバーが参加する。治療の対象は、女ではなく、双子を産む女を出現させた共同体そのものである。

ウブワンウは、二つのパートから成る。前半は、村の外の水源地で執り行われる。さまざまな手続きを経て、最終的に水源地に木のアーチを造るのが、前半の目的である。このアーチは、ターナーの報告から判断して、男根的なシニフィアンであることは確実である。アーチの素材になるムホトゥホトゥという木は、この儀礼以外にもさまざまな文脈で「勃起した男根」に関連したシニフィアンとして活用されている。たとえば、割礼儀礼で、男性的機能の解発剤として使用されるのもこの木である。アーチの名前「ンパンザ」の語義は、「股」であり、やはり割礼儀礼で、割礼場の入り口に設営される股のトンネルも同じ名前をもつ。少年は、割礼執行者によって建てられたこのトンネルを潜り抜けることで、生殖器を強化することができると考えられている。

ウブワンウが（女の）贈与の実践系と結びついていることが明示されるのは、儀礼の後半のパートにおいてである。後半は、場所を水源地から村落内部に移して執り行われる。この移動は重要である。「水源地（外）／村落（内）」という対立は、記号論的な文化人類学の考察ではしばしば登場する「自然／文化」の対立の一種だからである。治療が水源地から始まるということは、双子を産むことが、文化的な秩序から自然性の水準への脱落と見なされていたことを示している。贈与が関与してくるのは、脱落した女の身体を文化的な秩序の方へと回収してから後だということになる。

ウブワンウの後半は、二つの部屋＝霊所を建てることから始まる。霊所は、それぞれ左手の部屋、右手の部屋と呼ばれる。伝統社会で「右／左」がもっている豊富な意味作用については、今さら復習するに及ばないだろう。[*5] 儀礼後半の中心部分は、この霊所の前で、男女に分かれて展開される、競合的な冗談のやりとり cross-sexual joking である。双方は互いに、猥褻な——性的な含みをもった——冗談を掛け合う。たとえば、次のような言葉が吐かれる。

今日の日に、見なさい、濡れた女陰（ヴァルヴァ）を。／ペニスの母を！　ペニスの母を！

（中略）

私はおまえのペニスをこする、／母よ、おお、母よ！／おまえのふくれた男根は、ほんとに女陰（ヴァルヴァ）をよろこばす。[*6]

ここで二人称で呼びかけられている「母」が、病因とされている死霊である。この母は、ペニスをもつ母である。

ターナーによると、ウブワンウの後半は、何重ものやり方で、女性の贈与（婚姻）を指示し、そのことを通じて、「病」を解決する（とされている）。第一に、冗談を応酬しあう男女は、交叉イトコの関係に見立てられている。ンデンブ族では、交叉イトコの間の結婚が、望ましいものとして規範化されている。また、交叉イトコの間では、冗談のやりとりが習慣化されている。[*7] 第二に、二つの霊所が結婚の隠喩になっている。左手の部屋が女に、右手の部屋が男に対応する。左手の部屋に置かれた壺の後ろに一本の矢が下向きにさされるのだが、この矢は、男根の表象であり、それゆえ双子を産んだ女の夫の表象であろう。第三に、インセスト（近親相姦）等、族外婚への侵犯がなされたときに執り行われる裁判で、ウブワンウと同じ冗談の応酬が見られる。この冗談の応酬には、結婚を正常化する機能があると考えられているのだ。第四に、何よりも、儀礼の締めくくりの行為が、結婚の象徴的な表現になっている。儀礼を取り仕切っている長老が、左手の部屋から矢を取って来て、左足の指の間に挟み、女（ときにはその夫）に、自分の腰をつかませる。その後、二人（あるいは三人）は、右足で片足跳びをしながら、女の小屋（左手の霊所）に入る。その際、夫婦は、矢と弓を小屋に持ち込む。矢は男＝夫を象徴し、右手にもつことになっており、弓は女の象徴で、左手にもたれる。両者を一緒にすることは、結婚を意味する。「片足跳び」を指す単語は、「性交」をも意味しており、やはり結婚に通じている。

それにしても、どうして、双子が提起する危険は、女性の贈与によって解消されるのだろうか？　双子の出現が、女性の贈与の失敗を含意すると見なされているのはどうしてなのか？

2　構造主義の教訓

繰り返せば、双子が提起している難問は、「それは何か」「それは一なのか、二なのか」という謎である。つまり、ここでは意味作用が機能障害に陥っている。とすると、われわれとしては、もう一度、レヴィ゠ストロースの議論を振り返っておく必要がある。

ニュージーランドやオーストラリアの原住民は、事物に「マナ」とか「ハウ」といった精霊が入っていて、それらが、事物の受け手に（反対）贈与を強制する力をもっている、と考えている。これに注目したのが、モースである。これを承けて、レヴィ゠ストロースは、マナやハウは「浮動するシニフィアン」になっている、と捉え返したのであった（第13章第3節）。双子の身体は、一と二の間で揺れていることを思えば、まさに浮動するシニフィアンになっている。だが、根本的なところで、両者は、むしろ対照的である。双子の場合には、（一と二の間の）振幅のゆえに、その意味が決定不能であり、それが混乱や病気の徴候と見なされた。それに対して、浮動するシニフィアン（であるマナやハウ）は、よく反省的に捉えなおしてみると何を意味しているのかは定めがたいが、明確に同一的な「何か」を指すものとして機能し、流通している。

レヴィ＝ストロースの議論の前提になっているのは、ロマーン・ヤコブソンに、そして何よりソシュールに遡ることができる構造主義（の言語学）である。構造主義の最も重要な論点は、意味作用における差異の優越という認識であろう。ひとつのシニフィアンの同一性は、つまりそれが何であり、何を意味しているのかという同一性は、それ自体としては定められない。それは、そのシニフィアンを含むシニフィアンたちの系列の中での示差的な特徴によってのみ定義される。

こうした認識から出発したとき、すこぶる重要な一つの帰結と、解き難い一つの逆説とに至りつくことになる。示差的な同一性というアイデアから導出される重要な帰結とは、「不在」それ自体が、有効な差異となるということである。何かの特徴が「ある」ことだけではなく、それが「ない」ということもまた意味をもつ。不在は、存在との差異において意味を獲得する。たとえば、"man/woman"の対立において、"man"の前に何もないということが有効である。

差異を前提にした同一性という観念から得られる解き難い逆説とは、差異が機能するためには、そこにおいて差異が設定される全体を必要とする、ということに関係している。"man/woman"という差異――「存在／不在」の差異――が意味をなすためには、二つの項を包括する全体が与えられていなくてはならない。"人間 human"の集合が確定しているときには、man と woman の区別が有意味だ。しかし、"human"の集合がなければ、それらは、何の区別なのかさっぱりわからないものになり、"man"も"woman"も意味をもたないだろう。だが、このことのどこに逆説があるのか。

差異の前提となる「全体」自体は、差異を媒介とせずに直接に同一性をもつほかない、という点で逆説が生ずるのだ。シニフィアンのあらゆる同一性は、差異を媒介にして与えられる、という原則が、ここで破られてしまうのである。まさにこの原則が有効であるためにこそ、差異を経由しない同一性の水準を必要とする、ということになるからだ。レヴィ＝ストロースが、意味の担い手としての言語は、定義上、一挙に、全体として出現したはずだ、と述べているのはこのためである。[*8] ひとつずつのシニフィアンである語彙が有意味であるためには、言語の全体性が存在しなくてはならない。

念のために、もう少しだけていねいに説明しておこう。"man"と"woman"を包括する"human"もまた、たとえば"animal"や"God"などとの差異を通じて規定されるのだ、と言われるだろう。その通りだが、より包括的なカテゴリーへの遡及は、どこかで止まる。その最も包括的な全体、普遍的な全体においては、やはり、差異に媒介されない直接の同一性に訴えるほかない。逆説はこのように、消すことができない。

浮動するシニフィアンは、この逆説に対処している、と暫定的に、言っておくことができるかもしれない。それは、シニフィアンでありながら、その意味内容は積極的には規定できない。しかし、「それ」が補填されることで、シニフィアンの全体性が――その中において差異が設定され個別のシニフィアンが切り出されてくる全体性が――構成されるのである。だが、これと贈与とは、どう関係しているのか？ この問いは、双子と（女の身体の）贈与とがどう関係しているのか、という問題の一般化である。

3 分析哲学の教訓

ここでわれわれは、名前(シニフィアン)をめぐる分析哲学の理論に助けを求めよう。そこには、一見したところでは、構造主義のそれとはまったく矛盾する教訓が見出される。名前をめぐる分析哲学の議論の含意をトータルに引き出すならば、名前は、究極のところすべてトートロジーである。名前が、A＝Aという同一律を最終の支えとしているのだとすれば、名前(シニフィアン)は差異に媒介されているとする構造主義の大前提と対立するのではないか。後に述べるように、それでも、両者は——構造主義と分析哲学は——ともに肯定されなくてはならない。しかし、まずは、二つのアイデアの葛藤を確認しておく必要がある。

分析哲学は、名前に関して何を語っているのか。ここで念頭に置かれているのは、名前についての反記述説と呼ばれる理論である。その説の主唱者は、ソール・クリプキである。[*9] かつて、名前に関しては、記述説が有力であった。記述説とは、名前は「対象の性質についての記述の束」の代用品だと見なす説である。まず、この説が、一見、構造主義的な記号の理解と親和性が高いことを指摘しておこう。記述される性質とは、対象の示差的な特徴——その特定の対象が他の諸対象との間で呈する差異――のことだからである。しかし、クリプキは、記述説を完膚なきまでに批判し、斥けた。

クリプキの論は、まずは固有名に即して展開される。クリプキ自身が述べているように、彼の論は、固有名だけではなく、一般名にまで拡張することができる。つまり、反記述説の妥当性は、名指された対象が単一なのか、複数なのかには依存しない。しかし、論の趣旨は、固有名を例にして解説した方がわかりやすいので、われわれもクリプキ自身に倣って、固有名に定位して説明しよう。

記述説に従えば、固有名は、確定記述の代用品である。確定記述とは、対象を単一に絞ることができるような、（対象の）性質についての記述の束である。たとえば、確定記述に従えば、「アルベルト・アインシュタイン」という固有名は、「ユダヤ人で、物理学者で、相対性理論の提唱者で……」といった記述の束に還元できる。「ユダヤ人である」とか「物理学者である」とか「相対性理論云々」等が、アインシュタインを他者から区別する示差的特徴である。記述説は、固有名と確定記述の間には互換性があるという説だ。この説には、何の問題もないように思える。実際、事典で「アインシュタイン」の項目を引けば、まさにそうした確定記述を得ることになるだろう。

だが、クリプキによれば、記述説は、固有名（名前）の実態に合わない間違った説である。クリプキはきわめて精密にその論拠を挙げているが、ここではごく簡単な思考実験によって骨子だけを示しておこう。たとえば、後世の科学史の研究の中で、実は、相対性理論はアインシユタインが思いついた説ではなく、彼の友人のノーマン・コーエンというユダヤ系の物理学者が定式化した説であったことがわかったとする。アインシュタインは、その説の重要性を理解し、コーエンに早くそれを発表するように勧めたが、コーエンは異常なまでに内気な人物で、説の発表を頑なに拒んだ。アインシュタインは仕方なく――コーエンの了承のもと――その新しい物理学説を、自分のアイデアとして発表した。このような可能世界を仮定してみる。

最初に「アインシュタイン」を特定するときに用いた確定記述は、今ではコーエンにあてはまる。と同時に、相対性理論がアインシュタインの説でなかった以上は、その確定記述は、もはやアインシュタインに対しては成り立たない。それゆえ、記述説に従えば、われわれはこう言わなくてはならないことになる。「アインシュタインとは実はコーエンのことだった」と。「アインシュタインはアインシュタインではない」と。

こう考えると、記述説がいかにおかしな説であるかがわかる。その可能世界について、われわれは単純にこう言うべきであろう。「アインシュタインは相対性理論を発見しなかった。コーエンがそれを見出した」と。「アインシュタインが相対性理論を発見しなかった可能世界」を仮定したとしても、われわれは、別に論理的に破綻したことを考えているわけではない。要するに、「アインシュタイン」と「確定記述」とは別のものなのである。ならば、反記述説に基づいたとき、アインシュタインとは何か？「アインシュタインと呼ばれているもの」と答えるほかあるまい。固有名（名前）は、究極的にはトートロジーである、とはこういう意味である。

固有名に関して述べた以上の論は、自然種名や一般名に関しても妥当する。しかし、先を急ぎたいので、精密な議論は省略して、社会主義時代のポーランドで流行っていたというジョークを用いて、基本的なことを示しておこう。それはこんなジョークだ。「社会主義とは、人類史の先行する諸段階の最高の達成物の総合である。それは、部族社会からは野蛮を、古代帝国からは奴隷制を、封建制からは支配従属関係を、資本主義からは搾取をとりあげて総合した。そして最後に、社会主義からは名前をもらった」。「社会主義」という名前の指示対象を例示するときには、われわれは、搾取がない平等社会という性質を基準に用いる。しかし、搾取があっても、社会主義は社会主義である。相対性理論を発見しなくても、アインシュタインはアインシュタインであったように、である。社会主義が社会主義である所以は、まさにその名で呼ばれていることにある。

ジュリエットは「バラはその名で呼ばれなくても芳しい」と言っているが、「芳しい」等の性質は、バラという名前で呼ばれている対象にとって、譲れない必然的条件ではない。そうした諸性質をそなえた対象を、バラというひとつの同じものにしているのは、芳しさではなく、「バラ」という名前の方なのだ。

4 「そこがいいんじゃない！」

名前についてのこうした考察が、しかし、贈与という主題とどう関係しているというのか？前章の最後に述べたことを想い起こしてもらいたい。贈与交換においては、贈与されている事物は、贈与者自身（の分身）である、と述べておいた。したがって、与え、受け取ることは、他者を承認することを意味する。Aの贈り物をBが受け取ることは、BがAをトータルに承認することである。あるいは、Aが自分自身を託した事物をBに与えることは、AがBを愛し、Bを全面的に承認していることを表現している。

だが、他者を承認しているということは、どういうことなのだろうか。ここに名前がかかわってくる。他者を愛し、その他者のすべてを承認するということは、その他者の名前を覚え、名前で呼びかけるということを必然的に含んでいる。ある他者を愛しているのに、その他者の名前を知らない、もしくは知ろうとさえ思わない、などということはありえない。逆に、その他者のある肝心な性質を知らないけれども、その他者を愛するということは、十分にありうることだろう。その人のことを深く愛しているが、彼がノーベル賞級の物理学者だということは知らなかったとしても、驚くにはあたるまい。新しい担任の先生が、始業式の翌日に会ったときに、「○○君だったね」と正しく名前を発してくれたとき、少しうれしい気分になるのは、名前で呼びかけられることの内に、承認ということの最も重要な要素が含まれているからである。あるいは『君の名は』というメロドラマが切ないのは、愛しているのに、その愛が差し向けられるべき最も重要な対象が空白のままだからだ。もし知らないことが、相手の名前ではなく、相手の職業や身分だったら、それはさして切ない物語にはならなかっただろう。

フランスの精神科医フランソワーズ・ドルトは、「名前を呼ぶこと」の絶大な効果を実証する、ある症例を紹介している。[*10] ドルトのところに、フレデリックという名の少年が、連れてこられた。フレデリックは、学童期に達していたが、便失禁が止まらなかったり、知的成長が著しく遅れていたりしたため、両親が心配してドルトを訪ねたのである。ドルトの治療は一定の効果を上げたが、完全ではなかった。とりわけ、フレデリックは、文字をどうしても覚えることができなかった。しかし、よく観察していると、そのフレデリックが、ひとつの文字にだけ固執していることに、ドルトは気が付いた。彼は、自分が描く絵の随所に「A」という文字をちりばめるのだ。これがドルトにヒントを与えた。フレデリックは、実は、もともと孤児で、生後しばらくは施設で育てられていた。そして、生後一年弱のときに、今の両親の養子になったのだ。フレデリックの施設での名前は、「アルマン Armand」であった。「A」は「アルマン」の頭文字に違いない。そう推測したドルトは、少年に「アルマン！」と呼びかけた。これが、完全な回復への決定的な鍵になった。[*11]

この事例では、両親は、フレデリックをわざわざ養子にとり、彼の成長をひどく心配しているくらいだから、息子を愛しているつもりであろう。しかし、本来の名前を否定した瞬間に、その愛は贋物になってしまう。名前を否定されたフレデリックは、親からの愛、親からの全的な承認を与えられず、そのことが原因で、成長への意欲をもつことができなかったのである。名前を呼ぶことは、全的な承認の不可欠な契機である。

ひとつの名前で呼ばれることが、その個体の同一性(アイデンティティ)の実質のすべてである。アインシュタインをアインシュタインたらしめているのは、「アインシュタインと呼ばれていること」である。この哲学的な結論に対応した行動を、理念型的な律義さで実現しているのが、言語学者ダニエル・エヴェレットによって詳細に紹介されている、「ピダハン Pirahã」という名のアマゾン奥地の狩猟採集民である。ピダハンは、おそらく、今日知られている限りでは、最も徹底して文明から隔離されている部族である。興味深い事実はたくさんあるが、ここでは名前に関係する部分だけ参照しておこう。

ピダハンでは、人は人生の中でしばしば「同じ人間でなくなる」。精霊から名前をもらい、そのたびに、完全に別人になってしまうのだ。あるとき、エヴェレットが、彼の言葉の先生にあたるコーホイに、いつものように話しかけた。いくら呼んでもコーホイは返事をしてくれない。どうして口をきいてくれないのか、と尋ねると、コーホイはやっとこう答えた。「おれに話しかけているのか? おれの名前はディアーパパイだ。コーホイはここにはいない。おれは以前コーホイと呼ばれていたが、そいつは行ってしまって、いまここにはディアーパパイがいる」。[*12]

*

贈与交換において、人は互いを全的に承認する。その承認は、相手を名前で呼ぶのと等価な機能をもっている。

とりあえず、次のような図式を得ることができるだろう。もし私が他者を、その他者が有する何らかの性質――たとえばコンピュータについての能力――のゆえに肯定するのであれば、そのとき、私は、他者を、部分的にのみ承認していることになる。実際、その性質においてより優れている別の他者と出会えば、私は、そちらの他者へと付き合う相手を切り替えるだろう。しかし、私が、他者を、その名前で指示されている同一性において承認するならば、私は、その他者を全的に承認していることになり、またその他者を（広い意味で）愛しているのだ。

前者（部分的な承認）が、（名前の）記述説に、後者（全体的な承認）が、反記述説に対応している。もしわれわれの対象（他者）への関係が、記述説が想定しているように、すべてその対象の多様な性質への関係に尽くされるならば、そうした関係をいくら増やしていっても、部分的な承認以上のものにはならない。全的な承認は、記述に還元できない何かへの承認である。

だが、このように整理しても、なお謎が残る。他者を全的に承認しているというとき、実際には、何を承認しているのか？　名前が意味しているものを、である。ところで、名前は何も意味していない。名前が意味していることをあえて定義しようとすれば、先に述べたようにトートロジーにしかならない。トートロジーであるということは、無（内容）だということである。とするならば、誰かが、あなたを全的に承認し、あなたを愛しているというとき、いったい何が承認され、愛されていることになるのか？

ここでヒントになるのは、明らかに間違った人に恋しているように見える友人を説得し、その恋から目覚めさせるときの苦労である。あなたの友人は、つまらない男Pと恋愛関係にある。あなたは友人が不幸なことにならないように説得して、何とかPへの愛情を冷まさせようとする。あなたは友人に、Pの欠点を列挙することで、説得しようとするだろう。「Pは太りすぎていて醜い」「Pは頭が悪い」「Pは貧乏だ」等々と。しかし、友人は、そんなことで気が変わったりはしないはずだ。友人は、Pを、記述されうる何らかの性質のゆえに愛しているわけではないからだ。

そのあとが重要だ。友人のPへの愛がほんものであったならば、あなたがPの難点をいくつも並べたてたあと、その友人はこう言うに違いない。「そこがいいんじゃない！」「だからPが好きなのよ！」友人は、Pが頭がよいと勘違いして好きになっているわけではないので、あなたがPの愚かさを暴いたところで、怯んだりはしない。逆に、その友人は、「Pの馬鹿なところがいいのよ」と言うだろう。こうしてあなたの懸命の説得は失敗に終わる。

他者のポジティヴな性質は、愛に至るまでの全的な承認の理由にはならない。少なくとも、ポジティヴな性質が、愛や承認の「すべての理由」になったりはしない。もちろん、あなたがある人の頭の回転が速いことを好ましく思っているということはありうる。しかし、それが、その人を気に入っている理由のすべてであるとすれば、あなたのその人への感情や態度は愛ではない。

けれども、他者のネガティヴな性質に関しては、状況がまったく逆になる。否定的な性質、つまり欠点、あるいは（よきものの存在が否定されているという意味での）欠如は、愛や（全的な）承認の至高の理由にまで高められることがあるのだ。「頭がいいから好きだ」と言っている愛はいかがわしいが、「馬鹿だから大好き」と言う愛ならば、真実かもしれない。どうして長所は愛の（すべての）理由になりえないのに、欠点や欠如は、愛を構成する示差的な特徴になりうるのか？

こうしたことは、個人間の愛に関してのみ見出されるわけではない。似たような屈折がしばしば見られるのは、帰属する集団や共同体への愛である。もちろん、民族の栄光の過去や民族の有能さを証明すると考えられている性質は、民族主義(ナショナリズム)を高揚させる。しかし、しばしば、屈辱的な過去や民族の弱さをさらけ出す事実は、もっと強力な民族主義の基礎になる。たとえば、敗戦の悲劇に関する記憶とか、他国に侵略されていたという屈辱に関する事実は、勝利や征服の記憶よりも、はるかに強く、かつ持続的に民族主義的な感情を支えるだろう。ユダヤ人は、このことの最も顕著な実例である。

5　一者における二項対立

もう一度、名前は記述には還元できない、という説の含意をよく考え直してみよう。「アインシュタイン」という名前は、「ユダヤ系p」「物理学者q」「相対性理論云々r」といったアインシュタインに関するどの事実の記述とも同一視できないし、それらの事実の束にも還元できない。それならば、この名前は何を指しているのか？

「アインシュタイン」によって指し示されているのは、アインシュタインがそれらの性質のいずれでもないということ、それらの性質のいずれを否定してもアインシュタインでありえたということ、つまりアインシュタインが他でもありえたかもしれないということである。繰り返そう。「アインシュタイン」という名前によって指示されているのは、「p、q、r…である」ということではない。そうではなく、「p、q、r…ではない（かもしれない）」という可能性こそ、名前の真の指示対象である。したがって、次のように言ってもよいことになる。名前が本来指し示していることは、対象の同一性（…である）よりも、差異性（…ではない）である、と。あるいは、名前が指向しているのは、必然性（AはAでしかないということ）以前に、偶有性（A以外の他でもありえたということ）である、と。

前節の後半に述べたこと、すなわち他者のポジティヴな性質は愛の理由にはなりえないのに、欠点であれば至高の愛着の対象へと格上げされることがあるという事情は、今述べたことと関連している。愛が差し向けられていたのは、他者における差異性や偶有性であると考えてみよ。しかし、差異性や偶有性は、否定的な様相、現前（存在）を否定する様相なので、具体的な像を結ぶことはない。つまり差異性とか偶有性が現実の中にそのまま現れることはない。しかしながら、それらは、しばしば、ネガティヴな価値をもつ性質に託され、投射されることで、積極的な対象性をもつことができる。なぜか？　欠点は、まさに、ポジティヴな性質がそこにはないということ、つまり欠如を示している。このような否定性や不在性によって、欠点は、本来は現象しえない差異性や偶有性を表現する間接的な媒体となりうるだろう。他者の差異性や偶有性への志向は、欠点への愛情という形式で具体化することができるのだ。

＊

だが、まだ疑問がある。名前は、今述べたように差異性・偶有性を指しているのに、名前の使用を通じて、われわれが実際に体験することは、これとはまったく逆のことである。すなわち、名前によって、人は、差異性・偶有性どころか、「他ならぬこれ」といった、対象の同一性・単一性こそが指し示されていると体験するではないか。前節までのわれわれの議論も、こうした体験をそのまま素直に記述するかたちで進められてきた。この矛盾、つまり差異性・偶有性を指示しているはずの名前が、逆に、同一性・単一性を含意するシニフィアンとして現れるという矛盾を、どう説明したらよいのだろうか？

この矛盾を解く唯一の論理は、意識に先立つ、体験の最も原初的な水準で、ある種の二項対立があらかじめ否定され、抑圧されていた、とする説明であろう。これには解説が必要だ。

ここで原初の二項対立を「ある種の」と限定したのは、それが、通常の二項対立――つまり異なる二つの実体の間の対立――とは別のものだからである。それは、「一者」に内在する二項対立、「一者」における二項対立である。アインシュタインという個体をとったとき、そこには、「(p、q、r…)である可能性/(p、q、r…)ではない(かもしれない)可能性」という二項対立が孕まれている。「アインシュタイン」という名前で指示される単一性の中に、対立する二項が孕まれる。もし「アインシュタインとは何か」という同一措定に内容を与えようとすれば、結局、「(p、q、r…)である可能性」の方を基準にするしかないだろう(これが記述説になる)。この事実からすれば、「(p、q、r…)ではない可能性」は、「(アインシュタインが)アインシュタインではない可能性」だと言うことさえできる。つまり、「アインシュタイン」という単一性の中に、「アインシュタインであること/アインシュタインではないこと」の二項対立が内包されていることになる。「一者」の中に、「一者」と「一者の否定」の「二者」が、対立しながら孕まれているのだ。それは、「一者」なのか、「二者」なのか、どちらとも決定できない。名前は、本来は、「一者」が包摂するこの対立、つまり「一者/一者の否定」の全体を指していた。

しかし、人が名前を使用し、これを意識するときには、「(p、q、r…)ではない(かもしれない)可能性」の方、つまり「一者の否定」の方はすでに排除されてしまっているのだ。だからこそ、われわれは、「アインシュタイン」という名前が同一性をもった単一の個体に――

つまり「何であるか」を一義的に定めうる個体に——繋ぎとめられている、という感覚をもつことができるのである。二項対立の状況にあっては、名前の指示は、他なる偶有的な可能性の方へといくらでも拡散してしまう。名前が、同一的で一義的な実体と結びつくためには、原初のこの二項対立は、最初から排除されていなくてはならない。

意識的体験に先立つ原初の層において、一者が、それ自体で二（項対立）であるという両義的な事態がある。二つの実体の間の対立ではなく、「一者」そのものにおける「一者とその否定」によって構成される二項対立を、通常の二項対立から区別して「原本的二項対立」と呼ぶことにしよう。原本的二項対立を構成する「二」を排除することで、名前（シニフィアン）は機能し始める。

この段階で、われわれは、本章の考察の冒頭で紹介した、双子のパラドクスに立ち戻ることができる。双子が可視化したものは何であったのか？　それは、一者がそれ自体において二者であるということ、一者そのものの中に一者と他者との分裂が刻まれているということ、これではないだろうか。要するに、双子は、原本的二項対立を、触知可能な身体として現前させているのである。とするならば、双子は、シニフィアンが意味作用をもつために予（あらかじ）め排除されていなくてはならない事態を、現実の方に呼び戻していることになる。双子の出現が人々を不安にさせ、共同体にとって大きな危機と感じられるのは、このためではないだろうか。もちろん、人々はこうした理路を意識しているわけではない。ただ無意識の体験の中で直観しているのだ。

構造主義の教訓（差異性の優越）と分析哲学の含意（名前のトートロジー性）との間の矛盾も、こうした論理をふまえるならば、解決することができる。名前は、端的に直接的な同一律に従っているのではなく、やはり差異を媒介にして働くのだ。しかし、その差異は、構造主義の言語論が一般に想定しているような外的な二項対立ではない。名前の働きを保証する差異は、内的な差異、一者に内在する差異、原本的二項対立である。

構造主義の論理も、実は、〈一者に内在する差異〉という形式を自らのうちに組み込んでいる。同一性はすべて差異に媒介されているとする構造主義の論理は、つねに、差異をその内部に刻み込む、直接的に同一的な「全体」を与件とせざるをえない、と先に述べた。差異性の優越を維持するためにこそ、差異に媒介されていない全体性を必要としたのだ。これを矛盾なく解消するためには、差異の前提となる全体性そのものが、その同じ差異に媒介されて構成されている、と解釈することである。たとえば、"man/woman"という対立の地平自体が、この対立によって構成された"man"であると考えたらどうであろうか。つまり、"man/woman"という二項対立自体が、"man"という一者に内属しているのだ。[*13]

ところで、われわれの問いはこうであった。個人と個人の間で、あるいは集団と集団の間で贈与交換がなされる必然性はどこにあったのか？　ここまで準備しておけば、この問いの答えまでは、あと一歩である。その一歩は、次章に踏み出そう。

＊1　ヴィクター・W・ターナー『儀礼の過程』冨倉光雄訳、思索社、一九七六年（原著一九六九年）、六五頁。

＊2　同書、六五頁。H. Baumann & D. Westermann, *Les peuples et les civilisations de l'Afrique*, Payot,

1948.

＊3　長島信弘『死と病いの民族誌——ケニア・テソ族の災因論』岩波書店、一九八七年。

＊4　ターナー、前掲書。

＊5　ロベール・エルツ『右手の優越』吉田禎吾・内藤莞爾・板橋作美訳、ちくま学芸文庫、二〇〇一年。

＊6　ターナー、前掲書、一〇六―一〇七頁。

＊7　ンデンブ族の交叉イトコ同士は、文化人類学者が「冗談関係 joking relation」と呼んでいる間柄である。

＊8　レヴィ＝ストロース「マルセル・モース論文集への序文」マルセル・モース『社会学と人類学Ⅰ』所収、有地亨ほか訳、弘文堂、一九七三年（原著一九五〇年）。

＊9　ソール・A・クリプキ『名指しと必然性』八木沢敬・野家啓一訳、産業図書、一九八五年（原著一九八〇年）。

＊10　フランソワーズ・ドルト『無意識的身体像』榎本譲訳、言叢社、一九九四年（原著一九八四年）。

＊11　実は、呼びかけが効果をあげるためには、ある驚異的な工夫が必要だった。その工夫については、以下を参照。大澤真幸『〈自由〉の条件』講談社、二〇〇八年、五五―六四頁。

＊12　ダニエル・L・エヴェレット『ピダハン』屋代通子訳、みすず書房、二〇一二年（原著二〇〇八年）、一九六頁。

＊13　以下を参照されたい。大澤真幸『増補新版　行為の代数学』青土社、一九九九年。そこでは、私は、スペンサー＝ブラウンの概念を利用して、対立の地平となる全体 man が、対立“man/woman”に再参入 reentry していると論じている。再参入と原本的二項対立は、同じことの言い換えである。

第16章　贈与の謎を解く

1　メシアは一日遅れてやってくる

何ゆえに、贈与は、双子の出現がその徴候であるところの危険を克服しうるのか？　前章で、われわれは、ヴィクター・ターナーの論考等をもとにして、原初的共同体においてはしばしば、双子の誕生が大きな危機と感じられてきた、という事実を確認した。この危機は、ごくシンプルな方法によって解決が図られる場合もある。つまり、双子を殺害してしまうとか、あるいはその社会的な存在を無視するといったような方法で、双子が共同体にもたらしたと思われる危険を解消するときもある。だが、ターナーが研究対象とした狩猟採集民ンデンブ族のように、双子の危険を、もっと複雑な方法で、つまり贈与という主題と関係づけることによって解決するケースもある。この場合には、双子は、生理的にも社会的にも抹殺されずにすむ。念のため再確認しておけば、「贈与によって双子の問題を解決する」とは、双子のうちの一人をだれかに与え、その養子にしてしまうという意味ではない。双子が生まれると、共同体は、諸々の贈与の中で最も重要な贈与、つまり女の贈与（婚姻）を儀礼的な仕方で再演し、やり直すことによって、危険に対処するのである。もちろん、その場合、贈与の対象となっているのは、双子を産んだ女である。一見、双子と（女の）贈与とは何の関係もない。双子に、何らかの危険の不気味な徴候が感じられたとしても、（女の）贈与を反復することで、その危険を除去できるというのは、どうしてなのだろうか？

この疑問を解くことを媒介にして、より一般的な問いに解決を与えてみよう。一般的な問いとは、次のような関連する諸問題である。そもそも、贈与とは何か？　どうして、人間は贈与するのか？　どうして、贈与が、贈与の受容が、あるいは反対贈与が逃れがたい義務と感じられるのか？　国家以前の原初的な共同体では、しばしば儀礼的な贈与交換がきわめて大きな重要性をもっており、共同体のメンバーにとっては、その成否がほとんど人生の意味を決するほどである。しかし、そうした儀礼的な贈与交換によって得ることができるものは、多くの場合、あまり経済的な価値をもたない。それなのに、彼らは、最高の情熱をもって儀礼に関与する。どうして、そのような無価値な――ように見える――贈与交換が遂行されなくてはならなかったのか？　さらに、こんな謎もあった。贈与交換においては、互酬的な相互承認が求められているように見えるのに、互酬性が、市場における交換のように完全だった場合には、贈与は失敗であると見なされる。互酬性は求められているのに、忌避されてもいる。どうしてなのか？

前章の考察が到達した地点を、もう一度、確認することから議論を再開しよう。われわれは、双子の出現によって共同体が直面しているのは、意識的な体験以前の二項対立、原本的二項対立である、と述べた。言語を用いるとき、名前によって指示するとき、原本的二項対立は、すでに排除されている。

原本的二項対立とは何か？　前章とは異なる仕方で、もう一度、それを示しておこう。ここで、われわれを導いてくれるのは、日常言語学派の哲学者ギルバート・ライルである。[*1] ライルは、次のような思考実験で戯れている。理解するということは、分割（分節化）することでもある。このことを前提にして、単一の実体を繰り返し分割していくという操作を考えてみる。一つの実体をより小さな部分へと（二）分割していく操作を繰り返していくと、その極限においては、一者をもはや二つの積極的（ポジティヴ）な二部分に分けることができない段階へと、つまり「ひとつの部分と無との間の分割」へと至るほかないだろう、とライルは言う。反復的な分割という操作が有意味であるためには、このような極限を想定しておかなくてはならない。さもなければ、その操作は、何の操作か、何を目指した操作なのかがさっぱりわからないものになってしまうからである。この極限の分割、ある積極的な部分と無との間の対照が、原本的二項対立である。

このことは、固有名（名前）によって指示されている対象が何であるか、あるいは「私」とは何か、を分析するという作業のことを思うと、理解しやすい。前章も例として用いた「アインシュタイン」をここでも使ってみよう。「アインシュタインとは何者か」を分析しようとする。「アインシュタインはユダヤ人である」と言うとき、われわれは、「アインシュタイン」で指示されている一者1を、「ユダヤ人性」という側面（部分）p_1 とそうした側面（部分）には還元できない別の側面（部分）q_1 とに分割している。「彼は物理学者である」という分析を付け加えたときには、q_1 がさらに、p_2（物理学者であること）と q_2（物理学者という側面には還元し尽くされないこと）に分けられる。「彼は相対性理論の発見者である」という判断を加えるならば、さらに、q_2 は、p_3 と q_3 とに分けられる……。このような繰り返しがゴールに至りつくのは、p_i という側面（部分）に対立している q_i がもはやこれ以上の分割が不可能な「無0」になったときである。

$$1=p_1+q_1 \quad q_1=p_2+q_2 \quad q_2=p_3+q_3 \quad \cdots\cdots$$

$$q_{i-1}=p_i+q_i=p_i+0$$

$q_i=0$ であり、つまりは q_i には内容がないのだから、それはなくてもよいのか、それは何の現実的な効果ももたないのか。そんなことはない。前章で述べたように、「アインシュタイン」は、p_1, p_2, ……p_i という部分の合計（性質の束）には還元し尽くせない。何であるともはっきりと言えない、あえて言葉にすると「無」と言うほかない q_i の付加がどうしても必要になるのだ。別の言い方をすれば、「無」自体が、ひとつの部分であるかのように扱われ、実定化=積極化されなくてはならないのである。

こうして、一者1は、明晰に規定しうる部分（p_1, p_2, p_3,……p_i）と無（q_i）の二項に分割される。

$$1=(p_1+p_2+p_3+\cdots\cdots+p_i)+q_i=1+0$$

この1と0の対立が、原本的二項対立である。この二項対立における「無」があらかじめ排除されている限りで、その「一者」の同一性（何であるか）が定義可能なものとなる。今、原本的二項対立の水準（p_i/q_i）は、すべての二項対立p_1/q_1, p_2/q_2, p_3/q_3,……を除去したあと最後に抽出された。しかし、論理的には、原本的二項対立の方が先にある。一般に、対象を認識するということは、その対象を相補的な対抗関係にある二項――「右／左」「光／闇」「善／悪」「内／外」等々――の中に位置づけることであろう。こうしたすべての二項対立に先だって、いわば不明瞭な二項対立、「何」と「何」が対立関係にあると明晰に指示することができないような二項対立、つまり原本的二項対立があるのだ。原本的二項対立とは、言ってみれば、一個以上だが、二個未満であるような項の間の関係である。一般の二項関係の前に、このような曖昧な二項関係の水準がある。

　以上は、前章の最終節で論じたことの言い換えである。こうした議論を前提にして、ジャック・ラカンの有名な――というより悪名高い――命題「女は存在しない」を解釈することができるかもしれない。[*2] 性的差異こそが、原本的二項対立である、と考えてみるのだ。このとき、女は、「無q_i」に対応している。つまり、「女は存在していない」。人（男）が「女がここにいる」と認識するとき、その女は、男の幻想のスクリーンを通してとらえられた女であり、女としての女ではない。このときには、女はすでに、男性性（男らしさ）と女性性（女らしさ）についての紋切り型の二項対立の中で仮構されている。そうした紋切り型の二項対立が機能するためには、原本的二項対立（性的差異）の抑圧が、つまり女としての女の排除が完了していなくてはならない。

　あるいは、カフカの掌編「メシアの到来」に記されている謎めいた言明を思い起こしてみよう。メシアはやってくるだろう、ただし「到来の日より一日遅れて」、と。[*3] これを、原本的二項対立と一般の二項対立のあり方を表現する寓話として読むことができるのではないか。「到来の日」にあたるのが、原本的二項対立の水準、この水準の排除が未だになされてはいないときである。だが、原本的二項対立は、そのものとして直接に現前することはない。同じように、メシアは、到来すべききちょうどその日にやって来て、われわれの前に姿を現すことはない。二項対立がそれとして意識されているときには、原本的二項対立の水準の排除は、すでに終わっている。つまり、一般の二項対立（メシア）は、到来の日に対して、どうしても一日遅れてしまうのだ。

「双子」という主題に戻ろう。双子は、本来は人が立ち会うはずのない「到来の日」を、つまり原本的二項対立を現出させる。原本的二項対立は、同一性と無との間の対立である。とすれば、それは二なのか一なのか。一方の項が無であることを思えば、そこには一しかないように見える。だが、そこには確かに、対立しあう二があるとも言える。結局、そこには一でありかつ二であるという、解消できない両義性」を現前させるのが、双子である。

2 トーテミズム

なぜ贈与がなされるのか？ どうして贈与は不可避なのか？ 以上の議論を前提にして、この謎を解いてみよう。

マルセル・モースは、贈与は三つの義務よりなる、と論じていた。与える義務、受け取る義務、そしてお返しの義務である。これら、三つの義務に関して、われわれは、すでに次のことを確認した（第13章参照）。まず、受け取ることは、それ自体でミニマムなお返し（反対贈与）である。

また、与えることと返すこととは別のことだが、しかし、人Aが、誰かBに何かを贈るのは、多くの場合、その人Aが、以前に自分がその誰かBから（何かを）与えられていたと感じているときである。少なくとも、AがBに何かを贈ることを強い義務であると認識するのは、AがBに対して負債があると感じているときである。ここで注意しなくてはならないのは、客観的に見て、AのBへの贈与に先だってBからAへの明確な贈与があったかどうかは重要ではないということ、さらに、BがAに対して何かを贈ったという主観的自覚をもっているかどうかも無関係だということ、これらの点である。ただ、AがBに贈与するとき、Aの主観的世界においては、多くの場合、BがすでにAに（何かを）与えているのだ。したがって、Aの贈与は、A自身にとってはすでに反対贈与である。最初の贈与、BのAに対する最初の贈与は、A

の（反対）贈与によって遡及的に、存在していたことになるのだ。[*4] したがって、贈与は、ほとんどの場合、初めから反対贈与である。贈与は、到来の日よりも一日遅れてやってくるカフカのメシアに似ている。（最初の）贈与は、一日遅れていて、反対贈与になってしまうのだ。[*5]

さて、すると、問うべきことの核心がはっきりしてくる。人は、お返しをしなければならない、と感ずるのか？　もう少し繊細に言い換えれば、人は、どうして、それに対して「お返し」の義務を覚えるような形で、他者から「与えられていた」と感ずることになるのか？　この問いは、次のことをあらためて思い起こすと、謎に満ちた疑問であることがわかる。お返しが義務であるということは、関係を互酬化することへの強い要請があるということだ。しかし、それでも、贈与交換にあっては、互酬性が完全である状態は回避されなくてはならない。つまり（反対）贈与は、一日遅れでなくてはならないのだ。「一日」という遅延が入らないお返し、その場で即座に清算してしまうような反対贈与は、相手にけんかを売っているようなものである。互酬性をめぐる、この二律背反的な態度が説明されなくてはならない。

もう一つ、考察に先だって留意しておいてよいことは、原始共同体における重要な儀礼的贈与交換においては、贈ったり、受け取ったりする主体は、一般に、小さな共同的ユニット、もしくはそうしたユニットを代表する個人だという事実である。つまり、交換は、氏族、部族、あるいは家族の間で、あるいはそうしたユニットの首長たちの間で、執り行われる。したがって、贈与に関わる者たちには、共同的ユニットをいわば〈拡張された私〉とみなす意識、〈われわれ〉というアイデンティティについての意識、「〈われわれ（家族、氏族、部族）〉は何者か」ということへの自覚が、すでに存在していると見なさなくてはならない。前々章に論じたように、贈与物は、しばしば、贈与者自身と同一視されている。このことを念頭においたときには、〈われわれ〉という意識は非常に重要である。贈与物に投射されている「自分自身」なるものの範囲が、そこに表現されるからである。

儀礼的贈与交換の前に、共同的ユニットを基盤として〈われわれ〉の意識がある。このことを、私自身が用いてきた術語で記述しておこう。儀礼的贈与交換が生ずる前提（必要条件）のひとつは、氏族等の共同的ユニットを支配する「第三者の審級」が措定されていることである。第三者の審級に対応する具体的な要素は、氏族の祖霊（死者）であったり、氏族の起源におかれたトーテム動物・植物であったりするだろう。人間の宗教の最も原始的な形態は、トーテム信仰であるとするエミール・デュルケムの説を受け入れるとすれば、第三者の審級が、トーテム動物・植物によって表象されるケースは、特に重要である。[*6]

トーテミズムは、贈与交換との関係では、とりわけ興味深い。トーテミズムは、ひとつの氏族（共同体）が、特定の動物や植物、とりわけ前者と特別な関係をもっている（という自己了解を持つ）ことを意味している。彼らは、自分たちを、トーテム動物の末裔である、と説明したりするのだ。ところで、われわれは、すでに、狩猟採集民が、狩猟（動物との関係）を、贈与の言葉で、女の贈与（婚姻）の言葉で理解している、ということを確認しておいた（第14章）。トーテミズムの下では、氏族のメンバーは、自分たちのトーテム動植物に触れること、ましてそれらを食べることは禁止されている。トーテム動植物こそは、氏族のアイデンティティの原点であることを思うと、これは、トーテム動植物の自己消費・自己接触の禁止にあたる。食のレベルにおけるこうした禁止は、性のレベルにおける、氏族内での女の「自己消費」の禁止、つまりインセスト（近親相姦）の禁止に対応している、と考えることができるのではないか。女の「自己消費」の禁止の反面が、外婚制、つまり女の贈与である。

3　贈与の機制

さて、原本的二項対立が常にすでに排除されているところから言語や象徴による明示的な規定が始まる。このことを前提にして、〈私〉あるいは〈われわれ〉という自己意識がどのように現れるのか、〈私〉や〈われわれ〉はどのように出現するのか、を考えてみよう。贈与が生起する理由は、ここから説明される。

〈われわれ（私）〉は、自分自身が何者であるかを、不断に、言語や象徴を介して自己定義している。シニフィアン（記号）は、主体を他のシニフィアンに対して表象するものである、というラカンのシニフィアンの定義を念頭におけば、人が言語を使用することは一般に、直接的もしくは間接的に、自分自身の同一性（アイデンティティ）を他者たちに対して提示することである。ところで、原本的二項対立（の排除）のことを念頭においたときには、こうした自己定義・自己提示には、限界があることがわかる。「〈われわれ〉は p_1, p_2, p_3, ……p_i である」という自己定義をいくら反復しても、すでに排除されている $q_i=0$ をその定義の中に組み込むことはできない。しかし〈われわれ〉という単一性は、無0であるところの q_i によって補完されて初めて十全でありうる。したがって、自分自身が何者か定義・提示しようとしている〈われわれ〉は、次のように感じざるをえない。〈われわれ〉は、〈われわれ〉自身であるために必要な「肝心な何か」を欠いている、と。〈われわれ〉は、自分自身が自分自身であるために不可欠な重要なものを持っていない、と。

もちろん、その欠けているものとは、$q_i=0$ である。q_i は、p_1, p_2, ……といった明示的な自己定義の中に尽くされない、自己にとっては過剰なものである。まさに過剰である限りにおいて、それは、欠けているもの、不足しているものとして実感されるのだ。過剰と過少の間には、相互依存の関係がある。その相互依存性が納得できない者は、摂食障害の両極端の二つの症状、つまり拒食と過食との間の相互移行のことを思いおこすとよい。拒食症に苦しむ人は、しばしば過食に転じ、過食の後には、今度は、自己懲罰的な拒食へと回帰する。つまり過食と拒食とが、頻繁に繰り返されるのだ。過食症者には、何かが欠けていると感じられており、いくら身体に食べ物を取り込んでも、それは埋められない。その同じものが、つまりすべての食べ物が過剰なもの、自己の内に同化してはならない疎遠な身体として感じられているとき、今度は、拒食の症状が出る。拒食症者にとっての過剰が、過食症者にとっての欠如である。二つの症状の間に相互的な転化の関係があるのは、過剰と欠如が別のものではないからだ。

さて、自己定義しようとする〈われわれ〉は、何か本質的なものを欠いていると感じている。その欠けているものはどこにあるのか？〈われわれ〉が内面化することができない、〈われわれ〉にとって疎遠な場所に、それはある。つまり、〈他者〉が、〈われわれ〉が欠いているものを所有している――かのように〈われわれ〉には見えるのだ。あの qi は、〈われわれ〉がまさに〈われわれ〉としての自覚に至るときには、すでに排除されている。そうである以上は、それを手のうちに持っている者は、どうしても、〈われわれ〉の外部にいる〈他者〉でなくてはならない。

贈与が関わってくるのは、この局面である。〈われわれ〉は、〈われわれ〉に欠けているものを〈他者〉から与えられなくてはならない。それは、〈われわれ〉が自己自身であるためにどうしても必要なものだからである。〈他者〉からの贈与を通じて、〈われわれ〉が受け取るのは、この「欠けているもの」である。贈与を駆動する力、つまり〈われわれ〉をして〈他者〉からの贈与を受け入れさせる力は、〈われわれ〉や〈私〉の本来的な自己疎外の構造に由来している。自己自身であるために不可欠な何かが最初から〈他者〉に握られている――ように感じられる――という構造に、である。

〈われわれ〉は、〈他者〉から、自分に欠如しているもの、それによって自分自身が完成すると感じられるものを与えられる。贈与は、だから、〈他者〉の〈われわれ〉に対する承認の表現である。〈われわれ〉の方は、〈他者〉から贈与されることによって、まさに〈われわれ〉になることができた、と感じるからである。愛する〈他者〉からの贈り物が、いかに深い喜びをもたらすかを、思い起こしてみればよい。

ただし、贈与にともなう〈他者〉による〈われわれ〉への）承認が完結するためには、ひとつの条件が満たされなくてはならない。〈われわれ〉の方がその贈与を受け入れたということ、そのことを〈他者〉に対して示さなくてはならないのだ。〈われわれ〉の側が贈与を受け入れたことを表現する最も確実な方法は——というよりその唯一の可能な方法は——、〈われわれ〉の側が今度は〈他者〉に対して贈与して、最初の贈与に応えることである。これが反対贈与だ。反対贈与をしなければ、〈われわれ〉は、〈他者〉から〈われわれ〉への最初の贈与の存在を認めなかったことになり、したがって〈他者〉による〈われわれ〉に対する）承認に無効を宣言したことになる。贈与は、受け手によって認知され、感謝されたときにまさにそれとして成就するのであり、そうした認知や感謝の表現は、結局は、反対贈与以外にはないのだ。

別の言い方をすれば、〈われわれ〉は、〈他者〉から贈与されることを——〈他者〉に対してお返しの義務をもつようなかたちで〈他者〉から贈られることを——求めているのだ。さもなければ、〈われわれ〉は自己自身に到達することができないからだ。それゆえ、〈われわれ〉は、自分自身の存在を、〈他者〉からの贈与というコンテクストの中で解釈しようとする。〈われわれ〉は、自らを、〈他者〉への負債をもった存在者として解釈することによって、自分自身のアイデンティティを獲得することができるのである。

このとき、〈われわれ〉が〈他者〉へと反対贈与する物、それは、〈われわれ〉がまさにその

〈他者〉から与えられた物、つまり、自己自身である。より厳密に言えば、反対贈与される事物に託されているのは、あの$q_i=0$――〈他者〉から与えられることで獲得した自分自身の内なる過剰――である。モースが注目した、未開社会（マオリ人）の人々の表象「ハウ」が意味していたものを、概念的に捉え直せば、それは、この$q_i=0$になる。未開の人々は、贈与物には、ハウなる精霊が孕まれていて、これを受け取った者は、さらなる贈与をしないではいられなくなる、と説明した。モースは、この未開社会の人々の説明をそのまま引用しているだけだが、ここまでのわれわれの考察は、ハウをもたらす合理的な根拠、ハウが作用する社会的な原因を突き止めたと言ってよいのではないか。それは、原本的二項対立における排除だった、と。

*

贈与をもたらす機制（メカニズム）が、述べてきたような論理に従っているとすると、ここから、次のように推論することができる。逆に、自分自身を〈他者〉に対する贈与者として位置づけることに成功した者、〈他者〉から贈与者と見なされた者は、その〈他者〉に対して権威と権力をもつ優位な立場を獲得したことになる、と。権力の源泉は、〈他者〉が〈われわれ〉に、物質的に依存しているという事実にあるわけではない。もともと、贈与されている事物は、生きる上ではさして重要ではないものばかりなのだから。贈与者が、贈与の受け手に対して威信をもち、ときに権力を行使しうる支配的な立場を占めうるのは、前者が後者を承認し、後者のアイデンティティを定義しうる資格を得ているからだ。受贈者は、贈与者の承認を求めて行動せざるをえない。

ポトラッチのように、贈与が、ときに激しい競争の様相を呈する原因はここにある。ポトラッチにおいて、部族の首長たちは気前のよさを競い合う。より気前がよいということ、つまりより物惜しみしないということが証明できれば、自分を贈与者の側に位置づけることができる。逆に、気前のよさを誇示する競争に負けた者は、自分自身の社会的アイデンティティを〈他者〉によって定義される屈辱を受け入れざるをえなくなる。相互的な贈与は、アイデンティティの定義権をめぐる競争である。

そもそも、贈与交換と戦争との間には緊密な繋がりがある。われわれは、すでに次のように論じておいた（第13章第1―2節）。贈与交換が平和的な戦争であるとすれば、戦争は失敗した贈与交換である、と。極論すれば、贈与交換と戦争は、社会システムにとって機能的等価物なのである。贈与交換は、一種の権力闘争だ。贈与から発生する権力については、後に、もう少していねいに議論することになるだろう。

ここでは、懸案の謎、贈与は、互酬性を求めているように見えるのに、どうして、互酬的な関係が直接的で完全なものになったときにはかえって破綻するのか、という謎を解決しておくことが重要である。完全で透明な互酬性というのは、たとえば、市場における、売り―買いの関係である。人は、市場において、商品を直接に貨幣と交換し、商品と貨幣は同時に互いに反対方向に移動する。贈与と反対贈与が、これと同じようになされたときには、その贈与は完全な失敗と見なされる。どうしてだろうか。どうして、贈与と反対贈与を売りと買いのように行ってはならないのだろうか。両者の間には、どのような違いがあるのか。

「売り／買い」の対と「贈与／お返し」の対の根本的な違いは、前者の対が、同じ一つの行為の二側面であるのに対して、後者の対は、二つの独立の行為である、という点にある。AがBに売ることとBがAから買うことは、まったく同じことの言い換えでしかない。AとBとの間の同一の相互行為が、Aの視点からは「売り」として、Bの視点からは「買い」として記述される。売りのない買いとか買いのない売りは、矛盾した表現であり、もし商品がBに渡されたのに、支払いが完了していないとすれば、一つの行為がまだ成立（完結）していないと見なされる。

それに対して、贈与と反対贈与（お返し）は、それぞれ独立した行為である。だから、両者の間には、時間が経過しなくてはならない。売りと買いの場合には、仮に、事実としては両者の間に遅れが入ったとしても（たとえば後払いであったり、ローンが組まれたりしても）、論理の上では、その時間は無化される（利子の支払いは時間を無化する操作である）。贈与と反対贈与の場合は逆であって、事実の上で、両者が時間的に近接していたとしても、なお、理念の上では、両者の間に時間が存在していることが強調される。どうして、贈与と反対贈与は、二つの独立した行為の継起でなくてはならないのか？

ここでの考察が含意する答えは、贈与者が受贈者に対して独立した〈他者〉でなくてはならないから、というものである。売り手にとって、買い手は独立の〈他者〉とは言えない。売買の約束が成立してしまったときには、買い手は、売り手に貨幣を支払うべく拘束されており、勝手に別の選択をするわけにはいかないからである。それに対して、贈与においても、反対贈与においても、贈与者は受贈者に対して、〈他者〉である。贈与するかどうかは、贈与者の自発的な意志に基づいており、受け手は、贈与を強制したり、あるいは公然と要求したりしてはならない。反対贈与においても事情は変わらず、贈与したからといって、相手からのお返しがある保証は、原理的にはない。お返しがいかに一般化された慣行になっている場合でも、最初の贈与者は、それを相手に要求してはならないのだ。

　これらの事実は、贈与者が受贈者に対して〈他者〉であり、後者の意志やコントロールに服してはいないことを示している。どうして、贈る者の〈他者性〉が強調されるのか。その理由は、ここまでの説明の中にすでに含まれている。贈与を通じて、〈私〉あるいは〈われわれ〉は、自分に欠けているもの q_i を得るのであり、そのことによって、q_i は、今度は、〈私〉／〈われわれ〉にとって、自分でも何とも把握しがたい自分の中の過剰、自分の中の宝物、自分のアイデンティティやプライドの拠り所へと転換する。こうした効果が生ずるためには、「それ q_i」が〈他者〉から与えられなくてはならない。なぜかと言えば、それが、原本的二項対立において排除された項だからだ。その q_i は、〈私〉／〈われわれ〉にとって疎遠な〈他者〉の内に所有されていた、という形式を媒介にしてのみ、〈私〉／〈われわれ〉のもとに回帰することができるのだ。

　このきわめて抽象的な論理の意味していることを実感するには、現代人にとっては、またし

郵 便 は が き

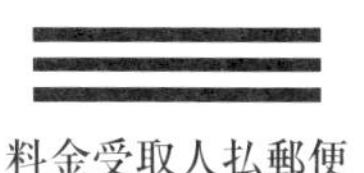

料金受取人払郵便

小石川局承認

1135

差出有効期間
令和７年10月
31日まで

112-8731

東京都文京区音羽２―12―21

講談社文芸文庫出版部

愛読者アンケート係

文芸文庫をご購読いただきありがとうございました。文芸文庫では永年の読書にたえる名作・秀作を刊行していきたいと考えています。お読みになられたご感想・ご意見、また、文芸文庫としてふさわしい作品・著者のご希望をお聞かせください。今後の出版企画の参考にさせていただきますので、以下の項目にご記入の上、ご投函ください。

ご住所	郵便番号 □□□-□□□□ 都道府県　　　　様方 メールアドレス			
お名前		年齢		性別	

TY 000051-2307

ご購入の文芸文庫の書名（　　　　　　　　　　　　　　　　　　）

A　あなたは……　⑴学生　⑵教職員　⑶公務員　⑷会社員　⑸会社役員　⑹研究職　⑺自由業　⑻サービス業　⑼自営業　⑽その他

B　この本を知ったのは……

⑴新聞広告、雑誌広告、その他の広告(具体的に：　　　　　　　)
　ネット書店(具体的に：　　　　　　　)
⑵書評・新刊紹介(具体的に：　　　　　　　)
⑶書店で実物を見て　⑷人のすすめで　⑸その他

C　どこで購入されましたか？

書店(具体的に：　　　　　　　)
ネット書店(具体的に：　　　　　　　)

D　よくお読みになる作家・評論家・詩人は？

E　ご意見・ご推薦の作品などをお聞かせください。

アンケートにお答えいただきありがとうございました。記載の情報については、責任を持って取り扱います。また、文芸文庫の「解説目録」をお送りしております。ご希望の方は下記の□に○をご記入ください。

□　文芸文庫の「解説目録」を希望します

ても恋愛からの類推が最もよい。〈私〉は、恋人からの愛の表現によって、つまり恋人が〈私〉を愛しているということを示す（最も広い意味での）惜しみない贈り物を通じて、〈私〉の内に、恋人の愛や欲望を引きつけている、曰く言いがたい魅力の核があるのを知る。〈私〉自身にとっても、過分と思われる何かがである。恋人が〈私〉に与えてくれた最も重要なものは、その、私の中に発生した宝物である。恋人の愛がこのような絶大な効果をもつのは、どんなに慣れ親しんだ間柄になっても、なお恋人が、不気味な〈他者性〉を残しているからである。もっとはっきり言えば、どんなに長く親密な関係を続けてきても、恋人は、いつ心変わりするかわからず、恋人の中には、〈私〉には把握しがたい謎が残っている。だからこそ、恋人の愛の表現、恋人の与える行為が、〈私〉にとって価値があるのだ。贈与一般における、贈与者の——受贈者にとっての——〈他者性〉の意義も、これと同じである。

＊

以上に見てきたように、贈与は、とりわけ儀礼的贈与交換は、原本的二項対立の水準に由来する危険を処理する、社会的な装置である。原本的二項対立の水準に属する危険とは、〈私〉や〈われわれ〉の単一的なアイデンティティが根本的に規定不能に陥るということである。〈私〉や〈われわれ〉の自己意識は、原本的二項対立のレベルで生ずる、ある排除を前提としている。その排除が、贈与につながる一連のダイナミズムの引き金を引く。贈与とセットになることで、排除のメカニズムは最後まで作動し、自己を完結させることができるのだ。

しかし、双子が媒介になって、排除以前の原本的二項対立が露出する。一以上ではあるが二未満であるような項の間の対立関係、それが排除されていなくては言語も象徴も機能しなくなる差異が現出するのだ。この危険を克服するためには、原本的二項対立から「無」に対応する項を排除し、それを最後まで処分してしまう儀礼的な贈与をやり直すのが、もっとも効果的である。ンデンブ族が、ウブワンウという儀礼的な治療を通じて試みているのが、まさにこれである。

4 謎の「第三の人物」

これで、贈与についての主要な謎は解消したことになるだろうか。だがひとつ、まだ不可解な疑問が残っていて、喉に刺さった魚の小骨のように違和感を残すのだ。それは、贈与に関心をもつ一部の文化人類学者たちが気づいている謎、モースの『贈与論』から出発する学者たちを悩ませてきた謎である。その謎は、モースによって引用されている、マオリ人のインフォーマントの言葉を通じて提起されてきた。そのインフォーマントは、例の「ハウ」について次のように説明している。

あなたがある特定の品物（タオンガ）を持っていて、それをわたくしにくれたとしましょう。しかもあなたは一定の代価を求めないで、それをわたくしにくれたのです。さて、わたくしが、この品物を第三者に贈ると、暫くたって、その者はわたくしに代償（utu）として何かを返そうと決心し、わたくしに何かの品物（タオンガ）を贈ってよこします。ところで、彼から貰ったこのタオンガは、わたくしがあなたから貰い、さらに、彼に譲り渡したタオンガの霊（hau）なのです。わたくしはあなたのところから来たタオンガの身代わりとして貰ったタオンガをあなたにお返ししなければなりません。それはあなたから貰ったタオンガのハウであるからです。もしわたくしがこの二つめのタオンガをひとり占めでもしようものなら、わたくしは疾病あるいは死にさえ見舞われるでしょう。[*7]

贈与された品物（タオンガ）にはハウという霊が宿っていて、それは、品物を受け取った者を反対贈与へと向かわせる強い力をもつ、とされる。この骨子に関しては、これまでのわれわれの論理の中ですべて説明されている。しかし、モース自身もこう述べている。このインフォーマントの話は、「だいたいきわめて明瞭」なのだが、「ただ一つのあいまいな箇所をのこす」と。あいまいな箇所とは「第三者の介入という点である」[*8]。

ドミニク・カサジュスやマルク・R・アンスパックは、この不可解さを「第三の人物の謎」と呼んでいる。アンスパックの解説に依拠しながら、謎を整理しておこう。[*9] このインフォーマントの話のポイントは、A（あなた）がB（わたくし）に贈り物をすると、ハウがBをしてAへとお返しさせる、というものであるように思える。

A（あなた）⇅ B（わたくし）

これで十分だと思われるのに、このインフォーマントは、どういうわけか、第三者Cを呼び寄せる。Aから受け取ったものをBは、Aにではなく、Cに返し、今度は、Cは別の品物をBに渡し、BはそれをAに返しているのだ。

A ⇅ B ⇅ C

結局、最終的にAが受け取った贈り物は、第三者であるCに由来する、ということになる。どうして、マオリ人のインフォーマントは、わざわざCを入れて、話を複雑にしているのだろうか。これが「第三の人物の謎」である。

これは、贈与についての謎の中では、ごく細かい、重箱の隅をつつくような疑問であると思われるかもしれない。単に、このインフォーマントがあまり頭がよくなくて、説明がへただったからではないか、と思われるかもしれない。だが、一見奇異で、無駄に入り組んでいるように見えるこのインフォーマントの説明とよく似た構造の話を、現代人もしばしば用いている。それは、「サンタクロース」の話である。クリスマスのプレゼントを子どもに贈るとき、親は、それを自分たちからの贈り物であるとはせず、サンタクロースという――キリスト教の教義とは何のつながりもない――異教的な人物からのものである、と説明する。どうして、贈り物をサンタクロースからもらったことにしなくてはならないのだろうか？　この話の構造は、マオリ人のハウについての説明とよく似ている。マオリ人の話では、Aは、結局、Cからの贈り物を受け取っている。同様に、クリスマスのとき、子どもは、親を仲介者にして、サンタクロースという第三の人物から贈り物を貰っていることになっている。

マオリ人の説明と現代人の説明との間のこうした同型性に気づいてみると、「第三の人物」への言及は、些細で個人的な問題ではなく、人間の本源的で普遍的な衝動と結びついているのではないか、という疑いが出てくる。どうして第三の人物が登場しなくてはならないのか？　こいつは何者なのか？　贈与の謎はまだ残っている。

＊1　ギルバート・ライル『ジレンマ――日常言語の哲学』篠澤和久訳、勁草書房、一九九七年（原著一九五四年）。

＊2　Jacques Lacan, *Encore, Le Séminaire, livre XX(1972-73)*, Paris: Points, 1975. Jacques-Alain Miller, "On Semblances in the Relation Between the Sexes", Renata Salecl ed., *Sexuation*, Durham: Duke University Press, 2000.

＊3　フランツ・カフカ「メシアの到来」池内紀編訳『カフカ寓話集』岩波文庫、一九九八年。

＊4　たいしたことをしてあげたつもりもない人から、お礼を言われたり、感謝の意を示す品が贈られたりしてびっくりするということは、誰にでもある体験であろう。そのとき、初めて、われわれは、自分が、その人に何かを贈与していたことに気づくのである。

＊5　「一日遅れの贈与」の純粋型は、恋愛における「告白」だろう。「あなたを愛している」というメッセージは、恋愛における最初の贈与である。だが、そのような贈与（告白）は、多くの場合、〈私〉がすでに相手から愛されていると実感しているとき、つまり相手の方が〈私〉に対して十分に多くの「愛している」という趣

旨のメッセージを贈っていると感じているときに発せられる。もっとも、〈私〉の側のこのような想定は、往々にして外れている。いずれにせよ、少なくとも次のように言うことはできるだろう。〈私〉が相手に告白＝贈与したとき、相手が、自分の方も〈私〉を愛していた、〈私〉のことが何かずっと気になっていた、つまり（そうとは自覚することなく）愛のメッセージを〈私〉に贈っていた、と感じないような告白、言い換えれば反対贈与として意味づけられない告白、一日遅れとならないような告白は、失敗に終わる。恋愛は、「告白」から始まるのではない。「告白」によって、「始まっていた」ことになるのである。

＊6　エミール・デュルケム『宗教生活の原初形態』上・下、古野清人訳、岩波文庫、一九七五年（原著一九一二年）。

＊7　マルセル・モース「贈与論」『社会学と人類学Ⅰ』弘文堂、一九七三年（原著一九二三―一九二四）、二三八―二三九頁。

＊8　同書、二三九頁。

＊9　マルク・R・アンスパック『悪循環と好循環――互酬性の形／相手も同じことをするという条件で』杉山光信訳、新評論、二〇一二年（原著二〇〇二年）、五二頁。

第17章　供犠の時代の調停的審級

1 供犠の時代

古人類学者リチャード・リーキーは、人類の歩みにおける最も劇的で鋭いギア・シフトは、疑いようもなく「農耕の発明」であった、と言っている。[*1] これは、まことに的確な指摘である。農耕の開始は、人類の生活様式の歴史の中で、最大の革命であった。以前述べたように、ホモ・サピエンスの歴史の九〇%は、狩猟採集生活のみで占められる。しかし、およそ一万年前、地球上の一部の人々が、農耕というかたちで食料生産を始めた。メソポタミアの肥沃三日月地帯で、紀元前八五〇〇年頃に行われたとされる農耕が、知られる限り最も古い食料生産である（第1章参照）。

なぜ、一部の人々は農耕を始めたのか？　人類（ホモ・サピエンス）は、およそ十万年も狩猟採集生活を続けてきたのだから、特別な原因もなく、人間の社会に農耕が自然に発生するわけがない。狩猟採集民に比べて、食料生産者は裕福で快適な生活を送っている、という常識があるが、つまり狩猟採集から農耕への変化が、内発的で自然な「進歩」のように解する常識があるが、これは必ずしもあたらない。たとえば、一日あたりの労働時間を調べると、貧しい農民や牧畜民はしばしば、狩猟採集民よりも長く働いている。考古学的な調査によると、多くの地域において、最初の農耕民の身体のサイズは、狩猟採集民よりも小さかった。初期の農耕民は、狩猟採集民より栄養状態が悪く、(病気になりやすくて)平均寿命も短かったのである。とすれば、どうして、(一部の)人々は農耕民にわざわざなったのだろうか？

その原因については、いくつかのことが考えられ、考古学者等によって指摘されている。最も簡単に思い当たる要因は、乱獲や気候変動によって、一部の地域で、入手可能な自然資源(特に動物資源)が徐々に減少し、狩猟採集生活が困難になった、ということである。と、同時に、やはり一部の地域で、栽培可能な野生種が増えて、栽培による報酬がより高まったのかもしれない。もちろん技術の発展も関係していただろう。

さらに重要なのは、人口密度との関係である。人口密度の増加と食料生産の間には、正の相関関係がある。ただし、どちらが原因でどちらが結果かは断定できない。確実にわかっていることは、食料を生産するようになると、単位面積あたりの産出カロリーが、狩猟採集の場合よりも高くなる、ということである。したがって、食料生産する社会の方が、多くの人口を養うことができた。農耕によって定住するようになると、出産間隔も短くなるので、これも人口増加の原因となる。産出カロリーが増えても、農耕民の方が狩猟採集民より栄養状態が悪かったのは、人口増加率が食料増加率よりもわずかに高かったからである。人口増加と食料生産との間には、双方向的な因果関係があったのだろう。

人類が、狩猟採集から農耕へと移行した原因としては、以上のようなことが考えられるだろう。その上で、もう一つ考慮しておいてよいのは、食料生産者と狩猟採集民が隣接していた場合には、たいてい後者が駆逐されただろう、ということである。前者が人口において圧倒していたからである。戦争は、食料生産者に有利であった。とすれば、食料生産者が近くにいる場合、狩猟採集民はどこか別のところに移動するか、自らも食料を生産し始めるか、いずれかによって対応することになる。つまり、一部の集団が、農耕に移行した場合には、その事実は、周囲の集団をも農耕へと向かわせるような強い波及効果を生んだだろう、と推定することができるのだ。[*2]

　農耕への移行をもたらした要因については、これ以上追究するのはやめておこう。[*3] ここで注目しておきたいことは、農耕の出現と並行して起きた、生活や社会構造の変化である。まず、農耕とともに、共同体の土地への固着が、つまり定住が始まる。もっとも、この点に関しても、単純な常識的イメージは事実に反する。つまり、移動＝狩猟採集生活、定住＝農耕という固定的な対応は、ミスリーディングである。確かに、原初の狩猟採集民はたえず移動していた。これは事実だ。しかし、定住はしたものの、食料を生産しなかった人々もいる（北アメリカの太平洋岸北西部の狩猟採集民、日本の縄文人等）。逆に、移動しながら、食料生産を行った共同体もある（ニューギニアのレイク平野の諸部族、アパッチ・インディアン、アフリカやアジアの遊牧民等）。そもそも、農耕のごく原初的な段階にあっては、採集との区別はあいまいである。こうしたことをすべて考慮に入れた上でそれでも、農耕と定住の間に、強い親和的な関係があることは、否定できない。

　農耕の発達・複雑化と定住化は並行して進捗する。ここで、われわれは、ひとつの通念を拒否しておく必要がある。人間は特別な障害がなければ定住を指向している、という通念を、である。現実は、むしろ逆である。「自然状態」において、人間には、移動・遊動への強い傾向がある、と言うべきである。[*4] この傾向が抑圧されて、定住が始まる。[*5]

　農耕の発達とともに現れた、もうひとつの重要な変化は、余剰食料の蓄積である。これは、社会階層や労働の分化のための必要条件となる。余剰食料がなければ、食料の採集や生産のための労働に従事せずにすむ階層や職業は生まれえないからである。農耕は、人を、共時的な分業において、食料生産から解放するだけではない。それは、通時的にも、人を食料生産・採集の活動から解放する。農耕は、一年の間に農閑期と農繁期の区別を刻むからである。政治権力との関連では、農耕によって、農閑期の農民を、賦役労働や戦争に活用する可能性が開かれたということになる。

＊

　このように、農耕の出現は、人間社会のさまざまな局面に同時的な変化をもたらした。しかし、ここまでに述べてきたことは、おおむね「通説」であり、多くの考古学者や歴史学者が指摘してきたことである。だが、贈与を主題としてきたわれわれの考察にとってはすこぶる興味深い、広くは知られていない重大な変化が、農耕の発明とともに生じている。供犠という実践の出現である。

あまりにもしばしば、多くの論者によって、供犠は人間社会において普遍的な現象である、と言われてきた。しかし——ルロワ＝グーランによると——、旧石器時代の社会（つまり農耕以前の社会）には、供犠は見出されない。[*6] 一般的に言って、狩猟採集社会や、原始的な焼き畑農業しか行わない社会においては、供犠と呼ぶにふさわしい実践は報告されていない。要するに、供犠もまた農耕とともに始まったのである。この顕著な事実に着目したのは、マルセル・エナフである。これに加えて、近代社会においては、供犠はその枢要な意味を失い、消滅してしまう（どうしてなのか、その理由をわれわれはいずれ考察する必要がある）。したがって、農耕の出現から近代に先立つ時代を、エナフは「供犠の時代」と呼んでいる。[*7]

もちろん、この場合、供犠の定義が重要だ。供犠をあいまいに捉えれば、人間社会のあらゆるところで、供犠は見出される、ということになる。たとえば、狩猟採集民は、アニミズム的な世界観に基づいて、「アニマ（魂）」を有する動物に貴重品を贈与する。これは現代人の感覚を前提に見ると、供犠の実践に見える。だが、前に論じたように（第14章）、狩猟採集民は、獲物となる動物と自分たちの関係を「結婚」という枠組みで捉えている。結婚によって姻戚関係を築くとき、われわれは、女や婚資を供犠として他家に捧げたとは考えない。とすれば、狩猟採集民の動物たちとの関係は、儀礼的な贈与交換の一種ではあるが、供犠と見なすべきではない。

ついでに、この文脈で述べておこう。狩猟が結婚として理解されていたということは、狩猟は、戦争に近いものとして捉えられていた、ということでもある。かつて述べたように、贈与交換と戦争（復讐）とは、表裏一体の関係にあるからだ（第13章）。狩猟と戦争との間の類比は、結婚との間の類比よりは、現代人にとってもわかりやすい。狩猟において用いられる能力や技術と、戦争において発揮されるそれらとは、ほとんど同じものだったに違いなく、狩猟に関して有能な者は、戦争の英雄と同じように称賛され、威信を獲得したことだろう。

ともあれ、ここで確認すべきことは、狩猟採集民が動物や自然の精霊に対して行う贈与は、供犠とは見なさないということである。供犠も、広義の贈与の内に入る。しかし、本来の贈与と供犠とを分かつのは、前提となっている、パートナー同士の関係である。狭義の贈与においては、両者は対等である。それに対して、供犠においては、贈与の相手である他者は、超越的な他者、神のごとき超越的な他者である。贈与の相手となっている観念的な他者が、自分たちとは対等ではなく、自分たちを優越する超越性を備えているという前提があるとき、それを供犠と見なすことにする。簡単に言えば、儀礼的な贈与交換においては、貴重品は水平な社会関係を移動し、供犠においては、垂直に移動（上昇）するのだ。

このように定義された供犠は、農耕段階以降の社会にしか見出されない。農耕の開始という大規模な社会変容の一部として、供犠が出現したのである。供犠と農耕との密接な繋がりは、次の事実からも推測できる。エナフによれば、供犠で神々に与えられる物は、人間によって生産された食物、つまり農作物か家畜に限られていた。自然の植物や野生の動物が供犠で用いられることはない。エナフは、レヴィ゠ストロースの神話学における二項対立「料理されたもの

／生のもの」を意識して、[*8] 同時にシャルル・マラムゥのインド研究を前提にして、[*9] こう述べている。供犠において捧げられるものは、「料理されたもの」だけだ、と。[*10]

狩猟採集民における「動物たちとの姻戚関係（儀礼的贈与交換）」が、「神々との供犠の関係」へと取って代わられる。後者が定着したときには、前者は消滅する。ここで、われわれは、インド社会が、供犠を基軸とした社会であったこと、たとえばバラモンとは供犠の手順についての知識をもち、それを主宰しうる身分だったことを思い起こしておいてもよいだろう。儀礼的贈与交換から供犠への移行は、いかなる機序（メカニズム）に媒介されて生ずるのか？

2　女神の調停――『オレステイア』から

この移行が、社会構造と規範構造の根本を変える大きな転換であったことを暗示するために、いささか歴史的コンテクストを違えた事例を援用してみよう。『古代篇』の第13章で論じたように、ソクラテスが絶命の直前に語ったことは、供犠に関する依頼の言葉だった。彼は、アスクレピオスという名の神に雄鶏を捧げるように、と弟子クリトンに依頼して亡くなったのだった。アスクレピオスは、治癒神（病気治しの神）で、アポロンの子、アポロンの後継者と見なされた神である。またソクラテスは、アポロンの神託に従って行動し、自らを「アポロンの奴隷」と見なしていた。この事実に見られるように、成熟期の古代ギリシアの都市国家においても、供犠は枢要な機能を果たしていた、と考えられる。

さて、ここで、アイスキュロスの悲劇『オレステイア』を参照してみよう。『オレステイア』は、三部作の悲劇で、互酬的な贈与交換に正義の基準をおく社会システムから、供犠の中心的な機能が確立しているシステムへの移行にともなう危機を主題としている。後者のシステムは、前者とは異なる正義の原理をもつ。移行にともなう、社会的かつ心的な葛藤が、この悲劇の核を構成している。『オレステイア』が最初に上演されたのは、前四五八年のアテネのディオニューシア祭においてであった。このとき、『オレステイア』は一等賞を獲得する。ソクラテスが十歳そこそこの少年だった頃のことである。

『オレステイア』の第一部「アガメムノン」は、トロイア戦争の英雄アガメムノンが、妻クリュタイムネストラに殺害されるまでの過程を描く。戯曲は、ギリシア軍の総大将アガメムノンが、トロイアを陥落させ、十年ぶりに故郷ミュケーナイに凱旋してきたところから始まる。クリュタイムネストラは、夫が、トロイア戦争への出征にあたって、娘イフィゲネイアを女神に生贄として与えたことを恨んでいた。また、彼女は、夫がいなかった十年の間に、夫の従兄弟にあたるアイギストスと不貞の関係を結んでいた。この二つの理由から、クリュタイムネストラは、夫アガメムノンを、彼が戦利品のように奪ってきた女、カサンドラ（トロイア王の娘）ともども殺してしまう。二人を殺したクリュタイムネストラは、娘を殺されたことへの復讐は正義にかなっている、と宣言する。

第二部「コエフォロイ（供養する女たち）」は、父アガメムノンを愛していた子どもたち、オレステースとエレクトラが、母クリュタイムネストラに対して復讐する物語である。クリュタイムネストラは、アガメムノンの殺害後、息子オレステースをミュケーナイから追放し、また娘エレクトラには冷たく対してきた。第二部は、成人したオレステースが、父の墓の前で、アポロンに導かれて、復讐を誓うところから始まる。この墓場で、彼は、同じく母への復讐を願う姉エレクトラと出会う。オレステースは、「死亡したオレステースの遺骨を運んできた旅人」を装い、母クリュタイムネストラの館に入る。彼は、まず母の愛人アイギストスを殺し、ついで母を殺そうとする。クリュタイムネストラは、途中でこの旅人こそ息子のオレステースであると悟り、命乞いをするが聞き入れられず、結局、殺害されてしまう。こうして、オレステースは、復讐を遂げるのだが、その後に苦しみが待っていた。もともと彼を復讐へと駆り立てた、復讐の女神エリニュスが彼に取り憑き、彼を責めさいなむのだ。オレステースは、半狂乱になって館から逃亡する。

第三部「エウメニデス」は、アテナを裁判長とする裁判、オレステースが有罪か無罪かを決定する裁判を主題としている。第一部・第二部と第三部との間の断絶こそが、われわれの考察にとって肝心なポイントである。エリニュスが取り憑いて離れないオレステースは、苦悶の中で旅を続け、デルフォイの神殿のアポロンに救いを求める。アポロンは、オレステースに、アテネのアクロポリスの神殿に行くように勧める。この神殿でアテナを裁判長とし、十二人のアテネ市民を陪審員とする、オレステースの裁判が執り行われた。復讐の女神エリニュスは、オレステースを、母親殺しの罪で告発する。[*11] それに対して、アポロンがオレステースを弁護する。陪審員の評決は、有罪と無罪で真っ二つに分かれるが、アテナが無罪を支持したため、オレステースは赦された。だが、復讐神であるエリニュスは、判決に不服で激昂する。しかし、アテナは、エリニュスたちをなだめ、これからは「慈しみの女神（エウメニデス）」になるように彼女らを説得する。エリニュスは、納得して、この役割を引き受ける。

以上に粗筋を紹介した『オレステイア』が何を主題としているかは、明らかであろう。第一部と第二部は、互酬的な贈与交換にのみ準拠した正義が支配している。この場合には、他者からの侵害に対しては、その他者に復讐することは義務となる。通常の贈与交換においては、何かを贈られた者には、返礼の贈与を行う義務がある。同じように、負の贈与に対しては、負の反対贈与（復讐）が義務となる。娘を殺されたとしたら、その殺人の遂行者を殺さなくてはならない。父を殺されたら、父殺しの犯人に報復しなくてはならない。母を殺した者は、その報いを受けなくてはならない。……しかし、こうした復讐の連鎖は、止まらない。贈与の応酬がいつまでも続くのと同様である。野田秀樹の戯曲「THE BEE」が描いていたのも、この事実であろう（第13章）。

だが、第三部では、正義を作用させるための装置として、新しい契機が入っている。まず、互酬的な均衡が正義であるとする規範感覚は、継続している。その上で、第三部に導入されているのは、まさにその互酬的な等価性を判定し、紛争を調停する審級である。紛争当事者のどちらにも還元されず、またどちらに対しても権威ある判断をもたらしうる、高次の第三者の審級として、調停者が入ってくるのだ。ここで、第三者の審級に対して、「高次の」という形容を付したのは、一般には、紛争の当事者自身がクランや家族などの、第三者の審級に統括された共同的な単位を形成していることを考慮すると、調停者は、その第一次的な第三者の審級に対して、さらにメタレベルに立つような第三者の審級だと見なすことができるからである。[*12] いずれにせよ、『オレステイア』を解釈する上では、この限定にこだわる必要はない。この戯曲では、言うまでもなく、オレステース（および彼を弁護するアポロン）と（クリュタイムネストラを代弁する）エリニュスの対立に対して、超越的な第三者の位置に立っているアテナと陪審員が、調停的審級である。調停的審級が導入されたときには、復讐（贈与）の反復は停止する。あるところで、正義にかなった均衡が成り立ったとする宣言がくだされ、それが効力をもつからである。ただし、繰り返し確認しておけば、互酬的なバランスにこそ正義の要件があるという感覚が否定されるわけではなく、むしろ、それが再肯定されているのだ。アテナが、復讐の女神エリニュスを排除するのではなく、新しいシステムの中に、彼女らを――慈しみの女神として――再定位するという結末は、こうした事情を反映している。

　供犠が差し向けられる超越的な他者にあたるのは、調停的な機能を担う第三者の審級である。供犠を行う社会とともに、正義が当事者同士の剝き出しの復讐に基づいていた段階から、調停的な機能を有する独立の審級を組み込んだ正義のシステムへの移行が果たされる。本来は、擬制的な戦争の形態すら取ることがある復讐は、侵害を受けたグループにとって、絶対の義務であった。しかし、調停的審級が出現した後には、復讐は、私的な行為であり、しばしば、それ自体、もう一つの罪であると見なされるようになる。正義のシステムの変換に関する、こうしたアイデアは、実は、今回の考察の中ですでに何度も言及してきた、マルセル・エナフの創見である。[*13] われわれは、これを継承している。もっとも、すぐ後に述べるように、われわれの主題は、エナフとはいささか異なった点にある。

＊

われわれの主題を特定する前に、調停的審級の原初的な出現を農耕の定着と関係づけたここでの仮説に説得力があることを示す、傍証的な事実を付け加えておこう。エチオピアに「ガモ」という名前の部族がある（人口、約五十万）。[*14] 彼らは、定住し、肥沃な土地で農業を営んでいる。当然、土地への愛着は強く、私的所有に近い感覚で土地が占有されている。ガモの全住民は、五千人から三万人程度の規模の自律性の高いコミュニティに分割されており、各コミュニティは、村や居住区の代表者たちから成る集会によって支配されている。国家や政府のような集権的な権力は未発達である。

われわれにとって注目すべきことは、ガモでは、復讐が禁じられており、きわめてシンプルで原始的であるとはいえ、調停的な審級がきちんと機能している、という事実である。罪人は、「サガ」と呼ばれる媒介者の調停に従わなくてはならない。サガは、当事者たちと交渉にあたったり、裁判官のように、罪人に罰を科したりする。深刻な犯罪の場合には、調停は、コミュニティの集会の中での討論に委ねられる。古代ギリシアのポリスの直接民主主義を連想させる。最も重い罰は、共同体からの追放である。調停的審級にあたるのは、サガや集会なのる。で、この審級が支配する範囲は、ガモ社会の全体ではなく、ガモの個々のコミュニティである。

ガモのケースを、エナフは、エヴァンズ゠プリチャードの古典的な研究によって、文化人類学者たちには広く知られているヌアー族（スーダン）の場合と比較してみるように勧めている。[*15] ヌアー族は、牛を飼育する遊牧民である。農耕に関しては、まったく行わないわけではないが、きわめて貧弱なレベルにある。ヌアー族は、食料等の備蓄をほとんどもたない。彼らは、移動ということに高い価値を与えており、土地への執着は小さい。

ヌアー族の正義のシステムにおいては、ガモの場合とは異なり、復讐的な応答が重要な価値をもっている。儀礼執行の権威を担う、仲介者的な役割――「豹皮首長」と呼ばれている――も存在してはいるのだが、復讐は禁じられてはいない。むしろ、復讐は、望ましいことである。エヴァンズ゠プリチャードは、こう言っている。ヌアー族の生活は、「羊飼い的な資質」を育てると。「羊飼いの資質」と彼が言っているのは、勇気、戦いへの愛、餓えや窮乏への侮蔑等である。「やられたらやり返す」という方針は、こうした資質を高く評価する価値体系の中では、当然、よいこととされるだろう。

ガモとヌアーの規範構造の相違は、彼らの間の生活様式／社会構造の相違と正確に対応している。おそらく、ガモは、農耕の開始とともに起動した機制の、初発の段階に対応した社会である。この機制が最後まで徹底的に働き、その中に孕まれているポテンシャルをすべて出し尽くしたときには、どのような結果がもたらされるだろうか？　そのとき、どのような社会が出現するのだろうか？

3　社会の内部／外部

われわれは、今、次の二つのタイプの社会を比較している。

（A）クランのような共同的ユニットが、贈与交換によって関係しあっている――復讐による正義が要請されている――社会

（B）調停的な機能を果たす、高次の第三者の審級を有する社会

この二つの社会では、社会の内部／外部の区別の仕方、「われわれ」として承認しあう範囲の境界線の引き方が、まったく異なったものになる。この点を確認しておこう。

Aのタイプの社会の、ある特定の個人の視点で考えてみる。まず自分自身が直接に所属しているクラン等の共同的ユニットが、自分にとって内部、「われわれ」と見なしうる準拠集団であることは間違いない。その共同体を形成する基本的な関係は、「連帯」である。内部／外部の判断に関して曖昧性が生ずるのは、直接の贈与交換によって関係している他のクラン、あるいは自分のクランが参加している、一般交換的な贈与の連鎖の中に組み込まれている多数のクランは、どちらに属するのか、という点である。贈与によってつながっているクランたちは、Aの社会のメンバーにとって、「われわれ」という実感をもてるような「内部」を構成してい

るのだろうか。それとも、他のクランは、むしろ「外部」の他者なのか。この点を考える前に、確実なことは、贈与交換の連鎖によっても関係していない他者たちは、純粋な外部だということである。この純粋な外部に属する他者たちとの関係は、基本的に「敵対」であり、その関係が顕在的な行為に転化したときには、一般に「戦争」という形態をとる。

その上で、もう一度、同じ贈与の連鎖の中に組み込まれている他のクラン、他のグループのことを考え直してみよう。贈与−反対贈与の関係は、相互的な承認を含意しているのだから、その限りでは、贈与の連鎖でつながり合っているクランたちは、同一の内部、「われわれ」と見なしうる仲間であることになる。初めて出会った「白人」が、自分たちと同じ「人間」であるかどうかを調べるために、ブタを贈与してみた、パプアニューギニアの未開人のことを思い起こしてみよ（第14章）。ブタを受け取り、それにお返しをよこしたことで、その白人は、仲間と見なされ、「内部」に受け入れられたのである。だが、贈与の相手が、たとえば他のクランの人々が、同じ内部に属していると承認されるのは、贈与−反対贈与の関係が成功裡に実現された後のことだということが重要である。同一の内部への所属は、事後的にしか確認されない。このことが、同一のクランのメンバーの場合とは異なっている。むしろ、――何度も強調してきたように――贈与交換は、潜在的には闘争であって、常に、擬制的な戦争、相互的な復讐へと転化する可能性と隣接している。贈与交換によって互いに接続し、連合することになる他のクランや共同的ユニットの間の関係は、それゆえ、敵対に近い「抗争」である。その関係は、ときには、肯定的な「贈与−反対贈与」として現実化し、ときには、否定的に、復讐を目的とする（擬制的な）戦争として現実化する。

Bのタイプの社会システムに移行することによって、内部とも外部とも判別できない、この曖昧なゾーンが消える。調停的な審級は、複数のクラン（やその他の共同体・グループ）の全体に対して、斉しく「第三者」としての位置を保っている。したがって、B型においては、それら複数のクランは、すべて同一の準拠的な共同体、同一の内部を構成しており、大きな「われわれ」である。簡単に言ってしまえば、Bのシステムでは、Aのシステムにおいて曖昧であったゾーンが、均質な内部へと統合されたのである。もちろん、さらなる外部には、敵対的な他者、戦争を引き起こしかねない侵略的な共同体があり、この点は、Aの場合と変わらない。

われわれが探究したい主題は、しかし、このように二種類のシステムを分類することではない。両者の関係を概念的に把握すること、A型のシステムからB型のシステムへの移行を説明する動的な論理を、歴史の事実に即して抽出すること、これがわれわれの課題である。

ここに要約した二つのシステムの、理念型的に単純化した像は、われわれの探究に見通しを与える概略的な地図のようなものである。たとえば、インドのカーストのシステム。第12章で述べたように、カーストの「分業」のシステムは、込み入った儀礼的贈与交換のネットワークのようなものとして把握することができる。カースト間の関係は一種の贈与交換ではあるが、同時に、カーストの間の相互接触は厳しく制限され、継続的な贈与を通じて、カーストが互いに深く結びつき、相互に融合することは禁止されている。たとえば、相互のカーストの間で結婚や職業移動等を含む人的交流が生ずること、互いの間の心理的な距離が小さくなること、こうしたことができるだけ起こらないように仕組まれているのだ。とすれば、次のように考えることが許されるのではないか。カーストのシステムとは、A型のモデルにおいて、内部／外部の区別に関して両義的なゾーンが決して消え去ることがないように慎重に配慮されている社会システムである、と。カーストのネットワークにおいては、このゾーンの両義性を永続的に保とうとする強い力が作用し続けているのだ。

ならば、中国の場合はどうであろうか。中華帝国の認知地図の基盤をなしている華夷秩序は、B型のシステムの非常に大規模なケースでなくて何であろうか。それゆえ、こう言ってよいだろう。A型とB型の間の論理的な関係を正確に把握できれば、インドと中国を一つの視野に収める歴史理解を獲得することができるはずだ、と。

4　七賢人を巡った後で

A型のシステムからB型のシステムへの変換は、どのようにして生ずるのか？　どのようなときに、変換が起きるのか？

B型のシステムにおいて、調停的審級は、自らが供犠の受け手となるか、あるいは供犠が差し向けられている超越的な他者と結びつくことで、その権威を確保している。ところで、供犠は、それ自体一種の贈与、垂直のベクトルをもった贈与であった。この事実を考慮したとき、供犠われわれは、次のような見通しをもつことができるだろう。調停的審級は、贈与の連関の中から内在的に発生してくるのではないか、と。こうした見通しを確保した上で、ここでは、ヒントを与えてくれそうな二つの事実を記録に留めておこう。ともに、古代ギリシアから取ってきたものである。

最初に挙げておきたいのは、古代ギリシアの戦士たちの集団で見られたという興味深い習慣である。まず、戦士の共同体の特異性を理解しておく必要がある。他の集団とは違って、各メンバーが、完全にその背景を、とりわけ親族的な背景を消去されてしまうところに、戦士の共同体の特徴がある。よい家柄の出であるとか、出身家族が卑しい身分であるといったことは、戦士の共同体ではまったく無関係になるのだ。そんなことにこだわっていたら、戦争に勝てないからである。

さて、古代ギリシアの戦士たちの間で、次のようなやり方が定着していた、という。[*16]環状に並んだ戦士たちの真ん中に、メゾン meson と呼ばれる共通空間を構成する。この空間に置かれた物は、何であれ、全員の共有財産と見なされた。たとえば戦利品などが、ここに置かれた。また、この空間の中で発せられる言葉は、グループの全員に関係していることでなくてはならなかった（あるいは、全員に関係していることとして受け取られた）。マルセル・ドゥティエンヌが述べているように、これこそ、公共空間がまさに生まれる瞬間である。同じことが、都市国家の全体でなされれば、そのまま、真正の公共空間になる。

われわれにとって興味深いのは、中心にあるメゾンへの贈与という形式をとって、共有財産が形成されていることである。あるいは、逆に、その中心からの贈り物のようにして、公共的な言説が構成されていることである。

もう一つは、ギリシア七賢人の逸話として知られている伝説である。ミレトスの漁港で発見された、非常に貴重なもの、鍛冶の神が制作した黄金の鼎をめぐって、若者たちの間で争いが起こった。争いには決着が付かず、デルフォイから、知恵において最も勝る者に鼎は授けられるべきだ、という趣旨の神託がくだされた。そこで、鼎は、賢者として評判が高かった、タレースに贈られた。だが、タレース自身は、自分が最も知恵があるとはとうてい思えなかったので、自分よりも賢明であると彼が考える別の人物に鼎を贈った。その別の人物もまた、三番目の人物に鼎を贈った。鼎は、七人の賢者の間を循環して、トロブリアンド諸島のクラ交換の宝物（腕輪と首飾り）のように、再びタレースのもとに戻ってきてしまった。そこで、タレースは、鼎を、アポロンに奉献した。以降、神託を伝える巫女は、この鼎にすわって神託を告知するようになった、という。この結末は、先の戦士の例で、メゾンから発する言葉が公共的な価値をもつのと似ている。メゾンにあたるのが、鼎である。

この七賢人の逸話からわれわれが学ぶべきことは何であろうか。鼎が、アポロンに捧げられたのは、それがあまりに貴重で、「神に提供される」という事実によってしか、その価値が表現できなかったからである。この圧倒的な価値に関して、われわれは次のように考えるべきであろう。それは、貴重だから循環したわけではない。逆に、終わることなく循環したという事実が、鼎に、誰にも所属しない、圧倒的な価値を付与したのだ。価値は、循環から生まれているのである。

さらなる他者へと次々と贈られていくことで、対象に――神に帰せられるような――超越的価値が宿るのはどうしてであろうか？　ここで、われわれは、前章の考察の最後に至り付いた疑問に合流しているのである。その疑問とは、贈与の連鎖の中に登場する、三番目の人物についての謎であった。贈与物は、どうして、三番目の人物の方へと先送りされていかなくてはならないのか？　七賢人の逸話は、第三の人物を含む長い循環の中で、贈与物が、特別な価値を帯びることがある、と示唆している。

＊1　リチャード・リーキー、ロジャー・レーウィン『オリジン』岩本光雄訳、平凡社、一九八〇年（原著一九七七年）。

＊2　もっとも、本文に書いたように、食料生産には、そのせいで労働時間が長くなったり、栄養状態も悪くなったりと、内在的な魅力が欠けている。そのため、近隣に食料生産をする住民がいても、狩猟採集生活を続けた人々も少なからずいた。狩猟採集民が、食料生産者を「見ているうちにうらやましくなる」ということは、なかったのだ。たとえば、現在のカリフォルニアに生活していたアメリカ先住民は、コロラド渓谷で農耕を行っているアメリカ先住民と交易していたが、自分たちの狩猟採集生活を変えなかった。他にもいくつか類似の例がある。「近隣」であっても、農耕民からの侵略や戦争の危険がない程度に離れていれば、わざわざそれを模倣する必要がなかったのである。

＊3　以上、農耕への移行の諸要因に関しては、ジャレド・ダイアモンドの議論を参照している。『銃・病原

菌・鉄』上・下、倉骨彰訳、草思社、二〇〇〇年（Jared Diamond, *Guns, Germs, and Steel: The Fates of Human Societies*, New York: W. W. Norton & Company, 1997）。

＊4　たとえば、ラドクリフ゠ブラウンは、彼の調査対象であったアンダマン島人が、ときどきたいした目的もなしに移動することに、驚いている。移動する方が、彼らにとって自然なのだ（Alfred R. Radcliffe-Brown, *The Andaman Islanders: a study in social anthropology*, Cambridge: Cambridge Univ. Press, 1922）。口蔵幸雄も同趣旨のことを述べている。マレー半島のセマンの人々は、長く一ヵ所に留まることがなく、数日間連続で移動したりする。しかも一日の移動距離がわずか二百メートル程度のときもあったという。口蔵が述べているように、こうした移動に何か功利的な目的があったと考えることは不可能で、ただ遊動したいから遊動しているとしか言いようがない（『吹矢と精霊』東京大学出版会、一九九六年）。

＊5　西田正規は「定住革命」という概念を提起した（『定住革命——遊動と定住の人類史』新曜社、一九八六年）。最近では、柄谷行人がこの概念を継承し、発展させている（『世界史の構造』岩波書店、二〇一〇年）。

＊6　André Leroi-Gourhan, *Les religions de la préhistoire*, Paris: PUF, 1966.

＊7　Marcel Hénaff, *Le prix de la vérité: Le don, l'argent, la philosophie*, Éditions du Seuil, 2002, chap.5.

＊8　クロード・レヴィ゠ストロース『神話論理Ⅰ——生のものと火を通したもの』早水洋太郎訳、みすず書房、二〇〇六年（原著一九六四年）。

＊9　Charles Malamoud, *Cooking the World: Ritual and Thought in Ancient India*, David White, Delhi: Oxford Univ. Press, 1996.

＊10　Hénaff, *op.cit.* pp.254-263.

＊11　エリニュスは群れをなしていて、この戯曲では、彼女らの主張はコロスによって代弁される。

＊12　調停的審級は、私がかつて以下の著書で「集権身体」と呼んだものと同じである。このことは、本書のこのあとの展開を通じてよりいっそうはっきりしてくるだろう。大澤真幸『身体の比較社会学Ⅱ』勁草書房、一九九二年。

＊13　Hénaff, *op. cit.*, pp.283-298.

＊14　Jacques Bureau, “Une societe sans vengeance”, in Raymond Verdier ed., *La vengeance I*, Paris: Cujas, 1980.

＊15　エドワード・エヴァン・エヴァンズ＝プリチャード『ヌアー族』向井元子訳、岩波書店、一九七八年（原著一九四〇年）。

＊16　Marcel Detienne, *Les maitres de vérité dans la grèce archaïque*, Librarie François Maspero, 1967.

第18章　国家に向かう社会／国家に抗する社会

1　捨てられたことによって届いた手紙

『トロイラスとクレシダ』（初演一六〇三年）は、シェイクスピアの戯曲の中ではそれほど広くは知られていない。この戯曲の主題は、贈与、もう少し厳密に言えば、女の贈与／略奪とそれに随伴する報復戦争である。ここで言う戦争とは、あのトロイ戦争だ。この戯曲では、トロイ戦争の原因は、スパルタ王メネレーアスの妻ヘレンが、トロイの王子パリスに奪われたことにある。ギリシア側は、ヘレンを奪還するために戦争をしかけたのだ。しかし、戦争が始まってすでに七年が過ぎ、事態は膠着し、両陣営には厭戦気分が拡がっている。この状況から物語は始まる。

パリスの兄弟トロイラスは、神官カルカスの娘クレシダに恋いこがれている。ここで、クレシダの父カルカスは、トロイ側の敗北を予想して、ギリシア側に寝返っているという設定が、筋を理解する上ではだいじな伏線である。ともあれ、クレシダも、トロイラスに惹かれてはいるのだが、男の誠実さに確信をもてず、トロイラスの愛を受け入れられない。しかし、クレシダの叔父パンダラスの取り持ちもあって、トロイラスはやっとクレシダを手に入れる。二人が結ばれた夜、トロイラスは自分の恋の純粋さを強調して、こう言う。将来の正直者はいずれ「まことなることとトロイラスのごとく」と語ることになるだろう、と。クレシダは、これに応じて、万が一自分が裏切るようなことでもあれば、未来の人々に、「不実なることとクレシダのごとく」と非難されてもかまわない、と言う。しかし、この夜は、二人がともに過ごせた最初であると同時に最後の夜、つまり唯一の夜となる。

クレシダの父カルカスの画策により、翌日、クレシダは、捕虜と引き換えに、ギリシア側に送られてしまうのだ。このときから、彼女のトロイラスへの裏切りが始まる。ギリシア軍の中に入ったクレシダは、貞淑さをかなぐり捨て、ギリシアの将軍たちに積極的に媚びるような態度を取ったのだ。将軍の一人ユリシーズは、クレシダを指して、「目も頬も唇も（中略）足までも話しかけるような」淫蕩な女と評するほどであった。結局、クレシダは、将軍ダイアミディーズの女となる。

重要な場面は、一騎打ちにおけるヘクター（トロイの王子の一人）の態度に感動したギリシア軍が、トロイラスを含むトロイ方の兵士たちを自陣営に招いて、宴を催したときに訪れる。このときユリシーズに導かれて、ダイアミディーズのテントに連れて行かれたトロイラスは、テントの中で、クレシダがダイアミディーズと仲睦まじく戯れているのを覗き見てしまうのだ。しかも、あろうことか、クレシダは、トロイラスが彼女に渡した「袖」をダイアミディーズに与えてしまった。クレシダがギリシア方へと発つとき、二人は、互いの変わらぬ愛を誓って、「袖」と「手袋」を交換しあっていたのである。片袖は、トロイラスのクレシダへの愛の証である。ダイアミディーズがテントを去った後、クレシダは次のように独白する。

トロイラス、さようなら。片方の目はあなたを見ている、
でももう片方の目は心といっしょに別のほうを見ている。
ああ、女って情けないものね、私にもわかったわ、
女の欠点は目の間違いが心を導くってことだわ。[*1]

この後も戦争は続く。中でもトロイラスは強い復讐心をもって奮闘する。興味深い場面が、結末近くにある。ここでトロイラスは、クレシダからの手紙——ここに彼女がダイアミディーズと戯れていた理由が説明されているはずだ——を破り捨ててしまう。この部分を、ジジェクは、ラカンの有名な命題「手紙は必ず宛先に届く」を例証する場面として引用している。[*2] しかし、トロイラスはクレシダからの手紙の内容を明かさず、虚しい言葉に過ぎないとして、手紙を破り捨てているのだから、手紙はきちんと届かなかった、と解釈すべきではないか。このように反論したくなる。

実際には、読者や観客の、「手紙が名宛人であるトロイラスにきちんと届いて欲しい」という願望は強い。この芝居を観るほとんどの者にとって、とりわけ男にとって、クレシダの心変わりはたえがたい。観客は、最後の手紙によって、彼女の裏切りをキャンセルし、傷ついた心

を癒して欲しい、と願うのだ。この願望がいかに切実なものかは、一八世紀を通じて、『トロイラスとクレシダ』が、ほとんどドライデンによる改作版（一六七九年作）で上演されていたという事実から明らかになる。この改作版では、手紙の内容が明らかになる。それによると、クレシダは、実際には、トロイラスを裏切ってはいない。彼女は、父と一緒に練った策略を秘めており、トロイに、したがってトロイラスのもとに帰還するために、ダイアミディーズを誘惑し、騙していた、とされるのだ。しかし、シェイクスピアの原作では、トロイラスと（特に男の）観客にとって都合のよい、こうした展開は付いていない。トロイラスは、クレシダの手紙をまともに受け取らず、破り捨てるのだ。手紙の内容は、観客には決してわからない。とすれば、やはり、手紙は、宛先に届かなかったと言うべきではないか。しかし、ジジェクの解釈では、手紙は、名宛人が「受け取りを拒否する」という形式で、逆説的に届いているのだ。つまり、手紙は最初から拒絶されるためのものだったのではないか、というわけである。

このような解釈を一貫させるためには、「クレシダのダイアミディーズとの情事はただの策略であって……」などと男の幻想を満たすようなことを言うわけにはもちろんいかない。さらに、この解釈を延長させて、今しがた引用した「トロイラス、さようなら」で始まる独白は、実は独白でも何でもないと理解すべきではないか。つまり、彼女は、ダイアミディーズと戯れているときからずっと、トロイラスに見られていることを意識しており、彼女の独白調の説明も、トロイラスへと差し向けられていた、と。なぜならば、トロイラスに拒否されるべきものとして手紙が送られているのだとすれば、トロイラスを失望させるこの「独白」がすでに、トロイラスへのメッセージになっているからである。つまり、彼女の言葉は、この独白の段階で、トロイラスに届いていたのである。

シェイクスピアのこの悲劇は、われわれの考察にどう関係しているのか。われわれは、贈与における「第三の人物の謎」に注目した。贈与は、基本的には二者の間で完結するように思える。ところが、贈与交換について自己解説するインフォーマントは、贈り物が、直接に交換に関与している二者の向こう側にいる第三の人物に由来する、と語る。どうして、三番目の人物をわざわざ導き入れるのか。ところで、この戯曲において、クレシダは、自分自身をダイアミディーズに与え、彼の欲望に身を委ねている。ここで示してきた解釈に従えば、クレシダとダイアミディーズの淫らな交歓は、二人だけでは完結しておらず、これを眺めるトロイラスの眼差しを前提としており、その眼差しに対して演じられている。ここで、トロイラスが「第三の人物」の位置を占めている。

シェイクスピアのこの悲劇は、「第三の人物の謎」を解くための手がかりを与えてくれるかもしれない。たとえば、クレシダが、トロイラスに次のような警告を発していたことは、われわれの考察にとって示唆的ではないか。

> でも、私はある種の自分をあなたのもとに残します、
> ただし、それは不実な自分、自らすすんであなたを去り
> 他の愚か者の慰みものになろうという不実な自分です。[*3]

この言明は複雑で難解だ。女（クレシダ）は、一方で、男のもとに留まり、他方で、男のもとを去るという。つまり、ここで女は完全に分裂している。ここでわれわれの注意を惹くのは、クレシダが、自分をトロイラスのもとに残しつつ、他の人物（ダイアミディーズ）のもとに与えられる、と予告している点である。彼女が自分自身をダイアミディーズに与えるとき、その自分自身は「第三の人物」にあたるトロイラスに根を残したままにしているのである。ここで彼女が予言している自分自身の分裂は、ダイアミディーズとの戯れを目撃してしまった後にトロイラスが、クレシダの中には「統一性の規則」が存在しない、と苦い想いを込めて発する台詞（せりふ）に対応している。

トロイラスの視点から捉えたとき、あるいは同じことだが、ダイアミディーズの視点から捉えたとき、直接の相手であるクレシダに内的な分裂が孕まれているように感じられている。この内的な分裂を媒介にして、第三の人物が侵入してくる。たとえば、ダイアミディーズの位置から見てみよう。クレシダは、自分に身を委ねつつ、実は、もう一人の自分、「不実な自分」をトロイラスのもとに留めている。こうして、クレシダ－ダイアミディーズという二者関係に、トロイラスが侵入してくるのだ。「第三の人物の謎」を解くためのヒントがここに隠れていそうだ。

2　一般交換

贈与は、互酬的な関係に立つ二者の間で完結しそうなものなのに、しばしば、その外部にいる「第三の人物」を想定し、自らをこの第三の人物との関係におく。この現象は、レヴィ゠ストロースが『親族の基本構造』で解明しようとした問題とも関連がある。[*4] この著作の中では、無文字社会の親族構造に関連する、いくつもの文化人類学的な疑問が考察の主題となっている。そうした疑問の中に、交叉イトコと平行イトコに関連する不可解な事実が含まれている。

文化人類学の研究対象となるようなシンプルな社会の中の大多数で、交叉イトコ婚が選好されている。それに対して、平行イトコ婚はしばしば、インセスト（近親相姦）に近いものとして、禁止または忌避されている。交叉イトコとは、「父の姉妹の子ども」とか「母の兄弟の子ども」であり、基準になっているおじやおばの性別が父母とは逆になっているケースである。それに対して、「父の兄弟の子ども」「母の姉妹の子ども」が平行イトコである。単純にインセストを回避することが目的であれば、結婚相手として、平行イトコを避けて、交叉イトコを望ましいとする理由はない。血縁度（血縁的な近さ・遠さ）は、どちらもまったく同じだからである。

さらに、レヴィ゠ストロースは、交叉イトコ婚の中でも、母方交叉イトコ婚が、父方交叉イトコ婚よりも好まれる傾向がある、という事実にも関心を寄せた。つまり、男は、――「父の姉妹の娘」とではなく――「母の兄弟の娘」と結婚するのが望ましい、とする社会が非常に多いのだ。どうしてだろうか。

まず、平行イトコ婚よりも交叉イトコ婚が好まれる理由は、次のように説明することができる。平行イトコ同士とは異なり、交叉イトコは、父系であれ、母系であれ、必ず異なるリネージ（血統）に属している。ところで、結婚は、女の贈与である。贈与は、異なる主体の間でしか成り立たない。右手から左手に持ち替えても、贈与にはならない。平行イトコの間の結婚では、女は、同じリネージの中に留まる場合があり、このときには、女は贈与されたことにはならないのだ。結婚を確実に「贈与」として実現しようとすれば、平行イトコ婚よりも、交叉イトコ婚を優先させざるをえない。

目下の考察にとってより興味深いのは、母方交叉イトコ婚が父方交叉イトコ婚よりも選好されているのはどうしてなのか、という問題である。この問題を解くには、父系社会であるか母系であるかはとりあえず関係ないことに注意しよう。たとえば父系制のもとで、父方交叉イトコ婚を行うと、どうなるか。今、二つの父系リネージAとBの間で、父方交叉イトコ婚によって、A→Bと女（ヨメ）が移動したとする。簡単な系図を描いて確認するとすぐにわかるが、父方交叉イトコ婚を条件とすると、次の世代では、女（ヨメ）は、B→Aと反対方向に移動する。つまり、父方交叉イトコ婚の下では、二つのリネージAとBの間で、世代ごとに、方向を逆にして女を交換することになる。したがって、結果的には、AとBの間には、通時的な限定交換が成り立つはずだ。限定交換とは、われわれが普通に「交換」と呼んでいる現象、つまり二つのユニットの間の互酬的な交換のことである。

母方交叉イトコ婚を繰り返した場合には、様相が異なってくる。このときには、どの世代でも、女は同じ方向に贈与されていく。もし、ある時点で、父系リネージAが、別のリネージBに対しては女を与える側にいるとすれば、次の世代においても、さらに次の世代においても、女はA→Bと贈られる。ということは、リネージAは、自分たちの女（ヨメ）は、別のリネージXから——やはり母方交叉イトコ婚によって——得なくてはならない、ということである。したがって、……→X→A→B→……という女の流れは一方的で、反転することはない。隣接するなどの任意のリネージの対を取ったとしても、直接的に互酬的な関係は成り立たない。女の流れを全体として眺めると、一方向的に回転する一般交換が得られるだろう。一般交換とは、循環的な交換関係のことであり、たとえば……→A→B→C→A→B→C→……は、三つのユニットによる最小の一般交換だということになる。一般交換の連鎖の中に入るリネージはもちろん、通常は、三つどころか、それよりはるかに多い。

おそらく、一般交換の連鎖を構成しようとねらって、母方交叉イトコ婚が行われているわけではない。一般交換は、結果である。では、何の結果なのか。次のように考えたらどうだろうか。A→Bという贈与の関係において、第三の主体Xを想定するような強い傾向があるとする。つまり、Bは、Aから与えられた「それ（女）」を、Aの向こうにいるXに由来するものとして受け取ろうとする。これは、X→A→Bという贈与の流れを必然的に要請することになるだろう。こうした流れを安定的に構成するためには、父系制の下でも、母系制の下でも、母方交叉イトコ婚でなくてはならない。父方交叉イトコ婚の場合には、今しがた述べたように、AはBに対して、女の与え手になっても、受け手になってもどちらでもかまわないので、AとBの両者が、限定交換の中に簡単に閉じられてしまうからである。つまり、父方交叉イトコ婚の下では、AとBとの関係の中に第三の主体Xは入りにくい。

レヴィ＝ストロースが提起した、未開社会の親族構造についての基本的な疑問、交叉イトコ婚、就中(なかんずく)母方交叉イトコ婚が好まれるのはどうしてなのか、という疑問は、贈与の関係の中で、「第三の主体」「第三の人物」が措定されるという現象の帰結として説明することができる。各局所では、X→A→Bという贈与の連鎖が構成されているだけなのだが、それらの大域的な結果として、大きな一般交換のシステムが導かれることになる。

もちろん、これは、「女の贈与」に限られた問題ではない。たとえば、クラ交易は、太平洋の島々の間をブレスレット（ムワリ）とネックレス（ソウラヴァ）が循環する一般交換になっている。ところで、クレシダとトロイラスは、「袖」と「手袋」を交換しており、トロイラスは、自分が渡した片袖をクレシダがダイアミディーズに与えたのを見て激怒したのであった。この片袖と手袋は、クラ交易のブレスレットとネックレスを連想させないだろうか。ブレスレットもネックレスも第三の人物に受け渡されていく。同じように、トロイラスの片袖も、第三の人物に与えられたのである。

すると、結局、謎は「第三の人物」に収斂(しゅうれん)することになる。どうして、贈与の関係は、しばしば、直接に関係しあう二者の外部に、三番目の人物や主体を要請するのか。どうして、三番目の他者の効力が、二者間の贈与にまで及ぶのか。

3 中国型システムの初期形態

第三の人物をめぐる謎には後に答えることにして、考察を前に進めよう。前章で、われわれは、供犠のような垂直的な贈与が一般化した社会においては、正義についての調停的審級が出現する、と述べておいた。復讐を正義のための義務とする、互酬的な贈与交換によって結ばれている社会システムから、調停的審級をもつ社会システムへの転換は、いかにしてなされるのか。転換をもたらすメカニズムは、どのように描くことができるのか。

調停的審級を有する社会システムの非常に大規模な形態が、中国、秦以来の中華帝国である。中国に実現した帝国の圧倒的な特徴は、その広大さである。ヨーロッパでも、インドでも、単一の権力が、中華帝国のような広域を支配下に収めることはなかった。中国で秦の始皇帝が二千二百年以上も前に実現した水準の広さを、ヨーロッパのいかなる権力も、またインドの権力も未だに実効的に支配したことはない。われわれはかつて、宮崎市定に導かれて、中国の広さを隠喩的に表現している建造物として紫禁城を挙げたことがある（第2章）。紫禁城は、千棟もの建造物によって構成されており、建設のためには百万人を越える労働力が必要だった。建造物の装飾品は贅を尽くしており、建材は、帝国領内のあらゆる場所から集められた。これほどの労働力を動員し、建材を初めとするこれだけの物財を集めることができたという事実は、中華帝国の権力が、どれほどの広がりにまで及んだかを端的に示している。

中国の皇帝権力を裏打ちしているのは、朝貢関係に代表されるような大規模な再分配システムである（第3章）。再分配は、とりあえず、その外観だけを捉えれば、贈与の連鎖が中心化した形態である、と解することができるように見える。システム内の他の諸点が、特権的な一点（皇帝）との間に、互酬的な関係をとり結ぶと、再分配システムが出現する、と。

インドのカースト体制は、「贈与」に対して、これとは異なった関係をもっている。第一に、カーストのヒエラルキーが全体として、贈与の連鎖になっている。下位のカーストは、上位のカーストに対して、自分自身を、想像的な食料として差し出している。このようなことが必要なのは、人間の存在自体が、一種の負債であると観念されているからである。上位カーストへと自分を差し出すことは、その負債に対する返済である。最上位のカーストであるバラモンは、供犠という形式で、人間の代理物を神に返済している。しかし、第二に、カースト体制は、贈与のネットワークが拡大したり、その紐帯（ちゅうたい）が強くなったりすることに対して、非常に抑制的である。通婚を初めとする、カーストの間の接触が、禁止されたり、抑圧されたりするのは、こうした傾向の現れである。したがって、カースト体制にあっては、その全体に対して、背骨のように贈与の連鎖が走っているのだが、その背骨を別とすると、贈与の関係は、可能な限り排除されている。中国の帝国が、朝貢のような方法で、贈与の関係を徹底的に活用しているのとは、対照的である。

われわれの関心は、しかし、こうした外形の比較にあるわけではない。インドのカースト体制は、基本的には、互酬的な贈与交換のネットワーク（とその抑圧）に基づいている。だが、中華帝国の場合には、大規模な再分配のシステムと整備された調停的審級をもち、単純な贈与交換のネットワークからの明確な飛躍を伴っている。この飛躍は、いかにして可能だったのか。どうして、それが中国において実現したのか。こうしたことを説明しなくてはならない。

＊

考察のための手がかりを得るために、中華帝国のごく初期の、あるいは帝国成立以前の、歴史的事実を概観しておこう。有意義な素材は、白川静の漢字学から得られる。では、調停的審級は、正義についての新しい観念として出現する。「正」とは、もともと、どういう意味だったのだろうか。白川によると、「正」の本来の意味は、「他邑を征すること」であって、倫理や規範とは直結しない。「正」の起源の形態は、「口」と「止」より成る。「口」は、城壁で囲まれた邑のことだという。[*5] 卜辞（ぼくじ）や金文では、「正」は、邑の支配者、つまり「正長」を意味していた。

支配者は何をしたのか。支配者の最も重要な任務は、賦税を徴収することにあった。「征服」の「征」はもともと、賦税を取ることを意味していた。「政治」の「政」の本来の意味も、征服した土地から賦税を取ること、であった。[*6]

漢字をめぐるこうした事実だけからでも、いくつものことを推測することができる。たとえば、原初的な正義は、言語的に表現されるような説得力よりも、物理的な暴力にこそ根ざしている、という感覚が強かったと推測できる。これは、「正義は勝者の論理である」といった常識的な見解とも一致している。われわれのここでの考察にとってより有意義なことは、正当な支配や政治が、被支配者に対して、（支配者に向けての）「贈与」を強制することを、つまり「税」という名の収奪を、まずは意味していたという事実である。漢字から推測すると、（中国における）政治の起源は、収奪の権限にあったことになる。

　別の漢字からも、類似の推測を得ることができる。たとえば、「客」である。「客」は、白川は、日本でいう「まれびと」「まろうど」、つまり客神（共同体の外部から到来する神）と同じ意味であるとする。だが、折口信夫が論じた、「まれびと」と「土地の神」との関係と、中国における「客（神）」と「国の神」との関係では、主従が逆になっている。折口が発掘する例では、常に、まれびとは土地の神を圧服する。だが、中国のケースは逆である。たとえば、『詩経』の周頌（しゅうしょう）には、「有客」という一篇がある。それによると、客神は、さまざまな捧げものを持ち、白馬に乗ってやってきて、祭場に臨む。迎える側は、馬を手綱でつなぎ、なだめすかす。やがて客神は心なごみ、限りない祝福を廟神に捧げるのだ。われわれは、これを、「かつての、征服支配の事実を儀礼的に実修する、客神参上の儀式である」と解釈することができる[*7]。

　白川は、ここで歌われている客神は、殷の祖神ではないか、と推測している。殷は周によって滅ぼされた。他国を滅ぼすことは、そこの人民を殺戮することではない。彼らが奉ずる神を客神という形式で、自分たちの神を中心に据えたコスモロジーの中に統合すること、これが他国に対して、戦争で勝つことを意味していた。敗れた側は、周頌に示唆されているように、何か贈り物をもって、勝者の神のもとにやってきた。客神は、朝貢に似た、再分配のシステムの中に組み込まれているのである。中心にあるのは、勝者である王朝の神である。

同じ『詩経』の周頌に、「振鷺」と呼ばれる篇がある。祭祀は、周の聖処、辟雍で執り行われ、そこで、白鷺が飛ぶことになっている。白鷺は、客神である。王朝には尽きない繁栄が約束されていると歌う白鷺の舞が、ここでは、王に対する贈り物としての価値をもっている。「白」は、殷では聖なる色として尊ばれていたので、白鷺は――先の有客の白馬と同様に――殷の神を具現していると考えられる。[*8]

古代の戦争を、近代の戦争からの類推によって想像してはならない。白川によれば、中国の古代の戦争には、巫女や瞽師が伴われていた。瞽師は、鼓の音や自然の声によって、吉凶を占う盲人のことである。巫女は、「媚」とも呼ばれ、呪力によって敵を攻撃するために、鼓をもって先頭に立った、と推測される。つまり、戦争は主として呪力の戦いであり、それぞれの氏族が信奉する神々の威力の競い合いだったのだ。ときに、それは口喧嘩のようなものでさえあっただろう、と白川は述べている。[*9]

あるいは、われわれとしては、次のように推理してもかまわないかもしれない。互いの陣営が、呪力のある物を出し合い、また奪い合うのだとすれば、これは、ポトラッチのような贈与による競争とそれほどかけ離れたものではないのではあるまいか、と。贈与交換と戦争との等価性という、レヴィ＝ストロース等の洞察を、もう一度、想起しておいてもよいだろう。あるいは、冒頭に紹介した、シェイクスピアの想像力の中で描かれたトロイ戦争のことを想ってもよい。このトロイ戦争もまた、贈り合いであり、奪い合いだからである。

繰り返せば、古代中国においては、戦争に敗れた側は、客神として、王たちが奉ずる神々の体系の中に統合され、また王に貴重品を贈らなくてはならなかった。また、「政（治）」の原義は、被支配者からの正当なる収奪だった。

さらに付け加えておけば、王もまた、自身よりも上位の者、つまり神々へと贈与する義務を担っていた。供犠である。たとえば旱魃のとき、王は、人を犠牲として捧げ、祈った。のみならず、殷代以前においては、王は、祭司以前の呪術師であり、天変地異や災害においては、自分自身を犠牲としたのではないか、と白川は推測している。その状況証拠として、彼は、『荘子』の佚文として伝えられている次のエピソードを引いている。[*10] 湯の子孫とされている宋の景公のとき、大旱魃で人々が苦しんだ。卜すると、人を犠牲として祈れと告げられたので、景公自身が、犠牲になろうと、薪の上に座したところ、突然、大雨が降ってきたという。これは、『荘子』の時代からそれほど遡らない時代のことだから、実際にも、これに近いことがあったと推測することができる。

*

白川静の漢字学から示唆されることは、中国は、非常に長い時間をかけて、帝国としての形態を整えていったのではないか、ということである。先に述べたように、秦以降の中華帝国の決定的な特徴は、大規模な再分配のシステムである。それは、秦の始皇帝において、一夜にして実現したものではなく、それ以前に、長期の準備過程があったと考えられる。敗者の神を客神として統合するとき、あるいは「政」の本質を税の収奪として捉えるとき、その社会は、間違いなく、強力な再分配機構へと向かおうとしている。

紀元前二二一年に、始皇帝によって中国における最初の帝国・秦が宣せられた。この帝国のイデオロギー的な柱は、韓非子（かんぴし）に代表される法家の哲学である。ここでは詳述はしないが、その特徴をごく簡単に述べておこう。法家の「法」は、近代的な意味での法律、西洋的な意味での法とは関係がない。法家の思想の核心を一言で要約すれば、「信賞必罰」――徹底的に平等な信賞必罰――である。貴族であるとか、平民であるとかといった身分にまったく関係なく、命令に違反した者は罰し、功績があったものには褒美を与える。これが法家の思想において最も重要な部分である。

とするならば、これは互酬的な贈与交換の原理、あるいはそれと表裏の関係にある復讐の原理と同じではないか。確かにその通りではあるが、しかし、国家がこの原理に基づく処置を独占的に行使するということは、その内部の下位の共同体は、勝手に、互いに復讐してはならない、ということである。その意味で、下位の共同体は自律性の最も重要な根拠を失っている。共同体の間に作用していた贈与と復讐の原理を、国家が自らすべて吸い上げてしまったとき、帝国が完成したのである。

4　国家に抗する社会

　しかし、問題は、歴史的な過程ではない。どのようなメカニズムによって、贈与の連鎖の中から、強力な権力を中心にもつ再分配のシステムが生まれうるのか。その論理を抽出したいのだ。ここで、ヒントとなる事例を考察しておこう。それは、第14章にその名を出したことがある、テ・モカ交換である。ニューギニア中央高地で見られる、豚を中心とした贈与の連鎖だ。なぜ、この例が興味深いのか。贈与の連鎖を通じて、しかもそれのみを根拠にして、文化人類学者が「ビッグメン」と呼んでいる、威信の高いリーダーたちが析出されるからである。贈与の連鎖やネットワークの中から権力が生成されるケースが、ここにはある。[*11]

　その論理の要点を、ここでは、理念型的に単純化して説明してみよう。まず確認すべき基本的な前提は、贈与の関係にあっては、与える側が優位に立つ、ということである。贈与者と受贈者の間に、支配‐従属の関係が、つまり一種の権力関係が生ずる。この関係は、受け手の主観的な観点からは、一種の「負債」として意識されている。あるいは、客観的な観点から、この権力関係を記述するならば、それは、贈与者の側に所属している「第三者の審級」に、受贈者の側（の第三者の審級）が服属する関係である。贈与者は、相手に自分自身を贈る、と述べたが（第14章）、その意味するところは、こうした服属の関係である。贈り物を受け取った者は、与え手の「自己」の中に、言わば、統合されてしまうのである。

次に確認しなくてはならない前提は、自分を受け手として自覚する者、自分が（何かを）「与えられている」という自己認知をもつ者は、お返し（反対贈与）をせざるをえない、ということだ。負債を自覚している者は、これを返済せずにすますことはできないのだ。モースが述べたように、そしてわれわれも何度も強調してきたように、「お返し」は、絶対的な義務と感じられる。

すると、ときに奇妙なことが起こりうる。何らかの理由によって、人々が、特定の人物Pに対して、負債感をもったとする。簡単に言えば、Pのおかげで自分たちは存在できている、安心していられる等の感覚をもったとする。こうした感覚は、Pが相応のことを行っているかどうかとは、ある程度独立に、生じうる。つまり、Pは、本人の主観的な意識においては、特に何も与えてはいないのに、人々が、彼から、貴重なものを与えられている、という自覚をもつことがある。このとき、Pへの「お返し」という名目の贈与を通じて、Pに貴重な財が集中することになる。モカ交換を駆動させている、基本的な論理はこれである。

端点にいるB_1は、隣のB_2に対して負い目を感じている。B_1は、B_2に対して、大切なものを贈らなくてはならない。「大切なもの」とは、ここでは豚である。B_2はB_2で、B_3に対して、負い目があって、お返しの必要を感じている。今度は、B_2はB_3に豚を贈る。同じ論理で、B_iはB_{i+1}に豚を贈る、やむにやまれぬ必要性を感じる。したがって、次のような、豚の贈与の直線的な連鎖が生まれることになる。

$$B_1 \rightarrow B_2 \rightarrow B_3 \rightarrow \cdots\cdots \rightarrow B_{i-1} \rightarrow B_i \rightarrow B_{i+1} \rightarrow \cdots\cdots \rightarrow B_n$$

少しばかり補足しておこう。実は、こうした一方向的な贈与の前に、B_2→B_1、B_3→B_2、B_{i+1}→B_iといった反対方向の小さな贈与が行われている。それは、予備的な贈与で、人類学者は、これを「懇請の贈り物」と呼んでいる。懇請の贈り物は、B_{i+1}がB_iに対して、B_{i+1}への負債を自覚（想起）させるためのものである。「オマエはオレに借りがあるのではないか」と誘いをかけているのである。懇請の贈り物として使われるのは、わずかばかりの豚、豚の足、真珠貝、斧等である。この懇請の贈り物が、呼び水になって、先に述べたような、B_1から始まって、B_nへと向かう、本筋の贈与が引き起こされる。

連鎖の後ろに行けば行くほど、贈られる豚の数は多くなる。最後のB_nのところには、凄まじい数の、数千頭もの豚が集まることになる。B_1からB_nまでの距離は、およそ二百キロである。モカ交換のこの連鎖の端から端まで豚が贈られるのに、三年から四年近くの時間がかかる。またその前の予備的贈与、つまり懇請の贈り物の期間は、数ヵ月から一年である。豚が集まる中継点となるB_iたちが、ビッグメンであり、人々の尊敬を集める。この地域の部族は、千人規模で（ときには数千人で）、分割血族制と人類学者が呼ぶ親族構造をもっているが、ビッグメンは、この親族構造の中での地位とはまったく関係がない。ということは、次のことを意味している。すなわち、ビッグメンは、地域の政治的・経済的リーダーだが、彼のリーダーとしての地位や権力は、もっぱらモカ交換から発生しているのである。親族構造は、ビッグメンとしての威信に何も寄与しない。ビッグメンになるのは、たいてい、体力の点でも、気力の点でも充実している青壮年だという。

連鎖の終点にいるビッグメンB_nは、まるで、豚をいくらでも収奪する権力をもっているかのように見える。豚は、そこへ向かって吸い込まれていくかのようだ。だが、これは錯覚である。B_nに、豚を無限に収奪する力があるわけではない。

B_iが後続のB_{i+1}に豚を贈ったのは、自分の方に「お返しの義務」があると感じていたからだ。言い換えれば、B_{i+1}がB_iに対して何か恩恵を施している、何かを与えている、ということが、$B_i \downarrow B_{i+1}$の贈与の前提である。とすれば、やがて、B_{i+1}がB_iに対して、ほんとうに何かを与えることができるということ、実際に与えているということを、証明してみせなくてはならないときがくる。この義務が、最も重くのしかかるのは、言うまでもなく、連鎖の終点にいるB_nである。

かくして、あるとき突然、カタストロフィの瞬間が訪れる。B_nは、自分がそれだけの豚を受け取るに値する者であったこと、自分が人々に（B_1からB_{n-1}までの人々に）与えることができるということを、示さなくてはならない。そこで、B_nのところに溜まりに溜まった数千頭の豚が一度に殺され、料理される。料理された豚は、B_nからB_1へと、短期間に一挙に逆流するように、反対贈与されていく。凄まじい量の豚肉を蕩尽する大祝宴が開かれるのだ。人々は、この四年に一度の大祝宴で、豚肉を食べ過ぎて、しばらく胃病に苦しむほどだという。

そのあと、どうなるのか。今度は、まったく同じことが、贈与の向きだけ変えて繰り返されるのだ。つまり、B_nから始まって、

$$B_1 \leftarrow B_2 \leftarrow B_3 \leftarrow \cdots\cdots \leftarrow B_{i-1} \leftarrow B_i \leftarrow B_{i+1} \leftarrow \cdots\cdots \leftarrow B_n$$

と、豚が順に贈与されていく。B_{i+1}がB_iに豚を贈るのは、B_{i+1}がB_iに対して負債感をもっているからだ。実際、負債はある、と言ってよいだろう。前の期に、B_{i+1}はB_iから豚をもらっているからである。そして、蕩尽のときの豚肉だけでは、まだ返しきれていないからである。容易に想像できるように、料理された豚は大急ぎで連鎖を逆流しても、末端にまで届かない（途中で腐ってしまう）。前の期の連鎖の始点に近かった者ほど、十分なお返しをもらえなかった、自分の後にいるビッグメンへの期待は過大だった、という失望感をもっている。その失望感を埋めるために、B_{i+1}は、B_iに豚を贈らずにはいられない。

当然、最後に、B_1に集中した豚が一度にすべて料理され、豚肉がこの連鎖を再び逆流する。こうして、豚が、この連鎖の上を、振り子のように行ったり来たりしていることになる。振り子が行って戻ってくるのにかかる時間は、つまり振り子の周期は、約八年である。

＊

この例からわれわれは、何を学ぶことができるのか。豚が集まるビッグメンたち、とりわけ連鎖の端点にいるビッグメンは、一見、再分配の中心と似たような機能を果たしている。だが、これには明白な限界がある。ビッグメンが、豚を集め、収奪する権力をもつためには、彼は、自分が、人々に与える力をもっていることを、証明してみせなくてはならない。つまり、収奪できるためには、それ以上に与えなくてはならない。したがって、この互酬的な贈与のシステムにおいては、（半）永続的で、しかも強力な中心は生まれない。一時的に形成された、疑似中心は、反対方向の贈与を通じて、その度に解消されてしまうのである。互酬的な贈与を中核においた原始的な共同体は、広域に及ぶ集権的な権力が発生するのを防止する装置を組み込んでいるかのようだ。それゆえ、ピエール・クラストルは、このような共同体を「国家に抗する社会」であるとした。[*12] 逆に言えば、中国のような大規模な再分配のシステム、帝国にまで達するような社会が形成されるためには、何らかの飛躍が必要である。単に、贈与の連鎖が中心化するだけでは、そうした社会へと転換しない。何が飛躍のための鍵となるのか。贈与の連鎖の中に宿る余剰、「第三の人物」という余剰がそれである。この余剰が、「生産的」に機能したとき、社会システムに質的な転換の可能性が孕まれる。

＊1　ウィリアム・シェイクスピア『トロイラスとクレシダ』小田島雄志訳、白水社、一九八三年、第五幕第二場。
＊2　Slavoj Žižek, *In Defense of Lost Causes*, Verso, 2008, p.81.
＊3　シェイクスピア、前掲書第三幕第三場。この文脈で理解しやすいように、翻訳を変えた。
＊4　クロード・レヴィ＝ストロース『親族の基本構造』福井和美訳、青弓社、二〇〇〇年（原著一九四九年）。
＊5　「口」の下に、人の形を入れたものが「邑」である。その邑を戈によって護ると「或(こく)」になる。「或」は、「國」（国）の古形である。
＊6　白川静『漢字――生い立ちとその背景』岩波新書、一九七〇年、一二六―一二七頁。

＊7　同書、六九頁。

＊8　同書、七〇頁。

＊9　同書、一二七頁。

＊10　同書、六〇頁。

＊11　Andrew Strathern, *The Rope of Moka: Big-Men and Ceremonial Exchange in Mount Hagen, New Guinea*, Cambridge: Cambridge University Press, 1971.

＊12　ピエール・クラストル『国家に抗する社会——政治人類学研究』渡辺公三訳、水声社、一九八七年（原著一九七四年）。

第19章　三国志の悪夢

1 ユーラシア大陸両端の地形

ある種の社会、原初的な共同体は、国家と見なしうる広域に作用を及ぼしうる集権的な権力の成立を拒否するメカニズムを内蔵させている。テ・モカ交換によって結びついている、ニューギニア高地の部族社会は、そのようなタイプの一例である。豚の贈与を通じて、贈与の連鎖の各所に、まるで結び目のように、ビッグメンと呼ばれる、威信をもった権力者が生まれる。結び目の大きさは、つまり威信の大きさは、連鎖を後ろに辿るほど大きくなっていく。とすれば、やがて、いくつもの言語圏に跨がり、何百キロにも及ぶこの連鎖の全体を被覆する権力が実現しそうに思える。しかし、この「結び目」は、定期的に、解けてしまう。解くのは、贈与の突然の逆流である（第18章）。

こうした社会の対極にあるのが、中国である。中国の謎は、圧倒的な広域の統一性にある。紀元前三世紀の中頃に遡れば、中国は小国が分立し、互いに対立している多元的なシステムだった。しかし、前三世紀末には、単一の大きな帝国へと統合された。その帝国が秦である。このようなレベルの統一は、ヨーロッパではついに実現されなかった。さらに、秦どころか、近年の考古学的調査によれば、かつては伝説とされていた、紀元前二〇〇〇年頃の夏王朝は実在しており、「王都」と目されている二里頭(にりとう)に集まっている財から判断すれば、あるいは二里頭から発した貴重品の分布から判断すれば、同時代のどこと比べても、ずばぬけて大きな領域を、勢力圏としていたと推定される。[*1] 夏に、ゆるやかに政治的に従属していた地域の拡がり、あるいは夏の文化的な影響が及んだ地域の拡がりは、今日の中国のテリトリーに迫るほどだった可能性が高い。[*2]「夏」は、自称ではなく、後続の殷王朝によって与えられた名だが、もしこれが、岡田英弘が推測しているように、同音の「賈(か)、価(か)、牙(が)」と同じように、商売を意味していたのだとすれば、[*3] 夏王朝は、交易や贈与交換に基づく富の集積を顕著な特徴とする場所と見えていたことになる。[*4] 夏に富や情報が集まった原因（のひとつ）は、二里頭が黄河の畔(ほとり)にあった上に、長江や淮河(わいが)といった他の主要な河川の支流にも近く、水運の便がよかったからだろう。有力説によれば「中華」の「華」は、「夏」に由来する。夏の段階で見るにせよ、あるいはもっと時代を下って秦において見るにせよ、中国が、ヨーロッパでは実現されなかった、広い領域を国家として統一したことは確かである。こうしたことは、どうして可能だったのか。

　興味深い疑問は、これだけではない。中国は、秦が成立した後、安定的に統一されていたわけではない。まず秦自体が、十五年しか続かず、きわめて短命であった。秦の滅亡後は、よく知られている、項羽と劉邦の戦いの後、劉邦（高祖）によって漢が建国される。漢による安定は、四百年ほど継続するが、漢が滅亡した後には、三百五十年を超える長い混乱期がやってきて、その間は、中原を長期間統一する帝国は現れない。その後、隋王朝と唐王朝によって、再び、統一的な帝国が実現する。隋・唐が支配していた期間は、およそ三世紀である。唐の滅亡後、またしても、帝国は四分五裂する。半世紀後には、宋が登場するが、完全な統一には至らず、唐が滅亡してから三百五十年以上が経過した後、外部からの侵略者である元によって、統一的な帝国が回復される。

このように、中国は、およそ三百年から四百年ずつの期間で、統一と分裂を繰り返してきた。ここから、第11章に提起しておいた疑問が想起される。いったん分裂したのに、しかも三百年以上も解体されていたのに、中国はどうして、もう一度帝国としてまとまることができたのか、と。これが問うに値する謎であることは、再び、ヨーロッパと比較してみるとすぐに理解できるだろう。ローマ帝国は、崩壊後、ついに再構築されることはなかった。ヨーロッパに(ローマ)帝国を回復しようと試みた政治家は、二〇世紀のヒトラーを含めて、たくさんいたにもかかわらず、である。現在のEUは、ヨーロッパに帝国を回復する最新の試みだが、単一の主権が確立していないことが端的に示しているように、つまり主権国家の連合としての性格を脱していないことから明らかなように、未だに帝国回復の試みは完遂していない。

中国の特徴を、インドとの対比によっても示すことができる。かつて述べたように、両者の間では、歴史的デフォルトが逆になっているのだ。中国では、この二千年余の歴史的デフォルトとも呼ぶべき常態は、中央集権的な官僚制国家であって、それが崩壊している期間が異常事態である。インドでは、まったく逆に、細々とした王国や君主国が乱立している状況がデフォルトであって、それらが政治的に統合されている期間が異常である。中国とインドでは、正常／異常の関係が逆になっているのだ。中国にとっては異常であるような社会状態がインドにとっては常態であり、逆に、中国にとっての常態が、インドにとっては例外的な短い期間にだけ認められる。

*

中国とヨーロッパの比較に、とりあえず焦点を絞ろう。両文明の間で、歴史的な展開の顕著な相違が出たのはどうしてなのか。中国が、歴史のきわめて早い時期に、今日のヨーロッパでも達成できない水準の統一性を獲得できたのはどうしてなのか。歴史学者や地域研究者たちは、もちろん、この明白な相違を何とか説明しようとしてきた。[*5] こうした基本的な差異に関する説明には、しかし、危険がつきまとっている。循環論法やトートロジーに陥る危険である。

たとえば、原因の一つとして、文化的要因が挙げられてきた。ヨーロッパは、ロマンス系民族、ゲルマン人、ケルト人、フランク人、スラブ系諸民族、フン族等と民族的に多様な文化があったのに対して、中国の文化は、相対的に同質的であったから、といった説明である。一見、これによって少なくともひとつの原因が明らかになったかのような印象が得られる。しかし、文化的な多様性／均質性という対立は、目下、問題になっているヨーロッパと中国との間の相違の結果、あるいはせいぜいその相違のもうひとつの表現でしかない。要するに、中国は、きわめて早くに統一され、また何度も統一帝国を回復できたがゆえに、文化的に均質化したのである。ヨーロッパが文化的に雑多に見えるのは、政治的な統一が実現されないからであって、その逆ではない。この場合の文化は、原因というよりも、それ自体、説明されるべき現象の一部である。

これまでに提起されてきた諸原因の中で、循環論法を免れている唯一の要因は、「地形」である。ヨーロッパは、大河、森、海、そして険しい山脈によって、細々とした地域に分断されてきた。アルプス山脈があり、ピレネー山脈があり、ライン川があり、ドナウ川があり、さらにバルト海があった。これらは、すべて統一を阻む自然の障壁である。とりわけ、政治的にも文化的にも大きな独自性をもっていた二つの島が、大陸から海で隔てられていたことが重要だ。二つの島とは、アイルランドとグレートブリテンである。特に後者のプレゼンスの大きさは、ヨーロッパ史において圧倒的である。

中国の地形は、ヨーロッパとはまったく対照的だ。平坦で自然の障壁は少ない。中国の最初の帝国は、北側にある東西軸、つまり黄河水系に現れた。チベット高原以東の山はたいして険しくないので、この地域――黄河水系の初期の帝国の勢力圏――を陸路や水路で移動することは、たいして難しくはなかった。中国のもう一つの中心は、南側の東西軸、つまり長江水系である。二つの水系を結ぶ運河も早くに造られたので、両地域の間の移動も容易だった。海岸線もなだらかなので、海に沿った移動も、ヨーロッパに比べてずっと簡単だった。

地形の差異によって、中国とヨーロッパの歴史的な経路の違いを説明し尽くすことができるだろうか。こうした説明は、非常に多くの学者によって採用されており、一人ずつ名前を挙げる必要もないほどだ。中国とヨーロッパの地形の相違が、世界地図を拡げるだけですぐに視認できるほどに顕著だからである。しかし、この説明は、間にインド亜大陸を入れてみるだけで、少しばかり怪しいものになる。確かに、中国よりはインド亜大陸の方が、移動に困難な地形になっている。しかし、ヨーロッパに比べれば、ヒマラヤ山脈以南の地域には障壁は少ない。だが、インド亜大陸は、歴史のほとんどの期間において、ヨーロッパと同様に、あるいはヨーロッパ以上に、分断された状態が続いている。とすれば、大規模な統一国家や帝国が生まれえた原因を、地形にのみ求めてよいのか疑問が呈される。

だが、今は、インドのことは脇に置いておこう。ヨーロッパと中国に関して言えば、地形が両者の間の差異をもたらす必要条件の一つ、しかも最も重要な必要条件であることは、まちがいあるまい。だが、しかし、後に述べるように、これで、今問題にしている中国とヨーロッパの間の差異のすべてが説明できるわけではない。まだ重要な要因が見逃されている。あるいは、次のように言う方が正確だ。地形的な要因とは独立の、必要条件（となるような要因）があるというよりは、基底的な要因としての地形と、結果であるところの社会状態の違い――一方の政治的統一性と他方の競合的分断状態――の間をつなぐ、重要な媒介要因が見逃されている、と。中国に統一的な帝国が繰り返し構築された究極の原因、最大の原因として、平坦な地形だったという事実を認めてもよい。しかし、その究極の原因（地形）が直接に効いただけではなく、その原因とヨーロッパと中国の政治的な形態の相違（前者の分裂と後者の統一性）との間には、何か媒介要因があったのではないか。地形の違いだけではなく、その媒介要因を考慮に入れなくては、中国とヨーロッパの違いは十分に説明できないのではないか。これが仮説である。しかし、どうして、わざわざそう考えなければならないのか。そもそも、地形とは異なるもうひとつの要因、その媒介要因なるものは何か。こうしたことを、これから少しずつ説明していこう。

しかしその前に、問いの出し方を変えておく必要がある。地形が決定要因だとするとき、つまり平坦な地形が統一帝国の建設にとって有利だったと言うとき、あるいは逆に山脈や海が分断状態を維持することになったと主張するとき、念頭に置かれている、国家・帝国の建設のための行為とは何であろうか。それは、主として、戦争と軍事的な制圧であろう。ある王国が別の王国に戦争をしかけ、侵略しようとするとき、両者の間に急峻な山脈があるかないかは、きわめて重要な意義をもつ。山脈があれば、侵略は成功しないか、あるいはそもそも、軍事行動が引き起こされない。さて、すると、地形が決定的だったのか、という疑問は、次のような問いでもある。帝国的な水準の社会的・政治的な統一が実現されたりされなかったりした原因を、戦争と軍事的な制圧の難易に還元し尽くすことができるのか、と。このことを考えるために、よく知られている題材を提供してみよう。

2　三国志の悪夢

秦の後を継いだ漢は、中国の歴代王朝の中で最も長く続いた。三世紀初頭に後漢が滅びた後は、先に述べたように、ごく短い例外的な期間を別にすると——つまりきわめて短命だった西晋を別にすると——、およそ三世紀半の間、統一的な帝国は出現せず、中国は分裂していた。この分裂していた期間、より厳密に言えば後漢の末期から短命に終わった西晋が出現するまでの期間こそは、中国史上で最も人気がある歴史物語の背景となった時代である。その歴史物語とは、言うまでもあるまい。『三国志演義』だ。

『三国志演義』は、三国時代についての、公式の歴史書『三国志』をもとに書かれている。三国時代は、魏と蜀と呉の三つの王国が覇を競い合っていた時代であり、後漢が滅亡した二二〇年から——あるいはもう少し早く漢が王朝としての実態を失った黄巾の乱の農民蜂起（一八四年）から——西晋による統一が実現する二八〇年までの期間にあたる。三つの王国が帝国にのしあがろうとして鼎立していたということは、三組の皇帝（あるいは皇帝候補）が併存し、争い合っていたということである。三組とは、魏の曹操（とその息子曹丕）、蜀の劉備、呉の孫策・孫権兄弟だ。『三国志演義』は、三国時代よりも十世紀ほど後、つまり明代初期、おそらく一四世紀末に書かれたと推定されている。作者もはっきりしない。一般には、羅貫中という名の人物に帰せられているが、この人物の素性や経歴は定かではない（以下、『三国志』と書くのは、『三国志演義』のことである）[*6]。

中国で『三国志』がずば抜けた人気を得てきたことには、社会学的な理由がある。この長大な物語は、中華帝国の本質に関わる、二つのテーマを伏在させている。これが、この物語が中国人を魅了してきた理由ではないか。[*7]

『三国志』の第一のテーマは、中国は単一でなくてはならないということ、単一である限りでその存在は正統なものとして認められる、ということであろう。この物語の全体を通じて描かれているのは、中国が統一性を保っていないとき、つまり内乱状態にあるとき、いかに悲惨な混乱と外部からの侵略がもたらされるかである。『三国志』は、内的な不統一が、中国にとって悪夢のような状態であることを訴えているのである。

ある社会の中で広く繰り返し読まれたり、参照されたりするフィクションや歴史書は、人々の歴史意識や現実認識の枠組みを強く規定する。英語圏の人々にとってのシェイクスピア、西洋全体にとってのギリシア悲劇や聖書、アメリカ人にとっての『スター・ウォーズ』、そして現代日本人にとっての司馬遼太郎の小説や宮崎アニメなどを思えばよい。中国人にとって『三国志』は、そうしたタイプのフィクションのひとつである。真偽のほどは定かではないが、毛沢東が内戦に勝利し、蔣介石が負けたのは、前者が『三国志』を熟読し、後者が読んでいなかったからだ、という俗説があるくらいだ。[*8] そして、今日の中国共産党が台湾の再統合を執拗に要求し続けることの根拠には、『三国志』に示されているような理念、中国の単一的全体性を理想化するイデオロギーがあるのではないか。国家の内部に分裂が孕まれている限りは、中国共産党は、真に正統な支配者ではありえないのだ。

『三国志』に示唆されている第二のテーマは、まさにこの単一性が維持されるための条件である。この物語の展開は、そうした条件を間接的に暗示しているのである。その条件とは何か。

「三国」志とされてはいるが、主に描かれているのは、魏と蜀のことであって、呉の比重は小さい。『三国志』は（特にその前半は）、魏と蜀の対立を展開のための軸としている。しかも、両者の描かれ方は平等とは言えない。蜀の劉備は名君として描かれ、魏の曹操はいかがわしい野心家のように描かれているのだ。最後には魏の系統にある西晋が帝国を統一するのだから、魏が勝利したことになるのだが、『三国志』の作者は、明らかに、これを歴史のあるべき姿とは解釈していない。史実はともかくとして、『三国志』は、劉備を本来の皇帝の理想像として描き、その理想性を際立たせるための反面教師として曹操を提示している。したがって、『三国志』が示唆する、単一的な帝国のための条件は、直接には、劉備をめぐって表現されているはずだ。それは何か。

興味深いのは、劉備よりも曹操の方が戦争に長けており、強い人物として描かれていることである。軍事的なヒーローとしては、劉備よりも曹操がふさわしい。劉備は、どちらかと言うと戦争を嫌っており、弱腰で優柔不断である。果敢で攻撃的な曹操とは対照的だ。だが、『三国志』が理想のモデルとしているのは、劉備の方である。この事実は、前節の最後に提起した問いと関連している。帝国統一の唯一の決定的な鍵は、戦争と軍事的な制圧なのか。少なくとも『三国志』は、これとは別のところに皇帝としての条件を求めている。

それならば、皇帝にとっては何が大事なのか。肝心なポイントは、皇帝その人よりも、皇帝をめぐる関係の様態である。『三国志』の最初の方には、「桃園の義盟」と呼ばれる場面がある。桃園で義盟を結んで、劉備、関羽（かんう）、張飛（ちょうひ）の三人が義兄弟になるのだ。彼らは、実際に血を分けた兄弟ではない。血縁の上ではまったくの他人同士だ。にもかかわらず、互いを「人物」と認め、義盟を結んだ以上は、兄弟以上の兄弟になる。互いの間にはいかなる利害の対立もなく、したがって争いからはまったく自由であり、互いに完璧に信頼し、心底から理解しあい、そして生死を共にする覚悟をもつ。こうした関係を、三人は結ぶ。関羽と張飛は、劉備を皇帝にするために、最後まで完全に無私の献身を貫くのである。

　このような関係、つまり互いに完璧に利他的であることによって結ばれる連帯を、中国語で「幇(バン)」「幇会(バンフエ)」と呼ぶ[*9]。現代中国語の別の表現を使えば、「自己人(ツーチーレン)」である。拡大された自己とも呼ぶべき関係という意味であろう。幇の内部では、人は互いに完全に利他的であって、いかなる自己主張もしない。しかし、その外部に対しては、逆に、徹底的に利己的であってもかまわない。したがって、幇が結成されているとき、規範の二重性が極大になる。内部では、互いの間の約束や規範は絶対的である。しかし、外部に対しては、まったく無法に等しい。

　ここで提起しておきたい仮説は、こうである。幇において理想性の極点に達するような関係こそは、皇帝と臣下のあるべき関係のモデルだったのではないか、と。『三国志』が暗に示していること、それは、こうした関係を形成することが、正しい帝国の条件だということではないだろうか。もちろん、幇のような連帯は、実際には、互いを熟知しあうことができる、親密でパーソナルな関係の中からしか生まれない。したがって、大規模な帝国の皇帝が、実際に、自分の行政スタッフや軍事要員の全員と、このような関係を結ぶことは不可能だ。現実の皇帝たちも、名君の誉れの高い人物も含めて、官僚や軍人とこのような関係を築いた者はいなかっただろう。だが、皇帝－臣下の関係にとっては、不可能な理想として、到達はできないとしても、それへと指向しているモデルとして、幇に類比されるような無私の連帯が想定されていたのではないだろうか。少なくとも、『三国志』は、このことを示唆している。

『三国志』の中で、劉備は、関羽・張飛の他に、もう一人、別の人物と幇の関係を結ぶ。彼が「三顧の礼」をもって臣下として迎えた、諸葛孔明（しょかつこうめい）である。軟弱な劉備が、曹操と対等に渡り合い、また呉によって滅ぼされることもなかったのは、関羽や張飛の勇猛さや諸葛孔明の知略のおかげである。諸葛孔明は、劉備の死後には、劉備の文字通りの愚息である劉禅（りゅうぜん）にも忠実に仕えた。彼が、出征にあたって劉禅に提出した「出師表（すいしのひょう）」には、君主のあるべき姿や、君主と臣下の関係について書かれている。全文を結ぶのは、次のことばである。

> 臣、恩を受けて、感激に勝（た）えず（私は恩を受けた感激に〔未だに〕うち勝つことができません）
>
> 今、遠く離るるに当たり、表に臨んで涕泣（ていきゅう）し、言うところを知らず（今遠く離れるにあたって、この表を前にして涙が流れるばかりで、言うべきことばもわかりません）

ここで「恩」とは、劉備から受けた恩であり、とりわけ、辺地に隠遁していた自分を三回も訪ねてきてくれた恩をさす。

＊

『三国志』を読んだときに多くの人が感じる違和感は、次のようなことではないだろうか。曹操にせよ、劉備にせよ、あるいは孫権にせよ、すでにかなり広大な領土を支配している。彼らは、なぜ、それで満足しないのだろうか。相手が自分たちよりも確実に弱いのであればともかく、相手が自分たちと拮抗しているとき、ときには相手が自分たちよりも強大にみえるとき、そんなときでも、彼らはあえて戦いにいどむ。諸葛孔明は、劉備の死後、無能で志も低い劉禅が後継者になったときには、中原に出征せず、専守防衛に徹すればよかったのだ。どうして、『三国志』のリーダーたちは、戦いを続けるのだろうか。

このことを説明するのが、先に挙げた『三国志』の第一のテーマである。「中国は単一でなくてはならない」という命題からの論理的な派生は、「全体」の「部分」に対する絶対的な優越ということである。中国の「部分」だけを正統に支配するということはありえないのだ。中国の部分領域に対してだけ権力をもつ者は、正統的な支配の権限をもたない。単一の全体として中国を統治する者だけが、正統な支配者になるからだ。『三国志』の王たちが、またその忠実な臣下が、何としてでも中国の全体を支配しようと全力を尽くすのはそのためである。どんなに地域の民衆に愛されていても、その地域に君臨することに充足する者は、正統な支配者ではありえない。

ここに、ヨーロッパ中世の封建制と中国の支配構造との違いがある。前者においては、地方の領主は、その領土内の支配に対して正統性をもつ。後者においては、地方で蜂起した者も、地方に拠点を築くだけではたりず、中央政権を奪取することを目指さなくてはならない。こうした違いは、次のように問うことで、鮮明に浮上させることができる。どうして、中国では、マグナ・カルタのようなものが現れなかったのか、と。[10] マグナ・カルタは、一二一五年にイングランドのジョン王によって制定された憲章である。ジョン王は、フランス王フィリップ二世との戦争に連続的に敗れたことで、貴族たちの烈しい怒りをかった。戦争には課税や徴兵がともなうからである。貴族たちはロンドン市とも結託して王に退位を迫ったので、ジョン王は、貴族たちに妥協し、交わした約束がマグナ・カルタである。これによって、イングランド王は、自身の恣意（しい）によって課税することができなくなり、ときには議会を召集しなくてはならなくなる。王に対して貴族たちが妥協を迫ることができるのは、つまり王が貴族たちを恐れなくてはならなかったのは、地方的な基盤をもつ貴族にも、一定の支配の権限があるからである。王といえども、それを勝手に侵犯することはできない。地方に基礎をもつ正統的支配は、しかし、中国ではまったく考えられないことである。中国の地方の王や領主は、皇帝に妥協を迫るわけにはいかない。彼らにある唯一の手段は、自分自身が皇帝になることである。

3 恒常的戦争に基づく改革

ここまで、非常によく知られている歴史物語、『三国志』を参照することで、次のことを暗示した。中国において統一帝国が可能だった要因を、戦争や軍事的制圧にのみ求めるわけにはいかないのではないか、と。『三国志』が説いていることは、戦争に関して有能であるということは、支配者、つまり皇帝の資質の最重要な条件ではない、ということである。

しかし、最初の帝国である秦が実際に形成された歴史的なプロセスを検討するならば、われわれは今度は、逆の説を支持したくなる。つまり、帝国へと向かう統一をもたらしたほとんど唯一の原因として、戦争と征服があった、と。政治社会学者チャールズ・ティリーの有名な議論によれば、ヨーロッパにおいては、国家は、最初、君主たちが戦争を遂行するために建設された。[*11] 国家建設と戦争遂行との間につながりがあるという理論に、普遍的な妥当性があるわけではない。戦争とは関係がない理由によって建設された国家もある。[*12] しかし、初期の中国の歴史に関して言えば、つまり西周崩壊後の春秋戦国時代に関して言えば、この理論は、ヨーロッパにおいてよりもいっそう妥当なものに思えてくる。このとき、国家を形成するほとんど唯一の原因は、戦争の遂行にあったと考えても、決して誇張とは言えない（ように思える）。

春秋戦国時代がいかに残酷で暴力的な戦争の時代であったかということは、歴史学者・考古学者たちが推定によって提示している数字からも明らかである。およそ三百年の春秋時代の間に、千二百回以上の戦争があったと推計されている。それらの戦争によって、少なくとも百十個の政治的ユニット（部族や国家等）が消滅した。続く、およそ二百五十年間の戦国時代には、四百五十回を超える数の戦争があった。戦争の数が激減したのは、征服や統合によって国家の数が減少したからである。この間、十六個の国家が消滅し、七個だけが生き残った。他方で、戦争の規模は大幅に拡大された。春秋時代においては、小さな戦争は、一回の戦闘で、あるいは一日で片がついた。しかし、戦国時代の終わりにもなると、何ヵ月もの包囲作戦を含む、年単位の戦争が行われたりした。その間、投入された兵士の数は、数十万にのぼる。[*13]

中国では、戦争に動員された人口の比率や犠牲者の数も、半端ではない。ローマ共和国は、人口のおよそ一％を戦争に動員したとされる。ギリシアのデロス同盟が動員した率は、これよりもかなり高く、五・二％だそうだ。もちろん、近代初期のヨーロッパの動員率は、これらよりずっと低い。これらに対して、ある推定によると、秦は、人口の八％から二〇％を戦争に動員することができた。古代のローマやギリシアと比べても、文字通り、桁違いの高さである。共和政ローマとカルタゴの間でなされたトラシメヌス湖畔の戦い（紀元前二一七年）では、ローマ軍はおよそ五万人の兵士を犠牲にしたとされている。これと比べたとき、中国での戦争の死者の数は、「ほんとかよ！」と叫びたくなるほど圧倒的に多い。たとえば、紀元前二六〇年のある戦争では、四十五万人もの犠牲者が出たというのだ。秦は、紀元前三五六年から同二三六年までの一世紀強の間に、百五十万人以上の他国の兵士を殺したと言われている。[*14]これらの数字には、歴史家による誇張が入っているかもしれず、厳密には検証することもできないのだが、かなり割り引いて受け取ったとしても、驚くべき数字である。

古代中国は、近代兵器を用いた二〇世紀の戦争を別にすると、人類史上、最も凄惨な戦争を経験している。こうした戦争を通じて、いわゆる「封建諸国家」は征服され、統合され、最終的に単一の帝国へとまとまったのである。その帝国が、紀元前二二一年に生まれた秦王朝である。こうした過程を振り返ると、中国において、きわめて早い時期に大規模な統一帝国が実現し、しかも、何度も崩壊しながらそれが回復できたのは、中原の地が平坦で、軍隊の移動に適していたからだ、という説にはかなりの説得力がある、と認めざるをえない。

*

秦の制度の中に最終的に完成することになる、古代中国の不断の制度改革の過程を振り返ると、戦争と国家形成との間の繋がりは、より緊密なものであることがわかってくる。[*15] 対外戦争だけではなく、国家の内部の制度や改革もまた、戦争に規定されているからだ。

まず、初期の春秋時代と戦国時代では、軍隊の組織が大きく変化している。春秋時代の初期においては、戦闘の中心には、「戦車」と呼ばれる二輪の馬車——ヨーロッパでいうところの「チャリオット」——があった。一台の戦車には、一人の操縦者と少なくとも二人の兵士が乗った。その上、一台の戦車は、兵士七十人にものぼる兵站（へいたん）用の行列を引き連れていた。このような戦車に乗るのは、貴族である。戦車を自在に運転したり、その上から矢を放つには、たいへん難しい精妙な技術が必要で、それらは、貴族の威信にふさわしいものだった。しかし、相手の殺戮までも狙う本気の戦闘には、こうした戦車は優雅すぎて、あまり実用的ではない。戦車を中心にした戦争は、今日のわれわれの目には、戦争よりも儀式や競技のようなものに見えただろう。

だから、春秋時代の終わり頃にもなると、戦争の中心的な担い手は、戦車から、歩兵・騎兵に移行する。秦のような、戦闘を「本気」で受け取ったところから、こうした移行がまずは起こる。ひとつの国家が切り替えると、他も同じような切り替えを必要とする。さもなければ、負けてしまうからだ。こうして、戦争は、主に、歩兵と騎兵、とりわけ前者によって執り行われるようになる。こうした戦争は、貴族を中心にすえるわけにはいかない。歩兵は、数多くなければならないので、農民が徴発されたのである。

古代中国の中心的な戦闘力は、こうして戦車から歩兵へと移行する。これと並行的な変化は、ヨーロッパでも生じている。重装備で、馬に乗った騎士の戦闘から、弓矢をもった歩兵の軍隊への移行である。どちらの地域でも、似たような社会的効果が生ずる。貴族の威信の低下である。戦争が烈しかった中国では、とりわけ、貴族層は薄いものになっていった。軍隊における昇進は、身分や血統とは無関係な、メリトクラティクな原理に従わざるをえない。農民であろうと生まれが卑しかろうと、実力があれば昇進できたのだ。戦争の下では、メリトクラシーは、文化的な規範ではなく、生存のための不可欠の条件だ。メリトクラシーを無視した軍隊は、すぐに駆逐されただろう。

多数の農民を徴発し、動員するためには、彼らに武装させなくてはならないし、また彼らに報酬を支払わなくてはならない。そのためには、国家の支配者たちは、どこにどれだけの農民がいるのか、彼らがどのような資産（土地）をもっているのかを把握しなくてはならない。こうして、初期の人口調査や土地調査が行われる。こうした調査は、兵士としての動員とは別のもう一つの目的にも適合的であった。もう一つの目的とは、税の徴収である。調査は、課税のベースを再構成するのに役立ったのだ。

近代的な官僚制、つまり親族的・世襲的な繋がりではなく、能力を基礎にして選抜された行政幹部から成り立つ安定的な官僚制は、中国において発明された。このように断言しても問題はないだろう。どうして、中国で、近代的な官僚制が率先して導入されたのか。その原因も戦争にある。中国でも、ごく初期の官僚制、たとえば周の時代の官僚制は、エジプト、シュメール、ペルシャ、ギリシア、ローマといった他の地域のそれと同様に、世襲に基づくものだった。しかし、先に述べたように、中国では、早くから、軍隊の担い手の中心が貴族から一般庶民へと移行した。こうした移行に伴って、近代的な官僚制が導入された。大規模な軍隊を維持するためには、記録を管理したり、兵站のサーヴィスを提供したりするためのスタッフが必要だったからだ。軍隊を維持するための需要は、軍人ではない一般の人々のための官僚制への需要をも喚起する。税を集めたり、軍隊の規模を一定に保つためには、一般の人々をも管理しなくてはならなかったからだ。軍隊のための官僚制が、一般の官僚制のための一種の訓練場として役立ったことも忘れてはならない。とりわけ重要なことは、軍隊で必須だったメリトクラシーが、官僚制の人員登用においても貫かれたことである。

制度だけではなく、テクノロジー上のイノベーションも、戦争によって著しく促進された。より効果的な新技術こそが、勝利の鍵だからだ。とりわけ大きなイノベーションは、青銅器から鉄器への移行である。戦争を目的とした技術改良は、今日と同様に、ただちに民間転用された。どの国家も、勝つためには税収をあげなくてはならず、そのためには自国の農業の生産性を高めなくてはならなかった。そのために有効な技術や発明が次々と活用された。

最後に、戦争とは一見最も遠いところにあるように見えることもまた、継続的な戦争状態を基盤にして発達した。「一見戦争から遠く離れたこと」とは、「理念」である。学者たち、思想家たちが、有効な政策、強力な国家につながりうる理念を、諸国の支配者に売り歩いたのである。軍隊が争っているとき、理念も競い合うのだ。春秋戦国時代に競争するように続々と登場した学者たちが、いわゆる「諸子百家」であり、その中に孔子、老子、荘子、墨子、孟子、荀子などが含まれる。彼らは、根無し草の知識人であり、彼らの理念が政治的な権威の利益につながることを証明するために各国を渡り歩いたのだ。

以上に概観したような、戦争を動力源とする、制度的・技術的・思想的な大革新は、最終的な勝利者である秦において結集する。当然であろう。革新に最も積極的であった者、最も成功した者が、最後に残ったからである。このように事実を振り返るならば、中国において帝国的な規模の統一が早期に確立し、その後もそれが歴史的に維持されてきたのは、戦争に都合のよい地形的な基盤があったからだという説明は、十分な説得力をもっているように思える。

4　帝国は内面化された戦争か？

秦が採用した理念、教義は、前章にも述べたように法家の思想である。その指導者は商鞅である。法家は、戦争の勝利者にふさわしい理念である。法家の要諦は、厳格で直接的な賞罰の集合を通じて、とりわけ罰の原則を通じて、人々を従わせることにある。これは、戦争において、人を屈服させるときの方法を、そのまま内政に転用したものである。

したがって、秦という帝国は、長い間の戦争状態を言わば内面化することで成り立っている、と見なすことができるだろう。その後の二千年以上の歴史の中で、繰り返し現れる、中華帝国は、すべてこの変奏（ヴァリアント）であると解釈してよいのだろうか。だが、そのような断定はあまりに性急だ。『三国志』の物語は、帝国の統一性の維持にあたって、戦争の論理とは異なる原理が機能していたことを含意していたではないか。その上、われわれは、何世紀にもわたる戦争の最終的な勝利者である秦の王朝が、非常に短命だったことに注意しなくてはならない。最初の節でも述べたように、秦の継続期間はたった十五年であり、一人の人間の人生よりもずっと短い。秦の後にやってきた漢は、逆に最長の王朝であった。秦には何かが足りなかったのである。秦に欠けていて、漢にはあったものとは何であろうか。

だが、秦が、中国の歴史、中国の後からやってくる帝国にとって、単に否定すべき媒体だった、と解釈するのも間違いであろう。何度も述べているように、秦は、中国の歴史の中で最初の本格的な帝国である。『三国志』から導いたように、中国では、「全体」を支配する者だけが、正統であると見なされた。その「全体」とは、結局、秦がその支配下におさめた領域にだいたい一致する。その意味で、秦はその後もずっと、中国の歴代帝国にとっての参照点であり続けたのだ。

だから、秦の価値は両義的である。秦のイデオローグであった、法家の商鞅の最期は、秦の価値の両義性に対応する象徴性をもっている。彼を恨む者は多かったので、後見人である孝公が死んだあと、商鞅は逃亡するしかなかった。しかし、彼は庶民の中に隠れ家を見つけることができなかった。その原因は、彼が自ら制定した厳格な法にある。身元が怪しい人物をかくまった者は厳罰に処せられることになっていたのだ。結局、彼は、宮廷に突き返され、その身体は、最高に厳しい刑罰、つまり車裂の刑によって引き裂かれてしまった。彼の親族も全員死刑になった。

秦の帝国の中には欠けていた、中華帝国の原理とは何であろうか。

＊1　これは、河南省の二里頭に発見された遺跡によって確認できる。この推定はおそらく正しい。ただし、二里頭文化を、伝説にある夏王朝と同一視したときの推定である。仮にこれが夏王朝でなかったとしても、人口二万を超える当時としては大都市を中心においた国家がこの地域に存在していたことは確かである。

＊2　このことは、二里頭で生産された穀物が中国の各地をその原産地にしていたこと、黄河に接している二里頭から発した礼器が、長江の水域を含む中国のさまざまな地点で出土していること等から推定される。ま

た、夏は、「龍」への信仰を中国東北部から取り入れ、龍の文様が入った玉璋を制作した。この影響を受けた龍の文様入りの玉璋は、中国全土で出土している。

＊3　岡田英弘『倭国――東アジア世界の中で』中公新書、一九七七年、一四頁。

＊4　「殷」も、これを滅ぼした周から与えられた名前、しかもおそらく蔑称である。白川静によれば、「殷」という文字は孕婦の腹をたたく図から来ており、血肉の赤さを表現した。「殷」は残酷で野蛮な身体の状態を指示しているのだ。当時は、「殷」と「夷」はほぼ同音だったのだろう、と白川は推測している（『漢字』岩波新書、一九七〇年、一五六頁）。ところで、殷は、商と呼ばれることもある。商の方は自称で、殷の人々は、都邑を「商」「大邑商」と呼んでいたらしい（同書、一五六頁）。中国の最古の王朝である「夏」も「商」も、商売や交易に関係する語によって名指されていたことは、実に興味深い。

＊5　たとえば、次の研究を参照せよ。Victoria Tin-bor Hui, *War and State Formation in Ancient China and Early Modern Europe*, New York: Cambridge University Press, 2005.

＊6　フィクションとしての『三国志演義』ではなく、史実としての『三国志』については、以下が参考になる。渡邉義浩『「三国志」の政治と思想――史実の英雄たち』講談社選書メチエ、二〇一二年。

＊7　日本でも、『三国志演義』は吉川英治、横山光輝、柴田錬三郎等によって繰り返し翻案されてきた。

＊8　この説の中で、確実に事実であると信じられるのは、毛沢東が『三国志』を熟読していたという部分である。毛沢東は、異常なまでの読書好き、物語好きだったからである。彼の私室の写真には、ベッドの上に積み上げられた本が写っている（彼はしばしば、自分のベッドの周りに指導部のメンバーを集め、ここから指令を出した）。文化大革命のときは、江青の命令で大半の古典文学が焚書にされるが、ユン・チアンとジョン・ハ

リディの長大な評伝によると、毛沢東は、そうした古典文学を自分用に特別に印刷させていた。北京と上海には、毛沢東の本の製作だけを目的とした印刷所があった。一回の印刷部数はおそらく十部程度で、その中の五部を毛沢東が取り、残りは鍵をかけて厳重に保管された。毛沢東のために本文に注釈を付けた学者でさえも、刷り上がった本を手元においてはならなかった。毛沢東の視力は、晩年、急速に衰えたので、本の活字はだんだん大きくなっていった。ついに拡大鏡を使っても本を読めなくなったとき、毛沢東は泣き崩れたという（『マオ――誰も知らなかった毛沢東』上・下、土屋京子訳、講談社、二〇〇五年、下四八六頁）。腹心の部下の裏切りが発覚したときも、子どもの死が伝えられたときも、別れた妻が発狂したときも平然としていた不屈の意志の持ち主、毛沢東が、である。だからこう推定してみたらどうだろうか。毛沢東にとって、物語こそがその不屈の意志を可能にする、つまり厳しい現実にいささかも動揺せずに対応することを許す保護膜の役割を果たしていた、と。彼の人生がすでに物語以上の物語とも言うべき波乱に富んでいるのに、別の物語をフィルターにすることでその人生の過酷さから守られていたとは！

＊9　小室直樹『小室直樹の中国原論』徳間書店、一九九六年。

＊10　次を参照。Francis Fukuyama, *The Origins of Political Order*, New York: Farrar Straus and Giroux, 2011, p.132.

＊11　Charles Tilly, *Coercion, Capital, and European States, AD 990-1992*, Cambridge, MA: Blackwell, 1990.

＊12　たとえばラテンアメリカの国家がそうである。Cameron G. Thies, "War, Rivalry, and State Building in Latin America", *American Journal of Political Science*, 49(3), 2005.

＊13　Cho-yun Hsu, *Ancient China in Transition*, Stanford, CA: Stanford University Press, 1965, pp.56-58.

＊14　以下の諸文献を参照。Edger Kiser and Yong Cai, "War and Bureaucratization in Qin China: Exploring an Anomalous Case", *American Sociological Review*, 68(4), 2003. Hsu, *op.cit.*, p. 520. Hui, *op.cit.*, p.87.

＊15　（中国の）春秋戦国時代の制度改革の内容に関しては、次の論述に基づいている。Fukuyama, *op.cit.*, pp.112-116.

第20章　驚異的な文民統制

1　彭徳懐の孤独な敗北

中華人民共和国の初代の国防部長（大臣）を務めた彭徳懐元帥は、ひどく孤独な戦いに敗れ、失脚した。戦い？　誰との？　毛沢東との戦いである。

彭徳懐は、プロの軍人である。彼の生家は、赤貧の農家だった。彼は十六歳で国民党軍に入隊したが、第一次国共合作が崩壊した後、国民党から追放され、その後、中国共産党に入党した。一九二八年、彭徳懐、三十歳のときである。入党後すぐに、彼は武装蜂起を指揮した。彼の部隊は、統制がとれ、乱暴狼藉も働かず、勇敢で団結力もあると高く評価された。彭徳懐は、兵士たちから深く尊敬され、慕われる理想的な司令官だった。その後、彭徳懐は、毛沢東らと合流し、一九三四年一〇月からおよそ二年間に及んだ、有名な長征にも参加した。[*1] 優れた軍人だった彭徳懐は、中華人民共和国の成立の後の一九五四年に、初代の国防部長に就任した。[*2]

さて、ここで記しておきたい彭徳懐の戦いは、一九五〇年代末の出来事である。この段階で、毛沢東にとって、彭徳懐は、およそ三十年間、行動をともにしてきた同志である。とはいえ、毛沢東は、彭徳懐を気の許せる仲間・部下とは見なしていなかった。むしろ、彭徳懐に、目の上のたん瘤のような煩わしさを感じていたと思われる。出会った当初は、つまり長征の頃は、毛沢東は彭徳懐を讃えていたが、彭徳懐がしばしば毛沢東の意に添わないことをおおっぴらに発言するので、毛沢東は彭徳懐を批判していた。[*3]とはいえ、朝鮮戦争の参戦時など、重要な場面では、彭徳懐は毛沢東に協力してきた。毛沢東が、彭徳懐を国防部長に任命せざるをえなかったのは、そのためである。彭徳懐は、それだけ、軍の中で人望が篤かったのだろう。

毛沢東は、一九五八年五月から、「大躍進」という名をもつ経済政策を開始した。大躍進政策とは、数年間で経済的に米英を追い越すことを目的とした、農工業の大増産政策である。現在の中国にとってならばともかく、当時の中国は、世界の最貧国のひとつなので、この目的は、まったく夢想的というほかないものであった。現実離れしていたのは、目的だけではない。中国経済の実態や、農工業の原理をまったく無視したやみくもな方法を農民や労働者に強いたために、経済は、大躍進どころか、大停滞、いや人類史上まれにみる大衰退を余儀なくされた。農村の食糧生産の量は激減し、この政策が進められていた三年間で、三千五百万人から四千万人もの餓死者が出たとされている。その間に人肉を食べた等の悲惨な話も、伝えられている。[*4]大躍進政策は、文化大革命と並ぶ、毛沢東の大失策である。

大躍進政策が、いかに幼稚な暴挙であったかを示す事実を、紹介しておこう。毛沢東の命令は、「鉄を作れ」だった。鉄鋼こそ、経済大国であることの指標だったからである。目標の水準はあまりにも高かったので、すべての製鉄所をフル稼働させても、達成することはとうてい不可能であった。そこで、毛沢東は、中国の一般の人々にも製鉄を強制した。村や町ごとに「土法高炉」を作らせ、そこで鉄を作らせたのだ。土法高炉とは、簡易の溶鉱炉のことであり、フルシチョフは、これに「サモワール」という気のきいたあだ名を付けて、毛沢東の政策をバカにした。サモワールとは、ロシア式の卓上湯沸し器のことである。中国の人民は、家庭にあるあらゆる鉄製品を供出させられ、それらが土法高炉に投げ入れられた。農機具も、調理器具も、ドアの把手も、女性のヘアピンも、生活必需品だろうが、仕事上の道具だろうが、まったくおかまいなく、すべての鉄製品が土法高炉で溶かされた。多くの農家が解体され、建材や屋根材が燃料として使われた。しかし、「サモワール」で鉄鋼など作ることはできない。結局、役に立たない大量の鉄くずが生み出されただけである。農民は、農耕のための道具はもちろん、住む家さえ失い、それなのに鉄作りに忙殺され、まともに農業に従事できるわけがない。その結果が、農作物の収穫量の激減と、何千万人もの餓死者であった。

彭徳懐は、一九五八年の秋に、華北に視察旅行に出て、大躍進政策の結果を目の当たりにすることになった。つまり、報告されている「農作物収穫量」はまったくの水増しで実態とはかけ離れていること、農民が餓死しかけていること等を、彼は知ったのだ。毛沢東が「モデル」としていた河南省では、土法高炉は特にたくさんあり、高炉から吹き上がる炎で地平線が火の海のごとく赤く輝いていたという。この光景を汽車の中から眺めながら、彭徳懐は同行の副官に向かって、こう言ったと伝えられている。「この炎は、われわれの持っているものをすべて焼きつくすことになるぞ」[*5]、と。

毛沢東自身は、自分の「大躍進」政策の悲惨な結果を知っていたのだろうか。もちろん、知っていたはずだ。餓死者の正確な数については、その当時は知りようもないだろうが、「現場」からあげられてくる農作物の収穫量などの数字がまったくの誇張で、実際には、死者を含む多くの被害者が出ていることを、毛沢東も、経済政策担当者も、政治局のメンバーも皆わかっていた。会議で、毛沢東は、こんな詭弁のような発言を繰り返していた。「託児所で子供が幾人か死に、幸福院で老人が幾人か死んだという……誰も死ななければ、人類は存続できない。孔子の時代から現代まで、人間が死ななかったらえらいことになるだろう」[*6]。

彭徳懐は、何としてでもこの政策をやめさせなくてはならない、と考えた。彼がまず頼りにしたのは、ソ連を含む東欧諸国だった。彭徳懐は、たまたま受けていた訪問要請を活用して、無理矢理、東欧諸国歴訪の許可を毛沢東から獲得し、一九五九年四月末から六月中旬にかけて、東欧諸国をまわった。だが、東欧の指導者たちは冷淡だった。彼らにとって、中国で何人の餓死者が出ようと、そんなことはどうでもよかったのだ。というより、東欧諸国の指導者たちは、中国政府が公式に発表する収穫量などの数値が虚偽であることはわかっていたが、それをわざと額面どおり受け取っていたのだ。その方が彼らにとって得だったからだ。東欧諸国は、中国で余っていることになっている食肉や大豆を輸入していたのだ。何と、中国政府は、自国でおびただしい数の餓死者が出ている中で、余裕があるふりをして、自分たちよりずっと豊かな国に、食糧を売り渡す約束を交わしていたことになる。

東欧歴訪で成果を得られなかった彭徳懐は、軍事クーデターのようなことまで考えた。彼は、朋友で考え方も近い総参謀長黄克誠（こうこくせい）に、暗示的な言い回しで、クーデターの計画を相談してみた。彭徳懐の真意を読み取った黄克誠は、計画に強く反対した。結局、彭徳懐は、一個の部隊も動かすことはできなかった。

いよいよ、毛沢東からの反撃が始まった。彭徳懐が東欧から帰国してからしばらく経った一九五九年六月末、毛沢東は、廬山（ろざん）で会議を開催するとして、共産党の高級幹部を招集した。廬山は、長江沿いにある――もともとヨーロッパ人が拓いた――しゃれた避暑地である。参加メンバーは、毛沢東自身が選んだ。中に彭徳懐も含まれる。毛沢東は、出席者は妻子同伴で来るように指示し、廬山会議をお祭りのように演出した。

七月の初めから会議が始まった。百人を超す幹部は、六つのグループに分けられ、グループごとに討論するように指示された。こうしておけば、仮に毛沢東に不都合な意見が出てきても、それは、一つのグループの中の限られたメンバーの耳にしか届かないからだ。各グループには、議長として、毛沢東が特に信頼している省委第一書記が配属されていた。討議報告は、毎日、議長を通じて、毛沢東に上げられていた。彭徳懐が属する「西北組」は、当然ながら、毛沢東を嘘つきとして批判する会になった。

三週間後、初めて、メンバー全員が一堂に集められた。ここでやっと毛沢東がおもむろに語り始めた。「諸君はさんざん喋ったのだから、こんどはわたしが一時間ばかり喋らせてもらってもいいだろう」と。そして、彼はわざと激昂してみせた。「要するに、豚肉がいくらか少なくなった、ヘアピンがいくらか少なくなった、しばらくのあいだ石鹼が使えない、という程度のことではないか」。決めのことばは、次の発言だ。もし皆が反対するならば「わたしはここを去り……農民を率いて［！］政府転覆を図る……人民解放軍が諸君の側に付くならば、わたしは山に上がってゲリラ戦を始める……しかし、解放軍はわたしの側に付くと思う」。会議に出ていた将官は、「議場の空気が凍りつくのを感じた」と回顧している。ここで、毛沢東は、自分を取るのか、彭徳懐を取るのか、と出席者にせまっているのだ。そして、人民解放軍は、彭徳懐ではなく、自分を取るだろう、と言い切る。ユン・チアンは、毛沢東の評伝の中で、こう記している。「毛沢東には勝てない——それは、誰もがわかっていた」[*7]。

この後、毛沢東の（当時の）側近である林彪（りんぴょう）が、彭徳懐を口汚く罵ったりした[*8]。最後に、「彭徳懐同志を頭とする反党集団の誤りに関する決議」が、出席者の挙手さえなしに議決された。こうして彭徳懐の政治生命は断たれた。その後、文化大革命のときに、彭徳懐は、紅衛兵に虐待されつつ死亡した。廬山会議から、十五年後のことである。

2　完璧な文民統制

彭徳懐失脚の顚末をいささかていねいに追ってみた。われわれの考察にとって、二つのことが、注目に値する。

第一に、驚異的なのは、中国の人民の従順さである。大躍進政策の下で、ひとつの国の――たとえば韓国くらいのサイズの国の――全人口に匹敵する餓死者が出ていたのである。どうして、中国人は、毛沢東の理不尽な命令に従うのか。彭徳懐自身が、飢えに苦しむ農民たちの姿を汽車の窓から眺めながら、嘆いたという。「中国の労働者と農民がこれほどお人好しでなかったら、［共産党政権を支えるのに］ソ連の赤軍に出動を要請しなけりゃならないところだ！」[*9]と。つまり、軍隊からの脅迫もなしに、これほどの飢えに耐える中国の人民の「お人好し」に、彭徳懐自身が驚いているのである。

毛沢東は廬山会議の直前に、英気を養うために、韶山の近くにある別荘に二泊滞在した。韶山は、毛沢東の故郷で、彼は、そのすぐ近くに自分専用の豪華な別荘「松山一号」を建てさせたのだ。[*10]松山一号で働く若い女性の服務員が、数十年後に回想している言葉は、そのまま引用する価値がある。招待所長は、彼女に、「最もすばらしく光栄な仕事をしたいか？」と尋ねたのだという。彼女は、「もちろんです」と答えた。その光栄な仕事とは何か。それは、毛沢東の汚れた下着の洗濯であった。しかし、彼女は、いささかも失望していない。それどころか、ますます使命感に燃えている。

すごい、毛主席の服なんだ、と思いました。ほんとうに、ほんとうに、すばらしいことだと思いました……下着は汗でびしょ濡れでした。色は黄色でした。シャツが一枚と、ステテコが一枚……。わたしは毛主席のことを思いました。主席は世界人民の指導者であられるのに、こんなにつらい［！］生活をしていらっしゃる、と。主席の下着はとても薄くて弱そうだったので、わたしはごしごし洗わず、そっと撫でるように洗いました。もし、この洗濯物をだめにしたら、わたしはどうすればいいのだろう、と思って……［干してある下着を］誰かが見つけて何かするのではないかと心配で……数分おきに出て行っては手で触ってみて、乾いたかどうか確かめました……（中略）……できあがった洗濯物を所長のところへ持っていくと、所長は、「たいへんよくできた、たいへんよくできた」と言いました。でも、わたしは、もし毛主席が満足してくださらなければだめだ、と思っていました……。[*11]

中国の人民は、当然、大躍進政策の下で、苦しんでいたはずだ。しかし、その責任追及の矛先は、毛沢東には届かない。責任をどこかに見出そうとする認知の視線は、毛沢東の手前のところで、つまり側近の政治家や下級の官僚のところで止まってしまうのである。毛沢東は、無謬(むびゅう)で崇高な中心として残ることになる。この洗濯女の興奮ぶりは、「坊主憎けりゃ云々」の裏返しであり、毛沢東の崇高性が汚れた下着や排泄物にまで伝染していることを示している。

*

以上のようなことは、しかし、彭徳懐の事件を媒介にしなくても認めることができる。ここで特に注意を喚起しておきたいことは、むしろ、次の第二の論点である。彭徳懐は、どうして軍事クーデターを起こして、毛沢東を排し、自ら政権の座に就くことはできなかったのだろうか？　彭徳懐が優秀な軍人であり、かつ軍人たちの間で尊敬されていたことを考えると、これは奇妙なことではないだろうか？

　彭徳懐自身が、自分の軍隊である中国共産党の人民解放軍より前に、他国の軍隊をあてにしている。他国の軍隊を間接的に動員するくらいだったら、まずは自分が直接に命令をくだすことができる軍隊を動かすべきではないか。実際、クーデターの計画も彼の念頭をかすめるが、信頼している部下からの反対で、すぐに諦めてしまう。そもそも、その部下は、彭徳懐と同じように、毛沢東の政策の悲惨な結果に気づいているのに、どうしてクーデターを支持しないのか？　なぜ彭徳懐と一緒に立ち上がろうとしないのか？

　廬山会議の最後に、毛沢東に「人民解放軍はオレ（毛沢東）の方に付くだろう」と自信満々に言われて、彭徳懐も、そして内心彼に共感したり、賛同したりしていた者たちも、あっさりと同意し、諦めてしまう。どうして、人民解放軍が毛沢東の味方になることが、それほどまでに自明だったのだろうか。もちろん、毛沢東は、制度の上では軍隊の頂点にいるのだが、彼は決して、現場に精通した職業的な軍人ではない。人民解放軍の兵士たちが、毛沢東よりも、彼らを直接に指揮する高潔の人、彭徳懐を選好する可能性は十分にあったようにも思える。もちろん、大躍進政策によって、軍人たちが特段に「いい思い」をしたということはなく、むしろ、彼らも被害者の一部であり、また被害の実態を見ていたはずだ。にもかかわらず、毛沢東も彭徳懐も、会議に参加していたどの幹部党員も、人民解放軍が彭徳懐に加担する可能性を、微塵も考慮に入れてはいない。廬山の麓で警備にあたっていた軍隊が、毛沢東の方に銃口を向けていれば形勢は逆転していたのに、数千万の死者を出した愚策も止められたかもしれないのに、そういう可能性は、中国人の念頭にはよぎることもなく、実際にもそうはならなかった。ふしぎである。

簡単に言えば、ここには、完璧な文民統制が見られるのだ。文民統制は、普通は、軍人による独裁を排除するための理念だが、ここでは、逆に、極端に強い文民統制が、文民（毛沢東）による独裁を可能にしている。いずれにせよ、文民の軍隊に対する権威と権力が、きわめて堅固であることは明らかで、彭徳懐の人格的な影響力は、これに遠く及ばなかった。中華人民共和国では、共産党の頂点にたつ指導者が、軍隊のトップにも立ってきた。ここで重要なことは、共産党のトップが軍隊のトップを兼務したのであって、逆ではない――軍隊のトップがついでに共産党のトップになったわけではない――ということである。

さて、ここから、視野を、中国共産党から、一挙に中国史の全般へと拡張してみよう。すると、われわれは次のことに自然と気づくことになる。軍人の権威や権力が、文人のそれらより劣っているという状態は、中国共産党や中華人民共和国の特徴ではなく、伝統中国を含む中国史の全般に見出される現象である、と。中華帝国においては、ほとんど常に、きわめて効果的に、文民が軍人に対して権力を及ぼし、軍人をコントロールしてきた。中国では、軍人が軍人としての資格を保持し、それをことさらに顕示することを媒介にして、支配者として権力を行使することはなかったのである。ローマ帝国のカエサルと比較してみると、違いは明白である。カエサルは、軍事的な英雄であり、最期まで自分が軍人であることをローマ市民に誇示し続けた。カエサルは、まさに軍人であるがゆえに尊敬されたのである。同じことは、現在の発展途上国の軍事政権でも見られる。リビアのカダフィが、最期まで「大佐」と名乗ったように、自分が軍人であることをことさらに強調し、しばしば軍服で人々の前に立ったりしたのだ。しかし、中国の皇帝は違う。彼らは、むしろ、自分が軍人（だけ）ではない、ということを強調した。

このことは、しかし、中国の歴史の中で、戦争や軍事行動、あるいは軍人としての能力やカリスマがたいした役割を果たさなかった、ということでは決してない。まったく逆である。前章で、論じたように、最初の帝国、秦の成立に先立つ、春秋戦国時代は、二〇世紀の総力戦を別にすれば、人類史上最大規模の犠牲者を出した連続的な戦乱の時代だった。秦の成立の後にも、戦争が消滅したわけではない。それどころか、安定した帝国が支配しているときにおいてさえも、中国は、戦争を継続していた。最も大きな敵は、北の草原の遊牧民だが、他に、チベットや南の諸部族、あるいは朝鮮半島の諸国等も敵になった。また、新しい王朝が創始されるにあたっては常に、過酷な戦争が起きた。長い戦争の果てに残った勝者が、新皇帝となることができたのだ。たとえば、ヌルハチは、明から独立して後金（こうきん）を興し、彼の孫にあたる順治（じゅんち）帝は、明を滅ぼして皇帝を僭称（せんしょう）していた李自成（りじせい）を破って、清の最初の皇帝となった。唐代の北辺の将軍安禄山（あんろくざん）は、唐の皇帝玄宗（げんそう）に対して武装蜂起し、一時的だが、唐の外で——大燕（だいえん）帝国で——皇帝を名乗った。このように、中国は、恒常的に戦争状態にあり、軍事的な達成が権力を獲得するためには必須であった。

中国の国家形成にとって、戦争はことのほか重要であった。この点を前提にしてみると、中国で、常に、文民統制が強く、有効に機能していたという事実は、非常にふしぎなことである。中国の王朝の創始者は、必ず軍事的な意味での勝利者だが、政権を奪取するや否や、直ちに軍服を脱ぎ、軍人としてのアイデンティティを後景に斥け、あたかも本来は軍人ではなかったかのように、あるいは軍人としての己の側面は二次的なものに過ぎないかのようにふるまうのだ。言い換えれば、皇帝の座につくや、王朝創始者は、官僚を駆使し、文民としての徳や能力によって支配していることを示そうとする。その典型は、項羽を打ち破って、漢王朝を創始した高祖劉邦である。劉邦は、軍人としての技術、すなわち軍隊を組織する能力や戦術家としての才能によって勝利者になった。客観的には、このことは疑いようがない。しかし、『史記』では、軍人としては項羽の方が有能であったかのように描かれ、劉邦に関しては、その道徳的な資質や管理者としての能力が強調される。したがって、劉邦と項羽の関係は、『三国志』における劉備と曹操の関係にいささか似ている。

王朝の創始者でさえも、軍人であったという事実を隠蔽する傾向があるのだ。後継者たちはその点でもっと徹底している。どの皇帝も、将軍たちを政治の蚊帳の外におき、権力奪取の野心を抱いた軍人は辺境に送ることができた。そして、反乱を企図した将軍や敵対勢力は、たいてい鎮圧された。中国以外の帝国では、しばしば、皇帝の直近の軍隊、つまり近衛兵や親衛隊が、実質的な権力を握り、キングメーカーのような働きをした。ローマ帝国の近衛隊（プラエトーリアニー）やオスマントルコの新軍（イエニチェリ）がそうである。しかし、中国では、皇帝の側近の部隊が、守備兵としての職務を越えた特別な役割を担ったことは、一度もない。中国でも、制度化された行政的な権限の担い手である官僚とは別に、皇帝に個人的に近しい者が、実質的な権力をふるうことはあった。しかし、その場合の側近は、軍人ではなく、常に宦官（かんがん）だった。

中国では、官僚である文民の権力や権威は、軍人の権力・権威に対して、常に勝っていた。現在の中国、中華人民共和国でも、この点は厳格に守られている。共産党の軍隊、すなわち人民解放軍には、政治委員が張りついている。軍の司令官は政治委員とペアをなしているのだ。司令官の作戦命令書は、政治委員の副署がなければ有効ではない。文字通り、政治委員に裏書きされていなければ、軍隊の司令官は、命令を発し、軍隊を動かすこともできないのだ。[*12]

われわれの疑問を繰り返しておく。中国においては、国家の形成や防衛にとって、不断に軍事力が重要であり続けた。現在の共産党中国にしても、日本軍や国民党を、軍事的に追い出すことができたがゆえに、成立したのだ。そんな帝国のもとで、文民の権威が常に軍人の権威を上回ることができたのは、どうしてなのだろうか。逆であったならばわかりやすかっただろう。つまり、軍事力が常に死活的に重要だったがために、中国では、軍隊の影響力や権力が大きく、文民による統制がなかなか効かなかった、ということであったならば、理解しやすかった。しかし、真相は、正反対だった。この奇妙な事態を、どう説明したらよいのだろうか？

3　家族への攻撃

前章の考察を引き継ぐことで、解決の糸口を探してみよう。前章、中国の最初の十全なる帝国、秦は、法家の理念にもとづいて制度を設計した、と論じた。法家の制度は、戦争の論理の帝国への内面化（内政化）として解釈することができる。つまり、秦に関しては、直接に、戦争状態からの帰結として、その制度の内実を解釈することができる。実際、始皇帝は、中国では、最期まで軍人としてふるまった、例外的な皇帝である。だが、秦はたった十五年しか続かなかった。逆に、秦の後の漢は、中国史上最長の王朝である。漢の高祖劉邦は、今しがた述べたように、後の中国の皇帝のモデルとなっており、軍事的な成功によって統一をなし遂げるや、自身の軍人性を否認しようとした。こうした事情を考慮に入れると、われわれは次のような見通しをもつことができるのではないか。すなわち、秦と漢の相違はどこにあるのか、秦に対して漢が何を付加したのかを探究することで、前節で提起した疑問への解答に近づくことができるのではないか、と。

まず、われわれは、秦の法家的な改革が、何を目標（ターゲット）としたものかをあらためて確認しておく必要がある。焚書坑儒に集約されるように、始皇帝は、儒教を徹底的に弾圧した。われわれは、しかし、知っている。結局は、儒教こそが、伝統中国の正統的なイデオロギーとなり、統治思想の核となったことを、である。法家と儒家との間の二項対立的な緊張関係こそは、中国史の全貌を理解するための基本的な図式である。だが、秦の始皇帝は、儒教の何がそれほど気に食わなかったのだろうか？　どうして、秦において、儒教は否定されなくてはならなかったのか？

儒教は、保守的な思想、後ろ向きの教義である。それは、古代の実践を理想化する。儒教の古典は、春秋時代の末期に編集され、それらは、多分に理想化された周の社会秩序にノスタルジックな視線を向けている。儒教の規範的なモデルは、家族・親族に基づいている。つまり、儒教の特徴は、家族・親族の内的な連帯を重視するところにある。もちろん、ほとんどすべての部族的な社会が、家族を重視し、祖先を崇拝している。儒教が望ましいと評価する家族、規範化する家族は、特定のタイプの家族である。儒教によれば、人は、妻や子供に対しては、さして重い義務を負わない。儒教が重視するのは、親に対する義務、とりわけ父への義務である。たとえば、儒教によれば、両親への敬意を欠いたふるまい、老親を経済的に支えられなくなることは、人として最も恥ずべきことであり、厳しく断罪されてしかるべきことである。

ところで、中国社会の基本的な単位は、「宗族」と呼ばれる父系血縁集団である。宗族は、同じ父系の祖先に起源をもち、同じ姓をもち、父方の系譜によって結びついている血縁集団だ。近代市民社会の原子が核家族であるとすれば、宗族は、中国社会の原子である。宗族は、しばしば、非常に大きい。その規模は、数百人から数万人にまでのぼる。宗族は、超大型の拡大家族である。宗族は、日本人が言うところの「親戚」とはまったく異なる。親戚は、明確な境界線をもたず、漠然と拡がっている。しかし、宗族の場合には、内／外が一義的に決まる。

宗族内の結婚は、インセストとして禁止されている。つまり、宗族は外婚制の単位となっている。

宗族なる社会集団と儒教の内在的な関係は、明白であろう。父や父方の祖先への尊敬を、人間の最も重要な義務と見なす儒教こそは、宗族のイデオロギー的ベースとなるはずだ。儒教の道徳が深く浸透していれば、宗族は安泰だ。

すると、秦の始皇帝や指導者たちが、法家に基づいて儒教を厳しく攻撃し、儒教の古典を燃やしたり、儒者を生き埋めにしたりしたのはどうしてなのか、が明確になる。この攻撃の最終的な目標は、家族・親族なのである。皇帝を権力の中心におく社会システムを編成するためには、家族・親族への人々の愛着を無効化し、彼らの忠誠心の対象を皇帝へと転換しなくてはならない。そうした目的にとっては、家族・親族の連帯を最優先する儒教は、不都合な教義だということになる。たとえば、国家への義務と両親への義務とが矛盾した場合には、どうなるのか、という倫理的問題がある。儒教の観点からは、両親への義務が文句なしに優先される。両親への孝行のために国家や皇帝を裏切ってもかまわない。しかし、生まれたばかりの帝国と皇帝にとっては、こうした考え方は受け入れがたい。

秦の改革の目指すところを、いささか大胆に単純化して言い切ってしまえば、結局、それは、伝統的な地縁・血縁的な集団から個人を解放した上で、個人たちを一律に、平等に管理し、収奪することにあった。井田制の廃止も、また（準）人頭税の導入も、こうした目的にそったものである。*13 しかし、個人を、伝統的な地縁のネットワークや、あるいは宗族のような拡大家族から分離しただけでは、その個人から、皇帝への忠誠心を引き出すことはできない。そこで、法家的な賞罰システムによって、その忠誠心（の機能的等価物）を創出しよう、というのが始皇帝と法家の宰相のもくろみである。

たとえば、商鞅は、家族の中に、独特の相互監視制度を組み込むことで、家族の内的な繋がりをずたずたにした。まず宗族のような拡大家族は、五から十個の世帯からなる小さなグループ――互いの行動を常に監視することができる程度の世帯の小さな集合――へと分解された。その上で、グループのメンバーに、他のメンバーの犯罪を監視することを義務づける。他のメンバーの犯罪を発見したのに、その報告を怠った者は、身体を真二つに切り裂かれた。[*14]逆に、家族の犯罪を報告した場合には、戦争で敵の首を取ったときと同じ報酬が与えられた。犯罪者は、敵と等価なのである。

秦の丞相（じょうしょう）、法家の李斯（りし）が導入した郡県制も、同じ理念に基づいている。郡県制の要諦は、郡／県といった地方の官吏を、皇帝が任命し、中央から派遣することにある。いわゆる「封建制」の下では、地方の貴族や王が、地元で育てた地縁的・血縁的な関係をもとにして、やがて中央から自立し、ときに中央政府に反抗することにもなる。官吏を皇帝が任命し、しばしば任地を変更させる郡県制の場合には、地方官吏が、その任地で固有の社会関係を創出し、自立する心配がない。

法家の賞罰システムは、前章でも述べたように、戦争において、敵に対して用いるのと同じ暴力を、臣民に対して適用することで、皇帝への従属を確保することである。だが、結局、このシステムは、持続性や社会的広範性をもった、皇帝への強い忠誠心を、創出することはできない。人は、ただ恐怖によって、従うだけだからだ。ここには、積極的な服従動機が生まれない。秦が短命に終わったのは、このためである。

4　法家と儒家

漢は、ここから何を学んだのか？　漢は、秦とどう違ったのか？　結論的なことを言えば、漢は、儒教と（儒教によって承認されている）親族・家族的単位を、復活させたのである。これは、しかし、秦と逆に、法家を斥けて、儒家を採用する、ということではない。一方では、儒教が、帝国の公式のイデオロギーとして採用される。帝国の官僚として任用され、出世するためには、儒教の古典についての教養を身につけなくてはならなかった。他方で、行政の実務の中では、法家的な手法が残存した。中国では、秦以降も、法家の伝統は消え去らなかった。法家は、今日でも生きている。毛沢東の共産党政権は、秦を別にすれば、中国史上、最も法家的な方法に忠実な「王朝」だと言うことすらできる。儒家と法家は、どのように接合しているのか。

まず、儒教の規範には二重性があるということ、すなわち、儒教は、家族・親族の連帯を基礎づけるだけではなく、皇帝への服従動機を調達することにも貢献しているということ、この点を確認しておこう。儒教が重視する価値は、二つある。忠（＝義）と孝である。「孝」とは、家族・親族システムの中で、年長者に服従せよ、とする規範である。この規範が前提にしている序列が、「長幼の序」だ。最も重要な「年長者」は、すでに述べたように、父である。儒教的な徳目には、孝に加えて、忠がある。「忠」は、統治システムのなかで、君主に服従せよ、とする規範だ。忠を受け入れることによって、官僚は、自分が仕える皇帝に積極的に服従することになる。法家の賞罰システムが強引に引き出そうとした服従を、儒教は、内面的に調達しようとしているのである。ただ、儒教の観点からは、忠と孝を比べると、孝の方が優先される。両者が葛藤した場合には、孝を採らなくてはならない。父への帰依は、皇帝への帰依よりも強いのだ。

儒教の公式イデオロギーへの格上げに、特に貢献があった皇帝は、前漢第七代の武帝である。武帝は、儒教を公認の学と定め、五経博士を設置した。五経博士とは、儒教の五つの基本テクスト（詩・書・礼・易・春秋）を研究し、教育する教授・学校のようなものである。五つの部門に分けられていて、各部門は、それぞれ一つのテクストの研究に捧げられた。五経博士が設置されてから、儒教のテクストを深く理解し、暗記することが、官僚として出世するための最も確実な条件となった。こうした制度がやがて、名高い科挙のシステムへと成長していく。

では、法家的な傾向は、どのように漢の社会システムの中に保持されているのか。中国の諸地域から世襲的な支配が根絶され、これに代わって、全国的に一律な行政機構が導入されたこと、これが法家的なものの継承を意味しているのである。法家的な政策が目指していたのは、世襲の支配からの自由、世襲の壁に拘束されない一般的な支配だったことを、もう一度確認しておこう。

漢の高祖（劉邦）が導入した地方統治のシステムは、「郡国制」と呼ばれている。郡国制というのは、封建制と郡県制の混合ということである。帝国の領土の一部では、周と同じ封建制が用いられた。つまり、そこでは、土着の、古くからの王や領主の支配が認められた。しかし、他の領土に関しては、秦と同じ郡県制が適用された。地域に基盤をもたない官吏が、中央で任命されて、派遣されたのである。ここでは、二つのことが重要である。第一に、いささか及び腰ではあるが、郡県制が継承されたということ。第二に、封建制に関しても、漢と周ではその基本的な意義が異なっていたこと。周においては、領主や王は、その地方を実効支配してさえいれば、その地位は安全に持続した。しかし、漢においては、領主や王は、地方を支配するだけでは足りず、中央政府の中で地位をもち、承認されていなければ、その支配を安定的に持続させることはできなくなる。

中国の歴史のダイナミズムの大部分は、儒教に代表されるベクトルと法家に代表されるベクトルとの間の葛藤によって説明することができる。前者が、親族・家族の関係を肯定するベクトルであるとすれば、後者は、これを否定し、帝国の中に一律化しようとするベクトルである。マックス・ヴェーバーは、中国の社会システムを家産制の代表例と見なしている（第3章）。父系の血縁関係を重視する儒教が公式のイデオロギーであり、また皇帝も父系で世襲されていたことを考えると、ヴェーバーのこうした概念化は間違いではない。だが、ミスリーディングな側面があることも否定できない。というのも、ここに述べたように、中国の社会システムには、家産制的な関係を克服しようとする、法家的なベクトルも作用しているからである。

さて、本章の考察を導く問いは、以上のような秦と漢との比較に基づく、中国的な社会システムに関する分析によって、解答を得られただろうか。問いは、何ゆえに、中国においてきわめて効果的な文民統制が、可能だったのか、ということであった。一見、解答が、少なくともその一部が、与えられたかのような印象をもつ。というのも、法家を相対化した儒教の教義こそ、文民統制のイデオロギー的なベースになっていたように思えるからである。実際、「文民」とは、ほとんどの場合、儒教的な教養によってカリスマ性を獲得した高級官僚であった。しかし、事態をよく見直せば、これはまだ解答にはなっていないことがわかる。われわれは、毛沢東による彭徳懐への粛清を観察することから始めた。しかし、毛沢東の権威が儒教に基づいていたとは、とうてい言えまい。

ならば、われわれの考察には、何の前進もなかったのか。いや、違う。答えは出なかったが、問いの出し方は変わるのである。どのように？　ときに儒教として、ときには毛沢東を中心とする中国共産党の権威として現れるようなメカニズムを抽出すること、それにとって儒教と共産党が等価な機能を有するようなメカニズムを剔出（てきしゅつ）すること、これが次の課題である。鍵はどこにあるのか。毛沢東の言動を儒教的と特徴づけるのは難しい。しかし、毛沢東と共産党は、まるで皇帝のようである、という譬喩は、適切であろう。毛沢東は、伝統中国の皇帝＝天子に似ている、と。すると、儒教と共産党との両方が交わる場所に、「天」の観念を認めることができるだろう。皇帝を天子と見なし、皇帝に天命をもたらすところの、あの「天」である。儒教は、「天」を評価し、その意味を理解するための新しいルートを提出した。「天」自体は、儒教の発明品ではない。「天」という観念は、周が殷を滅ぼしたとき、その支配を正当化する根拠として初めて導入された。儒教を排斥した始皇帝も、天の観念は尊重し、自らを天と同一化しようとした。だが、その試みは失敗に終わり、秦はかんたんに滅びてしまった。[*15] 儒教は、「天」をコスモロジーの中に位置づけ、理解するための確実な論理を発明した。ここに手がかりがあるだろう。「天」という観念に実効性を与えている社会的なメカニズムは、何であろうか？

＊1　一九三四年一〇月に、国民党軍との戦いで劣勢に立っていた、紅軍（中国共産党）は、「中華ソビエト共和国」の中心地として自ら定めていた瑞金(ずいきん)を捨て、国民党軍と交戦しながら、徒歩の長旅に出た。結局、紅軍は、二年間で、一万二千五百キロをすべて徒歩で移動し、延安(えんあん)に落ち着く。この移動を、長征と呼び、中国共産党の草創期の「伝説」と化している。実際のところ、移動の経路だけでも、複雑で不可解な部分が多く、長征中に何が起きていたのかはよくわかってはいない。長征の途中、貴州省遵義(じゅんぎ)で開かれた会議は、毛沢東が政治局リーダーに選ばれ、初めて共産党の主導権を握った記念的な出来事とされている。が、この会議の真相も、不明である。

＊2　中華人民共和国の建国は、一九四九年一〇月だが、憲法が定められ、国務院（最高行政機関）の中に国防部が設置されたのは、一九五四年九月である。

＊3　たとえば、彭徳懐は、「自由、平等、博愛」というフランス革命の理念を賞賛した。これを毛沢東は「反マルクス主義的」と批判していた。また、彭徳懐は「己所不欲、勿施於人」（己の欲せざる所、人に施す勿れ）等の中国の伝統的な道徳観を守るように主張したが、毛沢東は、逆に、「わたしの主義はこれと正反対で、己の欲せざる所まさに人に施すべし、だ」と批判した（以上、ユン・チアンほか『マオ――誰も知らなかった毛沢東』上・下、講談社、二〇〇五年、下一九四頁）。

＊4　楊継縄は、二十年間もの綿密な調査に基づいて、大躍進政策の全容を発表している。それが、『墓碑――中国六十年代大飢荒紀実』（天地図書、二〇〇八年）である。この本は、中国国内では出版できなかった。香港では、飛ぶように売れたのだが……。

＊5　ユン・チアンほか、前掲書、下一九六頁。

＊6　同書、下一九八頁。「幸福院」は、人民公社の老人用宿舎のことである。彭徳懐は、自分の幼なじみが暮らしていた幸福院を視察したとき、「いったい、これのどこが幸福だというのだ?」と、怒りを爆発させたという（同、下一九七頁）。

＊7　同書、下二一一頁。

＊8　このとき毛沢東は、林彪元帥を、自分の手足のように使って、彭徳懐を追いつめた。林彪は、軍の中で彭徳懐と並ぶ名望があった。林彪は、毛沢東に劣らぬ奇人である。彼は、病的な恐怖症をもっていた。彼がとりわけ恐れたのは、水と空気である。水恐怖症のあまり、彼は風呂に入らず、乾いたタオルで身体を拭き、海

を見ることすら耐えられなかったので、海軍には関わらなかった（ちなみに毛沢東も風呂が嫌いで、死ぬまでの何十年間も入浴していない。ただし毛沢東は、泳ぎは大好きだった）。空気恐怖はもっと困ったもので、林彪の家の中では、要らぬ風が起きないように、人はゆっくり歩かなくてはならなかったという。廬山会議のときにはよい関係にあった毛沢東と林彪も、やがて仲違いする。毛沢東に嫌われ、粛清されることを恐れた林彪は、文革の進行中の一九七一年九月一三日、家族や友人と一緒に、トライデント機でソ連に亡命しようとしたが、飛行機がモンゴルで墜落し、死亡した。このとき林彪を裏切り、亡命計画を密告したのは、彼の娘の林立衡だった。亡命の計画が漏洩したことを知った林彪は、給油が十分ではなかったトライデント機で、あわてて出発せざるをえなかったのである。林彪は、娘が亡命計画を中央警衛団に通告したことを知らずに、死んだ。林立衡にとって、父や他の家族よりも、毛沢東の方が重要だったのだ。本文で後述する法家の理念との関係で、これは興味深い事実である。

＊9　同書、下二〇二頁。

＊10　結局、この別荘は、このときしか使われなかった。毛沢東は三十二年ぶりに帰郷し、その後は、一度も故郷に戻っては来なかったからだ。

＊11　ユン・チアンほか、前掲書、下二〇五－二〇六頁。

＊12　彭徳懐がクーデターを起こせなかった、「直接の」原因も、ここにある。軍隊を動かすには、彭徳懐の命令のほかに、毛沢東による裏書きが必要だった。

＊13　井田制とは、大きな正方形の耕地を九つの小さな正方形の耕地に分割した上で、八つの家族が周辺の八つの正方形の耕地のひとつずつを私田として耕作し、真ん中の一つは八家族の公田とする制度である。公田か

らの収穫物が領主に租税として、収められた。「井田制」と呼ばれるのは、九つに分けられた正方形の耕地が「井」の字に似ているからである。井田制は、周で用いられていたとされ、孟子はこれを理想の制度として賞賛した。貴族は、いくつかの井田を所有しており、そこからの租税や農民の賦役労働などを財政的な基盤としていた。井田制を解体し、農民に移動や開墾の自由を与えることは、領主である貴族の力を弱め、貴族をスキップして、農民に対して直接に一律に課税することを可能にする。つまり、井田制の廃止は、領主を核にした地方の地縁的共同体の破壊につながるのだ。加えて、商鞅は、人頭税に近い税制を導入した。これは軍事費をまかなうことを目的にしたものだ。この税制の下では、複数の息子がいる世帯では、成人した息子は独立して生活しなくてはならず、彼は親や他の兄弟とは別に独自に税を納めなくてはならなかった。つまり、この人頭税に近い税制は、拡大家族を解体し、一種の「核家族」化を推進する制度であった。

＊14　この家族管理の手法は、ずっと後の宋の保甲制度の源流だと言われている。共産党政権が採用している、「単位」という制度は、保甲制度の現代版と解せないこともない。

＊15　大室幹雄「墳墓と言語――秦始皇帝の父親殺し」『正名と狂言――古代中国知識人の言語世界』せりか書房、一九七五年。

第21章　国家は盗賊か？

1　敗者の勝利／勝者の敗北

一二〇六年の春、モンゴル高原の北部、オノン河の源流近くの草原で、遊牧民の部族の代表者が集まって、テムジンという首領を、自分たちが共通して頂く最高指導者に選挙した。テムジンの義兄弟で、遊牧民たちからの信頼も篤かったシャーマン（巫）ココチュは、テムジンに、「チンギス・ハーン」という称号を与えた。「ハーン」は、遊牧民の最高指導者の称号であり、「チンギス」は、「激しい、烈しい」という意味である。モンゴル史の大家岡田英弘は、チンギス・ハーンの即位式の様子を、まるで見てきたかのように印象的に描いている。[*1] 即位式に際して、ココチュの口を通じて、次のような天の神からの託宣が下っていた。

「永遠なる天の命令であるぞ。天上には、唯一の永遠なる天の神があり、地上には、唯一の君主なるチンギス・ハーンがある。これは汝らに伝える言葉である。我が命令を、地上のあらゆる地方のあらゆる人々に、馬の足が至り、舟が至り、使者が至り、手紙が至る限り、聞き知らせよ。……」[*2]

岡田は、このチンギス・ハーンの即位を世界史的な瞬間である、と記している。どうして、今ではあまり知られていない、それどころか一三世紀初頭の当時としても大部分の人は知らなかった、このできごとが世界史的な意義をもつ、ということになるのか。岡田によれば、これこそ、ほかならぬ「世界史」というものが誕生した瞬間だからである。いわば、これは、世界史が自分自身の誕生を宣言した瞬間だというのが、岡田の解釈だ。どうして、これが世界史の誕生を意味するのか。

岡田の説を要約すれば、次のようになる。チンギス・ハーンは、モンゴル帝国の最初の皇帝である。モンゴル帝国はやがて拡大し、ユーラシア大陸の大部分を征服するまでに至る。この帝国は、人類史上最大の「陸の帝国」だと言ってよいだろう。このモンゴル帝国が、チンギス・ハーンの即位からおよそ七十年後に、南宋を滅ぼし、中国の元王朝になった。岡田が、チンギス・ハーンの即位が、世界史を誕生させた、と解釈するのは、モンゴル帝国のこの圧倒的な広さと関係している。

歴史という観念を、他からの影響や模倣によらずに独自にもった文明は、よく考えてみると、たった二つしかない。古代中国文明と古代地中海文明（西洋）である。たとえば、以前に述べたように、古代インドは、さまざまな意味で知的に洗練された文明だったが、「歴史」にはほとんど関心をもたなかったため、今日、われわれは釈尊（シッダルタ）のおよその生没年すら知ることができない（第4章）。記憶という能力をもつからといって、人間は、常に「歴史」に関心をもつとは限らない。「歴史」は、きわめて稀なる発明品なのだ。モンゴル帝国は、「歴史」という観念を生み出した二つの地域を、初めて政治的に統合したことになる。岡田が、モンゴル帝国の初代の支配者チンギス・ハーンの即位をもって世界史の誕生の瞬間と見なしたのは、このためである。

だが私は、右のような岡田の解釈には与しない。つまり、モンゴル帝国によって、世界史が誕生したとは言えない、というのが私の考えである。むしろ、驚くべきことは、モンゴル帝国が、地中海文明と中国文明とを政治的・経済的につないだにもかかわらず、それだけでは、「世界史」という観念が生まれなかった、ということにある。

古代地中海文明、つまりギリシアやヘブライズムに由来する歴史と、古代中国の歴史は、まったく異なるスタイル、異なる観点を前提にして作られている。その違いについて、ここではまだ詳述しないが、ヘロドトスの『ヒストリアイ』と司馬遷の『史記』が、いかに異なったスタイルをもっているかを想起するだけで、思い半ばに過ぐだろう。歴史という知は、たんに過去の事実を記述すればできあがるわけではない。地中海型の歴史と中国型の歴史は、二つの「地域史」ではない。それぞれの歴史は、まったく異なる態度を前提にしているのだ。したがって、二つの歴史を単純に足し合わせたとしても、世界史にはならない。

それでは、現在のわれわれの歴史観、われわれが所有している世界史は、どちらの型に属しているのか。明らかに、地中海型（西洋型）である。われわれは、今日、西洋に生まれた歴史のスタイルを通じて、世界史の全体を眺めているのだ。ところで、モンゴル帝国は、もともと、どちらの型の文明に属していたのか。言うまでもなく、それは中国型に近い。われわれが結局のところ、地中海型の歴史を獲得したということは、モンゴルが大帝国を築いたのに、そのことによっては今日にまで影響を残すような「世界史」の観念は生まれなかった、ということである。単に大規模な帝国が作られただけでは、歴史に関する観念や態度の総合はかなわなかったのだ。[*3]

*

さて、われわれの考察の中で注目したいことは、しかし、以上のことではない。ここまでの論述の中ですでに示唆したことだが、チンギス・ハーンが即位した段階においてすでに、モンゴル帝国は文化的には相当に中国化していたということ、この点を確認しておきたかったのである。この段階では、モンゴル帝国は未だ、中国の心臓部とも見なすべき中原を占領しているわけではない。この時期、中国は、安定した帝国に統一されていない。当時の漢人による国は宋である。宋は、文化的には洗練されていたが、政治的には弱く、長江の下流域に追いやられていた（南宋）。モンゴルは、もちろん、漢人から見れば、草原の野蛮人である。しかし、モンゴル帝国が、中国の北西域に成立した頃には、その世界観の基礎的な部分は、すでに中国化し始めていたのだ。

そのことを端的に示しているのが、ココチュの口を媒介に発せられた託宣である。この託宣が示しているように、チンギス・ハーンは、天命によって即位しているのだ。部族の首長たちの選挙によって皇帝を選ぶのは、中国式ではないが、テムジンがハーンに選ばれたのは、天命がくだっていたからである。皇帝は「天命」を受けたことによって皇帝になるという設定は、中国の中国たる所以(ゆえん)の根幹となる前提である。

その後――一二七九年には――、モンゴル帝国の東部を管轄していたフビライ・ハーンが、長江流域に基盤をもち、そこから経済的な利益を得ていた南宋のあった地域に進出し、元朝を開始した。この元は、漢人がいた地域の全体をその支配下に収めている。そうなると、帝国の中国化はよりいっそう進められ、中国式の制度が積極的に取り入れられることになる。たとえば、元は儒教を重視し、宋に倣って科挙を導入している。

軍事力に関しては、モンゴル帝国は宋よりも圧倒的に強い。しかし、文化や制度に関しては、元が中国化するのであって、宋が、あるいは漢人がモンゴル化するわけではない。(軍事的な)勝者が敗者に影響を与えるのではなく、逆に敗者から勝者が感化されているのである。なるほど、確かに、元の後の王朝明の創始者朱元璋(しゅげんしょう)は、元が中華帝国の理想を十分に実現していなかったとして批判している。[*4] しかし、それでも、元が中華帝国の伝統的な制度を大幅に取り入れ、基本的に中国の王朝となった、という事実は否みがたい。

われわれは、中国が二千二百年も前に統一的な帝国を実現したこと、その後何度も分裂しながら、最初の帝国が成立した地域を基盤とする文化的な同一性(アイデンティティ)の自覚を失うことなく、同じような規模の中華帝国を繰り返し復活させてきたこと、これらの事実を、驚異的なことである、と指摘してきた。ヨーロッパでも、インドでも、そんなことは起こらなかった。それでも、もし文化的に均質な同じ民族が、つまりは漢人が、強い軍事力をもち、持続的に同じ地域を実効支配していたというのであれば、それらの事実もいくぶんかは理解しやすかったかもしれない。たとえば、日本やその他の多くの地域の文化的な伝統の深さは、他者からの侵略をあまり受けなかったという幸運によって説明されるだろう。しかし、中国の場合には、そうした説明は妥当ではない。

漢人は意外に弱く、頻繁に周辺の異民族からの侵略を受けている。いや、「弱い」という表現は正確ではあるまい。むしろ、中原は、地政学的にそうした侵略は避けがたかったと言うべきであろう。モンゴルだけでなく、匈奴（きょうど）、鮮卑（せんぴ）、満洲族、タングート、契丹（きったん）などが、周辺から、とりわけ北辺から中国に侵攻してきた。こうした、異邦の「蛮族」の中には、モンゴルのように、中原を占領した上で、皇帝を生み出し、自ら帝国を建設するのに成功した民族もある。鮮卑による隋王朝や満洲族による清王朝などが、それである。そもそも、最初の中華帝国を築いた秦からして、「西の野蛮人」（西戎）である。

このように、中国は絶えず外囲の蛮族によって侵略を受けてきたのだが、ふしぎなことに、これら蛮族の文化や制度は、中国の歴史に、「伝統」と見なしうるような持続的な痕跡をほとんど残すことがなかったのだ。逆に、侵略者の方が、中国の本来の伝統を、つまり漢人に属しているとされるような「洗練された」政治制度やイデオロギーなどを採用した。侵略者たちは、最初は、自分たちの部族的な伝統や文化や言語などをそのまま保持し、強制しようとする。が、ほどなくして、彼らは、中国式の政治制度を導入しなくては、中華帝国の広域を統治することはできないことを発見する。かくして彼らは、中国化する。それを拒むならば、蛮族たちは、中原を放棄して、彼らの生まれ故郷である草原や森林の中に退却し、そこで小国を営むほかなかった。

とするならば、疑問を禁じ得ない。どうして、軍事的な勝者の方が、文化的には敗者になるのか？　どうして、軍事的に勝利した者が、自らの文化を敗者に強制することができず、逆に自らが敗者の文化や制度に影響を受けることになったのか？　これもまた、中国史の謎のひとつである。

2　皇帝位のアンチノミー

以上に見てきたような事実は、中華帝国の皇帝という資格についての、一種の二律背反（アンチノミー）にわれわれを導くことになる。誰が皇帝になることができるのか？　皇帝という資格を獲得できるのは誰なのか？　別言すれば、天命は、誰に、どのような性質をもった者に与えられるのか？この問いに答えようとすると、互いに矛盾する二つの命題をともに「正解」として認めなくてはならないように思えるのだ。

まず、われわれはこう言わなくてはならない。誰もが、原理的には、皇帝になりうる、と。

中国史を振り返ってみると、皇帝となるために、何か特別な性質は必要がないことがわかる。たとえば、漢人でなくても、中華の皇帝になることができるのだ。ということは、蛮族の者でも、たとえば満洲人であろうと、モンゴル人であろうと、トルコ系であろうと、漢人に、中国人になりうるということでもある。[*5]

皇帝の資格に無関与なのは、民族的な所属だけではない。身分の上下も、皇帝になりうるかどうかには、影響を与えない。たとえば、隋の創始者、楊堅（文帝）は、高位の軍人の息子であり、唐の初代皇帝、李淵（高祖）は、皇后が輩出するような高貴な家系の出身である。こうした事例から、将来皇帝になる者は、たいてい身分が高いと考えたら、大間違いである。たとえば、漢王朝の創始者になる劉邦は、ライバルの項羽が楚の貴族だったのとは対照的に、ただの平民、農民の出身だった。極端なのは明の創始者、朱元璋のケースである。

先に、朱元璋が元王朝を粗野で礼も知らないと痛罵したと述べたが、それならば彼が洗練された行動様式を身につけるような高貴な身分の出身かと言えば、そうではない。まったく逆で、朱元璋は、赤貧の農民の末子として生まれ、飢饉と疫病を越えて生き残り、孤児となった。その後、托鉢僧として生活していたが、紅巾の乱が勃発したとき、これに参加したことが人生の転機となる。紅巾の乱は、宗教的な農民運動、つまり地方政府の不正に怒った農民や盗賊や有象無象による宗教運動で、中国では王朝の交替期に、こうした農民反乱がしばしば勃発する。朱元璋は、やがて、反モンゴル運動へと成長した軍隊の将軍となった。末期の元王朝が、地方軍閥の手におちてほとんどコントロールを失ったとき、朱元璋は、そうした軍閥のリーダーの一人にのし上がる。さらに、劉邦など多くの王朝創始者の場合と同じように、朱元璋は、最も怜悧でしぶとい軍事リーダーであることを証明することを通じて、頂点にまで登り詰め、新しい王朝、明の初代皇帝に即位したのだ。

こうしたケースを見ると、中国では、実力さえあれば、誰もが皇帝になりえたことがわかる。朱元璋は、文字通り、最下層から最上層にまで移動したのだ。少なくとも、中国の皇帝という資格は、日本の「天皇」よりはずっと開かれている。

＊

だが、別の観点から捉えると、今度は、まったく逆のことを認めなくてはならないようにも見えてくる。すなわち、どんなに実力があっても、皇帝になれない者はなれない、と。中国では、例外的な一者を除くと、誰も皇帝の地位に就くことはできない、という原則が、きわめて厳格に守られているようにも見えるのだ。

「実力」という語はあいまいで、トートロジーに陥る危険性がある。*6 そこで、朱元璋のケースからも明らかな、皇帝位にまで上昇するうえで最も重要な鍵となる要素、軍事力、つまり剝き出しの暴力に目を付けてみよう。軍事にかかわる実力の点で、どんなに優れていても、皇帝位に就くことができないときには、まったくできない。この事実を、われわれは、前章で、中国では「完璧な文民統制」が機能しているように見える、というかたちで指摘しておいた。彭徳懐(ほうとくかい)は、毛沢東より軍人としてははるかに優秀だし、『史記』で見る限り、韓信は劉邦よりもはるかに巧みに大軍を操る能力をもっているが、どちらも、クーデターを起こして、頂点の地位を奪うことはできず、逆に返り討ちに遭って――建国の英雄たちの一員だったにもかかわらず――粛清されてしまった。[*7]

この点を明確にするためには、儒教の「正名」の論理と、ヘーゲルの「概念」の論理とを対比してみるとよい。ヘーゲルによれば、どんな現実も概念とは一致しない。たとえば、現実のどんな君主も、君主の概念に完全には適合しない。たとえば、愚か過ぎたり、強欲であったり、優柔不断だったり、等々で、現実の君主は、まさに「君主とは何か」ということを定義する条件に適合しない。

こうしたヘーゲルの議論を利用すれば、儒教で言うところの「正名」とは、概念と現実とが完全に合致している状態、ヘーゲル的な観点からはあり得ない状態だと解釈することができる。まず、儒教は、過去に、まさに正名を体現するような理想の皇帝や政治家がいたとする。孔子が賞賛する、周の文王や伯夷（はくい）・叔斉（しゅくせい）の兄弟などが、そうした政治家である。こうした過去の理想的な政治家においては、正名が実現している。過去において、正名が実際に現実化しているのだとすれば、現在においても正名は成り立ちうる、という想定が有意味なものとなる。正統な皇帝は、まさに正名を体現している、あるいは正名と合致した過去の伝説の君主と同等の水準にある、と見なされるのだ。だが、その唯一者を別にしたすべての人に関しては、今度は、ヘーゲル的な原理が成り立っている。彼らは、どれほど優れていても、概念には追いつかないのである。

さて、整理すると、われわれは中国に関して、二つの矛盾したことを同時に認めなくてはならない。一方で、原理的には、誰もが、皇帝になりうる。他方で、(例外的な一者を別にすると)誰も皇帝になることはできない。このアンチノミーをどのように統一的に把握すればよいのか。

3 「国家=盗賊」論批判

こうした問題を解くための鍵は、中国の国家権力の形成を、どのような理論モデルによって説明するかにある。皇帝の出現によって完成する権力は、どのような論理によって生成されるのか。ここで問題なのは、事実過程ではない。そうした事実過程の本質的な部分を整合的に説明できるような、基本的な論理である。

前節で概観した、朱元璋が明の初代皇帝洪武帝(太祖)になるまでの過程などを思うと、経済学者マンサー・オルソンが定式化している、政治発展のモデルが、中国の国家形成の論理を一般的に説明する力があるのではないか、と予想したくなる。[*8] オルソンの論理は、簡単に言えば、市場の競争の中から独占企業が出てきて、利益を獲得するに至るまでの過程と同じ論理が、権力闘争の場面で働いている、と見なすものである。

まず、原初状態として、各地を略奪してまわる小さな集団がたくさんいるような状況を想定する。朱元璋が出てきた元末期の状況は、実際、そうしたものであっただろう。それどころか、ちょっとしたカリスマを中心とした軍閥が各地に跋扈（ばっこ）していた、二〇世紀前半の中国も、こうした状況として描くことができる。あるいは、二一世紀初頭の現在にあっても、中央政府の統率力が弱いいくつかの国では、たとえばインドの農村部とか、アフガニスタンの砂漠地帯とか、ソマリアなどでは、まさにいくつもの盗賊団がさまよい歩いている。[*9] オルソンのモデルでは、こうした盗賊団は、もちろん、強奪だけを目的としており、住民たちから可能な限り多くの物資を引き出そうとしている。彼らは、ごく短い時間で強奪を終え、新しい獲物を求めて移動していく。盗賊団同士が、強奪競争の中にある。できるだけ多くの利益を得るためには、盗賊団は、住民が他の盗賊団によって収奪される前に、自分たちで収奪しなくてはならない。あるいは、別の盗賊団よりも強い力で、住民から財を搾り取らなくてはならない。

やがて、ある時点で、一つの盗賊団が、他のすべての盗賊団よりも大きくなっていく。その盗賊団が、さまざまな偶然的な事情によって、物理的暴力において他に勝っている場合に、そうした状況が生ずる。より大きな暴力をもっていれば、他の盗賊団を排除したり、殲滅したりできるし、また住民たちの富をより効率的に搾り取ることができるからだ。一度、一つの盗賊団が他より相対的に大きく、優位に立てば、その盗賊団の優位は、どんどん拡大していく傾向があるだろう。盗賊からすれば、大きく強い盗賊団に加入していた方が、多くの利益が得られるので、その盗賊団が、他の盗賊団を吸収していくことになるからである。最初に偶発的にできた小さな窪みや溝に、どんどん水が集まり、窪みや溝がより深く広く穿たれ、やがて湖や大河になっていく。そうした過程に類比できるような経緯で、一つの盗賊団が他を圧する独占的な盗賊団にまで成長する。

オルソンの考えでは、こうして形成された、最大規模の盗賊団こそ国家である。もちろん、こうして勝利した盗賊団は、自分たちのことを「盗賊」とは呼ばない。逆に、彼らは「自分たちや自分の後継者たちに何やら崇高な資格を与えたりする。彼らは、ときに神的な権利によって支配しているとすら主張するようになるのだ」[*10]。王のような者も、偉そうなことを言ってはいるが、オルソンの考えでは、その動機に関して言えば、かつて村々の間を走り回っていた盗賊団と変わりはしない。自分を正当化する国家的盗賊団の略奪のことを、われわれは、「税」と呼んでいる。

国家的な規模に達した独占的な盗賊団は、しかし、たくさんの小さな盗賊団が鎬(しのぎ)を削っていたときとは異なる、あることを学習する。短期間に収奪して次々と犠牲者を変えていくよりも、自分たちが支配する社会に安定的な秩序をもたらし、道路や運河や通貨や国防などの公共財を提供してやった方が、「盗賊団」自身も裕福になる、ということを、である。住民を裕福にした方が、長期的な視野にたったとき、税という名前で彼らから収奪する富の量が大きくなるのだ。それゆえ、盗賊国家は、収奪したものを、秩序維持や公共財のために、住民たちに還元し、再分配することになる。支配される側から見ると、国家とは、合理的で賢明なものにまで成長した盗賊団である。住民自身にとって有利なことが、そのまま、盗賊団が住民から搾り取る富の量を最大化することにも貢献する。両者の間に、双方有利化の関係が成り立つのである。

オルソンは、こうした論理を展開し、さらに国家的な盗賊の収入を最大化するような、ちょうどよい税率、つまり最適搾取率が存在している、と指摘する。この税率は、独占企業が価格設定をするときの論理と類比的な方法で決まる。最適な搾取率を越えた過酷な収奪は、被支配者の生産へのインセンティヴを削いでしまうので、かえって税収を小さくしてしまう。それほど難しくはない論拠に基づいて、オルソンは、独裁的な支配者は、高い税率を設定し、民主的な体制の下では、税率はそれよりも低くなる傾向がある、と論ずる。こうした違いがでるのは、後者においては、政府は、平均的な有権者の機嫌をとる必要があるからだ。

要するに、オルソンの論理によれば、国家とはある地域を独占的に支配している盗賊である。これは、究極の、シニカルな国家観であると言えるだろう。と同時に、経済学の世界に完全に回収され尽くした国家の姿が、ここにはある。また、国家はできるだけ小さい方がよいと言ったり、増税に反対したり、あるいは公務員や議員の給料が高いと批判したりしているとき、人々がしばしば、無意識の前提にしているのは、実際、国家＝盗賊という見方なので、オルソンのモデルは、見かけほど奇抜なものではない。

＊

さて、われわれにとっての関心は、このオルソンの論理は、中国における国家形成を首尾よく説明できるか、にある。一見、中国ほど、こうした論理に適した場所はないように思える。

朱元璋は、実際、盗賊団とほとんど変わらないような集団を率いることで、皇帝の位に就いている。あるいは、はるかに遡って、春秋戦国時代の戦争は、盗賊団同士の縄張り争いのようなものであろう。それゆえ、中国は、オルソンの論理の格好の実験場である。

だが、F・フクヤマが述べているように、オルソンのモデルは、中国にはまったく当てはまらない。[*11] どう成り立たないのか。税率が、理論上、想定されている最適値のレベルをはるかに下回るのである。言い換えれば、実際の税率は、国家が公共財、とりわけ国防（安全）を提供できるレベルの税の水準に、遠く及ばないのだ。別の言い方をすれば、中華帝国の皇帝は、もし彼が勝利した盗賊の首領だとしたときに理論上可能なはずの大きさの権力を行使していないように見えるのだ。独裁的な皇帝であれば、もっと強権を発動して搾取することも可能なのに、彼は権力行使を手控えている、そのような印象を与える。

明の場合を見てみよう。初代皇帝洪武帝（かつての朱元璋）は、当然のことながら、厳しい専制君主である。彼は、皇帝に即位すると、政府のサイズを小さくし、外国との戦争も回避した。支出が減ったので、彼の国庫は黒字だったが、もっと収奪してもかまわなかったはずである（ように見える）。洪武帝のやり方が、後続の明の皇帝に踏襲されたわけではない。たとえば、明の皇帝の中で最も有名な永楽帝の場合はどうであろうか。彼は、大運河を開鑿し、また大宮殿（故宮）を建設した。また、宦官鄭和をリーダーとする大船団を、遠くアフリカにまで派遣した（第3章）。こうした大事業のために、永楽帝のときには、税率は大幅に引き上げられた。だが、運河を別にすれば、永楽帝の事業は、農民や商人の生産活動・経済活動を刺激するようなものではない。そのため、各地で頻繁に増税に抵抗する運動が起き、帝国は混乱した。[*12] これもまた、オルソンの理論の想定とは異なる。永楽帝の苦労に、後の皇帝たちは学習し、以後は、税率はたいへん低くなった。明の時代の大半において、土地に対して課せられた税率は、平均して五％程度であったと、学者は推定している。これは、きわめて低い水準である。明が滅亡した原因の一つは、この低すぎる税率にあった。侵略、とくに満洲人の侵略を防ぐだけの防衛費が用意できなかったのである。[*13]

総じて、中国の皇帝や王たちは、経済学が一般に前提にしている「最適化原理」ではなく、経営学者ハーバート・サイモンがかつて述べていた「満足化原理」に従って行動している、という印象を与える。最適化原理とは、利益や効用が最大になるような行動を選択することだが、満足化原理とは、満足できるある水準の効用・利益が得られれば、それ以上は、無理をしない行動をとることである。[*14] しかし、仮に満足化原理に基づいて皇帝たちが行動しているのだとしても、もっと高い満足を得られる選択肢があるのに、どうしてそうしなかったのか、という疑問が残ることになる。

暫定的な答えとして、あまり論理的ではないいくつかの現実的な原因を挙げることはできる。とりあえず、明に限って言えば、中国は、当時、すでに巨大な国家である。明が始まったときの人口は、六千万人、明が終わる一七世紀の半ばには、一億四千万人近くに達していたと推定されている。[*15] 広大な土地に散らばっている、これほどの人口から徴税することの困難を想像してみたらどうか、とフクヤマは述べている。[*16] 一四世紀は、今日に比べると、貨幣経済ははるかに未熟な段階にある。税の多くは、貨幣によってではなく、穀物や絹、木材などによって物納されていた。こうした物を帝国の各地から徴収することの困難は計り知れない。となれば、一般に税率は低い水準に留まらざるをえないだろう。

こうした理屈に、一瞬、納得しそうになるが、よく考えてみれば、これは根源的な説明にはなっていない。オルソンの論理は、そもそも、どうして、大規模な国家権力が発生したのかを説明するためのものである。地理的にも、人口の上でも、国家が大き過ぎて、「税」という形式の収奪ができない、という論拠は、この論理そのものをトータルに否定したに等しいことになる。

中華帝国の徴税能力の限界ということに関連して、もうひとつ考慮に入れておいた方がよいことは、権限の「委託」の必要性、ということである。政府であれ何であれ、大規模な組織が機能するためには、頂点にいる最高権力者の権限を、下位のスタッフに、部分的に委託しなくてはならない。中国のような大規模な国家において、税を集めるためには、地方の行政官僚や支配者に徴税を委託する必要が出てくる。しかし、このことは、頂点に君臨するリーダーにとって、大きな躓(つまず)きの石となる。

最大の難関は、「知識」という問題である。命令は、一般に、権力のヒエラルキーを上から下へと流れる。知識はどうなのか。地方の実情についての知識や情報は、ヒエラルキーの末端の役人や、あるいは地方政府が、中央政府の役人や政治家よりもずっとたくさん所有している。知識や情報が、命令が辿った経路を、正確に逆流してくれるのであれば、頂点の支配者にとっては問題ないのだが、実際には、そうはいかない。末端の役人は、地方の実情を詳しく把握しているが、彼らは、そのすべてを中央に知らせるわけではないし、ときにはわざと虚偽の報告をする。そうすることで、彼らは、税をいくらでも中間搾取することができるからだ。とりわけ、彼らは、末端の住民や農民を、「収賄」という形態で搾取することで、中央政府が受け取ることができるはずの税を削減する。末端の役人への賄賂にせよ、中央政府への税にせよ、住民には収奪と感じられるかもしれないが、彼らにとって、ときには後者の方が前者よりもましだと感じられることも多いだろう。

中央政府は、こうした状況を放置しているわけではない。皇帝側の政府は、スパイのネットワークを張り巡らせることによって、地方の役人や政治家の「不正」な財の収奪を監視しようとした。中国では、そうしたスパイの中心的な担い手が、宦官であった。しかし、これがまた新たな問題の源となる。スパイ自体が、再び、皇帝や中央政府からの制御に服さず、自分たちが独自に集めた情報をもとに、不正な利益を得るようになるからだ。こうして、問題は振り出しに戻る。

いずれにせよ、権限を委託された末端の役人や政治家が、勝手に、住民や農民を収奪しているという状況は、オルソンのモデルの破綻を示すものである。オルソンの論理は、一つの盗賊団が一人勝ちすることで国家になるというものであった。しかし、この状況は——あえて「盗賊団」という用語を用いるならば——、権力のヒエラルキーの各所に独立した「盗賊団」がいて、完全な独占支配が実現していないことを示しているからである。

とりあえず、この点に関して、結論を出しておこう。中華帝国の権力の成立は、オルソンの政治発展のモデルによっては説明することができない。つまり、他の弱小盗賊団を暴力的に駆逐した、独占的な盗賊団が国家になるということ、そして、その盗賊団としての国家が、公共財、とりわけ安全の提供との引き換えで、人々を収奪できるだけ収奪するという形態で、権力が維持されているということ、これらの説明は妥当しない。中国の国家権力は、この説明とは別の論理が作用して、生成され、維持された、と考えなくてはならない。[*17] その別の論理とは何であろうか?

4 「公」と「天」

中華帝国の皇帝権力の存立を理解するための鍵は、やはり「天」の概念にある、と考えるべきであろう。天とは何であろうか? 天という概念を説得力あるものとして存立させている、社会的・心理的メカニズムは何なのか? こうした問いをあらためて提起しておかなくてはならない。ここで、われわれの考察に示唆を与えてくれるのは、溝口雄三が、中国の「公」と「天」の二つの概念の関係について論じていることである。[*18]

中国において、「公」は道義性の高い概念である。「私」に対立するところの「公」の道義的な意味の中心は、オルソンのモデルが注目していたことの反対面、その対極にある。[*19]「公」

は、奪うことではなく、与えることに関連している。「公」は、多数者を前提にした概念であり、その多数者の間の、分配における平分・平等ということが、この概念の中心に据えられている含意である。

ここまでであれば、しかし、それほど驚くようなことは含まれてはいないし、中国の「公」と日本の「おほやけ」の間の差異も小さい。興味深い論点は、中国においては、「公」にさらに「天」が追補されているという溝口の指摘である。「天」は、「公」の多数者よりもさらに外延的に広い範囲を指示しており、その「天」に基礎づけられることによって、つまり「天」の一部として意味づけられることによって、「公」に、真に抜き差しならぬ道義性が宿る。これが溝口の論理の要点である。次のように記されている。

> 古代の中国では、公・私は、日本の場合と同じように、共同体的なそれから君・国・官のそれへと膨張していったが、一方、それと並行して、日本にはみられない天の公・私という、より高次なつまり原理的・道義的な概念世界が形成され、それが政治的な公・私にインパクトを与え、浸透というかたちでその内容に影響を与えていた、のであり、この公・私における天と政治との重層的な構造が、まず原初における中国の公・私の特質であった[20]。

多数者を含む共同体がその範囲を拡張したとき、「公」は、その外延的な限界、社会的な普遍性の範囲を指し示している。「天」は、それをさらに越える普遍性、あるいは普遍性の外部を志向していることになる。「公」が、「多数者のすべて」、「公平な分配に与るすべて」になるためには、「天」による補佐が必要になる。溝口の論は、このように解釈することができる。とするならば、「天」とは何であろうか。

本章の結末に、たいへん意外と思われるに違いない論考のある部分を参照することで、次章以降の考察のための暗示としておこう。意外な論考とは、フロイトの「狼男」についての分析である。[*21] 狼男は、動物恐怖症や、重い無気力・不安症状に苦しんだ、フロイトの強迫神経症患者である。この患者が「狼男」と呼ばれているのは、狼が登場するある夢が、彼の症状が神経症へと転換するきっかけになっているからである。その夢は、次のようなものである。ある冬の夜、窓がひとりでに開いた。窓の外には大きな木があり、その枝には、何匹もの白い狼が座っていた。フロイトは、これを去勢のイメージであると解釈した。

この夢の解釈のどこに、われわれの考察にとって意味あるものが含まれているのか。フロイトが、狼男の夢を去勢のイメージと見なしたとき、彼は、夢の中の白い狼を男根（ファルス）の表象と解釈している。夢の中には、多数の男根が登場する。その多数の男根が、まさに、唯一の男根が欠けていることの——つまり去勢の——シグナルとなる。これがフロイトの解釈の筋である。「去勢コンプレックス」とは、まさに「欠けている」という否定的な形式で存在している男根に、人が支配されることである。

多数性が例外的な唯一者へと転化しうるとする論理、これがフロイトの解釈を支えている。

われわれにとって意味があるのは、解釈された夢の内容ではなく、この論理の形式である。共存し、連関しあう多数者が、その内部には回収できない一者へと飛躍する。この飛躍は、「公」（多数者）から「天」（例外的な唯一者）への転換と、論理の構造に関して同型的ではないだろうか。

＊1　岡田英弘『世界史の誕生――モンゴルの発展と伝統』、ちくま文庫、一九九九年、一四頁。
＊2　同書、三二頁。
＊3　この点については、以下を参照。大澤真幸「『世界史』から〈世界史〉へ」『THINKING「O」』十一号、左右社、二〇一二年一一月。
＊4　「胡人（モンゴル）が華夏を百有余年も窃取してからというもの、冠と靴をさかさにつけるような野蛮ぶりであった」平野聡『興亡の世界史17　大清帝国と中華の混迷』講談社、二〇〇七年、九二頁。
＊5　今日、漢人の人口が、他の諸民族に比べてずば抜けて多いのは、こうした歴史的な背景による。「漢人」は、世界中の他の諸民族とは異なる原理によって形成されたのである。
＊6　つまり実力があるから皇帝になったという命題は、皇帝であるからには実力があるという命題に、容易に反転してしまう。
＊7　韓信と劉邦に関しては、よく知られているエピソードを思い起こすとよい。二人は、ともに、軍事的リーダーとして韓信の方が劉邦より有能であることを自覚していた。韓信は、劉邦から「おれはどの程度の将軍か」と質問されたとき、「陛下は、せいぜい十万の兵を率いる将軍だ」と答え、さらに、劉邦から「ならばお前

はどうなのか」と重ねて尋ねられると、「多々益々弁ず（私の場合には、兵は多ければ多いほどよい）」と答えている。韓信が統率しうる兵力には限界がないが、劉邦の場合には有限だ、というわけである。劉邦は、おそらく不安を感じて、「ならばなぜお前の方がおれの配下なのか」と韓信に問うている。韓信の答えは有名で、陛下は「将の将たり」というものだ。韓信の説明によると、劉邦は、将軍の上に立つ将軍の能力をもち、これは天授のものである。かんたんに言えば、韓信は、自分の方が軍人として有能であることを自覚しつつ、自らは皇帝になりえないことをも認めてしまっているのだ。後で振り返ってみると、楚漢戦争（項羽と劉邦の戦い）の渦中に、韓信が劉邦を裏切って自らが漢側のリーダーになるチャンスは何度かあり、食客の一人蒯通（かいつう）は、そうした裏切りを韓信に勧めていた。そのため、韓信は、処刑されるとき、優柔不断にもそうしたチャンスを逸したことを悔いたとされている。

＊8　Mancur Olson, "Dictatorship, Democracy, and Development", *The American Political Science Review*, 87(3), Sep. 1993, pp.567-576.

＊9　たとえば、以下を見よ。プーラン・デヴィ『女盗賊プーラン』上・下、武者圭子訳、草思社、一九九七年（原著一九九六年）。この本は、盗賊団に捕えられ、やがて自分自身も団の一員、団のリーダーになったある女性の半生記である。彼女は、やがて、国民的な英雄にまで祭り上げられ、そして国会議員に選出される。が、――当然にもこの本には書かれていないが――彼女は、最後に暗殺されてしまう。まるで、この女盗賊プーラン・デヴィは、国会議員になってからも、盗賊間の闘争の中からは抜けきれなかったかのようだ。だが、後述するオルソンの論理が示しているように、国家もまた盗賊なのだとすれば、これも宿命だったかのように思えてくる。国会議員に転じたとき、彼女は、最大の盗賊団に移籍した、ということになるからだ。この本に

書かれているのは、二〇世紀後半のインドの農村部でのできごとである。それほど昔のことではない。状況は、現在も大きくは変わらないだろう。だが、それにしても、インド政府は「盗賊団」なのか。

＊10 Olson, *op.cit.*, p.568.

＊11 Francis Fukuyama, *The Origins of Political Order: From Prehuman Times to the French Revolution*, New York: Farrar, Straus and Giroux, 2011, pp.304-310.

＊12 市場や独占企業の比喩を延長させれば、住民にあまり役立たない事業のための課税は、独占企業が欲しくもない商品を市場に供給し、消費者にそれを無理矢理買わせる状況である。こうした状況において、消費者に購買させるためには、普通は、経済外的な強制が必要になる。ところで、オルソンのモデルは、国家の行動のすべてを経済行動の類比で理解しているので、その外部からの強制という概念は、もはや成り立たない。

＊13 Ray Huang. *Taxation and Governmental Finance in Sixteenth-Century Ming China*, New York: Cambridge University Press, 1974, p.85.

＊14 Herbert A. Simon, “Theories of Decision-Making in Economics and Behavioral Science”, *The American Economic Review*, 49(3), Jun. 1959, pp.253-283. “A Behavioral Model of Rational Choice”, *The Quarterly Journal of Economics*, 69(1), Feb. 1955, pp.99-118

＊15 Angus Maddison, *Chinese Economic Performance in the Long Run*, OECD, 2007, p.24.

＊16 Fukuyama, *op.cit.*, p.306.

＊17 オルソンのモデルが通用しないのは、実は、中国の帝国に関してのみではない。オスマントルコに対しても、あるいはヨーロッパの君主国に対しても、このモデルは妥当しない。前近代の農業国において、オルソ

ンのモデルが予想するような高率の税を徴収できたケースは、ほとんどない。オルソンのモデルは、いささか偽悪的な表現を用いているが、実際には、国家形成についての、非常に広く共有されている通念を率直に理論化したものである。しかし、このモデルの通りに形成された国家は、ほとんどないのだ。

＊18　溝口雄三『中国の公と私』研文出版、一九九五年。

＊19　もっとも、溝口によれば、公と私は原初においては、必ずしも対立概念ではなかった。これらが対立的なものと見なされるようになったのは、『荀子』『韓非子』からだという。溝口、前掲書、四三頁。

＊20　同書、四八頁。

＊21　ジークムント・フロイト『フロイト全集14　症例「狼男」　メタサイコロジー諸篇』新宮一成ほか訳、岩波書店、二〇一〇年。

第22章　華夷秩序

1　世界の中心

今日、われわれは、「中国」を国名、ひとつの「国民国家」（と厳密には見なすべきではないが）を指す固有名として扱っている。だが、本来、「中国」は国の名前ではない。国の名前に近いのは、伝統的には、秦、漢、隋、唐、宋、明、清といった、いわゆる王朝名であろう。だが、この王朝名にしても、ヨーロッパの王朝名とは、意味が異なる。たとえば、プランタジネット朝やスチュアート朝、テューダー朝はイングランドの王朝だとか、カペー朝、ヴァロワ朝、ブルボン朝はフランスの王朝だとか言うことは、歴史的にみて、正当なことである。イングランドやフランスといった名前で指示された「国」や「地域」の上で、これらの王朝が交代して、政権を担当した、という像は、実態と合致しているからだ。しかし、「中国」という国を、秦、漢などの王朝が交代して支配した、という表現は、現代の観点からの投影に基づく、錯覚である。中国は、「イングランド」や「日本」と同じ意味での国名ではないからである。「中国」あるいは「中華」とは、単に、中心、真ん中という意味である。[*1]

もう少し慎重に言い換えれば、中国とは、中心に規定された空間、中心の周囲の空間のことである。中心とは、もちろん、世界の中心なので、結局、中国は世界そのものである。それは、限定された特定の地理的・人的な範囲ではない。「中国」を国名と見なすことができない、というのはこの意味である。[*2]「中心」に言及することを通じて、世界を指示している点が、特徴的である。

中国の古代帝国においてすでに、「中心」は、その政治秩序に基礎を与える最も重要な観念であった。たとえば、孟子は、理想的な支配者（君子）に関して、次のように記している。

> 広大な領土と大勢の民衆、君子はこれを欲する。が、彼の楽しむものはここには存しない。天下〔＝世界〕の中心に立ち、四海〔＝全世界〕の民衆を安定させること、君子はこれを楽しむ。

孟子によれば、君子は、土地や人間を得ることよりも前に、中心に立つこと、自身の身体を中心に置くことを喜びとする。この部分を引用しつつ、大室幹雄は、孟子には、宇宙の生命力の充溢が君子の身体の状態に現れるとする、生物‐宇宙論的な観念がある、と解説している。[*3]

中国古代の政治論集、管仲（かんちゅう）の著作ということになっている『管子』においても、聖人に関して、「中心に立つこと」と「妥当な法規範を発すること」とが不可分の関係にあると説かれている。『管子』では、聖人は、南面して立っていると想定され、聖人の身体の左右・前後によって宇宙の主方位と秩序が決定される。同じ『管子』の五行篇では、黄帝（中国の伝説的な初期の帝王）が、自らは中心に立った上で、天、地、東、南、西、北の六方位に、蚩尤、祝融等の宰相を派遣し、統治させた、と記されている。黄帝は、儒教の観点からは理想的な古代の帝王の一人であり、蚩尤などは、本来は、道教（呪術）的な世界の中の王である。道教の神話的な諸王が、儒教に連なるコスモロジーの中に取り込まれ、変形されているのである。

ところで、多くの部族や氏族を束ねて支配する王は、宇宙の「中心」に位置している／位置すべきである、とする観念は、世界中の至るところで見出される、きわめて一般的な規範である。たとえば、社会人類学者スタンレイ・ジェヤラジャ・タンバイアは、東南アジアの古代王権は、「銀河系的政体 galactic polity」であったと論じている。[*4] 王権が銀河系に喩えられるのは、中心に位置するとされる王の身体からの距離に反比例して、王の権力の効果が小さくなっていくからである。王の身体からの物理的・社会的な距離が大きくなると、王の命令が受け入れられる確率は低くなる。さながら王の身体を中心においた重力圏のようなものとして、王国を描くことができるのだ。当然、二つ（以上）の王権の狭間には、所属のあいまいな領域が出てくることになる。そこで、二つ（以上）の王の権力が均衡してしまうからである。

支配者、すなわち皇帝の身体を「中心」に定位することを、殊のほか重視する中華帝国も、こうした王権の一種、その延長上にある社会システムと理解すべきであろう。このことを前提にした上でなお、中国の皇帝に関しては、次の点に特徴がある。皇帝が支配している領域、つまり中国は、本来、限界をもたず、世界の全体と合致していなくてはならない、とする想定がとりわけ強く、ほとんど絶対的な当為の域に達している。実際、中華帝国のサイズは、物理的にも人口に関しても、タンバイアが銀河系に喩えた原初的な王権を圧倒的に凌駕している。銀河系的政体は、自分たちの王国の小ささや局域性をさして気にかけていないが、中華帝国は、「全体」であることに強く執着している。以前に述べた（第19章）、地方的・部分的な権力者は決して、正統な支配者として完全には受け入れられなかった、という、秦以降の中国史を貫通している法則性を、思い起こすべきだろう。

中国においては、皇帝は、天命を受けて支配する（ことになっている）。「天」と「中心」という二つの観念の間には、内在的な関係がある。先に『管子』に従って、聖人＝皇帝は南面している、と述べた。中国の皇帝＝天子は、真北を背にして立つことになっているのだ。宮城も、常に、皇帝＝天子がそのように立つように、設計された。宮城において、皇帝が臣や民に対したときには、常に南を向いているのである。なぜ「天子の南面」に拘るのか。天にも中心があり、それが、恒星の回転が示しているように、北極星だからである。北極星を背景にして立ったとき、皇帝は天子と認められるのだ。このとき、臣や民にとっては、皇帝を見ることが、視線の延長上の北極星を見ることにもなった。皇帝が北面するのは、彼が自ら天を祀るときに限られる。したがって、こう言うことができるだろう。皇帝の身体が置かれた地上の中心とは、天が地上に投射される点（ポイント）なのだ、と。

2 華夷の序列

繰り返せば、中国は、原理的には、世界の全体と合致していなくてはならず、それゆえ「国名」のようなものはもたなかった。言い換えれば、中国には、原理的には、境界がない。だが、ここで、中国についてよく知られている事実と、この理念との間には、矛盾があることに気づくだろう。前近代の政体で、中華帝国ほど、境界に対して自覚的だったシステムはないのではあるまいか。中国の境界は、物理的な姿を、つまり「壁」という形態を取っている。万里の長城である。

世界中どこでも、都市国家には城壁がある。壁のない都市があったのは、マックス・ヴェーバーが述べているように、日本くらいのものである。ヨーロッパでも、中東でも、インドでも、そして新大陸のインカでも、都市国家は城壁をもっていた。そして中国の都市国家にも、城壁があった。城壁が建築されたのは、もちろん、安全保障上の理由からである。

だが、中国人だけが、これで満足しなかった。あたかも帝国の全体を囲うかのような、長大な城壁を建設したのだ。城壁は、遊牧民との境界の位置に設置されている。万里の長城と呼ばれる壁を最初に建築したのは、始皇帝である。だが、それ以前に、戦国時代の、秦を含む主要七ヵ国（戦国七雄）は、すべて城壁をもっていたようだ。したがって、長城は、必ずしも、遊牧民からの防衛のみを目的としたものではない。いずれにせよ、始皇帝は、中国に統一帝国を実現した後に、域内の大部分の城壁を撤廃し、北辺の長城だけを残し、それらを接続して、大規模な長城へと造り変えた。漢の武帝は、長城を引き継ぎ、延長している。しかし、その後の中国史の中で、常に長城が活きていたわけではない。長城を最も徹底的に活用し、再構築し、そして拡張したのは、明である。初代皇帝の洪武帝（朱元璋）は、長城に関心を示さなかったが、永楽帝が、首都を南京から北京へと遷し、同時に、長城を北側の境界のほぼ全体へと延長したのだ。今日、残っている長城の大部分は、明の時代の長城である。

なぜ、これほどの長城を築いたのか？　その建設のコストは、想像を絶する。モンゴルをはじめとする遊牧民の危険が大きかったからだ、というのが、一般的な解答であろう。だが、建設にかり出される農民の立場で考えてみよう。壁が建造されたのは、非常に辺鄙なところである。家族や故郷から離れて、そんな僻地で、何ヵ月も、場合によっては何年も、働かされるとすれば、農民たちにとっては、こうした労働の強制が、遊牧民の侵略にも匹敵する脅威である。たとえば、こうした過酷な労働への徴集を拒否すれば、厳罰がくだされるのだとすれば、長城自体が、遊牧民よりも危険である。[*5] それゆえ、防衛という目的は、本末転倒であると言わざるをえない。とするならば、何のために、長大な城壁が必要だったのか？　農民たちは、仮にしぶしぶだったとしても、どうして、長城の建設に協力したのだろうか？

長城は、皇帝＝天子の身体が埋め込まれた「中心」に規定された世界の理念的な像と、権力の作動の現実との間の矛盾の産物だ、と解釈することができるのではないか。一方で、「中国」は、理念的には、世界と合致する全体でなくてはならない。だが、他方では、銀河系的政体に言及しながら述べたように、権力の強度は、現実には、中心からの距離に応じて弱まるので、結果として、中心から十分に距離を隔てたところには、皇帝の権力が及ばない空間が出現してしまう。そのような空間は、本来のあるべき世界の外部、つまりは文明の外部と否定的に意味づけるほかない。その外部からの、本来のあるべき世界、つまり文明への侵略ほど、恐ろしいことはない。万里の長城は、こうした恐怖に基づいて建設されたのではないか。[*6]

長城という建築物の認知上の対応物こそ、華夷思想（あるいは中華思想）である。「中心」（皇帝の身体）の近傍にある、本来的な世界＝中国が、「華＝夏」である。「夏」は、殷（商）に先立つ、中国最古の王朝の名前だ（第19章）。その外部には、理念の上では、あってはならぬ世界、「人間以前の人間」の空間がある。その「人間以前の人間」、文明化されていない人間が、「夷」である。夷は、「中心」との位置関係によって、「東夷」「南蛮」「西戎」「北狄」と分類されることもあった。華と夷の間を峻別する思想、華を自己とし、夷を規範的に許容されざる他者として厳格に区別する思想が、華夷思想である。「華」であることの分かりやすい指標は、「文字（漢字）」と「儒学」である。

付け加えておけば、華夷思想という認知上の差別や、長城に代表される軍事的な防衛にもかかわらず、「夷（野蛮人）」が中国に侵入することは、結局、避けられなかった。しかも、中国＝世界の秩序が、「中心」に規定されている以上は、「中心」（の近傍）に侵入してしまえば、たとえ、それが「夷」を出自とする人々であろうと、結局は正統な支配者として承認された。その上、驚いたことに――前章で述べたように――、こうして侵略してきた（元）夷狄は、

「中心」に座したときには、中国的な文化や統治の様式を、基本的に受け入れたのである。中国の文化や統治の様式は、この地域に侵入してきた者たちが共通に活用するほかない「基本ソフト」のようなものである。

3　「往くを厚くし来たるを薄くする」

中国とその外部（夷狄）とは、何によって区別されたのだろうか。もちろん、中心＝皇帝との関係が規定要因だが、問題は、**どのような**関係が鍵なのか、である。厳密には、華（夏）と夷、中華と夷狄の単純な二分法にはなっていない。両極の間に中間段階があり、皇帝を中心として、同心円状の階層構造が形成されている。「明」のケースを典型と見なして、簡単に解説しておこう。[*7]

中心には、易姓（えきせい）革命（農民反乱）に勝利し、そのことを通じて天命を承けていることを証明した、皇帝がいる。「天命」を承けていることを示す事実的な証拠は、このような軍事的な勝利のみである。**にもかかわらず**、前々章に述べたように、皇帝は、完全な「文民」として君臨する。つまり、彼は、完璧な徳のある人物（君子）と見なされ、朱子学の理論では、「理」を体現すると見なされる。皇帝に関して、こうした認識が確立されると、軍事力や物理的暴力において皇帝よりも強くても、皇帝を斥けて、自分がその地位に就くことは誰もできない。ここに中国史の謎の一つがある(第20章)。皇帝は、天に対しては、天子として天を祀る儀礼を主宰し(北面)、天下に対しては、有徳の支配者として君臨する(南面)。

皇帝の周囲、皇帝に最も近い領域こそが「中華」である。中華に属する臣と民は、皇帝による保護の対象である。その代わり、彼らは皇帝に税を納める。つまり、ここでは、十分な安全と税とが交換されていることになる。この中華の外に、すぐに「夷狄」がいるわけではない。中間段階がある。

皇帝は、彼の権威を認め、恭順の意志を示した支配者を、「国王」に封じ、その徴として「印」を与えた。恭順の意志を示すということは、朝貢するということである。「国王」という名を与えられるためには、皇帝に、何か宝物を捧げなくてはならなかった。また国王とされた者が、「皇帝」を名のること、あるいは「皇」または「帝」のいずれか一字を自称に用いることは、固く禁じられていた。「天」が単一であり、したがって、「天子」が唯一であるという原理に反するからである。

皇帝は、朝貢国に対して、正朔(せいさく)の使用を義務づけた。正朔とは、皇帝が定めた正統な暦である。このように、朝貢国になるということは、皇帝を中心とした空間の中に位置づけられると同時に、皇帝と同期する時間の中に入ることでもある。

皇帝への朝貢に対しては、皇帝からの回賜(お返しの品)がある。朝貢国は、定められた間隔で、定期的に朝貢を行わなくてはならなかった。この朝貢のときに、回賜を受けるのだが、『中庸』には、「往くを厚くし来たるを薄くする」とある。つまり、回賜は、朝貢された物の数倍の額になった。簡単に言えば、皇帝は、上から目線で、寛大に貴重品を取らせるのである。したがって、朝貢国にとっては、朝貢は、経済的には利益が出る。理論的な想定としては、朝貢ｰ回賜によって、朝貢国は、皇帝の徳により深く感じ入り、中心＝皇帝への敬愛の念を深め、中華の文明をより積極的に取り入れることになるはずだ。つまり回賜は、もともと夷であった者に対する教化という意味があった。おそらく、次のように考えてよいのではないか。朝貢に対する回賜とは、皇帝（あるいは中華）と天との関係を、朝貢国（あるいは国王）と皇帝との関係の中で再現するものである、と。祀っている天からの天命こそは、皇帝にとっては、天からの最大・最高の「回賜」であろうから。

だが、この関係を保つことは、直ちに理解できるように、皇帝にとって、重大な困難がある。彼は、どうやって、朝貢国から捧げられた物より多くを返すことができるのか。天は、物質的には、何も与えてはくれない。皇帝は、多く返すために、どこかで収奪したり、ごまかしたりするしかない。しかし、それには限界があるだろう。明において、こうしたやり方が、比較的長期にわたって、安定的に実行できたのは、当時、アメリカ大陸や日本で豊富に産出された銀が、大量に中国に流入してきたからである。[*8]

もう少し、この「朝貢貿易」のシステムについて解説しておこう。このシステムが効果的であるためには、朝貢国が、朝貢によって十分な利益を得て、皇帝への十分な恩義（＝負債）を感じなくてはならない。そのため、明の皇帝は、厳しい海禁令を発し、私的な海外渡航や貿易を禁じた。朝貢国との自由貿易は、許されていなかったのである。

朝貢国の外は、夷狄かと言うと、厳密には、もう1クッションある。限定的な交易だけが許可された「互市(ごし)」という立場がある。互市は、朝貢国よりも格下だが、夷狄ではない。互市のさらに外部が、化外(けがい)としての夷狄である。「化外」とは、皇帝による感化が及ばない領域、それゆえ文明の外部という意味だ。

＊

さて、以上から、中心から外部へと向けて、華夷思想に準拠するかたちで、次のような同心円の序列を得ることになる。

皇帝(中心)―中華―朝貢―互市―夷狄(化外)……①

この序列全体を支配している原理は何か? それは、贈与－反対贈与の原理ではないだろうか。中心にいる皇帝との間に、贈与－反対贈与の関係が結ばれているのだが、この関係の強度が大きいほど、序列の上で、中心に近く、格が高いものと見なされている。

もう少し説明が必要だ。皇帝からの回賜は、朝貢に対する返礼のように見えるが、論理の順番からすると、「朝貢」が、それ自体、すでにお返し、反対贈与なのである。朝貢国が朝貢するのは、彼らが、「すでに与えられている」と感じているからである。その負債の感覚に規定されて、彼らは、朝貢している。何が与えられていたのか。具体的には、「国王」としての資格であり、また「時間」(暦)である。朝貢国は、論理的には、最初から、返せないほどのものを与えられてしまっている。だから、彼らは、定期的な朝貢という形式で、返し続けなくてはならないのだ。皇帝の方は、自らが圧倒的な与え手であること、朝貢によって関係は無化されていないことをあらためて誇示し、確認するために、常に、朝貢を確実に凌駕する量を与え返さなくてはならなかった。それが「回賜」である。

皇帝（中心）に近い者ほど、皇帝から（最初から）与えられているものが、基礎的で本質的である。与えられているものを整理すると、次のようになる。

中華――存在の安全性
朝貢国――存在の尊厳
互市――経済的な利益
夷狄――無

以上のさらなる前提として、皇帝自身が、天子としての資格を天から与えられている、とする了解がある。

明の時代、日本は互市であった。*9 当時の最も忠実な朝貢国は、朝鮮である。朝鮮は、まさに「朝鮮」という国号を、したがって、まさに国家としての存在を、朱元璋から授かった（という想定になっている）。また、豊臣秀吉の兵が朝鮮半島を襲撃したとき、明は、援軍を送って、朝鮮を助けたため、朝鮮は、明に対して、非常に深い恩義を感じていた。あまりにも明への忠誠心が大きかったため、朝鮮は、明が滅び清の支配が始まったとき、非常に当惑したという。朝鮮としては、明が滅亡するなどと、ゆめゆめ想定していなかったのだ。こうした経緯があったために、朝鮮は、清を深く敬慕することはできなかった。

本章の最初に述べたことを再確認しておけば、本来は、「中国」は、世界そのものである。この論理的な想定を現実のものとするためには、中華の領域を、あるいは朝貢の関係を、より外へと向けて拡大していかなくてはならない。永楽帝の指示の下でなされた、鄭和の遠征は、以前述べたように(第3章)、朝貢の関係を拡大するための、最も大規模な試みである。が、いずれにせよ、その拡大範囲には、現実的な限界がある。ほとんどの皇帝は、その限界を自覚し、外部に大量の夷狄が跋扈するのを許容するほかなかった。その上で、少なくとも夷狄が、中華の領域に侵入してくることだけは防ごうとして、長城が築かれることにもなったのだ。

このように、華夷の序列を規定しているのは、中心との、さまざまな強度の贈与‐反対贈与の関係である。この関係全体を眺めるならば、当然のことながら、皇帝を中心とする再分配のシステムを得ることになる。*10

4 パーソナルな関係

以上のような記述で、われわれとしては満足するわけにはいかない。われわれの問い、われわれの疑問は、以上に略述したようなシステムがいかにして可能だったのか、それがどのような論理に基づいて存立し、生成されたのかにある。前節の中で示唆したように、普通に考えれば、このシステムは、持続可能性がない。というのも、皇帝は、朝貢されたものよりも多くを常に回賜として与えなくてはならないからである。この矛盾を、偶然的な幸運とは異なった仕方で、つまりたまたま皇帝の手元にどこかからの略奪物があったといったような事情に頼ることなく、原理的に解消しなくては、このシステムは持続できない。それは、どのようにして可能だったのか？

問いの核心は、事実的な過程ではなく、論理的な機序である。論理的な説明の一つとして、われわれは、前章で、オルソンの「国家＝盗賊」論を検討した。そして、こう結論した。中国の国家形成には、「国家＝盗賊」とする論理は成り立たない、と。それならば、どのように説明すべきなのか？　この点を明らかにするための、もう一本の補助線を引いておこう。

それは、以前に暗示しておいたことを再確認し、敷衍するものである。かつて、『三国志』に言及しながら、「幇（パン）」あるいは「幇会（パンフエ）」という、中国に特徴的な社会関係について論じたことがある（第19章）。幇とは、互いの間に純然たる完全な利他性が成り立つような、きわめて強い連帯関係によって結ばれた、共同的な単位（サークル）である。その範例的なケースは、『三国志』の劉備、関羽、張飛の関係だ。幇の内部では、それぞれのメンバーは、互いのために、徹底的に自己犠牲的であり、いかなる利己的な振る舞いも示さない。まずは、相手のため、なのだ。したがって、幇の内部では、それぞれの個人は、相手を、手段としてではなく、「目的」として、つまりカント主義者風に、倫理的に行動していることになる。しかし、幇の中の中国人は、カント主義者ではない。彼は、幇の外部の他者に対しては、まったく異なった対応をするからである。幇の内部の仲間に対しては、徹底的に自己犠牲的だった同じ個人が、幇の外の他者に対しては、利己的に、狡猾に振る舞ったとしても、まったく驚くにはあたらない。それは、当然のことなのである。ヴェーバーは、対内道徳と対外道徳が異なるような共同体を、「ゲマインデ」と呼んだ。幇は、ゲマインデの極端なケース、つまり対内道徳と対外道徳の落差が最大になるケースであると解釈することができるだろう。

　小室直樹が、おそらく中国の社会人類学者費通孝(ひつうこう)の説なども参照しながら述べているところに従えば、「宗族」（父系の大規模な氏族）を結晶させる親族間の関係を別にすれば、「幇」は、中国社会において、パーソナルな関係を支配する原理としては、最も重要な要素である。*11幇は、「自己人(ツーチーレン)」と呼ばれることもある。幇の内部では、メンバーそれぞれの利己性は完全に滅却されるので、幇の全体が、拡大された、単一の「自己」のようなものになるからであろう。

　現在においても、過去においても、中国社会を生きる者にとって、眼前の相手が幇の内部の他者なのか、幇の外部の他者なのかは、決定的である。前者であれば、全面的に信頼できるが、後者であれば、騙されないように最大の用心をしなくてはならない。こうして、社会空間は、自分が所属する幇の内部とその外部とに排他的に分類されることになる。厳密に言えば、しかし、小室によると、社会空間は、幇の内部と外部の二値的な対立に尽くされるわけではない。幇の内部の、ほとんど自己と同一化される他者と、まったく信用ならない利己的な他者との間には、何段階もの中間的なレベルが入るのだ。

たとえば、幇ほどではないが、それに準ずる関係の様態として、「情誼(チンイー)」がある。幇の場合には、互いが連帯するために、いかなる利害関係の相互依存や相補性も必要としない。幇に、一滴の利害関係が混じれば、情誼である。簡単に言えば、互いの間の無私に近い信頼もあるが、お互いの利益が一致するから協働しているという面もある、というような共同的なユニットが、情誼である。いずれにせよ、これもまた、ゲマインデの一種だ。情誼と幇との関係を、次のように言い換えることもできることになる。情誼における、「利害」の要素を極限的に小さくしていくと、幇に至る、と。さらに、情誼よりも結合がゆるくなると、その外には「関係（クアンシー）」がある。もっと密度が低い結合集団は、「知り合い（友人）」である。さらに、その外部に、単に利己的でしかないような他者の領域が拡がっている。

そうすると、自己を中心にして、次のような同心円の構造が得られることになる。

自己＝幇―情誼―関係―知り合い―単なる他者……②

このように整理すると、ただちに気づくであろう。②の同心円の構造は、①（五八四頁参照）とまったく同じ形式をもっている。②は、パーソナルな社会関係についての序列であり、①は、社会システムのマクロな構造を記述するものである。したがって、両者を同一視することはできない。が、しかし、次のような仮説ならば、提起することができるのではないか。

パーソナルな関係において、②のような構造を帰結する社会的・心理的なメカニズムが、その内容的な密度を希釈させ、儀式的な行動の形式としてのみ、マクロな社会システムの水準で再現されれば、それが①になるのだ、と。次のような譬えで理解すればよい。あなたは、心底からの悲しみや関係にはなかった友人の父親の葬儀に参列したと考えてみよ。それほど親密な哀悼の気持ちはわいてはこないが、それでも、悲しんでいるかのように、故人を惜しんでいるかのように行動するに違いない。これが、悲しみの心理的な内容は著しく希釈されているが、しかし、悲しむという行動の形式だけは採用されている状況である。このとき、(ほんとうは悲しんではいないにせよ)あなたやその他のすべての葬儀参列者が、神妙な面持ちで、悲しそうに振る舞わなくてはならない理由を理解するための鍵は、もちろん、親しい人が死亡したときに実際に深い悲哀の感情がわいてくる場合があるという事実である。後者のケースについて想像力が及ばなければ、葬儀参列者の振る舞いは、まったく不可解なものとなるだろう。しかし、そうしたケースのことを知っていれば、この葬儀の参列者の偽善的に見える行動は、まったく理にかなったものになる。①と②の間にも類似の関係があるのではないか。②から心理的な内容を抜き去り、行動の形式を純化させて、社会システムの全体的な作動を規定するようなマクロな関係の上に再現すれば、①が得られるのではないか。

5　三顧の礼

この仮説を採用するならば、①のシステムを生み出し、維持しているメカニズムを理解するための鍵は、②にある。②のような、社会関係の同心円構造は、どのようにして生まれるのか。問いが目標にすべき中心は、もちろん、幇にある。幇のごとき社会関係は、どのようにして形成されるのか。互いの間に、血縁のような「自然」の関係も存在せず、また利害の合致や共有もないとき、どのようにして幇が生まれるのか。もちろん、容易に想像できるように、幇は、そう簡単には生まれない。

『三国志』の劉備、関羽、張飛の関係が幇であると述べた。これと並んで、もう一組、『三国志』には、強力な幇が描かれている。この点も以前に指摘しておいた。劉備と諸葛孔明の関係こそが、典型的な二人幇である。中国史において、孔明は、忠臣の鑑とされている。[*12]「君臣水魚」という成句は、劉備の言葉に由来している。君主である私に臣下である孔明があるのは、魚に水があるかのごとくだ、というわけである。では、彼ら二人の幇は、いかにして生まれたのか。もともと、二人の間には、いかなるつながりもない。

劉備と孔明の二人幇が形成された経緯については、よく知られている。「三顧の礼」という語は、ここから生まれた。劉備は、孔明が「人物」であるといううわさを聞き、礼を尽くして孔明に会いに行った。孔明は、若くして、僻地の草廬（貧しいいおり）で隠棲していた。劉備は、この山深いところの草廬にわざわざ出向いたのだ。しかし、彼は、孔明に会うことができなかった。劉備は、もう一度、日をあらためて孔明のいおりを訪問したが、またしても会うことができなかった。要するに、劉備は、十分に礼を尽くしているのに、連続して門前払いを食ったのである。それでも、劉備は諦めず、三度目の訪問を試みた。これに孔明は感激した。「みだりに自ら枉屈（おうくつ）し（へりくだって）、三たび臣を草廬の中に顧みた」と。訪問が、一回ではなく、三回も繰り返された、ということが重要である。拒否された訪問が、最後にやっと受け入れられたのである。

それに加えて、劉備の孔明への問いが重要だった、とされている。「臣を諮るに当世の事をもってしたまう」(今の世でなすべきことは何かと質問なさいました)、と孔明は回顧している。この質問のどこが、孔明の琴線に触れたのだろうか。劉備は、つまらぬ派生的な問いや世間話をしながら、孔明の実力を試そうとはせず、いきなり単刀直入に、最も重要な質問を発している。このとき、劉備は四十七歳で、孔明は弱冠二十七歳である。身分も、圧倒的に劉備の方が高い。中国では、儒家の教えが強調しているように、長幼の序は、きわめて重視される。そうした社会的・文化的なコンテクストの中で、高位の年長者である劉備が、何のためらいもなく、最も重要な質問から入ったのは、彼が、孔明をよほど高く評価している証しである。孔明の自尊心は、これ以上ないほどに満足したことだろう。

さて、ここから、われわれは何を学ぶべきか。まず、マクロな政治的関係に類比させるならば、もちろん、劉備が皇帝に対応し、諸葛孔明が忠実な臣下や朝貢国に対応する。注目すべきことは、両者の間に、君臣の関係が形成される前に、劉備の方が、まず、孔明の方へと、言わば「朝貢」している、ということである。それが「三顧」である。劉備は、孔明を呼び寄せているのではなく、自分の方から訪問しているのだ。つまり、孔明が朝貢する前に——孔明が臣下として仕える前に——、孔明は、劉備から、重い贈与を受けた、と感じているのである。しかも、孔明は、事前に何度も受け取りを拒否しているがために、贈られたものの価値はますます高まっている。その上で、先の質問自体が、世を捨てて引きこもっていた孔明に対する、劉備の究極の贈与、孔明のアイデンティティの核となるような尊厳の贈与となっているのだ。孔明は、予め劉備から、いくら彼に忠実に仕えても、いかに朝貢し返しても、決して完済することができないような無限の贈与を受けたように感じていることになる。

これと同等の効果が、社会システムの作動の中で確保されれば、中華帝国の天子の権力が構成される。劉備の「三顧」と機能的に等価なメカニズムを、社会システムが備えたとき、皇帝の権力が実効的なものとなるのだ。もちろん、現実の「国際関係」においては、皇帝が朝貢国を事前に何度も訪問することなど不可能だ。実際の訪問なしに、どのようにして「三顧」に対応する「予めの無限の贈与」と同等の効果を生み出すことができたのか？「三顧」の機能的な等価物はどのようにして確保されたのか？

＊1　この点については、橋爪大三郎・大澤真幸・宮台真司『おどろきの中国』（講談社現代新書、二〇一三年）の第一部における、橋爪大三郎の発言を参照。

＊2　中国を国名として使用した最初の人物は、清末の政治家・ジャーナリストの梁啓超である。彼は、戊戌の政変（一八九八年、光緒帝の下で康有為らがリードしてなされた改革運動に対して、西太后たち保守派が反撃した事件）で敗れて、東京に亡命してきていた。彼は、日本に滞在中、「中国史叙論」というタイトルの文章を著した。ここで、初めて、「日本史」とか「フランス史」と同じ意味で、「中国史」が使われている。いくつもの王朝がその上で交代する共通の、しかも限定された領域としての「中国」が主題化されているからである。平野聡によると、梁啓超は、中国が国名すら持たないことを嘆き、日本の教育の中で用いられていた「東

洋史」を参考にして、「中国史」という呼び名を使い始めた（平野聡『興亡の世界史17　大清帝国と中華の混迷』講談社、二〇〇七年、二四頁）。

＊3　大室幹雄『劇場都市』三省堂、一九八一年、一二七―一二八頁。

＊4　Stanley Jeyaraja Tambiah, *World Conqueror and World Renouncer: A Study of Buddhism and Polity in Thailand against a Historical Background*, Cambridge University Press, 1976.

＊5　『史記』によると、始皇帝のときには、農民は、建設現場への到着が指定された期日に一日でも遅れると、死刑に処せられた。

＊6　平野聡は、河西回廊における漢族の分布に関して、おもしろいことを指摘している。まず、結果的に漢族の密度が高くなった地域こそ、伝統的にみて、「中国」という文明＝世界の内側だったと言ってよいだろう。そのことを前提に、平野の推測に耳を傾ける必要がある。四川省の成都のやや西側から北京の西側に向けて、北東へと滑らかに延びる直線の東側が、漢族の密度の圧倒的な地域である。無論、その中には、中原が含まれている。ところが、よく見ると、この漢族とその他の少数民族との分布域の境界線に、一ヵ所だけ、例外的な部分がある。それが、蘭州から敦煌へと西北方向に延びる、甘粛省の河西回廊である。河西回廊もまた、漢族が多い地域だ。それゆえ、今、述べたように、漢族と他の少数民族とを隔てる境界線は、南西から東北へと延びる直線に近いのに、この「河西回廊」と呼ばれる、全長千キロの帯状の部分だけが、漢族のまとまりから西北方向に大きく突き出ていることになる。漢族分布域は、中原をとりまく南北に長い楕円から、一本だけ、河西回廊という針が突き出たような形状になるのだ。平野は、その理由を、次のように推測している。河西回廊は、馬に乗って内陸アジアを自在に駆け巡る、遊牧民たちを分断するために生まれたのではないか、と。河西

回廊に沿った形で軍事力を配置しておけば、遊牧民の動きに楔を打ち込むことができる。つまり、遊牧諸民族の動きを牽制し、その連合を阻むことができるのだ。河西回廊は、「内陸アジアに食い込んだ漢人社会の最前線」だというわけだ（平野、前掲書、六四―六七頁）。つまり、河西回廊の漢族地域は、やはり、遊牧民が「中国」の内側へと侵入してくるのを阻むために生まれたのであり、その意味で、万里の長城と同じ動機に基づいて形成された。

＊7　ここで、とりあえず明を典型と見なしたのは、漢族の王朝であること、そして（たとえば宋と違って）比較的長期にわたって安定的に中原を統治したこと、この二点に基づく。なお、中華帝国の構造に関しては、以下を参照している。平野、前掲書、九四―九五頁。

＊8　アンドレ・グンダー・フランク『リオリエント――アジア時代のグローバル・エコノミー』山下範久訳、藤原書店、二〇〇〇年（原著一九九八年）、四〇三頁以下。

＊9　明からの国書によって、足利義満は、明に朝貢を行ったが、すぐに断交してしまった。その後、互市として復交した。

＊10　朝貢のシステムに関しては、第3章も参照。

＊11　小室直樹『小室直樹の中国原論』徳間書店、一九九六年、第1章、第2章。

＊12　同書、六三―六四頁。

第23章　人は死して名を留む

1　刺客の社会的地位？

中国の古い歴史書を繙（ひもと）くと、日本人や、あるいは西洋の人々の観点からは、意外と思われるカテゴリーの人物が、重視されていることに気づく。意外なカテゴリーとは「刺客」である。「正史」と呼ばれる公式の歴史書の中には、「列伝」という部分が必ず含まれている。列伝とは、著名人の事績を伝える部分だ。列伝に収録される人物の中に、王族に連なる人物、重要な政治家、大臣のような重要な官僚、偉大な学者・思想家などが含まれるのは、当然のことである。こうした人物と並んで、しばしば、列伝の中には、刺客、つまり暗殺者が含まれている。たとえば、最も古い正史である『史記』の列伝は、七十巻から成るのだが、その二十六巻目が刺客列伝で、五人の刺客の事績を記録している。

中国では、刺客の社会的地位が高かったことがわかる。だが、これは奇妙なことではないか。刺客や暗殺者は、「社会的地位」などと呼びうる、公認のポジションをもたない方が普通だからだ。医者や大工の社会的地位が高い／低いということならば、わかる。しかし、刺客をこれらと同様に見るわけにはいかない。どの時代にも、どの社会にも、刺客や暗殺者やテロリストはいただろう。だが、彼らは、言わば「日陰者」であって、あたかも存在しないかのごとく扱われるのが通例である。日本でも、赤穂浪士のように、庶民の人気を博した暗殺者がいたが、彼らも、政府（幕府）から、その正当性を承認されたわけではない。だが、中国では、刺客は、正史にその名を留めるほどの地位を与えられているのだ。刺客にこれほどの重要性を与える社会とは、いったい、どのような社会なのか。

中国の伝統的な「仇討ち」は、実は、日本のそれとはかなり異なった構成をとっている。最も大きな違いは、日本では、仇を自分で討つが[*1]、中国では、一般に、他人に依頼し、その他人が、代理として仇を討つ、という点である。つまり、中国の刺客とは、仇を殺害すべく依頼された代理人のことだ。

日本の仇討ちの典型は、親の仇を殺す、というものである。親が誰かに殺される。その殺害者を後年、子が殺す。曾我兄弟の仇討ちが、代表例である。赤穂浪士の場合には、親の代わりに主人が、子の代わりに家臣が入るが、これもまた、擬制的な親子関係であると解釈することができるだろう。仇討ちは、互酬的な（負の）贈与の関係である。自分で自分（たち）の仇を倒すことが、その基本である。さもなければ、「互酬」にはならないからだ。

だが、中国では違う。原因となる恨みは、たいてい、自尊心を著しく傷つけるような屈辱である。だが、恨んでいる主体が、自分で仇を討つとは限らない。というより、仇討ちを誰かに依頼する方が普通なのだ。恨みの主体と実行者は、一般には別人になる。『史記』の刺客列伝には、曹沫、専諸、豫譲、聶政、荊軻の五人[*2]が紹介されているが、日本と同じ、「自分の主君を殺されたことの恨みを自分ではらす」というモデルにあてはまるのは、豫譲のみである。他の四人は、すべて、広義の代理殺人（またはその未遂）である[*3]。中でも、最も模範的な刺客として讃えられている荊軻と聶政は、二人とも、依頼を受けた、殺害の代理人である。

それならば、中国の伝統的な刺客は、あの国際スナイパー「ゴルゴ13」のようなものなのか。それとも違うのだ。ゴルゴ13は、殺人を、資本主義的な商品交換の原理に基づいて引き受けている。暗殺の対価は、しばしば、非常に高額で、ゴルゴ13は、必ず、依頼された困難な殺人を成功させる。だが、ゴルゴ13自身が殺されることは、絶対にない。ゴルゴ13の依頼人に対する忠誠心は、決して無限ではなく、与えられた価格の範囲を越えないからだ。

中国の刺客は違う。荊軻が、親友の高漸離らと易水のほとりで別れ、暗殺のために旅立つ箇所は、『史記』の中でも最もよく知られた名場面である。このとき荊軻が詠ったのが「風蕭々として易水寒く、壮士ひとたび去って復た還らず」の一句だ。荊軻は、燕の太子丹の依頼で、秦王政（つまり後の始皇帝）の暗殺を企て、ぎりぎりのところまで追いつめるが、結局、返り討ちにあって、無惨な死を遂げる。しかし、彼が死ななくてはならなかったのは、暗殺に失敗したからではない。最初から、彼は、死ぬつもりで出発しているのである（壮士ひとたび去って復た還らず）。絶対に死なないゴルゴ13とは逆に、中国の刺客は、原則的には、成功しても失敗しても死ぬ。刺客の依頼者に対する忠誠心は無限だからである。

とすると、刺客は、もともとは自分が屈辱的な扱いを受けたわけでもないのに、つまり自分が仇を恨んでいるわけでもないのに、どうしてそこまでの自己犠牲を厭わないのか。このことが疑問になる。ここにこそ、中国社会を理解する鍵がある。荊軻と並び称される刺客、聶政のケースが、その疑問を解き明かしてくれる。

＊

聶政は、喧嘩で相手を殺してしまったので、老母と姉を伴って、斉に逃げ、そこで狗（いぬ）の解体を生業として暮らしていた。食肉用に狗を解体し、売るという商売は、当時、賤業とされていた。ある日、聶政の住処に、身分高き人物が訪ねてきた。韓の哀侯に仕えた元大臣厳遂（げんすい）である。実は、厳遂は、韓で、丞相（首相）の俠累（きょうるい）と激しい喧嘩をして、死刑に処せられる恐れもあったので、斉に出奔してきていたのだ。[*4] 厳遂は、俠累に報復してくれる人物を探していた。厳遂は、ある人から、聶政は刺客に値する有能な人物であると教えられ、聶政を訪問したのである。

元大臣と匹夫とでは、歴然とした身分差がある。だが、聶政の家を何度訪ねても、厳遂は聶政に会うことができなかった。大臣の側が匹夫から門前払いを食わされているのである。だが、厳遂は、しつこく訪問を繰り返し、やっと、聶政に会うことができ、彼を酒宴に誘うところまで漕ぎ着けた。宴もたけなわの頃、厳遂は、聶政の母親の長寿の祝いとして、百鎰（いつ）の黄金（要するに大金）を聶政に贈りたいと申し出た。だが、厳遂がいかに執拗にすすめても、聶政は固辞し、この大金を受け取らなかった。聶政は、これほどの大金を受け取ってしまえば、厳遂への負債ができ、厳遂の言うことをきくしかなくなることを理解していたからである。

だが、その際、聶政は厳遂に質問していたに違いない。あなたは一体何に私を使いたいのか、と。何の目的もなく、これほどの待遇を受けるはずがないからだ。ここで、しかし、厳遂も、喜んで暗殺を依頼したりはしていない。贈り物を受け取ってもらっていない以上は、何も要求できないからだ。ただ交際を願いたいだけだ、というのが厳遂の表向きの答えであっただろう。これは、交際のための交際、交際を深化させるための交際であって、他に目的はない、と。が、厳遂は、関係を深めるためには、心の大事を打ち明けることが肝心だとして、自分には仇がいて、その仇を討ってくれる勇士を探し歩いている、という「事実」を、聶政に伝えた。

ここで、われわれは気づかなくてはならない。聶政は、大金を受け取ってはいないが、それが提示された段階で、そして聶政がこれを認知した段階で、すでに厳遂から聶政への贈与は完遂しているのだ、と。もう少し慎重な言い方に換えるならば、後の展開を知った立場から振り返るならば、そのときに贈与が成し遂げられていた、とわかるのだ（その酒宴の時点では、贈与が成し遂げられたかどうかはわからない——というより贈与はまだなされていない、と当事者たちは、つまり聶政と厳遂は意識している）。賤しい身分の自分に、高い身分の人物が法外な大金を提供しようとしているという事実、それこそが、聶政にとっては、この上ない尊厳の贈与になるからである。これに対応して、厳遂の打ち明け話、つまり単なる事実の叙述が、あからさまな命令よりもはるかに強い要求の提示となっている。

このこと、つまり贈与とそれに引き換えの要求とがすでに完結していたという事実は、聶政の老母が亡くなり、その喪があけた後で、明らかになる。今や、孝行すべき親をもたなくなった聶政は、命を惜しむ必要もなくなったとして、厳遂のもとに自ら参じたのだ。厳遂ほどの賢者が、「まなじりの裂けんばかりの憤激」を秘めつつ、しがない匹夫である自分を信頼してくれているのに、それを無視することができようか、と。聶政は、厳遂に初めて、仇が誰なのか尋ね、厳遂は詳しく事情を説明した。

聶政は、結局、韓の丞相俠累の暗殺に成功する。彼は、その場で、自殺するのだが、『史記』によると、その最期のさまは、まことに凄惨である。聶政は、身許がわれたら依頼人の厳遂や姉を困難に陥れるだろうと、自分の面皮を剝ぎ、眼をえぐりだして、面相をわからなくした上で、割腹し、はらわたをつかみ出して果てた、というのだ。後日談を付け加えておこう。韓の政府の必死の捜査にもかかわらず、聶政の身許は判明しなかった。しかし、話を伝え聞いた、聶政の姉の栄は、それは自分の弟に違いないと確信し、晒し者になっている屍体を韓まで見に行くと、予想どおり、それは聶政であった。栄は、弟が古の勇士にもまさる気概を示したにもかかわらず、死後の名誉を与えられていないことを不憫に感じ、「これはわが弟の聶政である」と絶叫し、その場で自害したという。当時の人々は、聶政の偉業だけではなく、栄の烈女ぶりも賞賛した。聶政の物語が、今日まで伝えられるのは、この姉のおかげである――と『戦国策』の編者劉向（りゅうきょう）も言っている。

これだけていねいに解説すれば、もはや明らかであろう。厳遂と聶政の関係は、劉備と孔明の関係に等しい。厳遂の反復的な訪問や黄金の提供（の申し出）は、もちろん、劉備の「三顧の礼」に対応している。前章で、われわれは、次のような仮説を提起しておいた。劉備と孔明の関係に、中国における皇帝と臣下・朝貢国との関係の理念化されたモデルを見ることができるのではないか、と。この仮説を前提にして考えると、中国において刺客の社会的地位が高かった理由も理解することができる。依頼人と刺客、恨みの主体と殺人の実行者との関係は、皇帝と臣下の関係の反復、皇帝と朝貢国の関係の再現だったのではないだろうか。

問題は、「三顧の礼」の機能的な等価物が、いかにして、皇帝と臣下や朝貢国の間に生み出されるのか、である。厳遂の聶政への「あらかじめの贈与」が、命を惜しまない献身を可能にする無限の負債の感覚を、聶政の内に産み落とす。厳遂−聶政にとっての三顧の礼をここで「あらかじめの贈与」と呼んだのは、それが、実行の瞬間、実行の「現在」においては、「完遂しなかった」という形式をとりながら、つまり未了という形式をとりながら、事後の視点から遡及的に振り返れば、すでに終わっていたことが確認されるような贈与だからである。劉備−孔明の三顧の礼に関しても同様である。面会が成功しなかった最初の二回の訪問が、あらかじめの贈与、未了という形式で実現されてしまっている贈与に対応する。これと論理的に等価な機能をもつ関係性が、マクロな社会システムのレベルで生成されたとき、皇帝の臣下や朝貢国への支配が現実的なものとなる。だが、そうした関係性は、いかにして可能なのか？　疑問を銘記した上で、前に進もう。

2　己を知る者のために

聶政の決断、厳遂のために仇を討とうという決断において、最終的な決め手となっているのは、「己（＝聶政）を知る者のために死のう」という聶政の判断である。聶政にとって、厳遂は、「己を知る者」である。『史記』において、司馬遷も、「厳仲子[*5]も人物を見抜きほんものの士を得た」と記している。同じことは、諸葛孔明に関しても言える。孔明が、劉備から「今の世でなすべきことは何か」といきなり問われたことに感激したのは、劉備が「己を（直接会見する前からすでに）知っている」と感じたからである。

この点で参考になるのが、やはり『史記』の刺客列伝の中にある豫譲のストーリーである。先に、五人の刺客の中で、ただ一人、赤穂浪士のように自分の主君の仇を討っている、と述べた。つまり、彼だけは、誰かの代理で暗殺を企てているわけではない、と。しかし、それには理由がある。つまり、豫譲だけが日本的だったわけではない。彼も、中国的なモデルの中に収まっているのだ。

豫譲は、晋の人で、智伯に仕えていた。実は、彼は、その前に、范氏と中行氏にも仕えていた。范と中行の二氏を滅ぼしたのが、智伯である。この事実は、豫譲の復仇ストーリーのポイントを理解する上での前提になるので、最初に記しておく。

豫譲が最後に仕官した智伯も、趙襄子（趙無恤）に滅ぼされてしまう。智伯に積年の恨みを抱いていた趙襄子は、智伯の頭蓋骨に漆を塗って、これを杯にして酒を飲んだ。異説では、智伯の頭蓋骨を便器として使った、とされている。いずれにせよ、主君の遺骨が屈辱的な扱いを受けたことを知った豫譲は、趙襄子への復讐を誓う。このとき豫譲が吐いた言葉が、「士は己を知る者のために死す」である。

豫譲の執念は凄まじい。彼は、便所の壁を塗る左官を装って、趙襄子の居城に侵入したり、身体に漆を塗って皮膚病者を装ったり、炭を飲んで喉をつぶすことで唖者のようにふるまったり、惨めなかっこうをして物乞いをしたりしながら、虎視眈々と暗殺の機会を待った。最後に、豫譲は、趙襄子の一行を、橋の下に潜んで待ち伏せしていたところを発見され、趙襄子の前に引きずり出されてしまう。

ここで興味深いのは、趙襄子が豫譲をすぐに殺さず、彼に論戦を挑んでいることである。[*6] 趙襄子は、豫譲に言う。おまえは、かつて范氏、中行氏と仕え、彼らを智伯が滅ぼしたのに、二氏のための仇討ちなど試みなかったのに、なぜ、智伯のためにだけ、仇討ちに執着するのか、と。これは鋭い問いである。かつて、物乞いをしている豫譲に、友人が、「そんなことをせずに、趙襄子に仕官すれば、彼は有能な君を必ず重用するだろう。趙襄子の身近にあって、彼が油断しているとき隙をついて暗殺すればよいではないか」と忠告したとき[*7]、豫譲は、「そんなことをしたら二心を抱いて仕えることになる」とこれを拒絶している。范氏や中行氏から智伯へと仕官先を変えたときには、「二心」「三心」を抱いたことにはならないのか、とわれわれは言いたくなる。

趙襄子への豫譲の返答は、次のようなものだった。范氏や中行氏は自分を庶人（普通の人）として扱ったので、自分も庶人として仕えたが、智伯は国士として遇したので、自分も国士としての義務を果たすのだ、と。「国士」とは、国の中でとりわけ卓越した人物という意味で、格の高い尊厳を表現する語である。この返答に、趙襄子もいたく感動し、智伯への「忠義の名分」は十分に立った。趙襄子としては、さすがに自分を殺させるわけにはいかないが、豫譲の願いにそって、自らの衣服を与え、自分の身代わりのその衣服を斬りつけることを許した、という。豫譲は、これで満足して、自刃した。

豫譲の趙襄子への反論において、興味深いのは次の点である。主君にあたる他者が、己（私）を知るということは、己を「国士」として知る、国士として承認することである。主人への従属は、贈与－反対贈与の関係性を基準にして解釈されているが、その基準は、二段構成になっている。「庶人」としての資格を与える、一般的な、贈与－反対贈与の関係がある。この場合、庶人である臣下の義務（反対贈与に対応）は限定的だ。それに対して、「国士」としての資格を与える、よりレベルの高い、贈与－反対贈与の関係がある。この場合には、献身は、論理的には無限であって、ときに死にまで至る。われわれの仮説は、皇帝の支配を支えているのは、後者のタイプの贈与－反対贈与の関係、より慎重にいえば、その形式化（儀式的な形骸化）ではないか、ということである。

3　持続の帝国

先に、聶政の姉栄が、聶政が無名のまま死んでいくことを嘆いて、せっかく彼が身許を隠して自害したのに、わざわざ「これはわが弟の聶政である」と宣言してから果てた、という事実を紹介した。この宣言があったがために、彼は刺客列伝に名を連ねることになったのだ。この事実をもとにあらためて振り返ってみると、中国人にとって「歴史」は、格別な意義をもっていることに気づく。

王彦章（おうげんしょう）の「豹は死して皮を留め、人は死して名を留む」（『新五代史』）という言葉は、あまりにも有名である。王彦章は、「五代」の一つ後梁の皇帝朱全忠（しゅぜんちゅう）に仕えた有能な将軍だったが、奮戦むなしく、晋に敗れ、捕えられた。その際、晋王の李存勗（りそんきょく）は、王彦章の才能を惜しみ、彼に、自らの臣下になることを提案する。それを拒否したときに王彦章が切った啖呵が、この有名な言葉である。拒否の理由は、豫譲とまったく同じで、「朝に梁に仕え、暮れに晋に仕える」わけにはいかない、二心を抱くことはできない、というものである。二心を抱く者、二人の君主に従う者は、歴史に「名」を留めることができない、というわけである。

このように、歴史に、いや正史に「名」を残すことは、中国人にとって人生の最大の目標、最も大きな願望であるように見える。名を残すとは、もちろん、正史の中で、その存在が承認されていること、言わば正史に己を知られていることである。吉田松陰など、明治維新の志士たちの間で人気があった、南宋の高級官僚文天祥の例は、参考になる。元が宋に攻めてきたとき、宋の皇帝は、勤王の士を募ったが、それに応ずる者はほとんどいなかった。元の軍事的な優位は明らかだったからである。そんな中で、文天祥は怯むことなく、皇帝の呼びかけに応じた。だが、力量の差は如何ともしがたく、文天祥も元の捕虜になってしまった。元の皇帝フビライ・ハーンは、文天祥の実力を認め、降伏すれば、自分の下で丞相にしよう、と提案する。王彦章が李存勗から受けたのとほぼ同じような申し出を、文天祥も受けたのである。王彦章と同じように、文天祥も、このきわめて有利な申し出を断わった。その心情は、彼の「零丁洋の詩」にある通りである。「人生、古より誰か死無からん。丹心を留取して汗青を照らさん」。汗青は、書籍の意味で、青竹を火であぶって汗のように出てくる油をふきとった物に文字を書いたのでこのように呼ばれる。ここでは、汗青は、とりわけ歴史（書）のことである。文天祥のこの句の意味は、したがって、「古来、死ななかった人間などいただろうか。どうせ死ぬことになるのだから、誠意を留め、歴史を照らす鑑となりたいものだ」となる。

東晋の武将桓温は、さらに強烈なことを言っている。彼は、皇帝から、自らへと帝位が禅譲されるように画策したが、他の臣下たちの抵抗にあって失敗した。失意の中で桓温が言ったとされ、後世まで伝えられている言葉が、「既に後世に芳を流す能わず、復た臭を万載に遺すに足らざるか」（『晋書』桓温伝）である。芳（美名）が遺せないとなれば、臭、つまりスキャンダラスな名でも、何も名を遺さないよりははるかによい、というわけだ。事実、桓温の名は、臭として遺ったのである。

＊

なぜ、正史に名が書き込まれることが、それほどまでに重要なのか？ 中国人にとって、歴史・正史とは何か？ 小室直樹は、中国人にとって歴史は「聖書」だったとまで言っているが、[*8] 中国にあって、なぜ、かくも重要な価値を、歴史が担うことになったのか？ われわれは、前々章に、モンゴル史研究の岡田英弘に従って、次の事実を確認した。人類の歴史の中で、まさに「歴史」という文化・観念を、他からの影響なしで、独自に獲得した文明は、二つしかなかった、と。そのうちのひとつが古代中国文明である、と。中国文明にとって、歴史とは何なのか？

最初の正史は、本章で、われわれが何度も言及してきた『史記』である。司馬遷がこの歴史書を著したのは、紀元前一〇〇年前後である。漢の武帝の治世である。『史記』を見ると、中国型の歴史を成り立たせているモチーフがどこにあるのかが、おおむね理解できる。『史記』の記述は、最初の「天子」とされている黄帝から司馬遷が仕えた漢の武帝にまで及ぶ。『史記』は、「本紀」「表」「書」「世家」「列伝」の五つの部分をもつが、その中で最も重要なのは「本紀」であり、次に重要なのは「列伝」である。本紀は、各帝王の在位中の政治的な事件を記述する。列伝は、先にも述べたように、著名人の事績を伝える。[*9] この二つが柱なので、『史記』が確立した歴史記述のスタイルを「紀伝体」と呼ぶ。

『史記』は、まず黄帝から始まる五人の帝王の治世を記述するところから始まる。『史記』の冒頭のこの部分を「五帝本紀」と呼ぶ。『史記』によれば、最初の帝王は黄帝である。黄帝には、司馬遷が仕えた漢の武帝のイメージが重ねられている。そのことで、逆に、武帝を、理想の帝王の再現と解したのだろう。黄帝は、巧みな戦争術によって「天下」（中国世界）を平定し、天下の東西南北の辺地を巡行したことになっているが、これらはすべて武帝の実際の事績と合致する。

五帝の中の四番目が帝堯（ぎょう）で、彼は、黄帝の曾孫の息子だということになっている。帝堯は、帝位を舜（しゅん）に譲った。舜は堯の息子ではない。そして帝舜は、帝位を禹（う）に譲った。禹も舜の息子ではない。禹の後は、帝位は世襲されるようになる。禹が開いたのが夏王朝である。『史記』は、それゆえ、「五帝本紀」の後、「夏本紀」「殷本紀」「周本紀」と三代の王朝の記述が続く。

その後が、「秦本紀」であり、秦の始皇帝が登場する。かつて述べたように、「皇帝」という語を初めて使ったのは、始皇帝である。というより、皇帝と呼びうる者、そしてその同義語である「天子」の名に値する王の最初は、ほんとうは、秦の始皇帝である。しかし、司馬遷は、『史記』で、天下を統治する皇帝という地位は、始皇帝よりずっと前から、つまり歴史の最初から、別の名前で存在してきた、と主張したかったのだ。以下、武帝まで記述が続く。

こうして、中国型の歴史の真のモチーフがわかってくる。『史記』を初めとする中国の歴史書が記しているのは、要するに、皇帝という制度の歴史である。そこには、皇帝の権力の起源と、それが現在まで受け継がれてきた由来が説かれているのだ。皇帝が、天下＝世界を統治する権限は、天（＝唯一の最高神）の命令、つまり「天命」によって与えられる。その天命を受けた者が、天子であり、天命が伝わる順序が「正統」である。正統の継承を記すのが歴史である。『史記』の後も、歴代王朝は、同様の紀伝体の「正史」を残してきた。[*10]

言うまでもなく、――私の概念を用いれば――「天」こそは中国版の「第三者の審級」である。こんなふうに言ってもよいだろう。中国人にとっての歴史とは、「皇帝」の身体の時間的な表現である、と。「皇帝」という身体を、時間軸の上に外化すると、「歴史」になるのだ。

このタイプの歴史の顕著な特徴は、本来的な意味での「悪」が存在しない、ということである。もう少し厳密に言えば、個人にとっての悪はありうるが、共同体そのものが悪へと向かうことは、本来は、ありえない。徳のある天子が、天命に基づいて統治していれば、共同体、帝国、というより天下（世界）は、しかるべき秩序、善なる秩序の中に収まっているはずだからだ。皇帝が天命の下で、正統を受け継いでいれば、自然現象すらも乱れることがない。逆に言えば、社会秩序が乱れたり、ひどい自然災害が起きたりしたときには、皇帝が天命に従って統治していないことの証拠となる。このような社会秩序の乱れや災害は、だから、逸脱の指標ではあっても、「悪」ではない。本来、皇帝が、天命に従って統治していれば、悪があるはずがないのだ。したがって、極端な逸脱があったときには、天命が変わったことの証拠と見なされる。これが易姓革命であって、これによって王朝が交替する。

中国科学史の碩学ジョセフ・ニーダムが、述べていることは、まさにこうしたことである。彼は、中国人の歴史と時間の感覚を古代インド人のそれと比べつつ、次のように述べている。

中国の歴史の伝統は《仁》と《義》を、人間の歴史のなかに具体化するものとみなし、人間のことがらのなかに表われたその記録を、残しておこうとしたのです。（中略）仏教信仰のカルマ（因果応報）とはまったく正反対のものでした。歴史が確認したことは、良からぬ社会的行動には良からぬ社会的結果がともなうということでした。そして、こういう結果は、良からぬ支配者の個人的な破滅につながることもあるが、かれの家あるいは王朝にも、あるいは家や王朝だけに、影響がおよぶこともある。（中略）儒学的歴史家は、個人よりも社会にずっと深い関心をもっていたからです。[*11]

中国型の歴史は、天命の正統が継続していることを証明するものである。だから、現実の世界に大きな変化があっても、それをなるべく無視しようとする。中国型の歴史記述を、一言で特徴づけるならば、「同一なるものの継続」である。ヘーゲルが中国のことを「持続の帝国 Ein Reich der Dauer」と呼んだ。至当な見解である。だからといって、中国人の歴史が、同じものが反復する円環的な時間の感覚によって支えられている、ということではない。ニーダムは、時間についての二つの代表的な表象、つまり「直線的時間／円環的時間」という対立の中で、中国人の時間意識は、断然、前者に対応する、と述べている。この点で、古代インド人の時間意識とはまったく対立的だ、と。実際、時間が不可逆的に進行するという意識なしには、そもそも、歴史を記述しようという動機は生まれなかっただろう。だが、それにもかかわい、らず、歴史記述のみを見ると「持続の帝国」の様相を呈すること、そのことが驚くべきことである。この逆説を可能にしている要素が、「天命を受けた皇帝」という観念である。

中国の歴史書は、退屈なものにならざるをえない。同じものがただ継続していることを証明しようとしているからである。初期の歴史書は、『三国志』を初めとして、それなりにおもしろいものを含むが、時代を下るにつれて、退屈なものになり、読むに堪えない。近世中国の大歴史家として、黄宗羲（こうそうぎ）という人物がいる（一六一〇―九五、明末・清初の歴史家で『明儒学案』を編纂した）。あるとき黄宗羲は、正史をすべて読破しようと思い立った。しかし、彼は、『漢書』まで読むのを諦めてしまった。ただ、無数に同じような出来事が書かれていて、何が何やらわからなくなってしまうのである。[*12] ここで興味深い点は、黄宗羲ほどの大学者でも、正史を読んだことがなかったということ、そして読み始めても途中であきらめずにはいられないということ、これらである。中国の歴史書は、これほどに退屈であった。[*13]

4 「存在」を与えられる

しかし、それでも、中国の知識人や統治者は、歴史に学ぶことを好んできた。先に小室直樹に従って述べたように、歴史書は、中国人にとって、一種の聖書である。その理由は、ここまでの説明で、十分に理解できるだろう。歴史書には、徳のある皇帝が天命にそって統治して、首尾よく成功したということが書かれている。自分も同じように統治すれば、うまくいくはずなのだ。

小室直樹が挙げている例を紹介しておこう。明の第二代建文帝のとき、方孝孺ら側近の儒者グループは、帝に、地方に配した諸王勢力の削減を強く進言し、帝もそれに従った。儒者が歴史書を繙いてみると、明の当時の状勢が、漢初期の「呉楚七国の乱」のときと、あるいは晋の「八王の乱」のときと、そっくりだったからである。結局、諸王を矢継ぎ早に廃止しても、時は既に遅く、諸王の中で最強だった燕王朱棣が先手を打って挙兵し、都であった南京を占領し、自ら帝位についてしまった。この新しい皇帝が永楽帝で、この反乱を「靖難の変」と呼ぶ。失敗に終わったとはいえ、建文帝の側近が、千年以上も前に起きたことから、そのまま、彼らの「現在」に妥当する教訓を引き出しうると確信している点が、興味深い。

中国人にとって、「歴史に名を残す」ということがどういうことなのかは、以上の考察から導き出すことができる。歴史に名が留まっていること、つまり歴史の中にその人物の事績が記されていることは、天命の正統なる継承・持続に対して、有意味な貢献をなしたことの証明である。岡田英弘は、「列伝」は「伝記」とは異なる、とした上で、次のように述べている。

> 「列伝」の主題は、当人がどの皇帝とどんな関わり合いを持ったかであって、皇帝制度の枠内での公人としての生涯を叙述するものである。だから「列伝」さえ、皇帝の歴史の一部なのである。[*14]

次のように言ってもよいだろう。キリスト教徒にとっては、救済とは、神の恩寵によって永遠の生命を得ること、そのことにおいて神の国に迎え入れられることである。キリスト教徒にとっての「神の国」にあたるのが、中国人にとっての「歴史」である。歴史に名を残すということが、一種の救済としての価値をもったのだ。

*

本章の考察を総括しておこう。刺客は、己を知る——己を国士と認める——「他者」のために仇を討つ。その「他者」の究極の姿、至上の形態が皇帝であろう。二心を抱くことへの、つまり二人の「他者」に献身することへの拒否反応は、その他者が、皇帝＝天子と同等の唯一性を帯びていなくてはならないからである。己を知ってくれている「他者」が皇帝であったときには、劉備と諸葛孔明のような君臣の関係が、つまり「君臣水魚」の関係が成立する。ところで、歴史は、皇帝の身体の時間的な表現であった。とすれば、歴史に名があるということは、その人物にとって、理念化された皇帝によって己を知られている、ということではないか。したがって、刺客を用いて仇を討つ「他者」と「歴史」との間には、連続性がある。

ところで、己を知られること、「歴史」や「皇帝」によって己を知ってもらうことは、臣下にとっては、ある決定的な贈与の受け手になること、きわめて貴重な何かを贈られることを意味している。それは何か？　歴史に留められる「名」という語が回答を示唆している。与えられているのは、まさに固有名によって指示されているアイデンティティ、つまり皇帝の歴史の中での、「私」の（価値ある）存在そのものだ。これほど貴重なものが他にあるだろうか。

ここで、前章で述べておいたことを再確認しておこう。朝貢国は、皇帝が定めている正統な暦、つまり正朔を使用する義務があった。一般に、「正朔を奉ずる」とは、皇帝の臣下になるということと同義である。別の言い方をすれば、中国において皇帝として支配するということは、自分の暦を制作して、頒布する権限をもつ、ということでもある。皇帝の時間化された表現であるところの「歴史」の中に統合されることこそが、臣下としての従属の本質である。暦についての事実は、この点を示している。

中華帝国の皇帝権力はいかにして可能だったのか？　それを論理的に説明するのは、どのような理論モデルなのか？　この点を明らかにするための準備が整った。

5　個人档案

この点を本格的に考察する前に、「現代中国」について述べておこう。ここに述べてきたこと、主として伝統中国を題材にして論じてきたことは、現在の中国でも持続している。この点を確認しうる、傍証的な事実を指摘しておきたい。

中国共産党は「個人档案（とうあん）」と呼ばれる文書を管理している。[*15]　档案とは、「公文書」という意味である。個人档案は、内容的には、一種の履歴書だが、われわれの知る履歴書と違って、自分で書くことはできない。自分で見ることすらできない。誰が書き、そして参照するのかというと、上司である。個人档案は、すべての国民に対してあるわけではない。農民には個人档案はない。都市戸籍をもつ人、とりわけ役人や知識人には、個人档案がある。

大学に入学すると同時に、その人の個人档案が教務課で作成される。もちろん、そこには成績が書き込まれる。だが、それだけではない。クラブ活動のこと、共産主義青年団に加入していたかどうかということ、異性との間にトラブルがあったこと、親戚に国民党員がいたということ、うつ病がちだということ……等々が書き込まれていく。書くのは、大学の指導教員や職員である。就職すると、就職先の人事課に個人档案が送られる。上司は、その人の個人档案を見ることができる。そして、新たに、書き加えることができる。職場での勤務態度や業績を、である。個人档案は、一生ついて回る内申書のようなものだ。

個人档案は、どんなときに使われるのか。人事異動、昇進、抜擢のためである。档案の扱いを管理しているのは、中国共産党中央組織部という、共産党の人事部門である。あるとき、突然、個人档案をもとにして、「君は紡績工場でよくやったので、市の党委員会に入りなさい」「政治協商会議に加わりなさい」「大学教授になりなさい」等といった命令が来るらしい。個人档案は、中国共産党の人事システムの根幹である。これがあれば、縦横無尽に抜擢人事が可能になる。

だが、抜擢や昇進に使われるということは、負の人事にも同じように使われうるということである。降格や除名や粛清においても、本人が読むこともできない個人档案が根拠とされるのだ。実際、文化大革命のときには、紅衛兵に個人档案が漏洩した。紅衛兵は、個人档案をもとに、目当ての役人や幹部を糾弾したり、つるし上げにしたりしたのだ。お前は右派だ、黒五類だ、と。

個人档案の直接の歴史的な起源は、清朝の制度にあるという。共産党が、これに眼をつけ、積極的に導入したのは、彼らが持続的な内戦状態にあったからである。共産党は、国民党と内戦を続けており、現在でも、台湾と中国が分裂しているので、この内戦は、終わっていない。戦時下である以上は、常に、スパイに警戒しなくてはならない。すべての人民は、スパイである可能性がある。とすれば、すべての人民の個人情報を管理する必要がある。こうして、個人档案が導入された。しかし、今述べたように、個人档案は、今日では、スパイの摘発よりもはるかに広く活用されている。つまり、正負の人事のすべてが個人档案を参照して行われているのだ。

個人档案を見たり、書いたりできるのは上司だ、と述べた。その上司の個人档案も、上司の上司によって書かれている。したがって、論理的に言えば、すべての個人档案を見ることができるのは、究極の上司、つまり中国共産党のナンバーワンである総書記のみだということになる。

さて、以上は、事実を確認しただけだ。ここからが疑問だ。なぜ、現代の中国で、こんなとてつもない制度が可能なのか？　個人档案のような制度を、日本や、あるいは西欧のどこかの国で導入できるかを、想像してみればよい。個人档案は、まったく恣意的な権力の濫用やプライヴァシーの侵害を含むあらゆる人権侵害に開かれている。「民主国家」で、このやり方が採用できるとは、とうてい思えない。それでは、中国の人民は、どうして個人档案を許容しているのか。どうして、彼らは、これに耐えているのか。[16]

こんなふうに考えてみたらどうだろうか。上司や指導教員が、「私」の個人档案を見たり、それに新たなことを書き加えたりしている。ということは、この上司や教員は、まさに「私」を知る者ではないか。「私」は、歴史に名を留めたいという強い希望をもっている。実際、留めているのだ。「個人档案」という形態で。しかも、そこには、芳（よいこと）だけではなく、臭（スキャンダラスなこと）も書かれている。しかし、もし「私」が、臭でもよいから名を残したいと念願しているとすれば、個人档案はまさにその念願を叶えていることになる。

ここで提起したい仮説は、こうである。個人档案とは、己を知る「他者」に徹底して帰依しようとしてきた伝統中国の態度の、あるいは歴史に「名」を留めることに人生の意味を見てきた中国人の心性の、無惨で皮肉な現代的現象形態ではないか、と。汗青を照らす、と言えば、[17]まことにカッコウがいい。しかし、その現在的な様態は、個人档案かも知れないではないか。

＊1　中国における「刺客」の独特の地位に注意を向けるように提案しているのは、小室直樹である。『小室直樹の中国原論』徳間書店、一九九六年、七〇―七一頁。

＊2　荆軻の遺志を継いだ高漸離を含めると六人ということになるが、いずれにせよ刺客列伝に入っているの

は、「五組」である。

＊3　曹沫だけが、やや微妙だが、彼も、主君の魯の荘公の代理として、斉の桓公を脅迫して、殺そうとしたと解釈することができる。

＊4　直ちに気づくように、聶政の出国の事情と厳遂の脱出の事情の間には、完全な並行性がある。記号論的に読み解くならば、この並行性が、後に成立する代理関係の先取りになっている。

＊5　仲子（ちゅうし）は厳遂の字。

＊6　小室直樹は、赤穂の四十七士を高く評価していた徳川綱吉でも、四十七士と討論会をするなどということは思いもよらなかったはずだ、と注意を喚起している（小室、前掲書、五三頁）。

＊7　この忠告は、たいへん現実味がある。というのも、趙襄子は、かねてから豫譲の義士ぶりを高く評価していたからである。左官として便所に潜んでいた豫譲を捕えたときも、彼を殺そうとする部下を制して、豫譲を放免するように強く主張したのは、ほかならぬ趙襄子であった。

＊8　小室、前掲書、第五章。

＊9　「表」は、政治勢力の興亡・交替の時間的な関係を示しており、「書」は、制度・学術・経済などの、文明を構成する諸側面の概説である。「世家」は、始皇帝による統一の前の地方王家の事績と、統一以降の地方的な諸侯の歴代の事績を記述した部分である。

＊10　一般には、次の王朝が前の王朝の正史を書く。『史記』は、いくつもの王朝にまたがる「通史」になっているが、一般の正史は、一つの王朝のみを記述する「断代史（だんだいし）」になっている。『漢書』『後漢書』『隋書』『元史』『明史』などが正史で、清の乾隆帝のときに、歴代の歴史書の中から二十四書を、正統な正史と定めた。そ

れらを「二十四史」と呼ぶ。

＊11　ジョセフ・ニーダム『中国科学の流れ』牛山輝代訳、思索社、一九八四年（原著一九八一年）、一七九―一八〇頁。

＊12　安能務『中華帝国志（上）』講談社文庫、一九九三年。

＊13　念のために述べておけば、実際の中国の歴史が停滞の歴史だった、ということではない。岡田英弘は、「中国の歴史は停滞の歴史で、秦の始皇帝が『天下』を統一してから清の宣統帝が退位するまで、中国世界の性格にも、中国人という民族の実体にも、変化らしい変化がなかった、というような誤解が広まっている。しかし本当は、不変だったのは『正史』の枠組みと表現法であって、中国の実体の方は時代から時代へと変化し続けて来たのである」と述べている（『世界史の誕生――モンゴルの発展と伝統』ちくま文庫、一九九九年、一二一―一二二頁）。この説明は、ヘーゲルの「持続の帝国」と同様にまったく異論の余地なく妥当である。中国の現実はダイナミックに変化していた。にもかかわらず「正史」は持続的であった。このねじれに驚かなくてはならない。

＊14　岡田、前掲書、一〇〇頁。

＊15　個人档案については、橋爪大三郎・大澤真幸・宮台真司『おどろきの中国』（講談社現代新書、二〇一三年、一六九―一七一頁）における、橋爪の解説を参照。

＊16　個人档案が有効に機能するのは、仕事や昇進がすべて共産党中央組織部のようなところで、「上から」決定される場合である。個人档案は、自由な労働市場の下では、維持しがたい。中国が「資本主義」化を推進していけば、いずれ、個人档案は廃棄せざるをえないところに追い込まれるはずだ。個人档案は、「社会主義」と

「市場経済」のねじれた関係の接点に存在している。

＊17　『近代篇』のために、述べておこう。個人档案の記録のようなかたちで、個人の人生を持続的に記録し、観察することは、ミシェル・フーコーが見出した、牧人的権力や規律訓練型権力の中国版と解釈することができるだろうか。牧人的権力や規律訓練型権力の、最も重要な前提条件は、理念の上では、すべての個人が、すべての時間において、普遍的に監視されている、ということである。監視の主体は、具体的な個人ではなく、抽象的な神や不可視で内面的な監視人ではあるが、ともかく、その監視は、時間的にも社会的にも普遍化されている。だから、個人は、この監視から逃れることを、潜在的に望んでいる。監視されているかもしれない、ということは恐ろしいことなのだ。それに対して、個人档案による監視や観察は、すべての個人に及んでいるわけではなく、また人生のすべての時間や局面にまで届いているわけではない。自分の個人档案があるということは、エリートであることを意味しており、一種の特権である。個人档案にネガティヴなことが書かれることは、確かに、嫌なことだが、しかし、個人档案がまったくないよりはずっとましなのだ。最も避けたいことは、自分の個人档案がない状態である。人は、個人档案を欲しているのである。このように、個人档案と規律訓練型権力（による監視）は、類似しているというより、むしろ対照的である。

第24章　皇帝権力の存立機制

1　トップに直訴する

ユン・チアンの世界的大ベストセラー『ワイルド・スワン』は、彼女自身を含む女の三代記である。[*1] ユン・チアンが生まれたのは一九五二年、中華人民共和国が成立してから三年後である。彼女の母親が生まれたのは一九三一年、つまり満洲事変の頃であり、そして祖母の生年は辛亥革命の二年前の一九〇九年だ。したがって、『ワイルド・スワン』は、庶民の目から捉えた中国現代史——清朝の最末期から毛沢東が死んで文化大革命が終わるまで（一九七八年まで）の現代史——の証言である。そこには、驚異的に波乱に富んだ、家族の歴史が記されている。ここに、文革の真最中の次のような出来事の記述がある。

ユン・チアンの父親、張守愚は、志操堅固で清廉潔白な共産党員だった。彼は、公正な態度で成果を上げ、かなりの高級幹部にまで出世した。しかし、文革中は、多くの共産党員と同様に、張も、理不尽な理由によって批判され、冷遇された。そして、一九六七年のある日、彼は、自宅に突然やって来た、四川省宣伝部の造反派の私服警官によって、ついに逮捕されてしまった。もちろん、何か正当な根拠があったわけではない。直接のきっかけは、その三日前に、文革の惨状を訴えるために、毛沢東に宛てて出した手紙だが、その手紙は毛沢東には届いていない。張をおもしろく思っていない勢力に押収され、逮捕事由として利用されたのだ。

英雄的な共産党員だった張守愚が辱めを受け、逮捕までされたほんとうの原因は、まったくの私怨であった。その十四年前、ひとりの女性党員が張守愚に恋愛感情を抱き、彼を誘惑した。彼女は、適当な口実で二人だけの状況を作り、張に接吻を迫り、彼をベッドの中に引き込もうとしたのだ。しかし、彼は、この誘いを強く拒否した。それ以来、彼女は、張を恨み続けてきたのだ。この女性党員と彼女の夫は、一九六七年当時、有利な地位、「整人」としての地位を得ていた。整人とは、毛沢東時代の隠語で、「人民を迫害する役人」という意味である。女性党員は、文革の混乱に便乗して、十年以上前の個人的な恨みをはらそうとしたのである。ちなみに――よくあることだが――この夫婦も、文革後期には粛清された。

張守愚の妻、つまりユン・チアンの母親、夏徳鴻は、夫を不当逮捕から救うためには、周恩来首相に会うしかない、と決意した。だが、どうやったら、一介の地方の女性党員が、共産党のナンバー2に会えるのか。何の成算もないまま旅立った夏徳鴻は、偶然、成都の駅で、地方役人（張守愚を冤罪で逮捕したあの整人夫婦）の横暴を周恩来に訴えようと北京に向かう紅衛兵（二十代前半の若者）の一団を見つけ、強引にその仲間に加えてもらった。彼女は、若者たちとともに、四川省成都から、ぎゅうぎゅう詰めの客車に乗って、二千キロ以上も離れた北京に向かったのだ。北京に行ったからといって、周恩来に会える保証はない。このときの夏徳鴻の一途な情熱と暗澹たる気分を思うと、胸が張り裂けそうになる。

北京に到着した夏徳鴻は、執念で周恩来に会った。周恩来との会見が終わりかけたとき、学生たちに混じって参加していた彼女は自ら立ち上がり、夫が不当に逮捕されたため、正しい裁きをもらいたいと語り、さらに夫の名前と地位を告げた。周恩来は、それを聞いて、目の色を変えたという。張守愚が重要な地位に就いていた高級幹部だったからだ。彼女は、簡潔に、しかし婉曲的に事情を説明し、逮捕の不当性を周恩来に訴えた。

一年ほど経ってから、張守愚は解放されたが、それはやや遅過ぎた。自宅に帰って来たとき、彼はすでに、精神に失調を来たしていた。彼はわけの分からないことをぶつぶつしゃべったり、突然不合理な行動をとったりするようになったのだ。「父は、気が狂ってしまった」とユン・チアンは記している。[*2]

＊

さて、この出来事に関して注目したいことは、ユン・チアンの母親の夏徳鴻が、地方役人の不正にともなう不満を、一挙に、共産党のトップに訴えようとしている点である。たとえば、現代の日本人は、自分自身や身内への役人の対処に納得できないことがあったときに、それを、総理大臣に直訴しようとするだろうか。ユン・チアン自身も、母親の行為を一種の暴挙と見なしており、これは、一介のアメリカ市民が「ホワイトハウスにいきなり足を踏み入れようとする」ことや、一人のカトリック信者が「ローマ法王に単独で謁見しようとする」ことに等しいと述べている。

　だが、現代の中国人の行動を見ていれば、夏徳鴻のような思い切った決断は、普通のアメリカ人が大統領に会おうと決意することや、カトリックの一平信徒がローマ法王に謁見を願い出ることに比べれば、十分にありうることだ、とわかる。現在、中国では、政府が把握しているだけでも、民事・行政などの諸事案の解決を求めて、年間五十万件もの、地方から北京への「陳情」がある。もちろん、これほどの数の訴えがあったとしても、その中で、陳情者が共産党の幹部に会うことができるケースは、ごく一部だろう。しかし北京には、はるばる地方からやってきた人々が、自分たちの訴えが聞き入れられるまで滞在し、生活するための「陳情村」まで作られている。[*3]

　夏徳鴻の行動は、こうした陳情と同じことではないか。もちろん、改革開放で「自由に」陳情できるようになったおかげで、件数が激増しているのではあろうが、それでも、いくぶんか制度の箍（たが）が緩んだだけで、共産党のトップへの訴えがこれほど増えることを思えば、夏徳鴻の行動は、中国では、他国の人々が思うほどには突飛なものでないことがわかる。そもそも、彼女も、紅衛兵の陳情団に便乗して、周恩来に会っているのだ。文革の時代にも、数こそ少ないが、似たような陳情はあったのだ。

　現在、共産党のトップを宛先にした陳情が、少なくとも、年間五十万件ある。これは、奇妙なことではないか。何が？　制度が想定通りに機能していれば、これらの案件のほとんどは、地方の行政機関か司法当局によって解決されるべきものであろう。陳情の数は、中国の一般の民衆が、地方の役人、地方の司法制度に対して、きわめて大きな不信感をもっていることを示している。奇妙なのは、この不信感の大きさではない。そうではなく、これほどまでに地方の官僚や司法制度に大きな不信感をもっているにもかかわらず、中国の民衆がなお、共産党のトップを信頼している、という点がふしぎなのだ。彼らは、党に訴えれば、問題が解決すると思っているのだ。なぜ、目の前の役人や裁判官がまったく信頼に値しないのに、共産党の幹部ならば正しく判断するはずだ、と思えるのだろうか。たとえば、日本人は、裁判に訴えてもまともに対応してくれるはずがないと思うほど司法への不信をもっているときに、国会議員ならば正しい判断をしてくれるはずだ、首相や大臣ならば正しく人を導くはずだ、という信頼をもつことができるだろうか。日本人ならば、逆に、現場に近い地方の役人や裁判官に対してよりももっと大きな不信感を、政治家や大臣に抱くのではないか。ということは、中国社会では、日本社会とは根本的に異なる原理が作用している、ということである。[*4]

とりあえず、中国の社会システムに関して、次のように言うことができる。官僚は、自分たちが直接の統治の対象としている人民に対して、応答責任があるとは見なしていないし、人民の方もそれを期待していない。官僚が応答責任を自覚しているのは、彼の上司に対してである。こうした階梯のトップには、現代中国では、共産党(の幹部)がいる。そのトップだけは、一般の人民への応答責任があるとされており、人民もそれを期待しているのだ。[*5] この共産党のポジションを伝統中国において占めていたのは、言うまでもなく皇帝である。[*6]

2　自己チューに先立つ脱中心化

夏徳鴻は、四川省の成都からはるばる北京へと訪ねて行った。北京は、首都＝中心であり、そこに周恩来をはじめとする共産党の幹部がいるからである。ところで、前々章で述べたように、伝統中国の帝国は、空間的な「中心」という観念に規定されている。皇帝は、中心にいなくてはならない。「中心」という観念が生み出す、認知上の地図 cognitive map が、華夷秩序＝中華思想である。夏徳鴻にとっても、現代の陳情団にとっても、「中心」は遠い。

この当然の事実を念頭においたとき、われわれは、「中華思想」についての素朴な通念に、ひねりを加えておかなくてはならないことに気づく。中華思想は、しばしば、たとえば自民族中心主義（エスノセントリズム）と似た、極端な自己中心主義の一種だと考えられている。確かに、中国の外からそれを眺めれば、中華思想は、傲慢な「自己チュー」の拡大版である。だが、「中心」とされる自己のうちに、脱中心化が孕まれていることに注意しなくてはならない。精査してみれば、（皇帝の身体への）中心化に先だって、脱中心化があるのだ。この点を少しばかり説明しておこう。

われわれは、中国をめぐるここまでの議論の中で何度も、中華帝国の支配者や皇帝は、必ずしも中原にいた漢民族ではなかったということを、つまり、夷狄とされていた周辺の諸民族が中華を名乗り、皇帝となったケースが少なからずあったという事実を指摘してきた。そもそも、最初の実質的な中華帝国である秦からして、中原から出発して、勢力を外へと拡張したわけではない。彼らは、華夷秩序の認知地図からすれば、西戎である。秦は、自分たちの「故郷」を、世界の中心と定めたわけではないのだ。秦は、西の辺境から出て来て中原に侵出し、しかる後に、その中原を「中心」と宣言した。中心は、秦が由来する土地から見れば、遠隔の地である。その意味で、中心の定位に先だって、脱中心化が、つまり自分たちに固有に属する空間から遠く隔たった地点へと離脱する志向が見出されるのだ。以降、中国の歴史の中で、秦と類似の「脱中心化→中心化」というパターンが何度も繰り返される。たとえば、清は、その本来の出身地からすれば北狄である。

付け加えておけば、「中華」の華は「夏」から来ているとする説が有力である。「夏」は、中国最古とされている王朝の名前だ。空間的な脱中心化と同じ操作が、時間に対して適用されたとしたらどうなるのかを考えてみよう。自分自身が所属する「現在」から時間的に遠く隔たった過去の地点に、つまり可能な限り古い王朝に、あらためて「中心」が定められるのではないか。脱中心化を経て定位された時間的な「中心」が、「夏」だったのではないか。

中華帝国の中心化の原理が、脱中心化の操作に依存しているということは、皇帝の立場で考えるよりも、臣下の立場から見た方がより明確になる。たとえば、朝鮮を例にとってみよう。前々章に述べたように、朝鮮は、明の朝貢国のひとつで、国号もまた明からの贈り物だった。だから、主人が、明から清王朝へと交替したとき、朝鮮は大いに当惑した。清の支配者たちは北の蛮族だったからである。朝鮮は、清に対しても臣下の立場をとり、朝貢したが、内心では、自らこそが真の中華の継承者であるとの自負をもっていた。

　朝鮮の「小中華」としての自負は、首都の漢城（現ソウル）の街の構造を見るだけですぐにわかる。[*7] 漢城は、風水思想的には最高の勝地で、朝鮮王朝は、ここに景福宮を建てた。景福宮は、まさに、一回り小さい紫禁城である。景福宮の光化門から現ソウル市庁へとまっすぐ南に延びている大道（現在の世宗路）は、帝王が、北極星を背にして南面し、天下に「正気」を発するという、中華の理想を具現している。

　だが、朝鮮国王は、中華の皇帝の臣下なのだから、自ら皇帝を名乗ることは絶対に許されない。国王が代替わりするたびに、はるか西の燕京＝北京から封号を携えてやってくる冊封使を丁重に迎え入れなくてはならないのだ。そのために──平野聡が記しているように──、漢城には、「南向きの帝王の空間」とは別に「西向きの臣下の空間」が用意されていた。国境の町・義州からの街道が漢城に入る位置に、冊封使を迎えるための迎恩門が建てられていたのだ。朝鮮は、帝国の東の隅にいる臣下である。朝鮮に、歴史に留めるに値する名前を与え、小中華の自尊心をもたらすほんとうの「中心」は、漢城からははるか西に、迎恩門を通した視線の遠い延長線上にある。朝鮮が漢城で中心を模倣するためにも、まずはこの脱中心化する志向が前提になる。[*8]

3 「第三の人物」はどこから？

さて、今や、中国に帝国をもたらした権力がいかなる存立の機制に基づいていたのか、その論理を提示するための準備は整った。本章で論じてきたことだけではなく、本書でここまで中国について確認してきた事実、あるいは贈与の機制に関するこれまでの考察や仮説を総合しながら、皇帝を中心におく権力がいかにして可能だったのか、それがどのような仕組みに基づいているのか、その理論モデルを構築してみよう。

ここで、贈与交換の論理を解明したとき、積み残しておいた謎に回帰しておきたい（第16章第4節）。それは、「第三の人物」をめぐる謎である。マルセル・モースの『贈与論』に登場する、マオリ人のインフォーマントは、彼らに贈与を強いるハウという霊、贈り物に宿っている「えも言われぬ物」について、奇妙に煩雑な筋で説明する。彼は、どうしてお返しをせざるをえないのか、ということについて語っている。その骨子は、B（あなた）がA（私）に贈り物をすると、その贈り物に宿っているハウが、AをしてBにお返しをさせる、ということにある。これだけであれば、AとBの二人の人物が登場すれば、十分に説明できる。

ところが、このインフォーマントは、ここに第三の人物Cを呼び込むのだ。AがBから贈られた物は、もともと、CがBに贈った物である、と。つまり、Aの手元に到達した贈り物は、眼前のBではなく、その向こうのCからやって来たことになる。したがって、AのBへのお返しは、ほんとうは、Cへのお返しだということになるだろう。どうして、彼は、三人目のCを介入させて、話をわざわざ複雑にしたのだろうか。彼が、頭が悪く説明が下手だから、という回答は、このケースでは納得できない。この複雑さは、愚かさが原因で生ずる煩雑さとは明らかに異なっているからだ。状況が逆ならば、そういうこともあるだろう。つまり、三つの項目がなくてはどうしても説明できないときに、二つの項目しか考慮に入れられないために無駄にこんがらがっているのであれば、話し手は、あまり頭がよくないのだ、という回答にもうなずける。しかし、このケースでは、説明者は、三つ目の項目を意図的に組み込んでいる。ということは、第三の人物Cは、不可欠だということだ。ハウがハウであることに、第三の人物Cの存在が効いているはずだ。「二人の人物だけで十分に分かるのに」というわれわれの理解の仕方の方に盲点があるのだ。われわれは、これをどう解釈すべきなのか。贈与についての研究者（の一部）は、これを「第三の人物の謎」と呼んできた。どうして、ここに「第三の人物」が登場するのか？

そもそも、人間の社会において、贈与はどうして不可欠なのか？　贈与は、いかなる意味において必然なのか？　この点についてわれわれはすでに論じてあり、ここでは復習はしない（詳しくは、第16章）。ただ、次の論点だけは再確認しておこう。〈私〉あるいは〈われわれ〉という同一性（アイデンティティ）に到達するためには、〈他者〉の存在が不可欠だということ、このことが贈与の必然性の根底にある。これは、黒が「黒」として同定されるためには、それからの区別において黒が認識されるような「黒の否定」としての「白」が論理的に不可欠だ、ということと同じ趣旨ではない。〈他者〉は、〈私〉ないしは〈われわれ〉に欠けている何かを、それなくしては〈私〉や〈われわれ〉が十全な自己に到達できないと感じられる何かを最初から所有している〈ように見える〉のだ。だから、〈他者〉と〈私〉（あるいは〈われわれ〉）の関係は、〈他者〉からの贈与の形態をとる。

＊

ここであらためて〈他者〉なるものの性格を検討しておかなくてはならない。エマニュエル・レヴィナスは、〈他者〉は無限の距離だと述べている。その趣旨は、次のようなことである。〈私〉の身体を準拠として、つまり〈私〉を原点とするような形態で、ひとつの宇宙がたち現れる。この宇宙の中には、〈私〉が知覚したり、感覚したりしている現象はもちろんのこと、〈私〉が思考したり、想像したり、記憶したりしたこともすべて刻まれている。いや、こうした表現は正確ではない。この宇宙こそが、〈私〉を定義していると言うべきだ。では、この宇宙のどこに、〈他者〉は現れ、記載されているのか。このように問うと、レヴィナスの言明の趣旨が自ずと明らかになる。

一見すると、〈他者〉もまた、この宇宙のしかるべき場所に登場するように思える。〈私〉が出会ったり、取り引きしたり、影響を与えたりする〈他者〉が、〈私〉の宇宙の内的な要素として現れるのではないか。だが、それは、定義上、真の〈他者〉ではありえない。〈他者〉には、〈私〉と同様に、あるいは〈私〉と同格に、ひとつの包括的な宇宙が帰属しているからだ。もし、〈他者〉が、〈私〉の宇宙に記載されている内的な要素であるとすれば、それは、「もうひとつの包括的な宇宙の帰属者」という〈他者〉の定義的な条件を満たしていないことになる。それは、〈私〉の宇宙の一部でしかなくなってしまうからだ。それゆえ、〈他者〉としての〈他者〉は、〈私〉の宇宙の内的な要素ではない。つまり、〈他者〉は、〈私〉の心の作用、〈私〉の志向作用の最大到達範囲（宇宙）の外部にある。〈他者〉が、相対化を許さない無限の距離である、というのはこのような意味である。〈他者〉のこうした様態を、われわれは、求心化作用／遠心化作用という対概念によって記述してきた。〈他者〉は、〈私〉に求心化された相で現前している宇宙から逃れていく、つまり遠心化していくという否定的な様相で、〈私〉に対しては現れるのだ。

同じことを、次のように言い換えることもできる。〈私〉に対して現れるすべての要素は、〈私〉の宇宙という示差的な体系の中で、常に、何ものかとして規定され、何らかの「意味」を帯びている。もちろん、〈私〉が〈他者〉と関係するとき、その「他者」は何らかの「意味」を帯びていて、その「意味」は、〈私〉にとっての「他者」の価値でもある。「他者」は、たとえば〈私〉の病気を診断してくれる「医者」として、あるいは〈私〉に必要な商品を納入する「取引相手」としての意味をもつだろう。だが、今しがた述べたように、〈他者〉の他者性は、こうした意味づけには還元できない。したがって、こう言わなくてはならない。どのように意味づけられていたとしても、〈他者〉は、なお不確定性を帯びている、と。言い換えれば、〈他者〉が〈私〉の予期や期待を裏切る可能性は、本質的に排除できない。

カントの用語と対応づけるならば、意味を規定されている限りでの「他者」は、〈私〉にとっての「手段」であり、そうした規定に還元できない〈他者〉は、〈私〉を含む何ものの必要にも従属せず、それ自体で「目的」として自律している。だから「他者を手段としてのみならず目的として扱え」という命令は、〈他者〉の他者性を否認することへの禁止として解釈することができる。付け加えておけば、ここまでの議論は、次のような不安な結論をも含意している。〈他者〉が〈私〉を最も肝心なときでさえも裏切る可能性を保持しているということ、そのような可能性を〈私〉が排除できないと感じていること、これらのことが、その〈他者〉が〈私〉の愛の対象であるための絶対に譲れない必要条件である。〈他者〉を愛しているとき、その〈他者〉の他者性（目的としての側面）は極大に達しているからである。

さらにカントを援用してみよう。ここに述べてきたことは、二律背反（アンチノミー）の体裁を、彼が「数学的」と形容したタイプの二律背反の体裁をとっている。一方で、宇宙は、〈私〉に対してたち現れ、存在していると見なしうるすべての物・事の包括的な領域なのだから、われわれは「何らかの『意味』によって規定されていない要素は存在しない」という言明を認めなくてはならない。宇宙内のすべての要素は、意味を帯びて現前するからである。しかし、他方で、「すべての要素が『意味』において同定されるわけではない」という言明をも認めなくてはならない。なぜなら、〈他者〉の顕現が、まさにこのことを含意しているからだ。二つの否定命題は、互いに矛盾するが、どちらも斥けることはできない。[*9]

ここまでは、「古代篇」「中世篇」を含む「〈世界史〉の哲学」の中の随所で述べてきたことの復習である。ここで〈他者〉に関して述べたことに、一種の隠喩として、代数的な表現を与えてみよう。「他者」は、その都度の関係の体系の中で、何者かとして、つまり「一者」として規定され、意味や役割をもって現前する。と同時に、〈他者〉である限りにおいて、そこには、その「一者」には還元できない何かが、「えも言われぬ何か」がある。したがって、こうした〈他者〉の現れは、言わば、

$$1+x$$

という、単純な加法のかたちで表現できるのではないか。もちろん、1は、何者かとして積極的に規定された「他者」の側面だ。重要なのはxである。それは、確かにある。つまり無（0）ではない。しかし、もう一つの、積極的に規定された同一性(アイデンティティ)には達していない。つまり、荒っぽい比喩であることを承知で分かりやすく表現してしまえば、

$$0<x<1$$

となる。

先にレヴィナスに託して述べたことを確認しておきたい。xは、〈私〉が知覚したり、感覚したりする宇宙からは到達できない遠くの何か、として感受される。ここから、あの「第三の人物」、マオリ人のインフォーマントが呼び込んだ「第三の人物」に関して、次のように推測することができるのではないか。第三の人物とは、このxを、現前している他者とは別の「もう一人の他者」として実体化して、表象したときに得られる像である、と。ほんとうは、xは、〈私〉に贈与している〈他者〉とともにあり、その〈他者〉が〈私〉にもたらす、不気味

な印象のようなものである。それは、〈他者〉の謎や秘密のようなものとして感受されるだろう。だが、同時に、〈私〉は、〈他者〉の善意を受け、〈私〉を承認するその意志を十全に理解できているようにも感じている。このとき、〈私〉は、xを、具体的な〈他者〉から切り離し、この二人称の他者とは別の、より遠くに存在している（と想定される）第三の人物に転移し、投射する（ことがある）。〈私〉は、贈り物を、彼方のその「第三の人物」からの物として受け取ることになる。このような仮説をここで提起しておこう。

4 至るところにハウが

推論をさらに延長させてみよう。今、「1＋x」のxだけが、第三の人物へと転移される、と考えた。さらに、〈他者〉の総体としての本性、つまり「1＋x」が、その〈他者〉から贈られる物そのものに投射されることもあるのではないか。このとき、贈り物は、この社会的な世界の中の有用性（1）には還元できない、何とも把握しがたい付加物（x）を宿しているように受け取られる。その付加物こそが、まさにハウ、物の精霊であろう。それは、贈与する〈他者〉の不可解な意志を、物そのものへと転移した結果だが、当事者たちには、物に内在する性質と見えている。

ハウのような表象は、未開のアニミズム的な精神が生み出した幻想であって、文明化された

「われわれ」には無縁だと考えられている。しかし、そんなことはない。人が強い愛着を示す対象、人の本気の欲望の対象は、たいてい、いや常に、xとしか言いようのない添加物的アスペクトを宿しているのだ。つまり、xのような何とも規定しがたい添加物を宿した物は、現代社会の中にも、溢れている。

現代社会におけるxのあからさまな実例は、「グリコのおまけ」や「ビックリマンチョコのシール」のような商品の付録やおまけである。それらは、本来の欲望の対象（であるはず）のお菓子（1）に対して、二次的に付け加えられたものであって、消費者にとっては相対的に重要度が低いはずだ。ところが実際には、消費者は、やがて、そのおまけが欲しくて、お菓子を買うようになるのだ。おまけこそが、魅力を発するのである。それならば、初めから、お菓子とは別におまけだけを商品として提供していたら、もっと売れたのだろうか。そんなことはあるまい。おまけだけを最初から商品化していたら、それこそ、つまらぬ物として見向きもされなかったに違いない。それ（x）は、ただ「1」の方に対応する商品（お菓子）からの派生物である限りで、あるいはその1には還元しきれない残余として存在している限りで、消費者の欲望を引き出すのである。

このようなわかりやすい例だけではない。実は、どんな商品でも、売れるためには、つまり消費者の欲望の対象になるためには、特定の使用価値（1）であるだけではなく、「それ以上のものx」であり、付加的な快楽を約束するものでなくてはならない。広告を見れば、こうした理解が支持される。結局、すべての広告が消費者に対して訴えていること、それは、次のようなことだ。「この商品を使えば、これが明示的な使用価値1だけではなく、xでもあることが分かるだろう」、と。この車を使えば、速く移動できるだけではなく、家族の幸せが得られるだろう。このインスタントラーメンは、単なるラーメンではありません。等々。さらに、アクロバティックなやり方は、その付加的な部分xを、商品の本来の使用価値そのものによって充塡する手法である。今、これこれを買うと、何個余分に付いてくる、といったサービスがそれだ。その無料の「余分」の分だけを買いたいところだが、そうはいかない。

もっと興味深い例は、「添加物なし」とか「無農薬」「純粋」などを売りとする製品である。一見、このような商品は、「1＋x」の「x」の部分を欠いた商品、純粋で単純な「1」への回帰に思える。しかし、それは間違いである。この場合には、「何も加えられていないということ」そのこと自体が、xとして機能しているのだ。添加物のない商品は、「1」への回帰ではなく、むしろ逆に、「1＋x」そのもの、あるいはより厳密に言えば、反省的に対自化された「1＋x」である。xは、本来、まさに「何ものでもないもの」である。ならば、自覚的に、製品1に、「何もない」をxとして添加してみよう、というわけである。そうすると、「一切の添加物を使っていない製品」が得られる。

こうした事例を重ねることで確認しておきたいこと、それは、ハウに類する事物は、現代社会における最もありふれた対象、つまり商品には必ずつきまとっているということである。未開の心性が生んだ迷信と解してはならない。

5　皇帝の生成――基軸的な論理

いささか回り道をしてきた。本来の主題にたち戻ろう。皇帝権力を存立せしめる機制は何か？　これが問いであった。

さて、思い起こしておこう。かつて、「クランのような共同的なユニットが贈与交換によって関係しあっている社会」（A）と「調停的な機能を果たす、高次の第三者の審級を有する社会」（B）を対照させたことがあった（第17章）。言うまでもなく、天命を受けて政治を行う皇帝は、Bにおける「高次の第三者の審級」の大規模に発達した形態である。Bは、Aよりも複雑な社会システムだが、同時に、Aからの転回と飛躍によって生まれているように見える。われわれは、AからBへの移行過程の痕跡を留める文学作品として、アイスキュロスの悲劇『オレステイア』を分析した。三部構成のこの芝居において、最初の二部は、Aの社会の価値観を表現しているが、最後の第三部は、Bの価値観へと転換している。AをBの中に統合し、回収することこそ、この悲劇の無意識の目的である。

『オレステイア』よりももっと単純な例は、ミレトスを舞台としたギリシア七賢人の逸話である。この逸話では、タレースを初めとする七賢人の間を、黄金の鼎が、次々と受け渡され、循環する。その結果として、七賢人の上位に、彼らを統括する、高次の第三者の審級としてのアポロンの地位が確立する。鼎は、最後にアポロンに捧げられ、アポロンの神託は、この鼎に座る者の口を通じて伝えられるのだ。

こうしたシンプルな例を（も）念頭におきながら、高次の第三者の審級としての皇帝＝天子がいかにして生成されるのか、その論理の最も基本的な骨格だけを、一つの仮説として提示してみよう。

①贈与交換において、贈り物の与え手は、受け手にとって、その同一性を規定し尽くせない残余xを帯びた〈他者〉として現れる。その〈他者〉のあり方は、「1＋x」という単純な加法によって表記することができる。贈与の与え手は、何とも規定しがたい影のような分身xをもって、受け手の前に現れるのだ。この分身xは、しばしば、「第三の人物」に、つまり対峙し合っている与え手／受け手の二者の彼方にいる「外部の他者」の上に投射される。

②ここで多数の、この種の贈与交換が執り行われ、展開し、ときには連鎖している状態を想像してみよう。どの贈与交換においても、〈他者〉は規定しえない分身を伴って現出し、それらは、それぞれに異なる、多様な「第三の人物」「第三の陣営」、すなわち x_1、x_2、x_3、……の上に投射される。ここで、多数の贈与交換は、互いに別々の「第三者」を、贈与が発出する源泉として措定していることになる。それら多数の「第三者」の間には、共通性はない。

③この状態に、ときに、独特の弁証法的なひねりが加わりうる。②の段階に措定された、「第三者」たち、つまり x_1、x_2、x_3、……は、互いに共通の性質をもっているわけではない。ただひとつ、それらがすべて、「贈与者の同一性（アイデンティティ）の残余」を回収する「他者」である、という事実を別にすれば、の話である。とするならば、ここから、「残余」一般を代表する〈第三

者〉が、析出されうるのではないか。この〈第三者〉は、一つひとつの残余であるx_1、x_2、x_3……のいずれとも異なっているという意味で、さまざまな残余からの偏差、残余に対するさらなる残余であると解釈することができる。だが、同時に、そのことにおいて、〈第三者〉は、x_1、x_2、x_3……をすべて自らに下属させており、それらよりもさらに遡った、贈与の真の起源として措定されることになるだろう。この贈与の起源に置かれた〈第三者〉を、大文字でXと表記しよう。このX、〈第三者〉こそは、調停的な審級、「高次の第三者の審級」にほかならない。そして、中華帝国の皇帝＝天子もまた、その一種であると見なすことができるのではないか。これがわれわれの仮説である。

この仮説の含意を詳しく解説する前に、とりあえず、本章では次のことを確認しておこう。ここに描いた三段階、すなわち、贈与の与え手となる他者の現れ方に関する、

①1＋x
②1＋x_1　または、1＋x_2　または、1＋x_3、……
③1＋X

という三つの段階は、『資本論』の価値形態論の諸階梯に対応している。①が単純な価値形態、②が展開された価値形態、そして③が一般的価値形態である。

大文字のXで表記されている「高次の第三者の審級」は、最初（①）の贈与の現場から見れば、彼方の他者、遠くの他者としてたち現れる。したがって、①から③までの階梯は、脱中心化を経由した（Xへの）中心化として総括することができるだろう。Xが措定されたとき、つ

まり「高次の第三者の審級」が析出されたとき、ここまでの論理から明らかなように、人は、その「高次の第三者の審級」によって自分自身の同一性（アイデンティティ）そのものが、あらかじめすでに与えられている、という負債の感覚をもつはずだ。もともと、直接の贈与者の向こう側に投射される「第三の人物x」が、実際の贈与－反対贈与の関係行為に対して、先験性を帯びて（すでに存在していたという形態で）現れるからである。ユン・チアンの母親、夏徳鴻は、正当な裁定を求めて、その遠くの「中心」を目指して旅立った。かつて朝鮮の国王は、はるか西にいる天子からの贈り物が、迎恩門を通って自分のところにやってくるのを待っていた。[*10]

＊1　ユン・チアン『ワイルド・スワン』上・中・下、土屋京子訳、講談社文庫、一九九八年（原著、一九九一年）。

＊2　同書、上三〇七―三〇八頁。中二九三―三〇五頁。

＊3　梶谷懐「現代中国――現在と過去のあいだ」4、http://asahi2nd.blogspot.jp/2012/12/gendai04.html

＊4　もちろん、日本にも、国会議員の影響力に期待する陳情者はいるし、多くの「民主国家」には、ロビイストのような圧力団体がある。しかし、これらと、貧しい庶民が北京に押し寄せ、陳情村まで形成されている状況とを、同一視してしまったら、重要な相違を見失うことになる。

＊5　この論点に関しては以下に従っている。Francis Fukuyama, *The Origins of Political Order: From Prehuman Times to the French Revolution*, New York: Farrar, Straus and Giroux, 2011, p.314.

＊6　ユン・チアンは、文革の時代、紅衛兵になった世代に属する。彼女は、他の多くの紅衛兵とは違って、

自分の両親を批判したり、辱めたりすることはなかったが、つまり最後まで両親への敬意を失わなかったが、しかし、紅衛兵として活動している。驚くべきことは、両親が迫害されるなど、文革の問題を実感しているときでも、彼女が、毛沢東への圧倒的な尊敬心だけは直ぐには失わなかったことである。側近は別として、毛沢東だけは、神のごとき完璧性を備えていることを、信じて疑わない。彼女は、紅衛兵の仲間と一緒に、毛沢東の生家を詣でたり、毛沢東その人の姿を天安門広場で見たりするために、長距離の過酷な「巡礼」（すし詰めの汽車、空腹と寒さ、痒み、疲労困憊、詰まった便所等々）に出ている。明白な社会問題や困難の自覚と毛沢東の神格化の共存は、地方の役人の腐敗を知りながら、「皇帝」に比すべき共産党の頂点だけは信頼するという感覚の、極端なケースである。ちなみに、ユン・チアンに、毛沢東に対して最初に疑念が兆すのは、この巡礼の最中である（ユン・チアン、前掲書、中二四六―二四七頁）。後に、彼女は、毛沢東を徹底的に相対化する評伝を書く。

＊7　以下の漢城の都市構造に関しては平野聡の指摘に基づく。平野聡『興亡の世界史17　大清帝国と中華の混迷』講談社、二〇〇七年、二六八―二六九頁。

＊8　興味深いのは、迎恩門が破壊された事情である。日清戦争で清が日本に敗れ、下関講和会議で条約が締結された後、迎恩門は柱だけを残して壊された。翌一八九六年に、そのすぐ北に、洋風の「独立門」が建設された。さらにその翌年、朝鮮国王の高宗は、国号を大韓帝国と改め、自ら皇帝を称した。清があえなく日本に敗北したため、朝鮮は、清に愛想を尽かし、中華帝国の模造品としての地位から脱して、自らが真の中華帝国になろうとしたのである。平野、前掲書、二七〇頁。

＊9　カントは、互いに矛盾する二つの命題の両方が真となるタイプの二律背反を、力学的二律背反、両方が

偽となるタイプの二律背反を、数学的二律背反と呼んだ。本文にあげた例では、二つの否定命題がともに真になるので、つまり命題を肯定形にするとともに偽になるので、数学的二律背反になる。「数学的／力学的」という形容に、それほど深い意味はない。

＊10 本筋の主題からは離れるが、本章の考察の副産物的な含意について論じておこう。それは、「孤独」と「孤高」の違いをどう解すればよいのか、という問題である。一人になることができる人、一人でいても矜持を保つことができる人と、一人になることができない人、一人でいることが辛く堪え難い人とがいる。前者を孤高の人、後者を孤独の人と呼んでみよう。両者は、どう違うのか。芹沢俊介は、子どもの幼児期の体験を視野に収めて、次のような逆説的なことを主張している。「子どもは一人ではないから、一人になれるのだ」と。ここで芹沢が述べていることは、幼児期に母親と一緒にいる体験を十分にもってきた子どもは、やがて、物理的には一人になっても、母親と一緒にいるときと同じ安心感をもつことができるようになる、ということだ。このいつも一緒にいる人（母親）を、芹沢は、菅原哲男から借りた「隣る人」という独特の用語で指示している（「孤独ということ」大澤真幸編『アキハバラ発〈00年代〉への問い』岩波書店、二〇〇八年所収）。芹沢が述べていることを、論理的に捉え直したらどうなるだろうか。本文で述べたように、一緒にいる〈他者〉、つまり「隣る人」は、「1＋x」の形式を取って存在している。「1」に相当する、〈他者〉の明示的な同一性は、その〈他者〉の身体が知覚されている限りで享受される。しかし、〈他者〉には、現前しない、影の分身とも見なすべきxとしての側面がある。〈他者〉が直接的には周囲にいなくても、xとしての〈他者〉を感受できるならば、その人は孤独ではない。彼または彼女は、一人でいるように見えるが、実は一人ではなく、xと一緒にいるのだ。人が真に孤独になるのは、このxとしての〈他者〉が奪われたときである。どうやったら、〈他者〉の

影の分身であるxを、〈他者〉の直接の現前からは独立に保持することができるのか。そのひとつの方法、唯一ではないがひとつの方法は、xを大文字のXへと転換させることである。

第25章 「母の時代」から「父の時代」へ、そしてさらなる飛躍

1 「統一性の規則」がない

皇帝権力はいかなる機制（メカニズム）を媒介にして存立していたのか。その概略を、前章で説明した。われわれは本章で、これまでの考察の中で残されてきたいくつもの問いを解消しつつ、この説明を精緻化しておこう。

端緒にあるのは「第三の人物」の謎である。モースが引用している、マオリ人のインフォーマントは、二人の人物の間で贈与交換がどうして引き起こされるのかを説明するにあたって、どういうわけか、三番目の人物を導入する。二人の人物の間の交換として描写するだけで十分であるように思えるのに、である。この謎は次のように説明された。

〈他者〉は、他者としての〈他者〉はどのように現れるのか。〈他者〉は、〈私〉（あるいは〈われわれ〉）に対して、常に、「何ものか」であると同時に、「それ以上の何か」として顕現する。〈他者〉は、はっきりと把握されうる「何ものか1」であり、かつそうした把握から逃れる「何かx」なのだ。〈他者〉のこうした現れ方を、前章で、「1＋x」と表記した。xは、無

0より大きいが、明示的に同定されうる1には達していない。このxが、もうひとつの独立の1に置き換えられたとき、それが、眼前の〈他者〉とは別の「第三の人物」として表象される。要するに、

1＋x　↓　1＋1

という変換が生じているのである。こうした機制は、原理的に言えば、〈私〉が個人であるのか、集合であるのか（〈われわれ〉であるのか）に関係なく、また〈他者〉が、個人であるのか、あるいは別の共同体とか組織といった集合体であるのかに関係なく、作動しうる。この機制にとって、〈他者〉が、〈私〉や〈われわれ〉とは異なる、固有の宇宙をもった独立の主体としてたち現れているかどうかだけが肝心なのだから。

かつて、シェイクスピアの『トロイラスとクレシダ』を分析したことがある（第18章第1節）。この芝居の最も重要な場面は、ここに述べた転換を例解する寓話として解釈することができる。クレシダは、敵将ダイアミディーズと密室の中で仲睦まじく戯れ、かつて永遠の愛を誓い合った恋人トロイラスから「愛の証」としてもらった「袖」を、ダイアミディーズに与えてしまう。ここで「袖」は、クラ交易の腕輪や首飾りのように受け渡されていく。しかも、トロイラスが、クレシダとダイアミディーズのこの戯れ、クレシダのダイアミディーズへの「袖」の贈与を覗き見ていたのだ。ここでは、トロイラスが、クレシダとダイアミディーズの二者に対して「第三の人物」に対応する。クレシダの台詞は、彼女（たち）がトロイラスの窃視を知っていたことを暗示している。クレシダは、隠れて覗いているトロイラスに語りかける

かのように、次のように独白するのだった。「トロイラス、さようなら。片方の目はあなたを見ている、／でももう片方の目は心といっしょに別のほうを見ている」、と。片方の目はあなたを推移を客観的に眺めている「われわれ（観客）」にだけ、三者関係が可視的なわけではない。外部から事態の「クレシダ－ダイアミディーズ」の二者が、彼らとトロイラスを含む三者関係の存在を自覚しているのである。

シェイクスピアの脚本は、三者関係（三角関係）を、女（クレシダ）に「統一性の規則」が存在していない、ということと関係づけている。「統一性の規則」の不在とは、クレシダ自身の次のような言葉に表現される彼女の態度を意味している。「私はある種の自分をあなたのもとに残します、／ただし、それは不実な自分、自らすすんであなたを去り／他の愚か者の慰みものになろうという不実な自分です」。この台詞は、トロイラスに向けられているので、クレシダとトロイラスに対して「第三の人物」に当たるのは、「他の愚か者」、つまりやがてダイアミディーズによって占められるポジションだ。「統一性の規則」がないということは、どんなに固く約束を守ろうと誓っているときにもなお、裏切る可能性を消去できないということを、つまり、還元しきれない〈他者〉の原理的な不確定性を指している。それゆえ、「統一性の規則」がないとは、「1＋x」の様相、xという残余を消し去ることができない〈他者〉の様態に他なるまい。

トロイラスとクレシダ（とダイアミディーズ）のケースは、決して特殊なものではない。人間の場合には、最も私秘的とされる関係、つまり性的関係でさえも常に、第三の人物を、他者の眼差しを前提にしている。その端的な証拠は、人間だけが「猥褻」という感覚をもち、自分たちのセックスが第三者に見られることを恥ずべきことと感ずるという事実である。一見、この事実は、人間のセックスが二者の親密な関係の中に閉じられているということを、したがって第三者への参照を含んでいないことを示しており、ここまでの推論を反証しているように思える。しかし、そうした解釈は間違っている。

動物には、猥褻の感覚がない。遺伝子のレベルでは九九％近く人間に等しいチンパンジーやボノボは、セックスが見られることを、原則的には忌避しない。彼らは、ひと前で、平気で性交するのだ。だが、人間だけは、第三者にセックスを見られることを恥ずかしいと感ずる。したがって、人間は、隠れて性の営みをもつ。ボノボが公然とセックスするのは、彼らが、第三者の眼差しに対してまったく無関心だからである。人間が、セックスを隠すべき行為と見なしているのは逆に、それを覗き見る他者の眼差しがありうる、という不安を常に抱いているからだ。人間の性的な行為は、絶対に見られるはずのない密室でなされているときでさえも、「第三者」の眼差しの位置を可能性として想定しているのだ。

この「第三者」が性的な関係に内在している証拠に、ときに、その第三者に見られることに快感を覚える人もいる。[*1] オーソン・ウェルズが監督した映画『不滅の物語（The Immortal Story）』は、若い水夫に金を払って、自分の妻とセックスさせ、そのセックスを半透明のカーテンの背後から覗き見ることを趣味とする老人の物語である。妻と水夫はやがて本当に愛し合うようになり、彼らの性交を眺めながら、老人は、倒錯的な快楽に耽る。ここで重要なことは、妻と若い男が、妻の夫に監視されているという惨めな状況に抗して、愛し合っているわけではない、ということである。つまり、彼らは、妻の夫の監視を忘れるほどに二人だけの関係に没入することで、愛を深めているわけではないのだ。そうではなく、無言の証人によって盗み見られているということを自覚しているがゆえに、かえって、彼らの関係は真実の愛へと高まるのだ。覗き見る第三者の眼は、彼らの関係を邪魔する攪乱要因ではなく、むしろ、彼らの恋愛関係を構成する内在要因である。[*2]

このように人間においては、二者関係はそれだけでは完結せず、三者関係へと発展する潜在的な可能性を宿している。その根拠は――繰り返すと――〈他者〉が「1+x」の様相で顕現することにある。[*3]

2 皇帝からの「先験的な贈与」

〈他者〉を表現する「1+x」の「x」が、「1」に、つまり「第三の人物」に置き換えられたとしよう。だが、その「第三の人物」もまた〈他者〉であり、「1+x」と表示されるような様相で現れるだろう。ここで、再び、「1+x」から「1+1」への転換が繰り返される。もちろん、同じ転換は、その先でも、終わることなく反復される。したがって、諸関係の次のような展開が現出するはずだ。

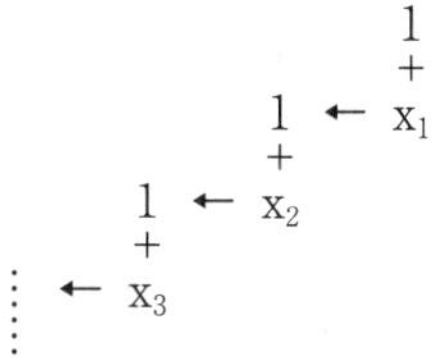

$$
\begin{array}{l}
1 + x_1 \\
\quad x_1 \leftarrow 1 + x_2 \\
\quad\quad x_2 \leftarrow 1 + x_3 \\
\quad\quad\quad x_3 \leftarrow \cdots\cdots
\end{array}
$$

この展開は、言ってみれば、〈私〉への真の贈与者を探し求めて、反復的に遡及していく過程である。〈私〉を〈私〉たらしめ、〈私〉のアイデンティティに最終的な承認を与えてくれる、ほんとうの〈他者〉はどこにいるのか。この展開は、ニューギニア中央高地のテ・モカ交換において、「ビッグメン」のもとに、豚が集積される過程を連想させる。人々が、交易の連鎖をたどって豚を次々と先送りして、ビッグメンのもとに集積させるのは、彼らが、ビッグメンに、もう少し慎重な言い方をすれば、連鎖のより遠くにいる〈他者〉に、負債があると感じているからである。彼らは、豚をビッグメンに「返済」しているのである。

ここから、さらなる飛躍の可能性――必然性ではなく蓋然性――が出てくる。小文字の x_1、x_2、x_3……に対応するどの具体的な「第三者」たちとも異なる、これら具体的な「第三者」たちを一般的に代表する、単一の抽象的な〈第三者〉が、〈私〉と「第三者」たちとが併存する経験的な平面から隔離された、あるいはそうした平面に論理的に先行する超越的な水準に措定されるのである。この〈第三者〉を、前章でわれわれは大文字でXと表記し、また「高次の第三者の審級」とも呼んだ。

黄金の鼎が、ギリシア七賢人の間を循環した後に、アポロンへと献呈されたという逸話は、こうした機制の最もシンプルな表現である。どの賢人も、自分はそれほどの貴重品には値しないとして、鼎を別の賢人へと贈る。すべての賢人が受け取りを拒否したことによって、鼎の価値は、いやが上にも高まっており、最後にそれが捧げられたアポロンは、賢人たちよりも一ランク高い、超越的な権威を帯びることになるのだ。賢人たちが次々と鼎を贈り渡したという事実が、アポロンの超越性を構成しているのである。

X、つまり「高次の第三者の審級」は、贈与の連鎖に参加した人々にとって、共通の「真の贈与者」として現れるのであり、人々は、皆、彼に対して負債感を抱いている。したがって、Xは、再分配の中心として機能することになる。ここで、古代ギリシアの戦士集団に見られたという、ある独特の習慣を思い起こしておこう（第17章第4節）。戦士たちは環状に並び、その中心に「メゾン」という空間を用意する。その空間には、戦利品などが集められるのだが、一度、そこに置かれた物は何であれ、特定の戦士の所有から離れ、全員に分配されるべき共有財産としての扱いを受けるのだった。メゾンの中から発せられた言葉は、戦士全員に関係する言葉、公共の命題と見なされた。この戦士たちの真ん中に作られたメゾンは、再分配の中心Xの可視的な表現であり、戦士たちとメゾンの関係は、再分配機構をもった社会システムのミニチュア版のようなものではなかろうか。

＊

中国の皇帝もまた、基本的には、以上と同じ機制によって析出された「高次の第三者の審級」の一種ではないか。これがわれわれの仮説である。贈与の連鎖の絡まりの中から皇帝という審級が生まれた。このように述べたからと言って、何やらたいへん平和的なプロセスから皇帝が出現したと主張していると解してはならない。本書中で繰り返し述べて来たように、贈与交換は、戦争の機能的等価物である。贈与交換は、戦争のもう一つの表現なのだ。「贈与」に即して述べたことは、「贈与」を「戦争」に置き換えても妥当するはずだ。つまるところ、皇帝になるのは戦争で勝ち残った者であり、最終的に勝利した軍閥のリーダーである。

だが、「戦争」の言葉で説明するよりも、「贈与」の言葉で説明した方が、認識の上で、明確な利得がある。「戦争」の用語系で考えたときには、どうしても、国家を最も強い盗賊と解釈してしまう。しかし、第21章で述べたのでここでは繰り返さないが、国家＝盗賊という理解の中では、どうしても説明できない部分が残る。贈与を起点としたときには、ここに述べたように、贈与の連鎖の中で直接的・間接的に関係しあっている諸個人・諸集団を一般的に下属させる、超越（論）的で規範的な審級Xが投射される所以を説明することができる。こうした審級に、中国が与えてきた名前が「天」である。この「天」との直接の関係によって、つまり「天命」を受けているという想定によって、皇帝は「天子」として意味づけられるのだ。

こうして、中華帝国は、皇帝＝天子を中心におく再分配システムとして形成される。再分配システムの実態は、税に基づく再分配と朝貢のシステムである。朝貢関係については、すでに十分に説明してきたので、再論する必要はあるまい。ここで注意しておきたいことは、むしろ、次に述べるような理論上の骨格である。

＊

贈与に基づく権力には、本来、内在的な限界があった。そのような限界のゆえに、ピエール・クラストルは、原始共同体には、国家に抗する力が備わっているかのようだ、と論じたのである（第18章）。どのような限界なのか。再確認しておこう。権力とは、まずは人々から収奪する力である。しかし、直接の暴力が及ばない広範な領域に分布している人々や共同体からの収奪が成功するためには、被支配者側が、自発的・積極的に「収奪」に応じなくてはならない。つまり、支配される側が、自らすすんで、権力を有する支配者に財を贈与しなくてはならない。それならば、彼らは、どうして支配者に贈与するのか。支配者が、従属者の目には威信をもった者に見え、従属者たちが支配者に対して負債があるかのように感じているからであろう。では、そのようなタイプの威信を、支配者は、どのようにして獲得したのか。与えることと、気前よく与えることによって、である。こうして、収奪するためには、それ以前に与えなくてはならない、ということになる。

こうしたシステムに、内在的な限界があることは明白であろう。支配者が従属者たちから収奪できるようになるためには、彼または彼女が従属者たちに貴重な物を与え、威信を獲得しなくてはならないが、まさに与えるためには、収奪が必要になり、悪循環が帰結する。かくして、贈与に基づく権力は、一定の大きさを越えることはない。権力は、それが及ぶ範囲、その時間的な持続性、そして効果のいずれに関しても、きわめて小さなものに留まり、「国家」と呼びうる大規模なシステムは形成されない。ポトラッチにおける首長の自己破壊的な蕩尽や、テ・モカ交換における、ビッグメンの定期的な解消は、こうした限界の自然な表現になっている。

だが、皇帝権力を結晶させる、ここに描き出してきた機制は、「国家に抗する力」を乗り越える力となる。人々は、「高次の第三者の審級X」に対して、初めから、先験的に負債の感覚をもつことになるからである。「高次の第三者の審級」の位置を占めている皇帝は、人々の服従動機（喜んで「収奪」される動機）を調達するために、事前に、何かを気前よく与える必要はない。人は、常にすでに皇帝＝天子から与えられている、という感覚をもっているのだ。皇帝から「与えられている」ということが、皇帝によって「国士」として認められていることを意味しており、臣下にとっては、自尊心の最大の根拠となる。比喩的に言えば、皇帝は、「三顧の礼」を終えている状態を起点とすることができるのである。臣下は、皇帝からの先験的な贈与に応え、いつまでも返し続けなくてはならない。

このシステムにも、限界はある。皇帝は、従属者たちへの「先験的な贈与」が完了しているということを不断に証明しなくてはならず、そのことを従属者に繰り返し、思い知らせなくてはならない。たとえば、朝貢関係の中での「冊封」や「回賜」が、そうした営みである。皇帝は、「往くを厚くし来たるを薄くする」ことで、朝貢国が、いくら返しても返しきれない負債を皇帝に対してもっていることを確認する。このとき、中国の皇帝は、ニューギニア高地のビッグメンと同じ困難に直面する。どうやったら、受け取るよりも多くを与えることができるのか。だが、ビッグメンと皇帝には、それでも、質的な差異がある。人は、皇帝をまさに皇帝として認めたとたんに、すでに、自分自身の「尊厳ある存在」そのものを、皇帝からの贈与に負っている、と自覚してしまうからである。

中国の皇帝の権力は、広さへの意志に規定されており、高さへの意志を基礎にもつ西洋の精神とは対照的である、と述べておいた（第2章）。皇帝の権力によって、広さが重要なのは、皇帝Xの超越性が、水平的にほとんど無限に拡がっているかのように人々に感じられている贈与の連鎖を代表していることに基づいているからである。社会システムの局所からは見通せない「広さ」の感覚を与えることこそ、皇帝の権威の源泉である。と同時に、ここまでの論理が示しているように、皇帝は、世界＝中国の統一的な全体に対して君臨している、と見なされる限りで、人々の敬意を集めることができる。三国志の闘いに見ることができるように、「部分」を支配するだけでは、決して、正統な皇帝として承認されないのは、このためである。

3 「母の時代」から「父の時代」へ

説明の精度を少しばかり上げ、ここまでの説明を補強しておこう。そのためには、中国社会の親族構造に、注目する必要がある。中国の親族システムを構成する最も重要な単位は、以前にも述べたように（第20章第3節）、「宗族」と呼ばれる父系集団である。宗族を定義する条件は二つある。第一に、宗族は、父から子へと継承されている姓を共有する者たちの集団である。同一の宗族のメンバーは、姓を同じくする。第二に、同一宗族の中での結婚は、厳しく禁じられている。結婚相手は、別の宗族の中に求めなくてはならない。つまり宗族は外婚的な単位になっているのだ。

伝統中国の社会構造を、最も基本的な部分にだけ絞って描けば、次のような二層構造になる。上層には、皇帝＝天子を頂点においた、官僚機構がある。官僚は、「読書人」、つまり中国の古典に通じた知識人であり、科挙によって一般人民から選抜される。下層の農村は、宗族の集合である。宗族は、今述べたように、共通の父方祖先に由来するという自己認識をもち、同じ姓を有する、父系の血縁集団だ。したがって、宗族は、伝統中国の社会システムを構成する「原子」のようなものである。

だが、マルセル・グラネを初めとする、中国の民俗や古代史の専門家は、宗族を基本的なユニットとする親族構造が確立する前に、中国は、二つの親族モデルをもっていた、と推定している。[*4] 宗族のネットワークに基づく親族構造は、それら二つのモデルの後から登場し、先行のモデルを駆逐し、支配的なものとなった、というのである。

現在に至るまで続いている外婚的な宗族の前には、母方の交叉イトコ（母の兄弟の娘）との結婚を原則とする一般交換によって結ばれた、父系家族のモデルがあった。このモデルは、結婚相手が狭く限定されているということを別にすれば、後の宗族といくらも変わらない。それはすでに、父系の出自を基軸とする家父長的な家族である。結婚相手が、他の宗族の異性であれば誰でもかまわない、というわけではなく、母方交叉イトコとの結婚が強く選好されていた、ということは大いにありそうなことのように思える。

だが、これよりもさらに古いとされるもう一つのモデルに関しては、そうしたものがかつてほんとうにあったということをにわかには信じ難い。それは、宗族のモデルとはあまりにもかけ離れていて、ほとんど正反対ですらあるからだ。その最古のモデルは、グラネによると、母系の親子関係を基軸とする家族であり、しかも、妻方居住であった。つまり、親族集団内での子どもの権利や資格は母系の親子関係を通じて継承され、結婚した後に、夫婦は、新居を妻の家族の方に構えたのだ。外婚的な二つの集団が、限定交換によって、交叉イトコ婚に基づき、互いに配偶者を――妻方居住であることを思うと「女」ではなくむしろ「男」を――交換しあっていた、と推定されている。[*5]

宗族にとっては、父系であることは、最も重要な条件なので、中国の親族構造を最古層にまで遡ったときに、あのエンゲルスの――今日の人類学者たちが完全にその存在を否定し去った――「母権制」を彷彿とさせないでもない、妻方居住をともなう母系の家族が存在していた、とする仮説はかなり強引で、いささか幻想的にすら感じられる。このような家族が存在していたことを示す確実な証拠があるわけではない。これは、グラネがいくつかの痕跡から再構成した、純粋に仮説的なモデルである。

だが、少しばかり冷静に振り返ってみれば、別に中国の民俗や古代史についてそれほど多くの知識をもっていなくても、すぐに、母系制の名残らしきものを発見することができる。たとえば、「姓」という文字だ。姓の共有こそ宗族の同一性の中核だと述べたが、どうしてこの字は、「女」偏に「生」なのか。これは、はるかな古代においては、姓が母系で継承されていた証拠ではないだろうか。中国では、ほとんど動物と融合しているような神話的な超古代の支配者も、姓をもっている。[*6] そのような神話的な支配者に関して、古文献は、母の名は記録しているが、父の姓名については何も記していない、という。この点も母系制の存在を強く推定させる。

母系制と母権制とは別のことである。つまり、仮に母系制の社会だったとしても、そのことが、直接に、女や母の権力や権威の大きさを意味していたわけではない。とはいえ、しかし、母系制に加えて、妻方居住を伴う家族が、中国の古代に存在していたのだとすれば、それは、後の圧倒的に家父長的な宗族と比べたときに、女により優越的な役割を配分したシステムであったと推測すべきであろう。実際、グラネが描く、この中国最古の家族モデルは、こうした推測に合致する。他の多くの原始共同体と同様に、性の区別は労働の分業と一致していた。男は耕作者であり、女は織工と。母系なので、当然、「名」は母子関係を通じて継承された。そして、その同じ「名」は、自分が帰属する土地の名前でもあった。この家族において、母とは、自分を実際に生んだ女ではなく、集団の中で最も尊敬されるべき女であり、父とは、自分を生んだ女の夫であるだけではなく、父方のオジ（伯父、叔父）たちすべてであったという。当然のことながら、生殖は集団の存続にとってとりわけ重要である。加えて、農村の定住生活においては、居住の仕方、料理、裁縫、家事の全般が重要だっただろう。これらのことがらの重要度に比例して、女たちが社会生活の中で主導的な役割を担っていたに違いない。

つまり、母系的な親子関係、妻方居住を原則とする家族、土地への愛着をも同時に表現していた母の名等によって特徴づけられる、「母の時代」とも呼ぶべきものが、中国の太古に存在していたかもしれないのだ。マルセル・グラネと、彼の議論を積極的に支持しているジュリア・クリステヴァに従って、この「母の時代」の痕跡を、神話の中から二つ、引いておこう。[*7]

第一は、神話的・伝説的な皇帝の一人、禹の物語に含まれる細部である。禹は中国最古の王朝夏の創始者とされている。つまり神話によれば、禹によって初めて、中国の王朝が、父から子へと世襲されるようになったのだ。禹は、治水事業に大きな貢献があったと考えられている。この世界が、人間の住むことができる空間になったのは、禹の治水のおかげである。この禹の治水事業の途中で、彼の妻が石化してしまい、この石を禹が砕き割った（そして石の中から子を救出した）。神話の本筋にはあまり関係がなさそうなこの奇妙なエピソードは、禹が、母性的・女性的な機能を自らの方に奪い取り、それを活用することで家父長的な政治権力を確立した、ということの暗示ではないだろうか。こうした解釈は、舞踏法によっても補強される。舞踏の中で、禹は、「禹歩」と呼ばれる身体技法によって表現される。禹の歩き方を伝えるとされている「禹歩」とは、よろめきながら、片足で跳ぶ踊り方である。禹は、大事業の中で、半身不随となり、手足に多くの傷を負ったとされているからだろう。グラネによると、この踊り方は、農民の祭りにおける娘たちの舞踏法に近い。[*8] つまり、禹は、女の動作を自身の身体技法の内に統合し、自分自身の特徴へと転換したのである。

「母の時代」の第二の神話的な痕跡は、女媧（じょか）である。女媧は、人首蛇体の女神であり、伏羲（ふっき）と一緒に、「人間」を創造したことになっている。伏羲は、女媧の夫または兄弟とされている――というよりおそらく夫にして兄弟だったのであろう。女媧と伏羲は、ヤハウェのように宇宙そのものを創造したわけではないが、崩れかかった天を石で補修する等、宇宙をその崩壊から守ったとされている。

女媧への信仰に限らず、中国史の全体を通じて、母的なものへの崇拝が、特に農民たちの間では持続している。たとえば、西王母への崇拝。西王母は、崑崙（こんろん）山に住む半人半獣の女神だったが、道士たちによって「仙人たちの母」として崇められた。農民反乱は、しばしば、西王母を拠り所としていた。前漢と後漢の中間にあった王莽（おうもう）の「新」にとどめを刺した、赤眉の乱も、また後漢に大きなダメージを与え、滅亡への流れを作った、黄巾の乱も、ともに西王母を呼び出している。

＊

やがて、「母の時代」の家族モデルは――先にも述べたように――、父系で、もちろん夫方居住の家族モデル、一般交換によって繋がり合う家族モデルに、とって代わられる。この交代は、紀元前一一世紀の後半から紀元前一〇〇〇年頃にかけて起きたのではないか、とグラネは推定している。この一般交換する父系家族のモデルは、宗族の集合よりなる親族構造への、つまり儒教が念頭においている家父長的な家族制度への過渡的な段階と見なすことができる。[*9]

限定交換する母系家族から一般交換する父系家族への移行は、親族集団の中での権力と権威の中心の移動と対応している。もちろん、母から父への移動である。これは、しかし、権力の担い手の変化だけを含意しているわけではない。権力の性格の変化が、これには伴っているのだ。母が子に対して権力や権威をもっているのは、母が生む身体であって、生殖や育児において、母の身体が子の身体に直接的に接触しているからである。しかし、父は生む父として子に君臨するわけではない。「父の権力・権威」と言うとき、ほんとうに、権力や権威の帰属先になっているのは、祖先である。つまり、死んだ父、抽象化された父にこそ、命令権が帰属しているのである。生ける父は、その権威を、祖先の血統に自分が属しているということに基づいて引き出しているのであり、息子が父を敬うのは、父を媒介にして死んだ父（祖先）を見通すからである。母の権力や権威が、身体的な直接性に基づいているとすれば、父のそれは、間接性・遠隔性に基づいている。このように要約することができるだろう。

中国のよく知られた諺によると、獣は、自分の父を知らないが、母を知っており、田舎者は、父と母との区別をすることとの意義が理解できない。ただ、都市の高貴な者だけが、死んだ父を敬うことを知っている、と。権力の中心が母から（死んだ）父へと移動することが、文明化と見なされているのだ。この延長上に、儒教のイデオロギーが現れる。儒教が最も重視するのは、父と子の関係である。逆に、母との関係、娘との関係は、儒教にとっては、人が配慮すべき規範的な関係の中に含まれてはいない。孔子は、女を「小人」と同列に扱った。『論語』の中で、孔子が女について実質的なことを述べているのは、ただの一ヵ所だけである。それによると、女とは関わりをもたない方がよい。女に愛情を示しすぎると、あまりに手に負えなくなるし、逆に遠ざけておくと、女は恨みに恨む、というのがその理由である。

＊

さて、中国の失われた二つの家族モデルを探索してきた。ところで、前章で、その概略を示し、本章であらためて復習した、皇帝権力が析出してくるまでの論理的な階梯は、前章でも述べたように、『資本論』の価値形態論の各ステップに対応している。

まず、〈私〉ないし〈われわれ〉は、その「アイデンティティ」の内に捉え難いxを孕んだ〈他者〉と、つまり「1＋x」という様相をもった〈他者〉と、二者関係に入る。これは、「相対的価値形態」であるところの〈私〉が、「等価形態」としての〈他者〉に出会う状況と同じである。つまり、この段階は、価値形態論の第一のステップ、「単純な価値形態」に対応する。

ここで、中国の最古の家族モデル、つまり母系制と妻方居住制をもつ家族モデルのことを、もう一度だけ想起してみよう。「エゴ」が属する〈われわれ〉の家族は、〈他者〉〈他の家族〉との間に、婿のやり取りを通じて、限定交換的な二者関係を築いている。〈他者〉は、女性的な直接性と不可解さをもって、〈われわれ〉と対峙している。この限定交換の関係は、「単純な価値形態」と類比的ではないだろうか。

ひとたび、「1＋x」の「x」の部分が、「1」に、つまり具体的な「第三の人物」に置き換わると、ただちに、「$1 + x_1$」「$1 + x_2$」「$1 + x_3$」……という形式で現れる〈他者〉たちの系列が得られることになる。価値形態論で言えば、「展開された価値形態」に対応する局面である。「$1 + x_1$」「$1 + x_2$」「$1 + x_3$」……といった〈他者〉たちは、贈与の関係を通じて連なっている。とするならば、この連鎖は、親族構造の用語で言えば、まさしく一般交換だということになろう。とするならば、中国の第二の家族モデル、つまり一般交換によって相互に関係しあう、父系・夫方居住の家族は、「展開された価値形態」のステップと類比的だと言えるだろう。

4　「天」への飛躍

価値形態論のステップとしては、この後、「一般的価値形態」が待っている。[*10] 皇帝権力の成立機序との関係で言えば、一般的価値形態に対応しているのは、「高次化された第三者の審級X」である。中国においては、それは、「天」、あるいは天によって支持された皇帝（天子）という姿をとった。

ここで、溝口雄三に導かれながらかつて注目した、「公」と「天」の関係を、あらためて考察の俎上に載せてみよう（第21章第4節）。中国の「公」は、日本の「おほやけ」に比べると、はるかに厳格な道義性を含意している。「公」は、多数者を前提にした概念である。多数者の間の公平な分配が、「公」の概念の中心にある含意である。溝口によると、「公」の道義性を実効的なものにするためには、この概念が「天」の概念の普遍性によって裏打ちされていなければならない。「天」の一部と見なされることで、「公」の道義性が、断じて否定できない条件として現れてくるのだ。

ここで、「公」を、「展開された価値形態」の水準に、「天」を、「一般的価値形態」の水準に、それぞれ対応させてみたらどうだろうか。あるいは、もう少し慎重に次のように考えてみよう。「一般的価値形態」に到達した後に、その前のステップ「展開された価値形態」を振り返り、見直したとしたらどうなるだろうか、と。「展開された価値形態」だけのときには、無政府的に拡がっていた贈与の連鎖が、中心をもつ、公平な再分配のシステムとして、あらためて捉え直されるだろう。このように、遡及的な眼差しの中で再整理された「展開された価値形態」が「公」に当たるのではないだろうか。「公」の道義性を「天」が裏打ちするというとき、この遡及の眼差しが指示されているのではないか。

最終的な到達点である「皇帝」の中に、「母の時代」のわずかな痕跡を認めることができる。たとえば、「帝」とは何か、と考えてみるとよい。「帝」に「口」を加えると、「敵」「嫡」「適」の旁（つくり）になる。発音の点でも、「帝」と、これらの字は、もともと同じであった。こうした事実を指摘しながら、岡田英弘は、「帝」の本来の意味は、「配偶者」だと言う。「帝」は、妻

＝女を受け取る正式な夫である。妻はどこから来るのか。岡田によると、始皇帝による天下の統一の前に存在していた多くの都市国家は、それぞれ守護神である大地母神を祀っていた。大地母神が天の神の妻となり、都市国家の始祖を生んだ、と考えられていたのだ。各地の大地母神たちを妻として与えられる正式の配偶者が「天の神」であり、それが「帝」の本来の意味である。[*11] 皇帝は、女を自らの身体の中に統合することで、天子として君臨できたのだ。

＊

さて、ここで、われわれは、「展開された価値形態」（まで）のレベルと「一般的価値形態」のレベルとの間にある飛躍に注意しなくてはならない。高次の第三者の審級にあたる皇帝＝天子は、多くの宗族（親族集団）が女の贈与交換（外婚）によって関係しあう平面とは異なる超越的な水準に設定される。皇帝が存在する場所は、宗族や家族が存在するレベルをオブジェクトレベルとして見下ろすような、メタレベルである。価値形態論に照らして言えば、貨幣（一般的価値形態）は、自分自身の商品性を否定した特権的な商品、使用価値としての側面を無化した純粋な交換価値である。[*12] つまり、貨幣は、商品レベルの否定を含意している。同じように、皇帝の存在には、あるいは皇帝に帰属する権力には、家族・親族を無視し、否定しようとする強い指向性が孕まれている。この点を露骨に表現したのが、始皇帝が採用した法家である（第20章第3節・第4節）。法家には、家族を解体し、人々の家族や親族への愛着を無化し、彼らの忠誠心の向きを皇帝に特化させようとする狙いがある。法家のアイデアを国家建設の軸に据えようとした秦は短命に終わったが、だからといって、法家的な統治の技術が否定されたわけではない。それどころか、中国のすべての歴代王朝は、今日の共産党政権も含めて、法家的な統治術を継承している。

法家の方法の最も重要な核は、信賞必罰である。だが、これは、中国の帝国が、剝き出しの暴力や軍事力によって人々を支配してきた、ということを意味しない。というより、ここまでのわれわれの議論が含意していることは、まったく逆のことである。「高次化された第三者の審級」として、「天」が超越的な水準に措定されるということは、「天」に帰せられる理念が、暴力や軍事力よりも優越的であり、それらを規制している、ということを含意している。どんなに強くても、「天命」に合致していると解されない限りは、社会的に実効性のある権力の所有者にはなることができない。中国においては、歴代のすべての王朝は、過酷なトーナメントのような連続的な戦争の勝ち残りとしてスタートしたにもかかわらず、一旦確立した後には常に、完璧な文民統制が効いていた（第20章）。その理由は、ここにある。「天」の意志に直接に従っている皇帝やその行政スタッフの権限は、常に、軍人よりも大きかったのだ。

一人の個人だけが、天命を透明に代表する。それが、システムの頂点であり、中心であるところの天子＝皇帝である。このような社会システムを採用したことの副産物として、中国人は、伝統的に、個人の序列（ランキング）に異様に拘ることになった。序列は、不動点であるところの皇帝からの距離で決まる。皇帝＝天子に近ければ近いほど、序列は高い。原点がはっきりしているので、序列も、きわめて厳密に明確に決まることになる。今日でも、事情通は、「誰々は、中国共産党政治局常務委員のナンバー7だ」等と言う。政治局常務委員会は、事実上の、中国共産党の最高意志決定機関だが、十名前後のそのメンバーの間に、総書記を一位とするはっきりとした序列があるのだ。日本の内閣のメンバーに、ナンバー1が首相であるということを別にして、たとえばナンバー5とかナンバー9などという序列があるか、と考えてみると、彼我の政治システムの相違が分かるだろう。

中国の序列のシステムにおいて、とりあえず安泰なのは、序列に基準を与える原点、つまりナンバー1（皇帝）のみである。激しい政争の中で、他の者たちの順序は、絶えず移動する。高位からいきなりランク外に落ちることもある。そして、まれに、不動点であるはずのナンバー1自体が動くことがある。それが、支配者が天命を失ったときであり、ナンバー1の人物の予期されていなかった移動は「革命」と見なされる。つまり、ナンバー1以外の序列が動いている間は、いかに政局に変化があっても、それは政治の常態であり、ナンバー1が意図せざるかたちで動くときが、例外状態としての「革命」だと考えればよい。

ところで、文民統制の根拠となる理念、つまり「天」に帰せられるところの理念は、どのような内容をもつのか。その内容は、原理的には、何でもよいのだ。それは、剝き出しの暴力を規制する、普遍的で超越的な理念がなくてはいけない。しかし、その理念が、どのような具体的な内容をもっていようと、原理的にはかまわない。

とはいえ、さまざまな歴史的な事情から――論理的な理由ではなく歴史的な事情から――、そうした理念として、儒教が最も適合的であったことも確かである。漢以降のほとんどの王朝において、儒教は、公式のイデオロギーであり、皇帝の行政スタッフとして承認されるためには、儒教の古典についての教養を身につけなくてはならなかった。どうして、伝統中国では儒教が採用されたのか。世界＝帝国としての中国を成り立たせているのは、二つの力学である。一方で、社会システムの上層では、家族や親族に無関心な――あるいはときにはそれらを否定することさえある――皇帝に帰せられる力が機能している。他方で、下層の農村や庶民の日常の中では、宗族を核とする家族・親族の論理が重要だ。儒教が便利なのは、この両方の側面を肯定する規範を含んでいるからだ。前者を支える儒教的な徳目が「忠」であり、後者を肯定するのが「孝」である。[*13]

5　ゾルとゲル、あるいはその中間

本章の考察の最後に、中国（史）とインド（史）との比較から、ここまでのわれわれの理論を支持する証拠を得ておこう。かつて、次のように論じたことがある（第11章）。中国においては、権威主義的で中央集権的な支配を有する大規模な社会構造が、インドにおいては、限定的な権力が多元的に分立している社会構造が、歴史の定数のようなものになっていた、と。

思い切って単純化して印象を語れば、中国人はあまりに従順に見える。中国人は、ときに、きわめて理不尽に思われる権力の命令に、唯々諾々と従っているように見えてしまうのだ。

「大躍進」や「文化大革命」のような、ごく一握りの支配者（極論すればたった一人の、あるいは四人の支配者）だけが正当であると信じていて、他のほとんどの人々がその非合理性に気づいている政策が、何年間も、十億人近くの人口規模に対して継続できたのはどうしてなのか、という疑問をもつ。だが、こうした中国人の性質は、大がかりな改革や開発を国家的に推進するには有利で、中国の現在の経済的な成功の多くはこれに負っている。インド人がわれわれに与える印象は、まったく対照的である。彼らは、あまりにも身勝手に自己主張しているように見えてしまう。統一的に秩序だって行動できれば、問題が解決できるのに、どうしてまとまることができないのか、と言いたくなってしまうのだ。だが、見方によっては、インドには、自律的な集団や共同体がたくさんあり、政治的には民主的だと言えなくはない。

　この印象を、もう少しだけ修正しておこう。中国人は従順に見えると述べたが、突然、大規模な農民反乱が起きて、王朝を崩壊させてしまうことがある。このときには、逆に、中国人はまことに反抗的に見える。極端な農民反乱が起きるような状態を中国人は「支配者が天命を失った」と解釈し、王朝の崩壊の後、長く激しい戦争の時期に突入する。戦争は、一人が勝ち残り、あらためて「天命」を受けるまで続く。唯一の勝利者が出て、「全体」に命令を下すことができる状況に至るまでは、戦争は終わらない。したがって、中国の歴史は、単一の中央集権的な権力によって全体が統合されている状態と、激しい戦争が続く無秩序状態との繰り返しである。比喩的に言えば、中国史は、ゲル（準固体状態）とゾル（流動状態）の繰り返しとして描くことができるのだ。[*14] これとインドを比較するとどうだろうか。インド社会は、極端なゲルにも極端なゾルにも至らず、その中間に（半）永続的に留まっているように見える。このような中国とインドの違いはどこから出てくるのか。

＊

われわれの仮説では、中国は、贈与（とその裏面としての戦争）の機制を徹底的に活用することによって、中心に単一の権力の原点を生み出す。その中心が、秩序をゲル状に固定するためのボルトのようなものであり、それは、彼らが「世界」として思い描く領域（中華世界）の全体に対して、唯一的でなくてはならない。だから、その「ボルト」が失われたり、分裂したりしたとたんに、極端な無秩序が、つまりゾル状の社会が出現する。一旦、確立したボルトは簡単には壊れないが、秩序を保障している要素は、これしかない。繰り返せば、こうした中国の社会は、贈与の機制の徹底した活用の産物である。

インド社会でも、贈与交換は重要な役割を果たしてはいるが、同時に、それらが積極的に絡まり合い、その相互作用が潜在的な可能性を十全に引き出すのを抑止する機制もインド社会は備えていたのだ。その機制こそ、カーストのシステムである。まず、四つのヴァルナのヒエラルキーが神々を頂点におくような幻想的な食物連鎖として描くことができ、それは、神々への負債を解消するためのお返しとしての意義をもつ（第5章）。このように、カーストのシステムの全体に、ひとつの背骨のようなものとして、贈与の一本の連鎖がある。加えて、無数のカースト（ジャーティ）の煩雑な相互依存の関係は、近代人の感覚からすると「分業」に見えるが、むしろ、儀礼的で互酬的な贈与の関係に近い（第12章）。カーストのシステムの機能上の重心は、しかし、この贈与に基づくカースト間の関係の密度が、一定のレベルを超えないように抑止する点にこそある。それが通婚（女の贈与）の禁止であり、また不浄の観念に基づく接触の禁止である。

インド社会には、贈与が生み出す束縛（負債の感覚を媒介にした束縛）をできるだけ小さくしようとするさまざまな装置が備わっている。そうした傾向性を最も徹底させたときに出てくる思想と実践が仏教である。しかし、仏教にまで純化されなくても、カーストのシステムそのもののなかに、贈与を活用しつつ、それを抑止する装置が組み込まれているのである。通婚と接触の禁止もそうだが、それ以前に、四つのヴァルナを貫通する背骨としての贈与の連鎖の中にさえ、同時に贈与を抑止する仕組みが備わっている。というのも、このヒエラルキーは、神々に人間の身体を（食物として）与える制度というより、むしろ、神々を巧みに騙し、人間の身体の贈与を回避する手法だからである。神々に人間の身体の代理物を与えること、これが供犠である。供犠の正しい知識をもっていて、それを仕切ることができるのはバラモンだけなので、彼らは、物理的な実力を有するクシャトリヤよりも地位が高いのだ。

中国は贈与のメカニズムの可能性を徹底的に活用したが、インドには、その活用を抑止するシステムが古代より備わっていた。そのため、インドには、中国に現れたような、広範な領域にまでその作用を及ぼす中央集権的な権力が出現しなかったのである。仏教など、インドから中国へと伝播した文化要素はあったのに、逆に、中国からインドへと伝播した文化要素はまったくなかったという事実、たとえば「儒教」とか「歴史」概念などをインドが中国から輸入することがなかったという事実は、ここから説明することができる。それぞれの社会システムの作動を規定する論理がまったく違い、インド社会は、「中華帝国」という社会システムを可能にしていた論理——贈与の原理の積極的な活用——を拒否することで成り立っている。とするならば、中華帝国を成り立たせているさまざまな文化的な装置は、インド社会にとっては、まったく適合性を欠いている。逆に、インド社会が生み出した文化要素であれば、とりわけ仏教のように、インドの社会システムの（普遍的な）例外として付加されている要素であれば、中国は部分的に導入することができた。

価値形態論と対応させれば、次のように言うことができる。一般的価値形態（皇帝）が出現するための前提は、展開された価値形態だった。つまり、一般的価値形態への飛躍をもたらすのは、価値形態の十分な「展開」である。その「展開」が大規模化するのを抑止したらどうなるのか。第二のステップである「展開された価値形態」のところまでは行っても、一般的価値形態のレベルにまでは到達しないはずだ。それがインド社会の状態である。インドでは、中国にあったような安定的な世界＝帝国が実現せず、歴史のほとんどの期間において、細かい地方的な王国や共同体が分立していた。その原因は、以上の点にある。[*15]われわれのここまでの理論は、中国とインドのそれぞれの歴史的な「定数」の違いを首尾よく説明できるのだ。

＊1　他個体の前で性交しない、という習性をもつ動物種は、少なからずある。しかし、この習性は、猥褻や

恥の感覚とはまったく関係がない。動物個体は、同種の同性他個体との間で、性をめぐる競争の中にある。こうした競争の中では、同性他個体の前で無防備に性交することは危険である。それゆえに、「他個体が近くにいるときには性交しない」という性質を進化させた種もあるのだろう。ちなみに、チンパンジーのオスは、集団内で自分より高いランクにあるオスが近辺にいるときには、その目を盗み、隠れてメスと性交しようとする。見つかると、高ランクのオスに妨害される恐れがあるからだ。当然、最上位のオス（だけ）は、自分の性交が他のオスに見られているかどうかに無頓着である。

＊2　大澤真幸『〈自由〉の条件』講談社、二〇〇八年、四〇〇―四〇一頁。

＊3　「二者関係」と「三者関係」のあいだの密接なつながりという主題に関して興味深い映画は、ロバート・アルトマン監督の『三人の女』（一九七七年）である。これは不思議な映画で、タイトルに反して、ほとんど全編がルームメイトの二人の女だけを、彼女らの間の葛藤と依存関係を描いている。結末でやっと、もう一人の女が加わり、三者が一緒に暮らすことで関係が安定化する。詳述はしないが、二者性から三者性への移行への転換で鍵になるのは、「双子性」である。双子は、一であることと二であることの両義性を、つまり「1＋x」を具現している（第15章参照）。

＊4　Marcel Granet, *La civilisation chinoise*, 1929. → Albin Michel, 1994.

＊5　限定交換と一般交換の違いについては、第18章第2節を参照。

＊6　日本の古代の神々は、「○○尊（みこと）」等の名前をもつが、しかし姓をもたない。

＊7　ジュリア・クリステヴァ『中国の女たち』丸山静・原田邦夫・山根重男訳、せりか書房、一九八一年（原著一九七四年）。

＊8　マルセル・グラネ『中国古代の舞踏と伝説』明神洋訳、せりか書房、一九九七年（原著一九二六年）。

＊9　実は、宗族の存在が、疑問の余地なく明確に看取されるようになる時期は、意外と遅い。それは、宋代以降であるとされている。

＊10　一般的価値形態と貨幣形態とは実質的に同じものだと考えてよい。

＊11　岡田英弘『世界史の誕生――モンゴルの発展と伝統』ちくま文庫、一九九九年、八七―八八頁。

＊12　あるいはこう言ってもよい。貨幣とは、その使用価値が交換価値そのものであるような商品である、と。

＊13　たとえば、前近代の西洋の支配者は、キリスト教の理念を採用しないわけにはいかなかった。中国の儒教には、そのような必然性はなかった。中国の歴代の「皇帝」の中で、儒教の論理を完全に否定した支配者が二人いた。一人は始皇帝であり、もう一人は毛沢東だ。文化大革命の紅衛兵ほど、儒教的な理念に反するものはない。儒教にとっては、子の父への尊敬は絶対的な規範である。しかし、毛沢東は、まだ十代の子どもである紅衛兵によって、父（の世代）を徹底的に批判させた。それは、「孝」を完全に蹂躙するやり方である。始皇帝と毛沢東を比べたとき、毛沢東の方が、いくぶんか成功したと言えるだろう。共産党政権は秦よりは長く続いている。始皇帝は、儒教を拒否し、法家の統治術を採用したことで、親族や家族を徹底して弾圧したが、その後に、これに代わるものを用意することがなかった。それに対して、中国共産党は、宗族に代わる要素を積極的に準備した。職場ごとに形成された準自給自足の共同体、「単位」がそれである。伝統中国を構成する原子が宗族であるとすれば、共産党中国の原子は単位である。

＊14　「ゾル」と「ゲル」は、橋爪大三郎による比喩である。以下を参照。橋爪大三郎・大澤真幸・宮台真司『おどろきの中国』講談社現代新書、二〇一三年。

＊15　念のために述べておくが、このことは、中国社会の方がインド社会よりも進化している、という意味ではない。贈与と戦争が無限に絡まり合って、人間たちを束縛するのを抑止する装置が備わっている社会システムの方が複雑で、より進化していると解釈することもできる。またどちらのシステムが倫理的に善いと言うこともできない。

第26章　文字の帝国

1 国家形成の一般理論

国家と見なしうる社会の構造は、部族レベルの社会の構造といくつもの点で明確に異なっている。第一に、国家は必ず、そこから権力が派生する中心または頂点をもつ。その中心＝頂点は、王であったり、大統領であったり、また首相であったりする。すべての行政的なレベル、つまり役人、下位の首長、地方行政官などは、意志決定の権限を、自分たちとこの中心＝頂点との公式の関係から導き出す。第二に、その権力の源泉は、物理的な強制手段——軍隊または警察——の正当な（準）独占によって支援されている。国家の権力は、この強制力の裏付けによって、国家の一分枝や地域、部族等が国家から分離するのを防ぐことができなくてはならない。第三に、国家の同一性は、主に、親族や血縁よりも、地縁や領土に基づいている。メンバーシップ（成員の資格）が親族・血縁に基づいているシステムは、必然的に小さくなる。領土をベースにしたシステムだけが、面識圏や部族の範囲を超えた規模に達することができる。第四に、国家は、部族社会とは異なり、階層化された不平等な社会である。王等の支配者とその行政スタッフは、他の一般のメンバーから威信や権限において、優越している。

国家的な社会システムの構造には、このような特徴がある。中華帝国は、これらの特徴のすべてを備えており、当然、国家と見なすことができる。われわれは、皇帝権力が帝国の中心に析出される機制（メカニズム）に関して、ひとつの仮説を提起してきた。中国を主たる考察対象としながら導いてきたこの仮説は、国家形成の理論として一般化して捉え直すことができる。

ところで、人類学者や考古学者は、しばしば、国家形成を二つのステージに分けて、考察してきた。原始的な国家形成 pristine（or primary）state formation の段階と競合的な国家形成 competitive state formation の段階である。原始的な国家形成とは、部族的な社会からの初期の国家の創発を指している。競合的な国家形成、すなわち戦争や競争による国家の拡大や組織化は、少なくとも最初の国家の創発が始まったあとに、生起する。このように国家形成を二つのステージに分けることには、理論的な理由と実証的な理由がある。国家は、部族社会や部族連合よりもよく組織され、軍事的にも強力である。したがって、部族レベルの社会は、周囲に国家がある場合には、その国家に征服されるか吸収されるか、そうでなければ、自分たち自身も国家を形成して対抗するほかない。つまり、近隣にすでに国家がある場合には、あるいは周辺で国家が形成されつつある場合には、「戦争・競争」によって国家の拡大や形成を説明することができる。それならば、この機制（メカニズム）を始動させる最初の国家は何ゆえに、またいかにして形成されたのだろうか。こうした問いから、競合的な国家形成とは別に、原始的な国家形成を説明する理論が要請される。ところが、歴史上、競合的な国家形成の例はいくつも見出されるのに、原始的な国家形成の過程を観察した人は誰もいない。そこで、学者たちは、最初の国家がどのようにして生み出されたのか、純粋に思弁的に再構成しなくてはならなくなった。[*1]

そうした思弁の産物の代表例が、社会契約論である。ホッブズの社会契約論は、原始的な国家形成の理論として今日でもしばしば採用されているので、ここでも検討する価値があるだろう。この理論によれば、市民が、自然権を国家＝リヴァイアサンに委ねる代わりに、強制力を独占したその国家は、市民の安全を保障する。もう少し具体的に言えば、国家は、外敵からの攻撃や強盗のごとき犯罪から市民とその財産を守ったり、道路、通貨、度量衡などの公共財を提供したりするのだが、そのためには、市民は、私的所有権を（部分的に）放棄して、国家に課税権を与え、ときには徴兵の権限を国家に委ねたりしなくてはならない。国家と市民の間のこうした取引が、つまり収奪の権限と安全の保障の間の取引が、（ホッブズの言う）社会契約である。この理論は、経験的に妥当するだろうか？　つまり、歴史の初期の段階で、部族の首長たちが集まって、自分たちの安全のために、自発的に、特定の個人またはその家族に独裁権を（一時的にではなく）半永続的に与える、ということがあったのだろうか？

少なくとも、部族の首長たちの主要な動機が経済的なものである段階では、このような社会契約はとうてい結ばれそうにない。つまり、所有権の保護とか公共財の提供ということが主たる関心である場合には、ホッブズ的な社会契約によって国家が形成されたりはしないだろう。部族的な社会では、メンバーは互いに平等であり、緊密な親族関係の範囲内であれば、自由や所有権も十分に保障されている。自然権を放棄して、特定の個人（や家族）に独裁的な権限を与えるということは、その個人（または家族）による強制や課税等による所有権の制限を容認するということを意味している。本来の動機が所有権の保護等の経済的な利害にあったとすると、これは本末転倒の状況である。自分の財産を守るために、リヴァイアサンによる財産の強奪を許容したことになってしまうからである。ニーチェは、『ツァラトゥストラはかく語った』の中で、国家を、「あらゆる冷ややかな怪物の中で最も冷ややかなもの」と呼んでいる。部族社会でも平和に暮らしていけるときに、人は、わざわざそんな怪物に身を委ねることはない。

したがって、社会契約によって国家が形成されるとしたら、それは、メンバーたちがもっと大きくかつ持続的な危険を実感している場合である。端的に言えば、彼らが、外部からの侵略者によって殺害される恐れがあると感じている場合だ。部族や部族間の暫定的な連合によっては防ぐことができない、そのような強力な侵略者は、国家以外にはありえまい。つまり、周囲に侵略的な国家が存在しているような環境を前提にできるときにのみ、社会契約論は妥当である。[*2] このことは、社会契約論が原始的な国家形成の理論としては、失格だということを意味している。[*3]

＊

このように、原始的な国家形成の理論を定式化するのは、たいへん難しい。前章までにわれわれが提起してきた国家形成の理論は、こうした困難を乗り越えるものである。われわれの理論では、国家形成を二つのステージに分割する必要がないからだ。留意すべきポイントは二つある。

われわれの理論は、氏族や部族等の共同体の間にある贈与の絡まり合いの中から、皇帝のような権力の中心が析出される機制(メカニズム)を説明するものであった。第一のポイントは、贈与と戦争とは同じことの表裏だということの意味をよくよく理解しておくことである。贈与への傾動は、つまり贈与によって他者と関係しようとする衝動は、共同体にとって本源的なものである。その贈与は、しかし戦争・競争の一つの表現でもある。贈与によって、部族の集合の中に、権威の源泉となる中心的な部族や個人が次第に生まれてくる過程を考えれば、それは、まさに原始的な国家形成の過程と見なすことができる。しかし、贈与を、「互いに与え合い奪い合う戦争」であると捉え直せば——実際、中国の春秋戦国時代や軍閥が群雄割拠している時代はまさにそのように解釈することができる——、その贈与=戦争の連鎖は、競合的な国家形成の過程と見なすことができる。別の言い方をすれば、贈与交換と戦争とは連続しているのだから、競合的な国家形成から質的に区別された純粋な「原始的な国家形成の段階」など、そもそも存在しないのだ。

第二のポイントは、多数の贈与の複雑な絡まりの中から、「高次の第三者の審級」(王や皇帝に対応する)が発生する過程は、必然的なものではない、ということだ。前章で述べたように、多数の贈与が絡まり合い、連鎖しあっている状態は、価値形態論(『資本論』)における「展開された価値形態」に対応する。また「高次の第三者の審級」は、「一般的価値形態(貨幣)」に類比させることができる。われわれの論理では、「展開された価値形態」の段階から「一般的価値形態」の段階への飛躍には、必然性はない。しかし、飛躍が不可能なわけでもない。つまり、この飛躍は蓋然的 probable である。実際に飛躍が実現するかどうかは、論理とは関係のない、偶発的な要因によって決まる。

たとえば、ニューギニア中央高地のテ・モカ交換では、贈与の連鎖の末端にいるビッグメンに威信が集中していくため、彼が王のごとき権力者となるのではないか、と考えたくなる。しかし、ビッグメンの権威は、最長でも四年程度しか続かない。テ・モカ交換は、国家への飛躍を繰り返し挫折させるシステムである。あるいは、前章で述べたように、インドのカースト・システムは、贈与の連鎖から強大な国家権力が発生するのを抑止する装置として機能している。

もちろん、中華帝国は、こうした「飛躍」が成功したケースということになる。この場合、二つの論理の層の重なりの結果として、皇帝の権力が維持されている、という点に留意しておく必要がある。いくつもの贈与＝戦争を通じて、個別に形成される多数の連合の関係がまずあり、その上で、皇帝を中心におく、安定的で大規模な再分配のシステムがある。前者が「展開された価値形態」に、後者が「一般的価値形態」に、それぞれ類比させうる層である。このことを念頭においたとき、興味深いのは、清朝の外交システムである。

以前に述べたことがあるが（第3章第3節）、アメリカの中国学者マーク・マンコールは、外交という観点でとらえたとき、清朝の皇帝権力には二面性がある、と論じている。[*4] まず、清の皇帝と（狭義の、あるいは本来の）朝貢国が、儒教的な「礼」に基づいて関係しあうのが原則である。この本来の朝貢関係を管理する政府の部門を「礼部」と呼ぶ。朝貢国の中には、朝鮮や琉球が含まれる。これとは別に、清は、チベットやモンゴル、新疆と、さらに、ときにはロシアやネパールと、儀礼的な相互尊重に基づく、一種の軍事同盟を結んでいた。この同盟は、完全に対等な関係というわけではなく、相手国は清の監督の下に置かれたりする。しかし、相手国は、基本的には自分自身を独自に統治することが許されており、通常の朝貢国とは違って、清の「臣下」になるわけではない。こちらの外交を管轄しているのが「理藩院」で、「藩部」と呼ばれることもある。

藩部に差配されている多数の外交関係も、すべて合わせて全体を外から眺めるならば、皇帝を中心にした朝貢関係の形態をとっており、再分配のシステムを形成してはいるように見える。しかし、藩部が管轄する外交関係は、全体として意図的に組織されているわけではなく、周辺の各国との個別の儀礼的な関係の寄せ集めである。清の外交関係の基本原則は、礼部の方にある。しかし、（中国にとって、ではなく）清にとっては、理藩院の方が古く、その前身は、清が建国されたばかりのときに設けられた、つまり清がまだ明から見て北方の蛮族でしかなかったときに創設された「蒙古衙門（もうこがもん）」である。

それぞれの特徴を、マンコールに従って要約すると、礼部が管轄しているのが「儒学、科挙官僚、（本来の）朝貢」の領域であり、藩部が管轄しているのが「内陸アジア文化、八旗の軍人、清の監督と現地独自支配の結合」の領域である、と言うことができるだろう。[*5] 皇帝がいる北京を中心に円を描いたとき、前者が東南の半円の範囲に、後者が北西の半円の範囲に、ほぼ納まるので、マンコールは、それぞれを「東南の弦月」「北西の弦月」と名付けている。

清の皇帝は、東南の弦月においては、もちろん、儒教が称揚する「君子」としてふるまう。しかし、北西の弦月では、皇帝の意味づけは異なってくる。雍正帝や乾隆帝は、たとえば、チベット仏教の保護者としてふるまい、チベット人やモンゴル人からは「転輪聖王(てんりんじょうおう)」[*6]と呼ばれることすらあったのだ。つまり、北西の弦月では、皇帝は、相手に合わせ、相手から承認され、尊敬されるように行動したのである。こうした態度は、ご都合主義的でまったく無節操なものに見える。[*7]だが、この種の行動の使い分けを、個々の皇帝の個人的な性格に由来すると見なしてはならない。[*8]では、どう解釈すべきなのか？

東南の弦月と北西の弦月では、社会システムの異なる論理の層が活性化しているのではないか。これが、ここで提起しておきたい仮説である。東南の弦月においては、もちろん、「高次の第三者の審級」を結節する再分配の論理が作用している。しかし、北西の弦月では、もう一段階原初的な層が、つまり、個別の「贈与－反対贈与」の互酬的な関係の論理が、作用しているのだ。価値形態論に対応させれば、東南では、一般的価値形態が、北西では、展開された価値形態が、それぞれ独立して存在しているようなものだ。清の二つの外交流儀は、この帝国が二種類の論理の水準の積層によって維持されていることを、示している。清のシステムは、われわれの仮説に、もうひとつの傍証を提供しているのである。

2 文字の帝国

冒頭に述べたように、国家的な社会システムの構造上の特徴の一つは、成層性である。成層性は、人々に、頂点にある権威の源泉（王や皇帝）からの距離に応じた威信を与え、それに比例した権力を配分することによって構成されている。中華帝国において、成層的な構造に深く関係しているのは、文字＝漢字である。中華帝国における最も基本的な成層的な序列は、文字を読むことができる読書人と文字を読めない大多数の農民との区別にあるからだ。皇帝を補佐して政治を行う官僚は、前者から選抜される。中華帝国は、言わば、文字の帝国である。漢字という論材を扱うことで、国家形成についての一般理論から離れて、もう一度、中国という歴史的な対象に考察を特化させることができる。

皇帝＝天子は、一人で政治を行うことはできない。皇帝は、統治のために、行政用のスタッフを、つまり官僚を登用する必要がある。官僚は、つまり「臣」や「官」[*9]は、天子に準ずる「徳」を有する人物でなくてはならない。いかにして、そのような人物を選び出すのか。主要な方法は二つあった。その内の一つは、「郷挙里選（きょうきょりせん）」である。これは、地方長官に人望のある人物を推薦させる方法だ。これよりもっと重要な、もう一つの方法は、あの名高い「科挙」である。

科挙は、数年に一回、中国全土で実施される官僚の採用試験である。最初に導入されたのは、隋のとき（六世紀）である。科挙が、官僚選抜の方法として完全に確立されたのは、宋の時代（一〇世紀）だ。科挙で試されるのは、儒教の古典（四書五経）に関する知識である。儒教が、どのような意味で中華帝国に適合的なのか、儒教が中国で公式のイデオロギーとして採用されたのはどうしてなのか、という点については、前章（第4節）、論じておいた。ここでさらに付け加えておこう。科挙は、「古典」を媒介にして同時に、受験者の漢字についての知識を、受験者が漢字をどれだけ自家薬籠中の物にできているかということを、問うているのだ、と。

しばしば指摘されているように、科挙は、非常に合理的な制度である。[*10] 科挙のおかげで、いかなるコネにも汚染されることなく、有能な人材を採用できる。また科挙による官僚採用は、官僚の地位の世襲を不可能にするので、特定の家系が権勢をたくわえて、皇帝の地位を脅かすこともない。つまり、科挙があれば、日本の藤原家のような勢力が出てくる心配はない。科挙は、地主や貴族を権力から遠ざけ、ほとんど無力化してしまう。

これほど合理的で、好都合な制度であるにもかかわらず、日本社会は、科挙を導入しなかった。この事実はまことにふしぎ、と言わざるをえない。明治時代より前は、日本は、熱心に、中国の文化や制度を模倣してきた。それなのに、どうして、科挙を拒絶したのか。科挙に、中国と日本との間の差異が、凝縮されて具体化されていると考えざるをえない。

中国では、伝統的に、驚異的なまでに完璧な文民統制がとれていた、と以前に論じたことがある（第20章）。文民統制が成功してきたのは、科挙に合格した文官の方が、多くの軍功をあげた武官よりも高い威信をもっていたからである。日本の状況は、これとまったく逆である。徳川幕藩体制において典型的であるように、日本では、武士が、つまり軍人がそのまま官僚になった。徳川時代にはほとんど戦争がなくなり、武士としての実力が無用になったにもかかわらず、武士の威信は文人のそれよりも高かった。実際には官僚であるところの武士は使わない武器（刀）を常に携行し、武士としてのアイデンティティにこだわり、これを誇示したのだ。中国では、軍事力が皇帝や王朝の勝利に決定的な価値をもったときでさえも、支配者たちは、軍事力との関係をできるだけ小さく見せようと努力した。日本では逆に、軍事力を行使する必要がほとんどなくなったときでも、支配者たちは、自分たちが軍人であることを誇張して見せていた。奇妙なねじれであると言うほかない。

この謎を解く鍵は、漢字にあるはずだ。科挙が関心をもっているのは、漢字の能力だからだ。漢字に関して言えば、日本は、これを模倣し、独自にカスタマイズして活用してきた。とりわけ、漢字をもとに、日本に固有の文字を、つまり二種類のカナ文字を創造し、これらを漢字と一緒に使ってきた。三種類の文字を同時に、特定の規則で併用する日本語の表記法は、文字研究の専門家に言わせれば、「世界で最も複雑な」文字のシステムである。[*11] 中国人が執着している「漢字」のアスペクトは、日本人が漢字をカスタマイズしたときに無意識のうちに拒否した何かであるに違いない。そのアスペクトこそ、科挙が問おうとしているものだ。しかし、それは何であろうか？

中国では、統一的な漢字と帝国は、ほぼ同時に成立した。最初の皇帝が、つまり秦の始皇帝が、文字を統一したからである。漢字そのものの成立は、それよりはるかに過去に遡る。しかし、始皇帝よりも前は、文字はばらばらだった。趙、楚、呉、越、燕、等々の国々が、みな異なった言語（方言）と文字を使っていたのだ。始皇帝は、諸国を統一した後、文字も統一した。このときの漢字が、今日まで、それほど大きくは変わらず、使われている。したがって、始皇帝が、単に「漢字を統一した」というよりも、（現在の）漢字を創ったと言っても、過言ではない。以降、二千二百年間も、ほとんど同じ文字が使われてきたということ、この不変性にわれわれは注目しなくてはならない。この不変性は、「中華」というアイデンティティの継続性を反映しているからである。その後、いくつもの王朝が交替したり、中原が細かく分裂していた何百年もの期間が挟まれたりしたが、始皇帝が実現した帝国のアイデンティティは消えることはなかったのである。

3　文字の三つの戦略

これから、漢字の本質について考察しなくてはならないが、その前にまず、次のように問う必要があるだろう。そもそも、文字とは何であろうか、と。文字一般の中で、漢字の特徴を見極めなくてはならない。

文字は、もちろん、メッセージの伝達を目的とした記号の一種だが、そのような記号がすべて文字というわけではない。文字を文字たらしめている要件は、「慣習的に分節言語と関係づけられている」ということである。分節言語とは、「音声」のこと、厳密に言えば、「有意味な音声の系統的配列」である。文字は、慣習的に、音声言語を喚起する記号である。

われわれは、文字がいかに価値があるかをよく知っている。文字は、情報を容易に、正確に、そして時間的にも空間的にも隔たった遠くの他者に伝達することを可能にする。すると、どうしても疑問が出てくる。これほどにも便利な文字という記号を、すべての社会が持たなかったのは、どうしてなのだろうか？　ホモ・サピエンスとしての歴史の大部分は、狩猟採集民である。狩猟採集民の社会で、文字を独自に発明し、発達させたケースは、ひとつもない。この事実は、文字の発明には、社会構造に関係する何らかの条件が必要なのではないか、ということを推定させる。狩猟採集民のシンプルな共同体からは、文字は生まれないのだ。

技術的にも、文字の考案は、そうとうに難しい。文字は、分節言語と対応している。したがって、文字を創作するためには、音声言語の中に、何らかの法則を見つけださなくてはならない。たとえば、どの音とどの音との差異が有意味な区別なのか。区切りなく連続している発話を、どうしたら記号化できる単位要素に分解できるのか。文字がまったくない状況で、こうした法則を探り当てるのは、きわめて困難なことだ。

それがいかに困難かということは、人類の歴史の中で、文字システムの発明が、片手で数えられるほどの回数しかなかった、ということからも推測できる。既存の文字システムの模倣や改良によらずに、まったく独自にゼロから発明された文字システムは、ほんのわずかしかない。文字研究者の中には、完全な文字の発明は、人類史上、たった一度のことで、他の文字はすべてここから派生した、と主張する者すらいる。最古の文字システムは、メソポタミア地方のシュメール人が、紀元前四〇〇〇年から前三七〇〇年頃に作り出したものである。すべての文字は、この最古の文字からの派生であるとするのが、ひとつの極端な見解である。文字の考案はあまりにも難しいので、人類の歴史の中でそう何度もあったとは思えない、と言うのだ。[*12]

しかし、伝播や影響関係についての明確な証拠がない場合には、それぞれ独立に発明された文字システムであると見なすことにしよう。そうすると、シュメール人の文字の他に、紀元前六〇〇〇年頃にメキシコ先住民が創った文字システム、紀元前三〇〇〇年頃にエジプト人が創った文字システム、そして紀元前一四〇〇年頃に中国人が創った文字システムが、互いに独立した発明であったと認定することができる。いずれにせよ、独自に発明された文字システムは、非常に少ない。

文字学者によれば、シュメール語の最古の文字を可能にした着想は、同音異義語を用いた「判じ絵の原理」である。判じ絵の原理を、英語を用いて解説してみよう。たとえば、単音節の単語「eye（目）」と「I（私）」は同音異義語である。工具の「saw（ノコギリ）」と"see"の過去形「saw（見た）」も、また鳥の「bill（くちばし）」と人名の「Bill」も、それぞれ同音異義語になっている。そこで、「目の絵 eye／ノコギリの絵 saw／くちばしの絵 bill」を横に並べて、「I saw Bill（私はビルを見た）」という文を書くことができる。[*13]これが判じ絵の原理である。

多くの専門家が、この判じ絵の原理が、絵文字から完全な文字への飛躍の鍵になったと考えている。この原理の画期的な点は、「絵」が純粋に「記号」として用いられていること、つまり「絵」が直接に表現している「対象」への指示関係を完全に失い、ただ「音声」にのみ対応させられていることのうちにある。つまり、「目の絵」は、現実の「目」とは関係なく、ただ「アイ」という音と関係づけられているのだ。そうすることで、文字にとって関与的な、記号と音が、体系外の要素（つまり絵の指示対象）に拘束されなくなる。

＊

すべての文字システムを通覧してみると、文字による表記の方法は、三つに分類することができる。第一に、一つの文字が一つの音（音素）を表す手法、第二に、一つの文字が一つの音節を表記する手法、第三に、一つの文字が一つの単語（意味のまとまり）を表す手法である。第一の手法を用いているのが、アルファベットである。理想的なアルファベットは、文字数と音素数が同じ数になるべきだが、現実には、音素の数の方が文字数より少し多い。そこで、たとえば英語では、一部の音素は、「th」「sh」など、二つの文字の組み合わせで表している。第二のタイプ、つまり音節文字には、たとえば日本語の「カナ文字」が含まれる。古代ギリシアのミケーネの線文字Bも、音節文字の例である。第三のタイプの文字は、表意文字と呼ばれる。漢字は、表意文字の一種である。古代においては、エジプトの象形文字、シュメールの楔形文字等、表意文字としての側面を備えた文字の例は多い。[*14]

今日の文字の圧倒的な主流、グローバル・スタンダードに近い文字の主流は、アルファベットである。アルファベットをその源流にまで遡っていくと、エジプトの象形文字に辿りつく。エジプトの象形文字では、二十六個ある子音を表すのに、二十六個の記号が用いられていた。しかし、エジプト人は、単子音を表すアルファベットだけを使うようにはならず、二重子音や三重子音を表す記号、表意的な記号など不純な要素を使用し続けた。

真のアルファベットを創出したのは、現在のシリアからシナイ半島にかけての地域に暮らしていたセム語を話す人々である。彼らは、エジプトの象形文字を継承し、これを純粋なアルファベットに仕立て上げたのだ。アルファベットへの発展が始まったのは、紀元前一七〇〇年頃であったと推定されている。セム語族の人々は、単子音を表す記号だけを使うとともに、アルファベットの一つひとつの記号に名前を与え、それらを暗唱するときの順番を決めた。これで文字が断然、覚えやすいものになった。

それにしても、アルファベットを創作した人々が、一神教を奉じた人々と同一だったことは偶然であろうか。[*15] この点はおくにしても、少なくとも次のことは言えるだろう。かつて、ジャック・デリダは、西洋形而上学の根の部分に「音声言語中心主義」があるとして、「音声（言語）」に「文字（エクリチュール）」を対置し、後者の前者に対する優位性（プライオリティ）を主張した。西洋の知の中で、音声（言語）に特権が与えられてきたのは、音声（言語）にあっては、話すことと聞くことが一体化しているから、人は話しつつ聞いているから、つまりは外化（話す）と内化（聞く）の間にいかなる分裂もなく完全な自己同一性が保証されているからである。デリダは、こうした閉じられた自己同一性に回収できない他者性・外部性がありうることを示すために、歴史的な順序をあからさまに無視して、エクリチュールの本源性を言い立てたのだ。しかし、エクリチュールのモデルとして、アルファベットを念頭におくならば、音声言語中心主義を相対化することは難しい。アルファベットは、音声に対する忠誠心が最も強い文字、音声の僕（しもべ）であるような文字だからである。

それに対して、音声から（相対的に）解放された文字、音声から自由になろうとしている文字がある。それこそ、表意文字としての漢字である。漢字が直接的に表現しているのは、音声ではなく、まずは単語（意味のまとまり）であり、したがって概念だからだ。音声を喚起する記号であることが文字の本質であるとすれば、漢字は、その本質の否定を孕んだ文字であると言えなくはない。

4　正名としての漢字

漢字が表意文字であるという事実は、「中国」という社会の本性と深く結びついている。かつて述べたように、中華帝国の権力を特徴づけているのは、広さへの意志である。中国は非常に広い。交通手段も通信手段も原始的な古代のことを思うと、中国の広さは驚くべきものである。少なくとも、西洋から見ると、そう感じられただろう。広いということは、多様な言語をもついくつもの集団を内部に抱えている、ということを意味している。実際、「中国語」として一括されているが、標準的とされる北京語（マンダリン）、広東語、上海語、四川語等の間の相違は互いに「外国語」だと言ってもよいほど大きく、それぞれの中国語の話者は、異なる中国語を聞き取ることもできない。

中国語の文字が、仮に表音文字であったとしたらどうであろうか。当然のことながら、北京語で書かれた文章を、四川語の話者は理解することができないだろう。しかし、漢字は、概念を表記する文字である。音声言語のレベルでは互いに異なる民族集団も、漢字を通じて概念を共有していれば、互いに意思疎通することができる。漢字のおかげで、中国は、単一の帝国でありえたのだ。橋爪大三郎は、端的に、こう言っている。「漢字がなければ、中国は成り立たない」と。[*16]

さらに、橋爪は、音声言語としての中国語は、漢字に規定されている、と述べている。普通は、音声言語があって、それを表記する文字が創られる。しかし、中国語の場合には、規定関係が逆になる。つまり、漢字という文字に合わせて、音声言語としての中国語ができあがっているように思えるのだ。橋爪がこのように推定するのは、中国語の文法が、漢字の羅列に適合したものになっているからだ。中国語には、時制も、動詞の活用も、名詞や形容詞の変化もない。漢字は、こうした「変化」を表現できないからである。中国語の文章は、漢字を正しい順序で並べるだけで作られる。

漢字に規定されているのは、文法だけではない。先ほど、中国語は多様で、互いの話者が相手の発話を聞き取ることもできないほどだ、と述べた。一般に、八種類の中国語があるとされている。しかし、空間的な広さや人口の規模からすれば、「八種類」は少ないとも言える。面積の点でも人口の点でも、中国よりもはるかに小さいニューギニアでは、千もの異なる言語が話されている。中国語が八種類で済んでいるのは、始皇帝以来、二千年以上も同じ文字を使っているがために、音声的に多様化しようとする言語の自然の傾向性が抑制されたためであろう。

したがって、中国語は、文法の点でも、発音の点でも、文字によって規定されている。デリダが述べた、音声言語に対する文字（エクリチュール）の優先ということが、中国語では、論理的な順序としてではなく、単純に経験的な事実として成り立っているのである。さらに、次のように言うことができる。普通は、国民のアイデンティティにとって、俗語（音声言語）の共通性が中核的な価値をもつが、漢民族の場合には異なる。漢民族を定義しているのは、音声言語ではなく、文字である。漢字に基づく言語を用いている人々の集合、それが漢民族だ。仮に、自分自身は教養がなくて漢字を読むことができなかったとしても、漢字に規定された言語を活用しているならば、漢民族の一員である。

＊

しかし、なお疑問が残る。確かに、中国の統合にとって、漢字のような表意文字はたいへん便利である。だが、漢字がそのような機能を果たすことができるのは、それ以前に、中国人が、漢字に魅了され、利便性を越えた理由で漢字を積極的に受け入れているからだ。漢字が正しく適切に概念を表示しているということに対する共通了解がなければ、漢字は、帝国の統合の役にはたたない。この共通了解は、どこからくるのだろうか。

ここで、儒教の「正名」についての見解が参考になる。正名とは、ことば（名）が正しい実体を指示している状態を言う。荀子は、この正名を聖王（天子）の存在と関係づけて論じている。大室幹雄による解説とともに引いておこう。

> そもそもことばが問題的なものになりさがったのさえ、聖王の不在に起因すると荀子はいうのだ。「今や　聖王　没して、名守　慢み、奇辞　起りて、名実　乱れ、是非の形は明らかならず、守法の吏・誦数の儒といえどもまた乱る」、聖王不在の世は名実紊乱し価値判断は不明になり、政治の運営者も文化の担い手も混乱をまぬがれえない、挙世おしなべて奇辞・邪説・姦言が天下を梟乱する饒舌文化の時代である。それだけに、天下＝世界の中心に塊然独坐する王者の出現と彼の政事への荀子の期待は巨きく熱っぽいものとなる、「もし王者の起るあらば、必ず旧き名に循うあり、新しき名を作す有らん」[*17]（後略）

漢字こそが正名の実体化であると考えてみたらどうであろうか。このとき、人は、漢字を普遍的な真理の表現として受け入れるだろう。荀子がここで述べているように、正名と聖王の存在が必然的に繋がっていると感覚されていたとするならば、皇帝＝天子の権力の存立機制についてのわれわれの議論は、漢字の成立という主題とも繋がっているはずだ。

とりあえず、文字が、王や皇帝によって集権化されている社会と結びつけられていた、という点をもう一度、確認しておこう。レヴィ＝ストロースは、文字は「他の人間を隷属化させるために」主として使われた、と論じた。これはあまりにも極端な単純化だが、漢字を含めて、文字を自ら創り上げたと思われるどの社会（シュメール、メキシコ、エジプト、中国）も、また文字を早い段階で取り入れた社会（クレタ、イラン、トルコ、インダス渓谷、マヤ地方）も、いずれも、国家と見なしうる社会だった。すなわち、それらは、すべて複雑で集権化されており、成層的な分化も進んだ社会だったのだ。インカ帝国のように、大規模な国家であっても、文字をもたないケースはあるので、国家が必然的に文字をもたらすとは言えない。しかし、国家が、文字が積極的に受け入れられ、活用されるための必要条件であると推定することは許されるだろう。国家形成の一般理論に続けて、文字について考察したのはこのためである。また、逸早く国家としての条件を整えた中華帝国の本性が「漢字」の内に表現されているのではないか、という仮説を立てた所以もここにある。

＊1　われわれはすでに、この問題に、ジャレド・ダイヤモンドの議論を検討する中で一度、論及したことがある（第2章第3節、六七頁）。

＊2　このことを証明する事実を、古代ローマ史の中から引くことができる。まだ部族連合的な水準を大きくは超えていなかった共和政期のローマは、後の帝政への移行を先取りするようなかたちで、ときどき独裁官を

選出し、その独裁官に大きな権限を与えた。独裁官が選ばれるのは、典型的には、強大な敵の侵略を受けたときである。たとえば、第二次ポエニ戦争で、アルプスを越えてやってきたハンニバル率いるカルタゴ軍が、破竹の勢いでイタリア半島に深々と入ってきたときには、ローマの元老院は、あわててファビウス・マクシムスを独裁官に任命した（紀元前二一七年）。この例が示すように、リヴァイアサン的な独裁者への権威の集中は、一般には、侵略されることへの切迫した恐怖があるとき、実現する。

＊3　ホッブズ流の社会契約論が成り立たないということは、純論理的な推論によっても示すことができる。合理的な個人が、社会契約を守るかどうかを考えてみるとよい。その個人にとっては、二つの状況が想定できる。他者たちが社会契約を守り、秩序が維持されている状況か、もしくは、他者たちが社会契約を守っていない闘争的な状況のいずれかだ。後者の場合には、自分だけ社会契約をあてにして、自然権（自分で自分を守る権利）を放棄してしまったら、たちまち破滅してしまうので、合理的な個人は、当然、自分も社会契約に参加しないだろう。問題は、前者の場合だ。他者たちが社会契約を守っている場合に、自分だけ抜け駆けして、勝手に行動できれば、その個人は、圧倒的な利益を得るだろう。したがって、他者たちが社会契約を守っている状況でも、またそうした契約が維持されていない状況でも、合理的な個人は、社会契約を破棄する方が有利であると判断するはずだ。この判断は、すべての個人に関してひとしく成り立つ。こうして、社会契約が締結されることはないだろう。言うまでもなく、これは、いわゆる「囚人のジレンマ」の構造である。

＊4　Mark Mancall, "The Ch'ing Tribute System: An Interpretive Essay", J. K. Fairbank ed., *The Chinese World Order: Traditional China's Foreign Relations*, Harvard University Press, 1968.

＊5　平野聡『興亡の世界史17　大清帝国と中華の混迷』、講談社、二〇〇七年、一五七頁。

＊6　転輪聖王は、本来、仏教の理想的な保護者だった、古代インドのアショカ王への尊称である。仏教の観点からすると、政治家の呼び名として、これ以上のものはない。

＊7　一八世紀の朝鮮の儒学者、朴趾源が朝貢使節の随員として清を訪問したときの記録『熱河日記』をもとに、平野聡が述べている内容が興味深い。明への忠誠心が強かった朝鮮は、清への朝貢には、もともと消極的だった。そうした中で、北京と熱河を歴訪した朝鮮使節に対して、清の軍機大臣は「西番（チベット）の聖僧と相まみえること」を要求する。儒者（朱子学の徒）から見れば、仏教は蛮族の風習なので、朝鮮使節はこの要求に強い抵抗感を覚えたが、結局、彼らは、チベットの僧に会わざるをえなかった。このとき、あまりの屈辱に「朝鮮使節の行動は、ほとんどうわの空に近いものであった」。『熱河日記』には、そのチベットの僧の印象が「荒野を行く際に出くわした奇鬼」「決して良きゆく末なき万古の凶人」という強い言葉で表現されている（平野、前掲書、一九七―二〇〇頁）。朝鮮使節の目には、こんな奇鬼・凶人を受け入れている乾隆帝もまた著しく野蛮だと映ったに違いない。

＊8　宮崎市定は、雍正帝の評伝の中で、次のように述べている。「雍正帝にとっては、中国を完全無欠に統治することが至上命令であった。彼の行動も信念もすべてはここから出発する。中国を統治するには中国流の独裁君主〔つまり儒教的な理想を体現している天子――引用者注〕にならなければならぬ。そのうえ独裁君主制の理論的根拠を提供するものは漢文化に外ならない。（中略）漢人国家の独裁君主として臨むには、自らも人後に落ちない中国風の文化人でなければならない」（『雍正帝』中公文庫、一九九六年、一七四―一七五頁）。雍正帝が「中国流の独裁君主」であり「中国風の文化人」であったことを示す事実として、宮崎は、中国社会に蔓延していた腐敗を排し、厳しい倹約に努めたこと、祖先崇拝を否定するキリスト教を禁止したこと等を挙げ

ている。宮崎のこうした記述を踏まえれば、一方に、儒教的な君子の顔をむけ、他方に、仏教的な転輪聖王の顔を向けていた雍正帝を、定見をもたない日和見主義者と見なすわけにはいかない。宮崎は、雍正帝は「堅固無類のコンクリートの要塞のような性格」の人物だった、とまで書いているのだ。

＊9　春秋戦国時代において、中国には奴隷制があった。つまり諸侯は家内奴隷を抱えていた。「臣」は、本来、男性の家内奴隷を指す語である（ちなみに、女性の家内奴隷は「妾」である）。臣は、諸侯の側近なので、奴隷といえどもかなりの権力をもつ。すると、やがて自ら進んで臣になろうとする者が出てくる。それが「官」である。この諸侯の家内関係を、皇帝のスタッフの関係に写像したときに得られるのが、皇帝の臣下や官僚である。

＊10　橋爪大三郎『隣りのチャイナ』夏目書房、二〇〇五年、三〇頁。

＊11　スティーヴン・ロジャー・フィッシャー『文字の歴史』鈴木晶訳、研究社、二〇〇五年（原著二〇〇一年）、二三〇頁。

＊12　フィッシャーは、このような見解に立っている。

＊13　フィッシャー、前掲書、三八―三九頁。

＊14　厳密には、表意文字ではなく「表語文字」とすべきところである。しかし、些細な差異に拘っていると、本質的なことを逸することになる。ここでは、あえて「表意文字」としておく。

＊15　アルファベットに、母音を表す文字を加えたのは、ギリシア人である。彼らは、紀元前八世紀頃、フェニキア人のアルファベットから、ギリシア語の子音表記には不要だった数文字を取り出し、それらを母音の表記に転用した。西洋の精神は、ヘブライズムとヘレニズムの統合から生まれたと言われてきた。今日のアルフ

アベットも、これら二つの文化の協働の産物であるのは、興味深い。

＊16　橋爪、前掲書、一五頁。

＊17　大室幹雄『正名と狂言』せりか書房、一九七五年、六七頁。

第27章　漢字の呪力

1 文字を知る官僚

中国人は漢字に魅了されてきた。あたかも漢字に呪力が宿っていて、彼らの行動を規定しているかのようだ。前近代の中国についてだけ述べているのではない。二〇世紀以降の現代の中国でも、漢字の「呪力」は健在だ。たとえば、毛沢東の非合理的な政策が「成功」した一因は——彼の理不尽な命令が実効的な結果を社会にもたらすことができたさまざまな原因の中の一つは——、彼が創作した漢字のスローガンにあったのではないか。「自力更生」「百家争鳴」「大躍進」「造反有理」「走資派」[*1]「批林批孔」等の標語に、中国人民も、そして毛沢東自身も魅了されていたように見える。毛沢東の造語に比べるとインパクトに欠けるとはいえ、「改革開放」「和諧社会」といった、毛沢東後のスローガンも似たような呪力を発揮してきた——あるいは発揮しつつある——のではないだろうか。

漢字のこうした力を、伝統中国の社会現象の中で最も強く印象づけるのは、前章でも述べたように、科挙に合格した高級官僚の権限とカリスマ性である。科挙が直接に問うているのは、儒教の古典についての知識だが、そのことを通じて真に試されているのは、漢字を駆使する能力だ。[*2]この点を示しているのが、科挙の受験生の間で広く使われたテキスト『文章軌範』である。これは、南宋の学者、謝枋得(しゃぼうとく)によるもので、諸葛孔明の『出師表(すいしのひょう)』等、古今の名文を選して収録している。

科挙は、たいへんな難関であった。何度も挑戦し、合格したときにはすでに老人になっていた、ついに合格を果たせず、人生を棒に振ってしまった、等の話は尽きない。なぜ、そこまでして合格したかったのか。高級官僚の登用法が科挙に一本化されて以降、裕福であったり、家柄がよかったり、ということのみによって官僚になることは不可能になった。というより、高級官僚になることによって、かつての貴族に優る名誉や富が得られたのである。文字の能力をもつということが、それほどの「カリスマ」を有することの証明になっていたのだ。中国の多くの男性が、人生のほとんどすべてを懸けて、科挙に挑戦したのはそのためである。[*3]

とりわけ、高級官僚のもとに集まった富の量は莫大だった。官僚の給料が高かったから、ではない。ポイントは、前近代の中国には、今日のわれわれの意味での公金と私財との間の区別がなかった、ということにある。もっとはっきり言ってしまえば、税金と賄賂との間の区別がなかったのだ。地方官僚である。人々は、皇帝に税を納めなくてはならないのだが、彼らが実際に納税する相手は、地方官僚である。地方官僚への納税額や税率は、きちんと決められていたわけではない。官僚は、恣意的に、好き放題、収奪したのだ。彼らは、そうして徴集した「税」のごく一部を、皇帝に差し出す。つまり、農民や商人が税として納めた富の大半は、官僚に中間搾取されたと見ることができる。皇帝のもとに届かなかった富は、われわれの眼から見ると、不当な賄賂だが、伝統中国では、そのようには解釈されなかった。高級官僚になると、金が貯まるのは、こうした理由による。

高級官僚の中で最下位にあたるのは県令だが、廉直な県令でも、三年も勤めると孫子の代まで裕福でいられるほどの財をなした、と言われている。県令でさえもこれほどの蓄財が可能なのだから、大臣クラスの高官が得た収入はすさまじい。有力な大臣の中には、国家予算の何年分もの財を貯えた者もいたらしい。

こうした事実から、次のように考えなくてはならない。われわれは、皇帝権力を支えていたのは、人々が、あるいは個々の局地的な共同体が、「高次の第三者の審級」としての皇帝に対して抱いていた、本源的な負い目の感覚である、と論じてきた。自分（たち）自身の同一性（アイデンティティ）が皇帝からあらかじめ与えられている、という負い目の感覚である。この負い目を解消しようと人々が振る舞えば、それは、「皇帝への納税」＝「皇帝による収奪」という形態をとる（第24章第5節、第25章第2節）。ところで、今述べたように、人々は、実際には、税を皇帝その人にではなく、官僚に納めている。文字＝古典の能力において優れていることが、その卓越性の唯一の根拠であるような官僚に、である。とするならば、われわれはこう解釈しなくてはならない。文字を使いこなす能力を有する官僚は、小さな皇帝、皇帝の代理人として、人々に君臨したのだ、と。

実際、科挙という制度が前提にしているのは、次のような設定である。まず、天命を受けている天子＝皇帝は、徳をもっている（天子による徳の感化を「徳治」と呼ぶ）。しかし、皇帝一人によって実務をこなすことはできないので、行政用のスタッフとして、官僚たちが採用される。その官僚は、誰でもよい、というわけにはいかない。官僚は、皇帝のそれに類する徳をもった人物でなくてはならない。その有徳性を確認するための手段が、儒教の古典について論文を書かせること、つまり科挙である。科挙の出題者はそれゆえ、公式には皇帝である。[*4]

するとわれわれの疑問は、こうである。どうして、文字の能力が、皇帝に近い徳の証明であると解釈されたのか。この疑問に答えるためには、本来、漢字とは何であったのか、その起源に遡る必要がある。

*

だが、その前に、一個の社会システムとしての中華帝国についての記述を完全なものにするために、本筋からいささか逸れるが、付け足しておかなくてはならない論点がある。ある人物が儒教の古典に精通していたからといって、実際には、統治の実務に長けているわけではない。何十年も受験勉強だけに専念してきた者は、むしろ、そうした能力を欠いている。また、ひたすら古典を暗記する動機は、名誉や富だったりするので、科挙に合格した官僚は、皇帝への忠誠心に関して傑出しているわけではなく、また気概があるわけでも責任感が強いわけでもない。要するに、科挙に基づく官僚制には、大きな欠陥があった。

にもかかわらず、王朝が交替しても、科挙による官僚登用の制度が続けられたのは、この欠陥を補う、影の官僚制を中華帝国が備えていたからである。影の官僚制とは何か。宦官の組織である。

宦官の本来の職務は、皇帝の私生活の世話である。彼らは、後宮にも出入りしたので、去勢されていた。皇帝以外の普通の男性は、後宮に入ることは絶対に許されなかった。その理由は容易に理解できるだろう。男性が、後宮の女性と性関係をもったらどうなるか、を考えてみればよい。女性から生まれた子が皇帝の実子である保証が失われる。これは、皇帝位の継承に重大な疑義が生ずることを意味している。その子は、皇帝のほんものの子なのか、皇位の継承権をもつのか、と。こうした問題が生ずるのを絶対に避けるために、後宮に入る皇帝以外の男は、去勢されていなくてはならなかった。[*5]

去勢は、古代においては、刑罰である。だから初期の宦官は、この罰を受けた罪人であった。[*6]中国社会の基本的なユニットは、父系の氏族集団（宗族）であり、男にとって、男の子どもを遺すことは、人生における最も重要な使命である、と言っても過言ではない。[*7]こういう社会において、男が去勢し、子をもてない身体になるとすれば、それは、やむをえない事情がある場合か、よほどの覚悟がある場合に限られる。誰も好きこのんで宦官にはならなかった。

宦官は、科挙に合格した官僚とは違って、特別な教養があったわけではない。古典についての知識も、特にもってはいない。しかし、彼らには、人生の厳しい経験を通じて鍛えられた、実務的な能力や決断力があった。また、皇帝とその母や妻と長く、親密にかかわってきたために、ときに、彼らから絶大な信頼を得ていた。したがって、公式の官僚制に、つまり科挙に立脚した官僚制に重大な欠陥がある場合、宦官は、これを補償することができた。宦官の中の実力者が、高位の官僚に拮抗する権力や影響力を発揮し、政治的な決定を左右したこともあったのだ。科挙による公式の官僚制と宦官たちの影の官僚制は、言わば「二権分立」の状態にあって、互いにライバル視しながら、牽制しあっていたのである。

宦官の活躍が特に目立つのは、明の時代である。たとえば、大船団を率いてアフリカまでも行った鄭和は、宦官であった。科挙に基づく公式の官僚制が機能し、持続するためには、宦官による非公式の官僚制が必要だったのである。

2　漢字の呪術性

さて、本来の主題である「漢字」に戻ろう。起源において、漢字は何だったのか？

周知のように、最古の漢字は甲骨文字であった。つまり、亀の甲やウシの肩胛骨（けんこうこつ）に刻まれた文字である。考古学的な遺物から、甲骨文字は、紀元前一四〇〇年頃から使われていた、と推定されている。商（＝殷）王朝の時代である。商が夏を滅ぼしたのは、紀元前一六世紀、周によって滅ぼされたのが前一〇四六年と推定されているので、甲骨文字が誕生したのは、商王朝の中期だったことになる。商の二十二代の王、武丁（ぶてい）の頃だったのではないか、と専門家は推測している。

甲骨文字研究の権威、貝塚茂樹は、「甲骨文字は突然に出現する」と述べている。貝塚が言わんとしていることは、甲骨文字が、漢字の最も原始的な姿であったとすると、あまりにも文字としての完成度が高い、ということである。甲骨文字は、原始的な絵文字ではない。すでに完成された表意文字であり、また同音を用いた「仮借(かしゃ)」等の複雑な文字構成法も使われている。いきなり、前触れもなく、成熟した文字が生まれたように見えるのだ。当然、もっと原始的な前段階があった、と推測したくなる。あるいは、商の指導者が、どこからか、すでにある程度発達した文字を借用し、それを模倣したとも考えられる。[*8] しかし、甲骨文字の前段階を示す遺物は、まったく出て来ないのだ。[*9]

甲骨文字の研究に関して、特筆すべきは、それが発見されてから(清末の一八九九年)、たった十年ほどで解読された、ということである。古代文字の解読は、一般に、きわめて困難である。たとえば、古代インダス文字はおよそ四百字残されているが、まったく解読されていない。古代エジプトのヒエログリフは、当初、読むことができなかったが、たまたまナポレオンのエジプト遠征のときに、ヒエログリフとギリシア文字との対訳を記したロゼッタストーンが発見されたために、シャンポリオンによって解読された。こうした幸運がなければ、ヒエログリフも未だに読めない文字のままだろう。こうした事例と比較すると、甲骨文字の解読に費やされた十年間は、たいへん短い。

甲骨文字の解読が比較的容易だったのは、それが、形状や構造に関して、現在の漢字とあまり変わらなかったからである。たとえば「山」や「雨」などを意味する文字は、現在の漢字とほとんど変わらない。これは、実に驚くべきことである。古代文字は、王国・帝国の崩壊や戦争、征服などの歴史の中で、完全に破棄されるか、原形を留めないほどに改造されてしまうのが、普通である。メソポタミアのシュメール文字も、エジプトのヒエログリフも、今日では、まったく使われていない。ところが、漢字だけは、三千年以上の間、基本的に継続し、伝承されてきたのである。

商は、やがて周に滅ぼされるが、周も漢字を継承した。その周も、滅亡するが、漢字は失われなかった。秦の始皇帝は、漢字を標準化する。彼の帝国の方は、長続きしなかったが、始皇帝によって統一化された漢字は、現在まで、ほとんどそのまま継承されてきた。中国は何度も分裂し、ときに、「夷狄」と見なされていたような周辺の異民族が、中原を占拠し、帝国を建設したこともある。だが、本書の中で繰り返し述べてきたように、周辺の異民族は軍事的に勝利しても、常に、文化的には「敗北」し、中国化してきた。このねじれが最も顕著に現れるのが、「文字」である。

征服した異民族の中には、独自の文字をもっていた者もいた。彼らは、しかし、自分たちの文字を放棄し、漢字を採用したのである。こんなことは、他の地域では起こらなかった（だから、ほとんどの古代文字は失われた）[*10]。たとえば、清王朝を樹立した満洲族は、モンゴル文字の影響を受けた独自の表音文字、つまり満洲文字をもっていた。清王朝の初期の公文書は、満洲文字で書かれている。しかし、満洲文字はやがて捨てられ、漢字だけが使われるようになった[*11]。もし中国に「帝国」としての同一性があるとすれば、つまり個々の王朝としての同一性ではなく、諸王朝を貫く帝国としての同一性があるとすれば、それを表現しているのは、理念としては「天」であり、可視的な社会現象としては「漢字」である。

＊

原初の漢字、つまり甲骨文字はどのように使われたのか？　この点については、おおむね定説がある。本章の冒頭で、漢字にまるで呪力があったかのようだ、と記したが、この言明は、比喩以上の意味をもつ。というのも、原初の漢字（甲骨文字）は、呪術にのみ、それもしばしば供犠を伴う呪術にのみ用いられていたからである。

まず、われわれは文字が書き込まれた素材の特異性に注目しておく必要がある。エジプトの文字は、石やパピルスに書かれた。メソポタミアのシュメール文字は粘土板に刻まれた。石やパピルスや粘土板は、古代の日常の中で入手が容易な事物の中から、書き込みに最も適した素材として選ばれている。それに対して、甲骨文字が刻まれた、亀の甲や牛の骨は、日常の生活の中で簡単に手に入る素材ではない。とりわけ、亀の甲は、商の都の周辺では得られなかった。それは、遠く東南の地から輸送された、稀少な素材であったことがわかっている。さらに、単に貴重な稀少品だったというだけではなく、甲や骨といった、生命や魂の存在を連想させる素材だったことにも留意しなくてはなるまい。甲骨に刻む技術があれば、当然、石や土といった無生物にも刻むことができたはずだが、それらが文字板として使われることはなかったのだ。

古代エジプトの文字は、行政文書に多く用いられ、メソポタミアの楔形文字は、財務管理に使われた。しかし、甲骨文字の使用法は、これらとはまったく違う。甲骨文字は、占いにのみ使われたのだ。

文字が記された甲骨の表面には、「卜」の形のひび割れが残っている。こうした事実から、専門家は、甲骨文字が次のように使われた、と推定している。まず、表面に、問いが刻まれる。それは、神への質問である。たとえば、「今、種をまくのは適当か」とか「戦争を起こすことは吉か凶か」とか「雨は降るか」とかといった問いだ。その甲骨の裏側にくぼみを彫り、火でそこに熱を加えると、甲骨にひびが入る。このひびの形が、問いに対する神の回答と解釈されたのである。要するに、甲骨文字は、神と人間との間の問答の記録である。甲骨の上の文字とひびに、人間の問いかけに対する神の答えが現れたのだ。

この神は、供犠を、人間の生贄を要求する神だった。[12] 商墟の中で、「祭祀坑」と呼ばれる竪坑がたくさん見つかっている。ひとつの祭祀坑には、十体、二十体といった多数の人骨が並べられていた。それらは、単純に「埋葬」されたものではない。というのも、人骨は首が切られていたり、正座した状態で埋められていたり、……とすべて特殊な作為が加えられていたのだ。彼らは、神への生贄であったと推測されている。神から応答を引き出すためには、神に生贄を捧げる必要があったのだ。

生贄に捧げられた人々は、「羌（きょう）」と呼ばれるカテゴリーに属していた。甲骨文字の問いには、捧げるべき羌の人数を問うものも含まれている。たとえば、巫師は「十人の羌の首を切るか」という質問を記した甲骨を火にかざす。もしこれに「凶」という答えが出たら、巫師は、伺いを立てる人数を次第に増やしていく。「十五人」「三十人」……と、「吉」の答えを得るまで、伺いを繰り返すのだ。一つの祭祀坑に入れられた人骨は、一回の祭祀で生贄にされたものと思われる。甲骨には、一度に二千五百人もの生贄を捧げたことを示す記録まである。

それにしても、生贄にされた羌とは誰のことなのか。歯に含まれていた放射性物質ルビジウムから、羌は、商の遺跡から八百キロ以上も離れたところに住んでいた異民族だったらしい、ということが明らかになった。[*13]『史記』には、後に周に協力して商に反抗した異民族の一つとして「羌」が記されている。羌とは、まさに、この『史記』に記載された人々であろう。商は定住農耕民だが、羌は遊牧民だった。

当時、商は、周辺の異民族を、軍事的に圧倒していた。商だけが、青銅器を製作する技術をもっていたからだ。青銅の武器は、強さや鋭利さにおいて、石の武器よりもはるかに優れている。また、商だけが、馬に引かせる二輪の戦車(御者に加えて戦士二人が乗ることができた)を使っていた。戦車の上からの攻撃が有利だっただけではない。戦車は、一段高い視点を可能にするので、戦況の全体的な把握を容易にし、軍団に独特の「陣形」を取らせるなど、高度な戦術を可能にした。商は、周辺の弱小異民族を制圧した際に確保した捕虜を、生贄に使ったのであろう。

*

主として考古学の知見に基づく以上の推論は、白川静の漢字学における漢字の理解ともよく整合する。長い間、個々の漢字の語源に関しては、中国でも日本でも、紀元一〇〇年頃（後漢の時代）に許慎によって著された『説文解字』が、ほとんど絶対視されてきた。だが、許慎の時代には、甲骨文字は完全に忘れ去られていた。許慎は、甲骨文字をまったく知らずに、漢字の語源を推定している。これに対して、白川は、甲骨文字を徹底的に研究し、許慎以来の学問的常識を次々と覆した。白川漢字学の特徴は、漢字に込められた呪術性、漢字に具体化されている人間と神々との関係性を徹底的に重視した点にある。

たとえば、最も簡単な漢字の一つと考えられている「口」でさえも、白川の解釈は、『説文解字』とまったく異なる。たいていの人は、「口」という字を習うとき、これは人間の口の形を模したものだと教えられる。『説文解字』にもそう書いてある。しかし、白川は、甲骨文字の「口」では、常に、左右の縦線が上に突き出している点に注目した。ここから、白川は、口という文字は、祝詞を入れる器だったと解釈する。

この部分だけを聞くと、白川の解釈にいささか強引だとの印象をもつ人もいるだろう。しかし、「口」を含む漢字はたくさんあり、それらまでも視野に入れると、白川説の方が、通説よりも説得力があることがわかる。たとえば、「告」である。『説文解字』では、これは、「牛」と「口」との組み合わせで、牛の角に棒をつけて人に知らせたからだ、と解釈するが、きわめて不自然である。それに対して、白川は、「祝詞を入れる器に榊の枝を入れて神に何かを伝える形」が「告」であると解釈する。実際、「告」という文字の古形からの変化を見ると、口の上の部分が枝の形をしていたことがわかる。「告」には、神への切実な願いが表現されているのだ。

あるいは、「名」という文字。『説文解字』では、これを「夕」と「口」との組み合わせと見なし、「暗い夜には相手の顔が見えないから口を開いて名乗った」からだと解釈する。この解釈は、いかにも後代のこじつけであるとの印象を与える。しかし、白川によると、「名」の上部の「夕」は、夕刻という意味ではなく、「肉」という文字の省略形である。「名」の上部は、神に捧げる祭肉であり、下の部分は、神に告げられる祝詞を示していた（図1）。氏族のメンバーが一定の年齢に達すると、名が与えられ、それが神に告げられたのである。神に承認されなければ、名は名として発効しない。神の承認を得るために、肉が捧げられたのだ。

（図1）

このように、漢字は、本来、呪術性を帯びていた。原初の漢字をめぐる呪術と供犠に関して、われわれの考察にとって重要な論点をあらためて確認しておこう。第一に、甲骨文字と一緒に神に提示される供犠は、マックス・ヴェーバーの宗教社会学の観点からすると、神に回答を迫る「神強制」の技術である。人間は、神に賄賂（生贄）を与えることで、神から答えを引き出そうとしたのだ。

第二に、甲骨文字の使用にあっては、人間を食べる神が想定されている。ここで、われわれが想起したくなるのは、インドのカースト制である。カーストのヒエラルキーは、隠喩的な食物連鎖から来ている（第5章第4節）。頂点には、やはり人間を食べる神がいる。しかし、神に食べられては困るので、供犠によって、神を欺く専門家が必要だ。それがカーストの最上位にいるバラモンである。物理的実力に関しては、明らかに戦士（クシャトリヤ）に劣っているバラモンが上位にいるのは、戦士といえども、人間を食べる神々には勝てないからである（だからバラモンの助けを必要とした）。それに対して、古代中国の王朝である商の場合は、神々に人間をほんとうに捧げたのだ。商は軍事的に強かったため、征服した異民族の捕虜を神に与えることができた。

そうだとすると、生贄にされた捕虜は、商の人民の代理だったことになる。[*14] 確認すべき第三の論点は、商の儀式において、彼らは、自分自身を神に与えたということだ。なぜ、自らを神に与える必要があるのか。われわれのここまでの論理に基づけば、人は、その存在自体を神に負っているとの感覚、神への本源的な負債感があったからではないか、と考えることができるだろう。神への贈与、つまり供犠は、それ自体、神への反対贈与（お返し）なのだ。この種の負い目の感覚の延長上にこそ、やがて、皇帝の権力が析出される。商は、供犠の相手となる神をたくさんもっていたと考えられる。そうした神々が、やがて単一の神へと収斂し、さらに理念として純化されたとき、「天」という概念が得られるのではないだろうか。

＊

商が滅ぼされた後、文字は周に引き継がれた。というより、厳密には、遺物から判断すると、商を打倒する少し前から、周でも、文字が使われていたことがわかる。周が商に勝利したとされる「牧野(ぼくや)の戦い」の前の年代に属する周の遺跡の中から、文字を記した小さな甲骨が、少数ながら発見されているのだ。そこには占いのための問いではなく、外交記録が残されていた。文字は、もともとは、商の機密の独占物だった。商代末期には、その文字が、外部にまで、つまり周にまで流出していたことがわかる。それが、商の為政者との合意によるものなのか、それとも、周が勝手に機密を盗んだり、模倣したりした結果なのか。この点はわからない。

いずれにせよ、商を完全に滅ぼした後、周は漢字を積極的に活用する。今や、文字は、甲骨に刻まれたりはしない。周の遺跡から発見される文字は、青銅器に刻印されている。用途も占いやおどろおどろしい呪術ではない。文字は、われわれが今日そうしているのと同じように、もっと実用的な目的のために使用されるようになるのだ。たとえば、周が他の部族と連帯するときの契約書や記録のために文字が使われた。

周の支配の方式は、(中国式の)「封建制」と呼ばれる制度である。[*15] 封建制の反対語は郡県制だ。郡県制は、中央政府から派遣された役人が地方を統治する中央集権的なシステムである。それに対して、封建制は、もともとの在地の部族や民族の支配者と姻戚関係に入る等の方法で、緩やかな連帯関係を築き、諸部族、諸民族を支配するシステムである。そうした連帯関係を築く上で、文字が記された青銅器が贈られたのである。文字が、約束の保証となったのだ。こうして文字は、中国の全土に普及した。それぞれの地域で、必要に応じて新しい文字が発明されたりもした。さらに、発明された文字が、再び、他の地域にも伝播し、文字の数は増加していったと考えられる。表意文字としての漢字が、多様な音声言語が存在する広域の支配にとっていかに都合がよかったか、ということは前章に述べた通りである。

このようにして、漢字は原初の呪術性を脱した、と思われるかもしれない。しかし、そのような印象は間違っている。本章の冒頭に述べたように、現在においてさえも、漢字には、人々を動かす呪術的な力が宿っている。あるいは、周がどうして、他の部族との契約を文字として刻んだかを考えてみるとよい。文字化された言語には、人々の行動を拘束する呪術的な力が宿っていたからではないか。

3　文字以前

甲骨文字の「その後」も重要だが、もっとも興味深いのは、甲骨文字「以前」である。先に述べたように、甲骨文字は突然出現しており、それが少しずつ完成に向かっていく過程を跡づける資料は、ほとんど何もない。では、甲骨文字すらもない段階、文字の出現の前の段階は、どうだったのか。ここで問いたいことは、文字が、文字以前の社会システムの何を継承したのか、あるいは何を代理したのか、である。このことは、漢字（文字）そのものから推定することができる。考察の助けになるのは、白川静の研究である。

文字を意味する漢字は、二つある。もちろん、「文」と「字」である。これらの文字は、もともと何を意味していたのだろうか。白川によると、「文」は、文身を表している。ここでも、白川の解釈は、『説文解字』とはずいぶん違う。『説文解字』の解釈では、「文」は、線分が交叉する図形を象徴化したものである。「×」は、典型的な図形（絵）であって、図形が文字の原点だというわけである。白川の解釈は、これとは異なる。白川によれば、「文」は、「大」と同じように、人間の身体を正面から捉えた形である。ただ、「大」と違って、胸の部分が広く取ってある。どうしてかというと、「文」の古形では、この胸の部分に、小さな図形が描かれていたのだ。この胸の図形がやがて脱落して、今日の「文」になったと考えられる（図2）。つまり、「文」はその表面に図形や模様が描かれた身体を表現していたのである。

このように、「文」は文身に由来する。身体に刺青のように図形を描く習俗がかつてあった、と解釈しなくてはなるまい。図形一般ではなく、身体の上に刻まれた図形、これを代理するものとして、漢字は出てきたのだと推測できるのだ。

では「字」は何であろうか。これは、「宀」が表している家廟（先祖を祀る建物）の中に子が立つ形だ、というのが白川の解釈である。子が生まれて一定の期間が経過すると、新しい家族の一員として、先祖に報告し、家廟に参拝させる加入儀礼（イニシエーション）があったと考えられる。そのとき、子どもの名前が定められる。その名が「字」、つまりアザナである。日本の古語でも、文字は「ナ」と呼ばれた（仮名（かな）と真名（まな）のナがそれである）。「名」という文字が、神（祖先の霊）に祭肉を捧げ、名の承認を受ける儀礼を示している、という点については先に述べた通りである。
「文」と「字」の本来の意味を合わせて、考えてみよう。「文」は文身であった。そして「字」は生まれること、とりわけ生まれた後の命名の儀式、氏族あるいは社会そのものへの参加を承認する通過儀礼に関連していた。両者から、子どもが生まれるとその身体に図形や模様を描き込む習俗があったのではないか、そしてこのことが氏族共同体への加入としての意味をもったのではないか、と推測することができる。この推測は、漢字そのものによって検証される。生まれることを意味する「産」の頭の部分は、本来は「文」の形であり、文身を意味していた。また「厂」は額を表しており、「産」は、全体として、子が生まれた後に、額に徴を描き込んだことを示している、と白川は解釈している。

身体に図形や模様が描かれるのは、誕生のときだけではない。人が成長し、共同体の成熟したメンバーとして受け入れられるとき、つまり成人への通過儀礼のときにも、やはり額等に文身が描かれた。このことを示しているのが、白川によると、「彦」という文字である。「彦」とは成人という意味である。この文字の頭の部分も、「産」の場合と同様に、本来は「文」の形をしていた。「厂」は今しがた述べたように額であり、「彡」は文身の美しさを示す記号だという。成人を祝う儀式において、額に図形が描き込まれたのである。文身が施された身体部位こそが「顔」である。

（図２）

＊

さて、漢字をめぐるこうした解釈からどのような結論を引き出すことができるのか。しばしば、人は、「絵→絵文字→象形文字→表意文字」といった発展の経路を想像する。しかし、少なくとも漢字に関しては、この経路は正確ではない。漢字が取って代わったのは、絵や図形の一般ではない。白川の解釈から判断すると、漢字は、刺青のような、身体の表層（皮膚）に刻印された図形が転態したものだったのだ。

次のように考えることができる。文字と身体上に描かれた図形とは、ある観点からすると、機能的に等価な関係にある、と。言い換えれば、両者は、一方があれば他方は不要だというような排他的な代理の関係にあるのだ。文字は、身体の上の図形に、文身に取って代わるかたちで登場してきたのではないか。そうであるとすれば、文字が一般化し普及した社会においては、身体に図形や模様を描く習俗は周辺化されたり、駆逐されたりするはずだ。

この推定には、間接的な証拠を挙げることができる。中国の古代の文献には、周辺の諸民族に、文身や刺青の習俗があったことを紹介するものが多い。それは、野蛮でめずらしいこととして描写されている。日本人によく知られている例を挙げれば、『魏志倭人伝』がまさにそうである。これによると、邪馬台国の男は、全員、顔や身体に文身を施している。こうした習俗が、奇異なことのように紹介されるのは、文字を有する中国では、同じ習俗は存在しなかったからである。白川の解釈が正しいとすれば、漢字が成立する前の中国にも同じ習俗があったにもかかわらず、そのことはすっかり忘れ去られているのだ。
それでは、身体の表層に図形を描く操作は、社会にとって何であったのか？　どうして、それは、漢字が普及するにつれて、漢字に押しのけられるようにして消え去ったのか？　この点について、根拠となる事実を挙げながら詳細に説明する余裕はない。ここでは、「仮説」というかたちで、根拠を省き、概略だけを提示しておこう。[*16]手がかりになるのは、皮膚に模様を描き込むことが、通過儀礼としての機能を果たしたという事実、つまり表層に図形を描き込むことで、その身体は、社会の一員として受け入れられたという事実である。
皮膚や顔に図形を描くことは、その身体を、他者たちの「眼」の体験と接続することになる。身体の表層部の図形は、身体を外から眺める他者たちの眼に対して提示されており、このことを、表面に図形を有する身体自身が、直感している。皮膚や顔に図形を描かれている身体と、これを見る他者の身体とを繋ぐメカニズムを、私は、「(求心化作用と連動する) 遠心化作用」という概念を用いて説明してきた。[*17]
文字をもたない原始共同体では、しばしば、成人式にあたる通過儀礼で、これから成人する若者に刺青が施される。刺青を刻印する手術は、多くの場合、一緒に成人する仲間たちが見守る中で執り行われる。刺青が刻まれる身体は、もちろん強い痛みを感じている。それを見ている他者たちはどうなのか。他者たちも、思わず「痛い！」と、錯覚的に感じてしまうだろう (眼を背けたくなるのは、そのためである)。これが遠心化作用である。見る身体は、まるで「あの身体」(刺青を描かれている身体) の位置で、痛みを覚えているかのような感覚をもつのだ。また、まさに手術を受けている身体は、自分を眺める他者たちの視線を直感するだろう。これも遠心化作用の例である。

身体の表層の図形は、遠心化作用を媒介にして、この身体に視線を向ける他者たちの眼を実感させる。ここで図形を共観している他者たちの眼は、やがて、個々の具体的な他者たちからは独立した固有の実体（身体）のように、感じられるようになる。たとえば、日本人は、しばしば小さな集まりにおいて、「空気」を読む。「空気」は、共在している身体たちの集合的な効果に違いないが、人は、それを一緒にいるどの個人からも独立した実体のように感受している。これこそ、「第三者の審級」の最も原初的な形態である。第三者の審級の肯定的な眼差しを通じて、身体は規範化され、社会の正式な一員として承認された。

要するに、身体の表面に図形を描くことは、原初的な第三者の審級を生成する操作そのものなのである。したがって、文身を描かれることで、その身体は、前社会的＝自然的な水準から、規範的な形式を帯びた社会的な水準へと引き上げられることになる。文身をもつその身体は、今や、第三者の審級の視野の中に収まったことになるからだ。子どもを社会の正式な一員として受容する通過儀礼において、文身が描かれたのは、文身にこうした効果があったからではないか。[*18]

だが、文身は文字＝漢字に完全に取って代わられてしまう。つまり、文字＝漢字が普及したとき、文身の習俗が失われる。生ける身体への描き込みから死せる文字への移行が生ずるのだ。[*19] この事実から次のように推測できるだろう。すなわち、文字＝漢字は、文身が生成する

「原初的な第三者の審級」とは異なるタイプの第三者の審級を前提にして機能し、定着しているのだ、と。文身から文字への転換を通じて、第三者の審級のタイプが変化しているのである。文字＝漢字が文身を駆逐したのは、文身を刻印する操作を通じて第三者の審級を生成する必要が、もはやないからだ。文字＝漢字が普及したときにはすでに、別のタイプの第三者の審級の支配が確立していると考えなくてはならない。われわれが「高次の第三者の審級」と呼んできた「天子（皇帝）」は、その「別のタイプ」の一例である。こうして、漢字が中国の人々を長く魅惑してきた理由を、皇帝権力の存立機制と結びつけて理解するための準備が整った。

＊1　毛沢東は、標語を造ったり、どこかの古典から難解だが適切な語を引いてきたりすることにかけては、天才的であった。たとえば、「百花斉放」の作戦に関して、毛沢東は、これは「引蛇出洞（蛇をねぐらから誘い出す）」のためだと巧みに解説した。あるいは、カストロを批判して、「豺狼当道（豺と狼が道をさえぎっている、つまり悪臣が重要なポストに就いて、権力をふるっているので八方ふさがりの状況に陥っている）」と呼んだりしている。こうした事例は、枚挙にいとまがない。毛沢東（と江青）の娘、李訥は、父親の後ろ盾で、若くして『解放軍報』なる雑誌の編集長という要職に就いた後、急に横柄な態度をとり、ごく些細なミスに対しても丁重な謝罪を要求する等、職場で専制君主のようにふるまった。このときのことを、ユン・チアンは、次のように記している。李訥は「これからは『王覇雑用』（王道も覇道も無差別に用いる）でいく、と、あきらかに父親から教わってきたと思われる難解な言葉を使って宣言した」（『マオ――誰も知らなかった毛沢東』上・下　講談社、二〇〇五年、下四七三頁）。

＊2　科挙の詳細については、以下を参照。宮崎市定『科挙』中公新書、一九六三年。科挙を導入したのは隋であり、科挙による人材登用を完成させたのは、宋であった。宋が科挙を完成させたというのは、それ以前は、科挙に基づく高級官僚の登用と出自による登用（貴族出身者から官僚を選ぶ）が併用されていたからだ。宋に至って初めて、高級官僚への道が科挙の一本になった。また、元代に科挙の必須科目は、儒教の古典の中から、四書と五経の九つに絞られる。南宋の大儒者・朱子（朱熹）がこれらのテキストを重んじていたからである。

＊3　橋爪大三郎は、道教は、「裏儒教」とも見なすべきものであり、儒教に関して挫折した者たち、はっきり言えば科挙で失敗した者たちにとっての心理的救済になっていた、という説を唱えている（『隣りのチャイナ』夏目書房、二〇〇五年、三三―三四頁）。これは極端な見解ではあるが、いずれにせよ、儒教と道教の間に、機能的な相補性がある、と言うことができるのではないか。儒教は集団の救済、集団としての中国の繁栄や幸福にしか関心がない。つまり、儒教が説いているのは、善い政治ということであり、個人の幸福は、その二次的な産物でしかない。たとえば、孔子は、最も目をかけていた高弟の顔回が赤貧にあえいでいるのを知っていたのに、彼を少しも援助しなかった。結局、顔回は病により夭折するが、孔子は「天」に八つ当たりして大げさに嘆いてみせるだけで、自分が彼を援助しなかったことに関して、反省したり、後悔したりはしない。このように、個人の不幸や苦しみは、儒教の救済の対象ではないのだ。とするならば、個人の救済や幸福を直接的に扱う宗教が、別に必要になる。その役割を果たしたのが道教であろう。中国においては、仏教もまた、似たような機能を担った。中国では、儒教と道教の間には、機能的な分担の関係があったのだ。この関係は、古代インドにおける、バラモン教と仏教との間の関係とはずいぶん違う。

＊4　明の第三代皇帝、永楽帝は、ついに、朱子学に基づいた科挙の国定教科書『四書大全』『五経大全』を作ってしまった。永楽帝は、「八股文（はっこぶん）」という、科挙の答案の書き方まで指導した。これは、出題者である皇帝自身が、あらかじめ模範解答を示しておくようなものである。この永楽帝の事業は、科挙のための受験勉強を、機械的な丸暗記に堕落させた、としてはなはだ評判が悪い。

＊5　中国の皇帝の妻たちは、高い塀に囲まれた場所に隔離されており、彼女たちにアクセスできた男性は皇帝と宦官だけだった。日本の天皇の妻たちのケースは、これとまったく違う。『源氏物語』を読めば明らかだ。恋人は簡単に天皇の妻のもとに忍びこむことができたし、不倫相手との間の子が天皇になることさえあった。この事実から、中国人とは異なり、日本人は「血縁カリスマ」をほとんど信じていないことがわかる。

＊6　最初の宦官は、異民族を征服した際に獲得した捕虜だった。朝貢国に命じて、宦官を献上させたこともあった。罪人を宦官として使うようになるのは、それよりも少し後である。

＊7　中国人の伝統的なコスモロジーでは、人間の「たましい」には、魂（こん）と魄（はく）がある。人が死ぬと、「魂」は天に昇り、「魄」は地に潜る。子孫が祭祀を執り行うと、魂と魄とが、それぞれ天と地から戻って来て、たましいが復活することになっている。ということは、祭祀を行う子孫を失うと、たましいが復活できなくなる、ということになる。ゆえに、父系の氏族である宗族が永続することは、きわめて強い要請になる。子孫は残さなくてもよい、などと呑気に構えるわけにはいかないのだ。このことを考えると、いわゆる「一人っ子政策」がいかに思い切った政策だったかが、わかる。

＊8　たとえば、スティーヴン・ロジャー・フィッシャーは、文字の専門家として、甲骨文字のような成熟した文字がいきなり無から生まれるとは考え難いとして、シュメール文字が商に伝わったのではないか、と推測

している。しかし、この伝播過程を裏付ける証拠は、まったく出ていない。

*9　実は、一九九三年に、山東省の丁公村で大きな発見があった。古代の住居跡から、十一個の文字らしき記号が刻まれた陶片が発見されたのだ。陶片は、紀元前二三〇〇年頃のものである。もしこの記号が文字であるとすると、中国における文字の出現は、商はもちろんのこと、夏の誕生よりも前に遡ることになる（夏の始まりは、前二〇七〇年頃と推定されている）。しかし、丁公陶片に記された「文字」はたった十一個ときわめて少なく、また、これと甲骨文字との間をつなぐ遺物もまだ発見されていないため、丁公陶片の記号を「前・甲骨文字」と解してよいかどうかという点に関して、専門家の見解は一致していない。

*10　したがって、甲骨文字の出現までの過程はまったく不明なのに、甲骨文字から現在の漢字までの発展の過程は明確に辿ることができる、ということになる。

*11　清の第四代皇帝康熙帝に至っては、『康熙字典』と呼ばれる、五万字近くを収録した大字典を編纂したほどの、漢字の信奉者になった。『康熙字典』は、『説文解字』とともに、最も重要な漢字字典とされている。

*12　商の生贄については、以下を参照。NHK「中国文明の謎」取材班『中夏文明の誕生』講談社、二〇一二年、一三八―一四〇頁。

*13　商墟の発掘総責任者・唐際根は、ブリティッシュコロンビア大学の荊志淳とウィスコンシン大学のジム・バートンの協力を得て、歯を解析した。NHK取材班、前掲書、一四一―一四五頁。

*14　商代の末期になると、商の周辺諸国に対する軍事的な優位は崩れてくる。その証拠に、その頃の遺跡からは、青銅製であるべき器を模した土器が出土する。もともと、商には銅山はなかったため、商は、周辺の諸部族から銅を献上させて、これを使っていた。青銅器の真似をした土器は、銅の献上が著しく不足してきたこ

との証だろう。ちょうどその頃の、つまり商の最末期の遺跡から、生贄に捧げられたと思われる女性の頭蓋骨が、壺に入ったかたちで出土した。この女性の頭蓋骨に関して、驚くべきことがわかっている。歯に含まれる放射性物質の解析から、生贄になった女性は、羌のような遠方の異民族の出身者ではなく、商の都で暮らす、二十歳前後の若い女性であったことが明らかになったのだ。捕虜が得られなければ、自分たち自身が生贄になるほかない、というわけである。この事実は、捕虜は、商の人民自身の代理であり、神の眼をごまかすために捧げられていた、というここでの推論にとって、傍証になるのではないか。NHK取材班、前掲書、一五四―一五五頁。

＊15　ヨーロッパの封建制と混同してはならない（大澤真幸『〈世界史〉の哲学　中世篇』講談社、二〇一一年、第10章第3節）。

＊16　詳細は、以下の文献を参照されたい。大澤真幸『身体の比較社会学Ⅱ』勁草書房、一九九二年、三八九―四〇二頁。『電子メディア論』新曜社、一九九五年、九三―九九頁。

＊17　詳細は、大澤真幸『〈世界史〉の哲学　古代篇』講談社、二〇一一年、一四三―一四七頁。

＊18　白川静によると、古代中国において、重い罪を犯した者への刑罰が刺青であった。刺青は「聖化の手段としての身体装飾」であり、「神〔第三者の審級――引用者注〕に対してのけがれの祓い」だったからだ、というのが白川の説明である（『漢字――生い立ちとその背景』岩波新書、一九七〇年、一〇九頁）。次のように考えると、この事実は、われわれのここでの論述の傍証になる。極端な罪を犯した身体は、ローマ法における「ホモ・サケル」と同様に、法規範の守備範囲の外に出てしまうと考えられたのではないだろうか。その身体を、社会の内側に、法規範の対象にあらためて取り込むためには、それに刺青を描き込む必要があった。刺青

を描き込むことで、その身体に対して君臨する第三者の審級が生成されるからである。

＊19　大澤真幸『生権力の思想』ちくま新書、二〇一三年、一九七―二〇三頁。

第28章　「天子」から「神の子」へ

1　全称命題と特称命題の間のギャップ

全称（＝普遍）命題 universal proposition と特称（＝特殊）命題 particular proposition の間には、われわれの日常の直観に反するギャップ、つまりどこか腑に落ちないギャップがある。「全称命題・普遍命題」「特称命題・特殊命題」は、論理学の用語である。全称命題は「すべての x は P である」という形式の言明であり、特称命題は「ある x は P である」という形式の言明だ。量化子（∀、∃）と呼ばれている記号を用いるならば、

全称命題　∀ xP(x)
特称命題　∃ xP(x)

とそれぞれ表示される。「∀」は「すべての（x）」「任意の（x）」を表す記号であり、「∃」は「ある（x）」を表す記号だ。両者の間には、どのような意味で、奇妙なギャップがあるのか。まずは、それを説明しよう。

われわれの日常の直観が教えるところに従えば、全称命題は特称命題よりも、言ってみれば

強い主張である。「強い」とは、全称命題が成り立つのであれば、特称命題も当然成り立つのだが、逆に、特称命題が真であるとしても、全称命題が真であるとは限らない、という関係をここでは指している。たとえば、誰かが、「すべての日本人は入浴が好きである」（全称命題）と言ったとすると、われわれは、「それはちょっと言い過ぎだ。その主張は強すぎる。日本人の中には入浴が嫌いな者もいるはずだ」と思うだろう。それに対して「ある日本人たちは入浴が好きだ」「日本人には入浴が好きな人がいる」（特称命題）という主張であれば、「それはそうだろう」と簡単に受け入れられる。全称命題と特称命題との間の相違が、このような「強さ」の違いにあるのだとすれば、両者の間に本質的なギャップ、質的な断絶はない、と言ってよいことになる。「強さ」は相対的な違い、量的な差異を意味しているからだ。

一般に、特称命題と全称命題の間は、次のような「帰納」の過程によって橋渡しされる、と思い描かれている。たとえば、あなたが、どこかの遠い国から日本にやってきた異邦人だとする。初めて知り合った日本人が、一日に何度も風呂に入るほど潔癖な人だった。あなたは、「（少なくとも）一人の日本人は入浴が好きだ」と自信をもって断定できる。やがて、あなたは、二人、三人……と日本人の友人を増やし、どの人も入浴が大好きだということに気づいた。このときあなたは「日本人の中には入浴が好きな人が（たくさん）いる」（特称命題）と思うようになるだろう。さらに日本人の知人が増えていく過程で、誰もが、「湯船に浸かっているときほど幸せなときはない」などと言うので、あなたは「すべての日本人が入浴を好んでいるのではあるまいか」（全称命題）という仮説をもつようになる。その後、すべての日本人を調べたときに、誰もが入浴好きだと確認できれば、仮説が検証されたことになり、全称命題が妥当することになる。しかし、一人でも、「入浴が嫌いだ」というような日本人を見つけてしまえば、あなたは全称命題を断定することを諦めなくてはならない。このように、特称命題が成り立つケースを増やしていき、それが最大値（すべて）に達したとき、全称命題が成り立つ。特称命題／全称命題、特殊性／普遍性の間は、素朴には、こうした関係にあると見なされている。

このように、妥当するケースを増やしていくことで、特称命題（特殊性）から全称命題（普遍性）へと移行できるのだとすれば、両者の間には本質的なギャップがない、ということになる。ところが、実際には、そうはならないのだ。このことは、たとえば「すべてのバルタン星人はハサミ状の手をもつ」という全称命題を考えてみると理解できる。この命題は真である。なぜならば、バルタン星人は存在しないからだ。全称命題は、そこで言及されている対象が存在していることを含意してはいない。そして、言及されている対象、つまり主語の位置に置かれた対象が存在していないときには、全称命題は常に真になる。[*1] ところが、他方で、「あるバルタン星人はハサミ状の手をもつ」という特称命題が真であるためには、現実の世界に、ハサミ状の手をもったバルタン星人が幾人か（少なくとも一人は）存在していなくてはならない。

ここにおいて、特称命題と全称命題との間のなめらかなつながり、両者の間の連続的な移行関係が破れていることに気づくだろう。素朴な直観では、われわれは、全称命題が真であるときには、特称命題は常に真になると考える（すべての日本人が風呂好きであるならば、一部の日本人に関して、風呂好きだと主張することは常に真になる)。だが、バルタン星人の例が明らかにしたことは、全称命題が真なのに、特称命題が偽になることがありうる、ということである。最も強い主張(全称命題)でさえも成り立つのに、それよりもはるかに譲歩した、弱い主張(特称命題)が間違いだと斥けられるのは、不自然だという印象をもつ。しかし、この不自然さを受け入れ、その含意を考えなくてはならない。

*

全称命題(普遍性)と特称命題(特殊性)との間の、こうしたギャップに最初に気づいたのは、ヨーロッパ中世の神学者アベラールである。[*2] このギャップは、論理学者にとっては、たいへん不都合な結果をもたらす。アベラールを当惑させたのは、その不都合な結果である。少しばかり解説しておこう。全称命題と特称命題のそれぞれに関して、肯定と否定をとると、結局、四種類の命題が得られる。その四種類の命題の図のような配置を、「対当の正方形 square of opposition」と呼ぶ。「〜」は「否定」を意味する論理記号であり、「A/E/I/O」は、ラテン語の「AffIrmo(肯定)」「nEgO(否定)」に由来するのだが特に気にする必要はない。

このように命題を配置すると、命題の間に実に美しい関係が成り立つことが、アリストテレス以来、知られている。最も重要なのは、対角線の関係、つまり「A↔O」「I↔E」である。どちらの組も「矛盾 contradictory」の関係、中の二項が互いに排他的であると同時に、両者を一緒にしたときにはすべての場合が尽くされる(包括的)関係にある。つまり、二

対当の正方形

	肯定	否定
全称	A 「すべてのxはPである」$\forall x P(x)$	E 「どのxもPではない」$\forall x \sim P(x)$
特称	I 「あるxはPである」$\exists x P(x)$	O 「あるxはPではない」$\exists x \sim P(x)$

つの命題のうちのどちらかが必ず真であり、他方が必ず偽になるのだ（両方がともに真になったり、偽になったりはしない）。たとえば、Aが真であれば、Oは偽であり、逆にOが真のときには、Aは偽になる。

詳しくは解説しないが、この正方形には、他にも興味深い関係がいくつも含まれている。たとえば横（肯定／否定）には、「反対 contrary」「準反対 subcontrary」と呼ばれる関係がある。すなわち、AとEは同時に正しくなることはありえず（反対）、IとOに関しては、少なくともどちらか一方が必ず正しい（準反対）。あるいは、縦は全称と特称の関係なので、先に見たように連続的な移行関係が成り立つと考えられていた。その連続性を、「大小対当」と論理学者は呼ぶ。Eが真ならば、Oも必ず真になり（下への大小対当 subalternation）、Iが偽であればAは必ず偽になる（上への大小対当 superalternation）、等の関係が成り立つ。[*3]

だが、アベラールは、アリストテレスによって確立されたこの見事な調和が破れてしまうことがありうると発見し、愕然とする。アベラールの驚きを再現するために、Iが偽であるケースで調べてみよう。まず、アリストテレス的な関係が「対当の正方形」に成り立っているとしたらどうなるか考えてみる。Iが偽ならば、それと矛盾の関係にある対角線の向こう側Eは真になる。Eが真ならば、その下のOも真である（下への大小対当）。Oが真であれば、それと矛盾するAは偽でなくてはならない。整理すると、

I偽　↓　E真　↓　O真　↓　A偽

という連鎖が得られる。

さて、ここに、あのバルタン星人の例を代入してみよう。Iは「あるバルタン星人はハサミ状の手をもつ」という命題になる。これは、確かに偽である。ハサミ状の手をもったバルタン星人など実在しないからである。今しがた確認したことは、Iが偽であれば、Aは偽でなくてはならない、ということだった。では、この例ではAはどんな命題か。「すべてのバルタン星人はハサミ状の手をもつ」、これである。しかし、先にも述べたように、この命題は真なのだ！　バルタン星人が存在しない以上は……。「偽」になるべきところが、「真」になってしまう。これが、アベラールが見出したギャップ、われわれがここまで特称命題（特殊性）と全称命題（普遍性）との間のギャップと呼んできたことがらだ。

さて、ここまでは、論理学の教科書に載っていることである。重要なことは、この先だ。特称命題と全称命題の間のこうしたギャップは、何を意味しているのか。このギャップは、人間の精神にとってどのようなことを含意しているのか。どうして、人は、このギャップに、あるべき調和が乱されている、といった不安のようなものを抱くのか。

2 「正名」の機能

ところで、どうして、われわれは、論理学が示唆する問題にここで拘泥しているのか。論理学がここで示した独特の乱調が、本書の中でわれわれが目下直面している疑問を解くための鍵を提供してくれるからである。われわれが直面している疑問とは、文字、とりわけ漢字をめぐる謎である。

漢字は、独特の呪力をもっているかのように扱われ、長く——現在に至るまで——中華帝国の人々を魅了してきた。実際、原初の漢字（甲骨文字）は、主として呪術において、つまり生贄を伴う卜占（ぼくせん）で用いられていたこともわかっている。個々の王朝よりも、漢字の方がはるかに長く続き、つまり漢字は誕生以来、大きく変更されることなく継承されてきており、「中華」あるいは「華夏」としての同一性（アイデンティティ）は、漢字に託されていると言っても過言ではない。科挙の試験に合格した官僚の圧倒的な権威がよく示しているように、漢字の能力は、皇帝に類する徳やカリスマが、その能力を有する人物に備わっていることの証明となっていた。こうした漢字の力、漢字の権威はいったいどこから出てくるのか。これがわれわれの疑問であった。

原初の漢字である甲骨文字が少しずつ確立してくる過程を実証するための遺物は、今のところ発見されてはいない。いずれにせよ、漢字の起源、あるいはむしろ漢字の前史に関して、われわれは、前章で、白川静の研究等を参考にして、次のような仮説を提起した。刺青のような、身体の表層（皮膚）に描き込まれた図形こそが、漢字の前史、漢字以前の漢字だったのではないか、と。身体上の図形と漢字は、言わば互いに機能的な等価物であり、それゆえにこそ、排他的な交替の関係にある。つまり、漢字の成熟とともに、身体上の図形はその必要性を失い、消滅するのだ。身体の表面に刻まれる図形が、第三者の審級の原初的な形態に、漢字が、高次の第三者の審級に、それぞれ対応している、というのがわれわれの仮説である。

最初の漢字が、亀の甲や牛の骨に刻まれたのも、もともと「漢字（以前の漢字である図像）」が描き込まれた対象が身体の表面であったことに関係していたのかもしれない。前章で指摘しておいたように、甲骨は、文字を書き込む素材としては、きわめてめずらしい。他の古代の文字は、石、粘土板、パピルス等、現代の素材との連続性が明白な物に書かれた（石や粘土は今日でも使われているし、パピルスは今日の紙の原始的な形態である）。しかも、それらは、文字が使われていた社会で容易に入手できた、という理由だけで選ばれている。中国、いや厳密に言えば商だけが、石や粘土や木ではなく、甲骨に文字を書いた。だが、商が、それら甲骨の産地だったわけではない。事実はまったく逆で、商は、自分たちの都の近辺ではほとんど得られない甲を、わざわざ遠くから取り寄せて使っていたのだ。この点から明らかなように、商は、甲骨に特別に執着したのである。甲骨のような生命を直感させる素材は、身体と、金属のような端的な無生物との間を媒介する素材だった可能性もある。

ここで、ヘーゲルの『精神現象学』の展開と類比させてみたい、という誘惑に抗しきれない[*4]。『精神現象学』に、「精神は骨である Der Geist ist ein Knochen」という有名な命題がある。この奇抜な命題が何を意味しているのかを解釈すると、きわめて重要なことがわかってくるのだが、ここでは深くは立ち入らない。ただ、この命題の「精神」という主語を「文字」に置き換えると、まるで、甲骨文字のことを語っているように見えてくる、ということに注目しておきたい。ヘーゲルは、文字とも中国とも何の関係もない文脈で、この命題を出している。[*5] にもかかわらず、われわれにとって、この命題が『精神現象学』のどんな流れの中で登場してくるのかということは、われわれにとって、すこぶる興味深い。命題が提起されるのは、「人相学」を論じた部分から「頭蓋論」の項へと移行した先の箇所なのだ。人相学は、身体の表面の特徴、つまり身振りや表情から、人の内面の「精神」を読み取ろうとする。しかし、それは失敗に終わり、その後に、登場するのが頭蓋論だ。この論理展開は、身体の表面に描かれた文字が、骨に刻まれた文字＝精神に取って代わられたという、われわれがここで推定している歴史の流れと見事に合致する。

＊

漢字の独特の力、漢字の権威をもたらすメカニズムは何なのか。これが疑問であった。ここで、儒教で言うところの「正名」と漢字との関係を再確認しておこう（第26章第4節）。正名とは、ことば（名）が正しい実体を指示している状態であった。その正名の具体化された姿こそが漢字である。だが、ここで、漢字が人々を魅了し、その行動や思念を規定したのは、漢字が正名だったからだ、と説明したのでは、当事者（伝統中国の知識人）の自己理解を反復しているだけで、一種の循環論法である。当事者が「正名」として理解していること、それがわれわれの観点から捉え直したときには何であるかを解明し、概念的に捉える必要がある。

ここで、前節で論じたことと関連づけてみよう。とりあえず言うことができるのは、「正名」は全称命題に対応している、ということである。もう少し慎重に言い換えれば、正名とは、圧縮された全称命題であると、あるいは全称命題を意味する記号であると解釈することができるだろう。たとえば、「父」は儒教にとって最も重要な正名のひとつである。「父」は、父なる普遍概念を、つまり「父なるものはおよそPである」「すべての父はPである」を意味しているのだ。もちろん、Pの部分では、儒教の観点から捉えた、父の理想的な性質、父であるべきものの条件が述定される。

ところで、われわれは、全称命題（普遍性）と特称命題（特殊性）の間に、架橋不可能なギャップがあることを確認したのであった。このギャップは何を意味しているのか。このギャップが含意していることは、普遍概念（全称命題）が存在に対してまったく無関心であった、ということである。全称命題は、実際には、存在にまったくおかまいなしに成立するのだ。ということは、たとえば、「すべての父はPである」という命題が仮に真であったとしても、そのことは、突き詰めて考えてみると、現実に存在している父とは関係がない、ということである。つまり、「すべての父はPである（べきだ）」という全称命題は、「Pであるような父」の存在をいささかも保証しない。バルタン星人についての全称命題が、その全称命題において言明されているような性質をもつバルタン星人の存在とは無関係に成り立っていたのと同様である。

いや、もっと踏み込んだことを言ってもよい。普遍概念としての父は、存在に無関係なのだから、現実に存在しているところの父はすべてほんとうのところは父ではない、概念のレベルに合致するような父はそもそも存在しない、と言うべきであろう。これは、そう見えるほどには荒唐無稽な主張ではない。われわれは、実際、「父」についての明確な概念をもっていればいるほど、つまり「父たるものは、Pである」といったタイプの強い観念をもっていればいるほど、実際に存在している父はいずれもほんものの父ではない、と感じるだろう。「あいつは真の父ではない」「こいつも父にふさわしくない」等々と。

しかし、普遍概念（全称命題）が存在と無関係だということ、普遍概念の下に包摂される実体の存在が保証されていないということ、このことが人間心理に与える効果は絶大である。このことがもたらす感覚は、不安以外の何ものでもあるまい。父の理想像を規定する概念はあっても、その概念を構成する諸条件に合致した父はどこにもいないかもしれないのだ。

こうした状況にあって、普遍概念と存在とを架橋すること、普遍概念に対応した実体の存在を保証すること、それこそが「正名」という理念の役割ではないだろうか。正名は正しい実体を指している、と言われるとき、含意されていることは、その実体は確実に存在している、ということである。たとえば、「父」という正名は、あるべき父を全称命題のような仕方で規定しているだけではなく、その命題に規定された諸条件と一致した父が実在していることを間接的に保証しているのである。論理学的に言えば、父についての全称命題は、一つの集合を、つまり「あるべき父」についての集合を定義している。「父」という正名は、この集合が空集合ではありえないという保証を、つまりその中には少なくとも一つの要素が存在しているという保証を与えているのだ。このような意味での正名を表現しているのが、漢字である。つまり、それが正名であるならば、必ず「漢字」によって表現されるはずだと見なされているのである。

繰り返し述べてきたように、全称命題と特称命題、普遍性と特殊性の間には、深淵が開いている。正名＝漢字が果たしている機能は、この深淵を隠蔽することにある。漢字に特別な力が宿っているように感じられる根拠は、ここにあったのではないか。

3　「名前」のトートロジー

しかし、漢字で表記された正名は、どのようにして、普遍概念を定義している諸条件を満たす要素の存在を保証しているのだろうか。つまり、普遍性と特殊性の間に本来存在しているギャップは、どのようにして隠されているのだろうか。

正名と漢字に、前節に述べたような機能が託されているということは、今日の分析哲学の用語を用いて言い換えれば、名前についての記述説に立脚しているに等しい。名前が指示対象とどのように関係しているのか、名前はいかにして外部の対象を指示することができるのか、という問題をめぐって、分析哲学者は、大きく二つの説に分かれている。それが記述説と反記述説で、この「〈世界史〉の哲学」の中でもすでに何度か簡単に紹介してきた（たとえば、第15章第3節）[*6]。

ここまで「全称命題」と呼んできたものは、主語の位置におかれていることば＝名前を定義する命題として解釈することができる。その命題は、名前によって指示されている対象がどのような性質を備えているのかを記述している。たとえば、「父」とは、子に対してこれこれの関係にあり、しかじかの徳を備えており……ということを記述しているのが、ここでいう「全称命題」であると捉え直すことができるだろう。名前の記述説というのは、まさに辞書に記されているようなことばの意味によって、つまり対象が何であるかを規定する記述的な属性によって、名前は指示対象を確定するという説だから、「正名」についての、ここで論じてきたような暗黙の了解は、まさに記述説の見解と合致する。

名前と指示対象の関係についての理論としては、直球勝負のようなシンプルな記述説よりも、ひねりの効いた反記述説の方に説得力があるが、ここでの目的は、論争においてどちらが優位かを判定することではない。正名についての儒教の説と名前の記述説が類似しているとすれば、後者がどのように自説を正当化しているのか、あるいはその正当化にどのように失敗しているのかを見ることで、漢字で表記される正名が、どのように存在（実在する指示対象）との結合を確保しているのかを解明するための手がかりを得ることができるはずだ。

ジョン・サールは、記述説の支持者の一人である。彼は、反記述説に反論するために、次のような原始的な共同体を仮説的に想像し、思考実験を試みている。ここでは、特に固有名が主題となっているが、それは、記述説と反記述説の対立が、特に固有名において際立つから、そして固有名に関しては、とりわけ反記述説が有利であると見られているから（つまり論敵の強みとなる部分に反論しておく必要があるから）である。

次のように想像してみよう。この部族の中の誰もが、他のすべての部族民の一人ずつを知っており、新たに生まれたメンバーは、部族の全員が出席している儀式で命名される、と。加えて、次のように想像してみよう。子どもたちは成長するにつれて、直接に会ったり、現物を見たりしながら、人の名前を覚え、また山や湖や通りや家々がその地域でどう呼ばれているかを学んでいく、と。さらに、この部族には、死者について口にすることに対する厳しいタブーがあって、誰もが死後にはその名を言及されることがない、と想定してみよう。さて、この空想の肝心な点は、単純に、こういうことにある。この部族は、指示のために用いられる固有名についてのひとつの制度をもっており、彼らの名前の使い方はわれわれが指示のために名前を用いるときと厳密に同じやり方に基づいているのだが、しかし、この部族には、コミュニケーションの因果連鎖の理論を満足させるような名前の用い方はいっさいない。[*7]

引用文の最後で「コミュニケーションの因果連鎖の理論」と呼ばれているのが、反記述説のことである。反記述説は、名前の意味ではなく、命名の儀式にまで遡ることができるコミュニケーションの因果的な連鎖が、名前と指示対象を結びつける根拠になっている、と説いているからである。サールのこの思考実験で、何がポイントなのか、分かるだろうか。

ときに、われわれは、ある人物や物について、まさに「名前」そのもの以外には何も知らない、ということがある。つまり、その人物が「山田太郎」と呼ばれているということ、あるいは「新高山」と呼ばれている山がどこかにあるということ以外は何も知らないのだ。このような事実は、コミュニケーションの因果連鎖の理論（反記述説）に有利である。というのも、私が「山田太郎」について名前以外には何も知らないのだとすれば、私がその名を口にするとき、それがまさしく山田太郎を指しているということを保証している事実は、「山田太郎」が命名されて以来、その名がコミュニケーションのネットワークを通じてこの私にまで伝えられてきたということのほかには何もないからである。

しかし、サールが作った部族では、このようなケースはありえない。というのも、人が、物や人物について名前を知っているとすれば、それは命名の儀式に立ち会ったか、そうでなければ、指示対象を現認しながら「これが『山田太郎』だ」等と教えられたか、どちらかだからである。つまり、人物や物について「名前」以外に何も知らない、などということは、サールの「想像の共同体」ではありえないのだ。「山田太郎というのは、背の低い太めの男で、飛んで来たボールを棒で弾き返すのが得意な人だ」等の仕方で、人は、名前を対象の記述的な特徴と必ず結びつけることができる。したがって、サールが発明した部族では、名前の記述説だけですべてうまく説明できる。サールに反論するためには、「そんな部族はまだ発見されていない」などと言っても意味がない。反論したければ、この部族が経験的に存在していないという事実を指摘するのではなく、論理的に成立しえないということを証明しなくてはならないのだ。

サールの論証、反記述説に反駁するためのサールの議論は、正確には二段構えになっている。まず、記述説だけで説明ができる、ここに引用したような共同体が、少なくとも論理的には存在しうることを示す。しかし、これだけでは、サールにとってはまだ足りない。現実には、われわれは、山田太郎について「『山田太郎』と人々が呼んでいる人」ということ以外には知らないケースがあるではないか。それはどう説明するのか。だが――とサールは反論する――こういう状況では、われわれは、自分以外の誰かが山田太郎が何者であるかを正確に特定できるほどに知っているということを、そのような「知っている人物」が少なくとも一人はいるということを、論理的な前提にして、「山田太郎」という名前を使っているのではないか、と。そのような想定がなければ、名前を使えないのではないか、と。その「よく知っている人物」は、自分が「山田太郎」を命名したのか、命名儀式に参加したのか、それとも山田太郎に直接に会って彼のことを知ったのか、それはわからないが、とにかく、彼は「山田太郎」という名前を、記述的な特徴の束へと還元することができる。こうして、どんな共同体も、あの原始的な共同体からの派生形として理解することができることになる。これが、論証の第二段階である。

＊

サールの論証は、記述説の擁護としてうまくいっているように見える。だが、この論証には、決定的な盲点がある。われわれの論考にとって価値があるのは、まさにその盲点である。名前が名前となるための不可欠な条件、それが「私的言語」ではなく、社会的に有効な言語として使用されるための条件は、まさにサールが派生的なこととして排除したこと、つまりその名前が他者たちによって用いられているという事実である。「山田太郎」という名前の意味にとって、「『山田太郎』と呼ばれている人物である」「他の人たちが『山田太郎』と呼んでいる人物である」ということは、排除したり、別のより重要なことに還元できる「どうでもよいこと」ではないのだ。それは、名前の意味の一部、絶対にはずすことができない不可欠な一部である。いや、こう言っただけではまだ足りない。名前の意味としては、実は、これだけあれば十分なのだ。他のこと、たとえば「太っている人物」とか「野球がうまい」とかといった部分はなくてもよい。「他者たちが『山田太郎』と呼んでいる」ということさえあれば、その名前は機能するのである。

だが、「山田太郎とは、『山田太郎』と呼ばれている者である」「名前の指示対象は、その名前で呼ばれている物である」という定義は、まったくの自己言及的なトートロジーであって、何ごとも意味していないのではないか。もちろん、その通りである。

ということは、このトートロジーを隠蔽し、（ほんとうは何も意味していない）名前が何ごとかを意味しているかのように見せる、付加的な仕組みがあるのだ。それは何か。「山田太郎」は、「他の人たちが『山田太郎』と呼んでいる人」であるというときの「他の人たち」の性格がポイントである。あるいは、Xは、「『X』と呼ばれている対象だ」というときの受動態が示唆していることが、つまり一種の非人称になっていることがポイントである。対象を「山田太郎」等々の名前で呼び、認識している他者とは、実は、個々の具体的な他者たち、共同体を構成する他のメンバーたちではないのだ。それは、そうした他者たちを超えた他者の次元、つまり「第三者の審級」である。山田太郎をまさに「山田太郎」と呼び、その名によって同定し、認識している、と想定されているのは、最終的には、第三者の審級である。第三者の審級には、「山田太郎」が何であるか、それが何を意味しているのかが分かっており、その「意味」を通じて、名前は、外部に存在する実体（山田太郎）と結びつく。このように想定されているのである。

4　「天子」の指名

名前の記述説についてのこうした批判的考察が、中国を、とりわけ「正名」や「文字」の存立のメカニズムを理解する上で、助けになる。サールが想像した幻想の部族では、メンバーの全員が参加する命名儀式が執り行われる（ことになっている）が、実際の命名儀式、古代中国の命名儀式は、どのようなものだったのか。実は、この点について、われわれはすでに前章で、白川静に従って、解説しておいた。しかも、それは、他ならぬ「字」という文字の起源と関係しているのだ。再確認しておこう。

子どもが生まれてしばらくすると、その子どもを氏族共同体の一員として迎え入れる儀礼が執り行われる。その加入儀礼が、同時に、命名儀式でもある。そのときに与えられた子どもの名前が、「字」(アザナ)である。つまり、「字」という漢字は、「文字」という意味と「人名」という意味とを同時に担っているのである。ここで、注目しておかなくてはならないのは、「字」という文字の頭の「宀」である。下の「子」は、もちろん、命名される子どもを指しているに違いないが、「宀」は何だろうか。それは、白川によると、建物、先祖を祀っている家廟である。「字」という漢字が暗示しているのは、家廟において、子どもの名前が定められ、それが先祖に報告された、ということである。先祖に認知されて初めて、名前は名前として発効した。ここでは、「先祖」が第三者の審級である。

「名」という文字も同じことを示唆している。白川説によると、この漢字は、祝詞を入れる器の上に、神に捧げる肉を置いた形である。氏族のメンバーに新しい名前を与える際に、神に犠牲の肉を捧げたのだ。その名前が氏族の中で通用するためには、神による認知が必要だったからだ。この文字「名」も、第三者の審級=神を媒介にして、名前が機能していたことを示している。

「字」や「名」といった漢字が暗示している第三者の審級は、まだ原初的なものである。それらは、氏族や部族に君臨する祖霊や神々だ。こうした原初的な第三者の審級が、やがて「高次の第三者の審級」としての、単一の「天」へと昇華されたり、その中に統合されたりしたのであろう。この過程は、社会的には、大規模な再分配システムとしての帝国の生成の過程と合致する。その生成の機序については、すでに論じた通りである（第24章、25章）。

してみると、最終的には、「正名」を機能させている要因、正しい名前に普遍概念としての意味を孕ませ――厳密にはそのような意味を孕んでいるかのような錯覚を与え――、その普遍概念に合致した実体が客観的に存在していることの保証を与えているのは、「天」、高次の第三者の審級としての「天」だということになる。「天」による命名、「天」を媒介にした任命として、最も重要なのは、「皇帝」の指名であろう。天による皇帝の承認が「天命」であり、そうした承認を受けている皇帝が「天子」と呼ばれた。

漢字の力、漢字の権威の源泉へと遡れば、そこには「天」がある。漢字は、天による直接的な承認によって、あるいは――天子＝皇帝を媒介にした――間接的な承認によって、その真理性（正しい実体との対応）が保証されている名前を表現している。[*8] 漢字を駆使する能力が、皇帝の実務の代行者（官僚）としてのカリスマや資格を与えると見なされたのは、このためである。ここで、正名の働きと聖王（天子）の存在とを結びつけていた荀子の論述を思い起こすとよい（第26章第4節）。正名が定着し、秩序が安定するためには、天命によって正しい皇帝が存在していることが条件と見なされている。その理由は今や明らかであろう。天による最も重要な承認、天子の承認に依存し、そこから派生するようにして正名が機能するのだ。あるいは、歴史に「名」を留めることへの中国人の強い願望を、ここでもう一度、思い返してもよいのかもしれない（第23章）。中国文明にとって「歴史」とは、皇帝の身体の時間的な展開であり、その歴史の中に名前が刻まれることは、その人物の価値ある存在が天子によって承認されたことの証であった。

儒教は、天命を受けている天子が政治を執行している限り、すべてがうまくいくかのように想定している。社会秩序が維持されているだけではなく、自然の秩序までが、正しい天子の政治に依存しているかのように論じられるのだ。というより、厳密には──天命は具体的な声として聞こえたりしないので──、社会的・自然的秩序が順調であるかどうかが、皇帝に天命が下っているかどうかを推定する根拠となっていた。こうした思考は、前近代的な呪術の残滓に感じられる。しかし、伝統中国においては、「天」という第三者の審級が、ことばの正常な機能の保証人になっており、しかも、われわれの現実（リアリティ）は、ことばを媒介にして意味的に分節され、初めて秩序を保っていることを思えば、このようなコスモロジーは必然だったと言わざるをえない。

5　天子／神の子

もう一度、サールが創作した部族の例に回帰しておこう。ここには、奇妙なタブーがあった。死者の名前を口にしてはならないというタブーである。サールにとっては、この設定は、本質的ではないものを排除するための工夫の一つである。遠い昔に死んだ祖先の名前が会話の中に出てくるのは、サールの説にとってはあまり都合がよくない。生きているメンバーの中に、その名前によって指示されている人物の記述的な特徴を知っている者が誰一人いない、ということがありうるからだ。このとき、名前は、ただコミュニケーションのネットワークを通じて因果的に伝えられているだけだ。この状況は記述説には、いささかやっかいだ。そこで、サールは、タブーを設けた。

ある種の名前を唱えてはならない、という禁止は、現実の社会にも、ときに存在する。だが、こうした形で名前が排除されるのは、その名前が本質的なものではないから、どうでもよいことだから、ではない。まったく逆である。最も重要な名前だからこそ、それを口にすることが禁じられるのである。禁止の最も厳格な実例は、ユダヤ教から始まるセム系一神教の中に、つまりユダヤ教からイスラム教へと連なる一神教の中に認めることができる。一神教は、「神の名」をみだりに唱えることをかたく禁じているのだ。

神がモーセに与えた十戒の第三番目が、まさにこの禁止を規定している。「あなたの神、主の名をみだりに唱えてはならない。みだりにその名を唱える者を主は罰せずにはおかれない」（出エジプト記二〇章七節）と。神がモーセに呼びかけ、イスラエルの人々をエジプト人から救出するだろうと予告した際、モーセは、神に、その名前を尋ねている。モーセがわざわざ質問しているのは、神が最初のうち、積極的に自分の名を語らなかったからである。神はただ、

「わたしはあなたの父の神である。アブラハムの神、イサクの神、ヤコブの神である」とだけしか自己紹介しなかったので、つまり神が言っていることは、私はあなたたちの神であるというほとんどトートロジーに過ぎなかったので、モーセは神に懇願したのだ[*9]。後で仲間から「その神の名は何というのか」と聞かれたときに困るから、名を教えてほしい、と。神は（多分）仕方がないので、ほとんど名前にはならないような名前をモーセに教えている。それが「ヤハウェ」、つまり「わたしはある」という名だ。神の名は、ただ「存在」ということ以上の意味内容をもたない。いずれにせよ、その神の名は、原則的には、口に出すことが許されないのである。

どうして、一神教は、神の名を唱えることを重い罪としたのか。この禁止は、偶像崇拝の禁止の一部であると考えればよい。名指すことは、一般に、その対象の固有の存在を認め、それに魂のようなものを見出し、崇めることにつながる[*10]。要するに、その対象は偶像である。しかし、その対象は、真の実在、存在の中の存在、つまり神ではない。名前で呼んでしまえば、われわれは常に、神ならぬ物（偶像）を神と取り違えることになるだろう。そうであるとすれば、ほんものの神だけは、名指すことの外に置かなくては、名指しから排除しなくてはならない。名前を唱えながら崇拝される物は、すべて偶像である。だから、真の神をその名で呼ぶことはできないのだ。

これが、一神教に内在した説明だが、本章の考察で活用した諸装置を用いれば、この禁止を、信仰の文脈から解放して、一般的なコンテクストで、つまり一神教の信者でなくても受け入れ可能な論理によって説明することができる。全称命題と特称命題の間のギャップが含意していることは、普遍概念と存在との間の根本的な不調和である。存在しているモノは、常に、それだけで普遍概念を裏切っていることになる。「神」は、究極の普遍概念である。それに対して、名前を付与するということは、対象のこの世界の中での存在、経験的な実在を認めることであろう。「これはAである」「Aという名の『これ』がここにある」と。神を名前で呼ぶことの禁止は、こうした普遍概念と存在との間の乖離に対応したものである。

だが、ここに、人間にとって困難な課題が提起されている。普遍概念と存在との間には、溝がある、と述べた。しかし、他方で、真に存在すべきもの、存在してもらわなくてはならないものがあるとすれば、それこそ、まさに、普遍概念——もう少し厳密に言い換えれば普遍概念を規定する条件に合致した対象——ではないか。「父とはPである（べきだ）」という概念があれば、そのような概念を充足した父が存在可能でなくてはならない。あるいは、「神」こそは、他の何にもまして、最も強い意味で存在していなくてはならない。

「中国」と「一神教」は、この難問に対する二つの回答である。中国の方は、言ってみれば、強引に、普遍概念に合致する物が、この経験的な世界の内に具体的に存在しうると仮定する戦略を取っている。「天子」とか「君子」とか「聖王」などが、それである。それらは、正名によって指示される。中でも最も重要な対象は、もちろん天子である。しかし、実在する天子（等）は、必然的に、普遍概念を——普遍概念が満たすべき条件を——裏切ることになる。この裏切りが堪え難いほどにあからさまになったときに引き起こされるのが、易姓革命だ。姓、王朝の名を変えるということは、異なる父の名をもつ者を、ほんとうの「天子」として指定しなおすことである。[*11]

一神教の戦略は、これとは異なる。中国の例で見るように、普遍概念に合致した対象を経験的な世界に内在する何かとして措定すれば、それは、必ず、普遍概念への裏切りとなって現れる。そこで、まったくアクロバティックな存在の仕方を認めるのが、一神教である。真の普遍概念、あらゆる普遍概念の後ろ盾になるような普遍概念（神）は、この経験的な世界の中の具体的な対象としては存在しないというやり方で、つまり純粋に否定的な仕方で存在していると見なすのである。具体物としては絶対に現れないということ、そのことこそが、最も強い意味での存在であると解釈されるのだ。この解釈の宗教的な表現が、偶像崇拝の禁止である。通常の意味で存在している物、この世界の中に何らかの具体性をもって現れている物は、すべて偶像である。その偶像の否定の上に、偶像を超えたものとして、崇高なる神が存在している、というわけである。[*12]

このように中国と一神教とを位置づけてみると、神＝普遍概念にとって、何が最大の脅威になりうるか、が自ずと明らかになる。たとえば、皇帝のような、一神教の観点から見れば偶像に近い物を崇拝したとしても、それを常に、普遍概念としての「天子」に対する逸脱として解釈する可能性が残されていれば、普遍概念そのものは安泰である。もちろん、一神教のように、普遍概念としての神の場所を、現象の彼方に見出すことができれば、普遍概念はもっと安全だ。

したがって、最も恐ろしいこと、普遍的なる神にとって最も危険なこと、それは、普遍概念そのものが寸分の逸脱もなく、この世界の中に存在してしまうことだということになる。それこそ、イエス・キリストということではあるまいか。イエス・キリストは、神である。そして同時に、まったくの人間でもある。神（普遍概念）は、本来的に、存在とは――この経験的な世界に内在した存在とは――相容れない。その神が、純粋なる人間として、具体的な一個人として、この世界の中に存在してしまったとしたらどうなるのか。これは、神の完全なる否定であろう。神であり人であるところのキリストの存在が含意していることは、まさに、普遍的な神の非存在なのである。一神教の論理の先端で、逆説的な仕方で、神の非存在が暗示されている。

すると、世界史の全体的な布置として、次のような構図を得ることができる。真ん中に（通常の）一神教を置いて、その両側で、中国の原理とキリスト教の原理とが対峙する、という構図である。われわれの考察は、世界史における圧倒的な非対称性、誰もがすぐに見てとることができる不均衡が、何に由来するのか、という問いから始まった（第1章）。今、ここに提起した構図は、その非対称性、つまり「東」と「西」の非対称性の表現になっている。この非対称性をもたらした要因は何であったのか、ということをめぐる探究は、まだ終わっていない。この探究を完遂するためには、「一神教」の文明を経由して、もう一度、「西」に、キリスト教に強く規定された西洋に考察の主戦場を移さなくてはならない。

＊

最後にもう一度、ごくかんたんに本書（東洋篇）の議論をふりかえってみよう。われわれは、中国とインドとを統一的な視野の中に収めることができるということを論証してきた。鍵となるのは、贈与の論理である。中国という社会システムが、贈与の論理の積極的で過剰な活用によって特徴づけられるとすれば、インドの社会システムは、贈与の論理の消極的・抑制的な活用によって特徴づけられる。贈与の論理を積極的に活用したとき、互酬的な贈与の水平的な平面から超越した、再分配システムの中心が、垂直的に投射される。その中心に置かれるのが、皇帝＝天子の身体である。それに対して、贈与の論理の消極的な活用の産物が、カースト体制である。

この「贈与の論理」を基準にして、「西」を、とりわけ、その中核としてのキリスト教を振り返ると、われわれは、そこに不可解な両義性を見出すことになる。キリスト教の根幹にある「贖罪」という着想、つまり人間の原罪（一種の負債）がキリストの死によって贖われたという着想は、互酬的な贈与の典型的なケースであるように見える。しかし、先に示唆したように（第4章第1節）、キリストの贖罪には、互酬的な贈与の論理の中にどうしても収まりきらないものがある。それは、一方では、互酬的な贈与の原則にのっとっているようでいて、他方では、その原則を完全に否定してもいるのだ。このキリスト教の両義性をどのように理解したらよいのか。この謎が、「東」との対照において「西」の特徴をとらえるための探究に、あらたな戦端を開くだろう。

＊1　納得し難いという人のために注釈を付けておく。全称命題は、いわゆる「含意」の命題、「AならばB」「A→B」という形式の命題に等価に置き換えられるということを考えるとわかりやすい。本文に挙げた全称命題は、「xがバルタン星人であるならば、xはハサミ状の手をもつ」という命題と同値である。「A→B」という命題は、前半（A）が真であるときには、後半（B）も真でなくては、全体として「真」にならない。しかし、「A→B」は、前半（A）が成り立たないときには、後半（B）の真／偽に関係なく妥当する。この例では、バルタン星人が存在しなければ、後半で何を主張しても、真になる。こんな例で考えたら、よりわかりやすいだろう。あなたが雑誌の編集者で、著者に、「今度の原稿が締切に間に合ったら、お鮨をごちそうします」と約束したとする。著者がほんとうに締切前に原稿を送ってきたのに、もしあなたが彼にお鮨をごちそうしなければ、あなたは嘘をついたことになる。しかし、結局、著者の原稿が締切に間に合わなかった場合にはどうだろうか。それでも、あなたが、あの著者もよく頑張っていたのだからと思って、彼をお鮨屋に招いたとしよう。そうしたからといって、あなたは嘘をついたことにはなるまい。つまり、著者が締切に間に合わなかったときには、あなたは鮨をごちそうしようがしまいが、どちらでも嘘つきにならずにすむのだ。

＊2　アベラールは、教え子エロイーズとの悲しい恋で知られている。以下を参照。大澤真幸『〈世界史〉の哲学　中世篇』講談社、二〇一一年、六一－六二頁、注5。

＊3　量の大きさ（つまり全称か特称かということ）の違う命題の真偽の関係を意味しているので「大小対当」と呼ばれるのだが、これはわかりやすい日本語とは言いがたい。“super”に対して「上への」、“sub”に対して「下への」という訳語をあてたのは、私である。「真」に関しては、「全称命題」から「特称命題」へと、

正方形の縦の辺を下降する伝播が生じ、「偽」については、逆に、上へと伝播する。

＊4　ヘーゲル『精神現象学』長谷川宏訳、作品社、一九九八年（原著一八〇七年）。

＊5　もちろん、ヘーゲルは、甲骨文字について何一つ知らずに書いている。甲骨文字が発見されるのは、ヘーゲルが死んでから七十年近く経ってからである。

＊6　ソール・A・クリプキ『名指しと必然性』八木沢敬・野家啓一訳、産業図書、一九八五年（原著一九八〇年）。

＊7　John R. Searle, *Intentionality: An Essay in the Philosophy of Mind*, Cambridge University Press, 1983, p.240.

＊8　誤解はないと思うが、念のために記しておこう。厳密に言えば、「天」という概念よりも漢字の方が古い。つまり、甲骨文字の出現の方が、中国で「天」の概念が整備されるよりも前のことである。ここで言わんとしていることは、最終的に「天」へと収束するような契機（「天」以前の原初的な第三者の審級を含む諸契機）が「漢字」の存立を可能なものにしていた、ということである。

＊9　普通、初めて会った人に何かを語るときには、最初に自分の名前を相手に告げるだろう。ところが、神は、「モーセよ、モーセよ」と相手の名前を呼んでおきながら、自分の方ははっきり名乗らず、お前たちを救ってやる、「乳と蜜の流れる土地」に導いてやる等のことをべらべらとしゃべっている。

＊10　われわれは、真に愛着を覚えるものには、名前（固有名）を与える。もちろんペットには名前を与えるし、道具や機械でさえも、名前を与えれば、特別な愛情を覚える。それが固有名をもっているかどうかということと、それに魂のようなものを見ているかどうかということとは、ほとんど同じことである。

＊11　「姓」は父（家父長）の名だが、この漢字が女偏であることからも示唆されるように、原始的な段階にあっては、「母の名」だったかもしれない。この点については、第25章を参照。

＊12　歴史的事実を確認しておく。儒教を、中華帝国の正統教義として認めたのは、前にも述べたように、漢の武帝である。儒教の官学化を実質的に指揮したのは、儒学者の董仲舒（とうちゅうじょ）であった。董仲舒の儒学は、孔子よりも孟子により強く規定されていた。「易姓革命」も孟子の考えである。易姓革命は、本文でも論じているように、皇帝の資格の正統性を、最終的には、血縁ではなく天命によって根拠づけている。この考えは、あらゆる関係性の中で父子関係を最も重視する儒教の中に、ひとつの緊張を導き入れるものである。易姓革命は、ヨーロッパの王権神授説に似ているようにみえるが重要な違いがある。本章の第4節に述べたように、「天」は声を発したり、預言者を指定したりはしないので、天命を直接に知る手段はない。したがって、ある人物が天命に基づく天子であるかどうかは、結果から推定するしかない。つまり、その人物がまさに「中国」という世界を全体として統一し、その中の自然的・社会的な秩序が維持されている、ということが、天命がその人物にくだっていることの証拠である。特に重要なのは、社会的な秩序、つまり人民の意志である。その人物の統治が人民に著しい不満を生み、秩序が乱れるとすると、その人物からは天命が去ったことになる。だから、これだけ見ると、このシステムはずいぶん民主的である。しかし、これは、天子が人民の民主的な支持によってその地位に就いているということではない。天子を天子にしているのは「天」なのだが、その天の無言の意志を知るための指標として、人民が活用されているのだ。それにしても、近代的な民主主義が、一見、民主的にみえる中国の易姓革命の論理からではなく、逆に、まったく反民主主義的な王権神授説のような論理をもっていた西洋から出てきたのは、またしても歴史の逆説である。

マルクスの「資本制生産に先立つ諸形態」の中に「アジア的生産様式」という段階がある。マルクスは、社会構成体（社会システム）の歴史的発展を、「氏族的→アジア的→古典古代的→封建的→資本主義的」生産様式という順序で考えていた。アジア的生産様式はこのように、五段階の中の最初から二番目にあたる。

歴史の「法則」を見出そうとする理論的な研究は、このマルクスの図式を中心にして展開してきた。この五段階を単純に受け入れるというのではなく、これを批判したり、修正したり、否定したり、等々の仕方で探究が進められてきたのだ。だがこの五つの中で、アジア的生産様式だけがすわりが悪い。この概念は、ひとつの「生産様式」と認めるにはあまりにもその内容が雑多で、批判や修正のための基準としてすら役立たないのだ。

それもそのはずである。マルクスは最初、（暗黙のうちに）西洋史を念頭において、前階級的な氏族的な段階から、奴隷がいる古典古代的段階、封建領主制の段階を経て、資本主義的生産様式に至るという四段階で考えていたのだが、やがて、この四つのどれにも収まらない生産様式が、西洋以外の至るところにあることに気づいた。それらをすべて詰め込むために、アジア的生産様式が挿入された、と言われている。アジア的生産様式は、マルクスが考えていた歴史法則のつじつまのあわない部分を一手に引き受けているのである。

「〈世界史〉の哲学」という私のプロジェクトの中の、この『東洋篇』に賭けられていた野心は、マルクスの発展段階論では破綻を隠すために導入されていた空っぽの箱を、理論的に実質をもった概念に置き換えることにあった。「アジア的生産様式」は、今述べたような事情から導入されたカテゴリーなので、「アジア的」という名前に反して、とくだんの理論的な理由もなく、アジアに限定されず何もかもがその中に包摂されている。本書の場合は、もちろんそうではなく、おもに中国とインドの文明について論じている。これらの文明は、やがて古典古代的段階や封建的段階へと進化する先行段階だというわけではない。非常に性格が異なり、互いのあいだの影響関係も乏しかった、中国とインドというふたつの文明が一冊の中で論じられていることには、単に両者が地理的に隣接しているから、ということとは異なる理論的な理由がある。

*

文庫化にあたって、橋爪大三郎さんに解説を寄せていただいた。橋爪さんは、大学四年生だったとき以来の、ちょうど十歳年長の私の最も尊敬してきた先輩。橋爪さんの、学問に対するひたむきな姿勢をずっと見てきたから、私も今日まで学究を仕事として続けることができたのだと思う。

こうした個人的な関係を抜きにしても、橋爪さんに解説をいただいたことは、本書にとってはまことに光栄で、過分というほかない。橋爪さんほど広い視野をもった社会学者は、現代の日本にはいないし、とりわけ、橋爪さんは「中国」を専門のひとつとしており、現代中国をめぐってアクチュアルな提言を含むいくつもの重要な本や論文を書いてこられたからである。橋爪さんに評価していただいたおかげで、私としては、自信をもって本書を世に送り出すことができる。

文庫化にあたっての校正・修正等のすべての作業は、講談社文芸第一出版部の名原博之さんに担当していただいた。量の面でも、内容の面でもたいへんな仕事だったはずだが、実に速やかに進めていただき、感謝に堪えない。名原さん、ありがとう。

二〇二三年九月二五日

大澤真幸

文芸文庫版解説

橋爪大三郎

本書は、壮大なシリーズ『〈世界史〉の哲学』の第三巻、『東洋篇』である。

このシリーズは二〇〇九年に着手された。第一巻は『古代篇』。第二巻は『中世篇』。第三巻のあとは『イスラーム篇』『近世篇』『近代篇1』…と続き、現在も継続中。全部で九巻の予定と聞く。

＊

さて『東洋篇』、いかがだったろうか。読めば（読まなくても）わかるが、ずしりと手応えがある。本文が七六七ページ、単行本たっぷり三冊分だ。しかもその密度はただならぬものがある。樹にたとえるなら、数人がかりでやっと幹の周りに手が届く巨木だ。

こんな巨木が九本も、並び立つこのシリーズ。鬱蒼とした森である。いったい誰が読み通せるだろう。いや、そもそもこんなものを書きおおせる著者の、頭の中はどうなっているのか。日本の知識界は鈍感でわかっていないが、もっと驚いていいのだ。

この森で迷子にならないように、パン屑を用意した。曲がり角や岐れ道に目印に置いておくとよい。解説を読み終わると、パン屑がポケットに届いているはずだ。

＊

まず、著者・大澤真幸氏の特性について。

本書に限らずシリーズ全体について、いや、大澤氏の著作すべてに言えることだが、彼はパラドックス（逆説）が大好きだ。大好きが度を越していて、嗜癖と言ってもいい。パラドックスを見つけないと気がすまない。見つけたら、解かないと気がすまない。そしてそれを、延々と読者に語らないと気がすまない。子どものように純真に。

私の知っているアカデミアの人びとは、誰もこんなふうでない。

なぜこうなのか。本人に聞いたわけではないが、たぶんこんな直観があるのだ。⑴大事なことは、隠れている。⑵自分はそれを見つけられる。⑶そしてみんなに伝えられる。「隠れてい」ても、見ればわかるじゃないか。「王様は裸だ！」それを言いたくて、大澤氏はうずうずしている。

＊

パラドックスとは、「謎」である。

そこに「謎」がある。それに気づくのが、まず才能である。

「謎」の成り立ちはこうだ。命題Aは、こういう。命題Bは、ああいう。命題Aと命題Bは違うことをいっている。両立しそうにない。矛盾しているかも。この命題Aと命題Bの組み合わせが「謎」、すなわちパラドックスである。

命題Aだけ、命題Bだけなら、ふつうにみえる。けっこう重要そうなまともな命題でもある。でも互いに関係ないと思われていて、それを結びつけようとは、あまり誰も考えない。それを組み合わせてパラドックスを示し、そこから意想外な結論を導くのが、腕の見せ所だ。

では具体的に、どうやるのか。『東洋篇』の場合を復習してみよう。

*

『東洋篇』の主題は、西洋と対比して東洋を論じること。東洋は、インドと中国のことだ。インドと中国は対極的なのに、なぜひとくくりにできるのか。東洋はけっこう進んだ文明だったのに、なぜ西洋に圧倒されてしまったのか。こんなでっかいパラドックスが、導入としてまず提起される。(そして読み終わるころには、その答えが手に入る。)

これが大枠だとすると、各章も同様の構成だ。最初にその章の謎(パラドックス)が紹介される。そして議論を掘り下げて行くと、隠れていた真実が明らかになる。そしてそれは、次の章に続く新しい謎の入り口になっている。

謎から謎へ。こんな28の章がずらりと並んだ書物を、どうデザインするのだろう。月刊誌『群像』の連載なので、その号限りの読者もいる。はらはらドキドキ、毎回ほぼ同じ枚数で完結、でも次号がますます読みたくなる。さすがの筆運びではないか。

＊

書き始める前に、模造紙みたいな紙に粗筋を図に描く。そう聞いた覚えがある。筋書きをどんどん描き足し、枝分かれして、迷路か曼荼羅のようになる。それがどうやって文章にすらすら変換できるのか、私には不思議だ。文体は軽快で、饒舌で、比喩やユーモアにあふれている。景色を楽しみながら、友達と散歩しているようだ。似たようなストーリーを書いてみろともし言われたら、私の場合、十分の一の分量にしかなりそうにない。『〈世界史〉の哲学』シリーズの各巻も、本書の各章と同様の関係になっている。謎が謎を呼び、問いが問いを産んで、テーマパークのように繋がっているのだ。そのなかを冒険しながら歩くのは、ゲームに没入するような、格別の醍醐味である。

＊

本書の大事な先行業績は、マックス・ヴェーバーである。

ヴェーバーは『プロテスタンティズムの倫理と資本主義の精神』で有名だ。『古代ユダヤ教』や、『ヒンドゥー教と仏教』『儒教と道教』を書いた。インドと中国に注目しつつ、西洋と東洋を対比している。ヴェーバーの比較社会学は、大澤氏の『〈世界史〉の哲学』（内容的には『〈世界史〉の比較社会学』と言うべきか？）とプランが重なっている。

違いはどこか。ヴェーバーは、一〇〇年以上前の仕事。当時は資料が限られていた。ヨーロッパで入手可能な資料を残らず集め、全部に目を通すことができた。大変な力業だ。西洋以外の社会にも対等な重みを与えて、多様な社会が並立する図柄を描きあげた。それぞれの社会の記述に重点がある。そのぶん、理論的な裏付けは後回し気味だ。

現在利用できる資料は、その一〇〇倍。いや一〇〇〇倍以上だろう。とても一人で目を通せる分量でない。だから大澤氏は、道具箱のなかから選びに選んだ資料を、謎解きのストーリーに合わせてつないでいく。フランス現代思想やポストモダンや…を踏まえたキレッキレのロジック。超絶技巧である。

そして、その根底にあるのは、フロイトである。「求心化」、「遠心化」、「第三者の審級」、の三つがキーワードだ。求心化はその昔、私が身体を論ずるのに用いた。大澤氏はそれを、遠心化とペアにして新しい生命を吹き込み、第三者の審級をうみだすダイナミズムにつなげた。

遠心化や第三者の審級は、疎外論のにおいがする。マルクス主義に懲りた私は、疎外論には抵抗がある。大澤氏はそうした抵抗がなく、見田宗介（みたむねすけ）氏のコミューン志向にも共鳴する。だからこそ、原始〜古代から近現代に流れ下る世界史の壮大なストーリーを、謎解きの旅のかたちに編成できたのだ。

＊

マルクス主義と無関係に、新しい世界史の像を描く試みは、ジャレド・ダイアモンドやユヴァル・ノア・ハラリが人気だ。わが国には、柄谷行人(からたにこうじん)や見田宗介の仕事がある。柄谷行人は、マルクス主義を脱構築し、交換様式を軸に世界史を描き直した。見田宗介は、社会と人間の自在な多様性のなかに、近代を超えるビジョンを描けると示唆した。グローバル資本主義の閉塞にうんざりし、出口を求める人びとは、その先を夢想したいのだ。

大澤氏の仕事は、これらと並行する。だが、理論がずっとエレガントだ。哲学の土台、社会学の土台が堅固だ。世界史のなかで観察されるさまざまな社会の実際を、一貫したロジックで理解し説明する。認識価値が、はるかに大きい。

＊

『東洋篇』に限って言えば、議論のポイントは、インドと中国のふたつの社会が、なぜそれぞれこうなのかである。インドはカースト制。中国は集権的な官僚制。まったく対極的なうえ、西洋とも異なる。このふたつの社会の根底に、何があるのか。

答えは、贈与論である。

贈与論はもともと、人類学の議論だ。いわゆる「未開」社会や伝統社会では、贈与が重要な役割を果たす。婚姻も贈与（交換）である。それを論じたマルセル・モースやマリノフスキーは、古典中の古典だ。インドや中国のような発展した文明も、説明できるのだろうか。キリスト教文明はどうか。それが論証できれば、原始・古代から近現代を貫く世界の文明のありさまを、独創的な見取りのもとに収めたことになる。

具体的にはどうか。

インドのカースト制を解くカギは、その独特の贈与（食物連鎖）にある。人びとの存在は神々からのギフト。人びとには負い目がある。神々に食べられる危険がある。食べられないよう祭祀を行ない、神々に供犠を与えてごまかす。これを担当するのがバラモンだ。

それ以下のカーストは、上のカーストを支えるための奉仕（贈与）に縛られている。これは、生存の逃れられない条件で、苦である。これを離脱したい。そこで各カーストは、なるべく接触せず、通婚もしない。こうして、人びとの多様性が維持される。強力な政府は必要ない。インドの本質は、こうしてかたちづくられている。

いっぽう中国は、広い。まっ平らで防御がむずかしく、戦争に明け暮れた。中国は境界のない全体で、天命を受けた皇帝が統治する。税が集めにくく、何段階にも重なった官僚が途中ネコババする。神々は排除され、官僚が武力を統制し、人びとは父系血縁集団に編成される。儒学のフォーマットだ。漢字が言語を統一し、皇帝が漢字を統一した。人びとの価値の規準は皇帝である。皇帝の存在そのものが贈与である。インドとは対極の、もうひとつの贈与のシステムが中国なのである。

『東洋篇』が描くのは、インドと中国が正反対で、でもひとつの原理で説明できることだ。随時、キリスト教や、ニューギニアやインカやアマゾンや…の事例を参照する。こんなに見事な世界の像を堪能できるとは、なんと贅沢なことだろう。

＊

さて、大澤氏の議論は、厖大な資料のごく一部をつまみ食いしているのではないか。議論の運びが恣意的で、必ずしもこんなふうに考えなくてもよいのではないか。そうかもしれない。でも、それでよい。こんなに一貫したロジックで世界史の図柄を描いてみせる仕事が、ほかのどこにあるだろう。文句があるなら、別なやり方で、自分もやってみればよいのだ。

大澤氏の仕事はややマニア向けだ。ハラリのように万人受けしないかもしれない。そんなことは、気にしなくてよい。理論の裏付けのない仕事は、結局残らないのだから。

＊

日本にいまほんとうに必要なのは、よい書物だ。

日本は停滞している。人びとはスマホに、一日何時間も使う。そのぶん、本が読まれない。出版社がやせ細り、書き手が食べていけない。逆風が吹いている。ある意味、文字の量は増えている。ブログやSNSは、文字で溢れている。でも、必ずしもよく練られていない。しばしば感情をぶつけあう、非難の応酬になる。この情報の海のなかで、よりよく生きるのに役立つ武器をみつけるのは至難のわざだ。

書物は、書き上げるのに時間がかかる。構想がある。試行錯誤がある。検証がある。編集のプロセスがある。それを必要とする人びとに確実に到達するように。批判に耐えるように。慎重に組み立てられている。書物は、文字の世界の王者だ。

よい書物は、売れる本ではない。評判になるとも限らない。でも、到達距離が長い。文化の多様性や文明の垣根を越え、時代を越えて、読まれ続ける。検証に耐える知識と価値が書き留められている。

よい書物は、社会を生きやすくする。政治がよくなるかもしれないし、経済だって上向くかもしれない。よい書物は、日本に必要なだけではない。世界を救うことができる。大澤氏の『〈世界史〉の哲学』シリーズは、そうした書物のひとつだ。

よい書物は、書かれた瞬間によい書物、なのではない。人びとに読まれ、血肉となっていくうちに、よい書物としての光を放ち始める。著者は最初のきっかけを与えるだけ。よい書物をつくり出すのは、読者なのだ。ウィルスが人びとに感染して、その特性を発現していくように、書物は読者に読まれることで、その本来の姿を現していく。

＊

今回、『〈世界史〉の哲学3　東洋篇』が、講談社文芸文庫のラインナップに加わったのはその一里塚。日本の読書界の誇りだ。大澤氏の長年の読者も初読のひとも、これを読んで糧とするよう期待したい。

さて、約束のパン屑は届いたろうか。道に迷いそうなときには、目印に使ってもらいたい。もっとも、迷ったまま出てこられなくなるのも一興ではあると思うよ。

本書は、『〈世界史〉の哲学　東洋篇』（二〇一四年一月、小社刊）を底本とし、表現等を多少調整しました。

また、文庫化にあたり、「〈世界史〉の哲学」シリーズとして通巻番号を付しています。

なお、初出は『群像』二〇一一年五月号～二〇一三年九月号（二〇一一年一〇月号をのぞく）です。

Kodansha Bungei bunko

〈世界史〉の哲学 3　東洋篇

大澤真幸

2023年11月10日第1刷発行

発行者……髙橋明男
発行所……株式会社 講談社
〒112-8001 東京都文京区音羽2・12・21
電話 編集 (03) 5395・3513
販売 (03) 5395・5817
業務 (03) 5395・3615

デザイン……水戸部 功
印刷……株式会社KPSプロダクツ
製本……株式会社国宝社
本文データ制作……講談社デジタル製作

ISBN978-4-06-533646-5

講談社文芸文庫

大澤真幸

〈世界史〉の哲学 3 東洋篇

解説=橋爪大三郎

二世紀頃、経済・政治・軍事、全てにおいて最も発展した地域だったにもかかわらず、覇権を握ったのは西洋諸国だった。どうしてなのだろうか？　世界史の謎に迫る。

978-4-06-533646-5 おＺ4

京須偕充

圓生の録音室

解説=赤川次郎・柳家喬太郎

昭和の名人、六代目三遊亭圓生の至芸を集大成したレコードを制作した若き日の著者が、最初の訪問から永訣までの濃密な日々のなかで受け止めたものとはなにか。

978-4-06-533350-4 きＬ1